明海大学不動産学部 教授
中村喜久夫

# 「スッキリ」シリーズの利用方法

## 1 満点をとる必要はない！

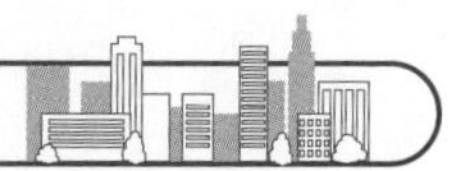

宅建士試験は４肢択一式の試験で50問出題される（実務経験者で講習受講者には５問免除制度あり）。出題される法律も多く、幅広い知識が要求される。しかし、近年の合格点は34点から38点だ。つまり、**満点でなくても合格できる**のだ。高得点を狙って、あれもこれもと勉強するとかえって失敗する。たくさんのことを中途半端に覚えるよりも、**最低限必要な知識を確実に**した方が、合格の可能性は格段に高まる。

本試験では誰もが緊張する。あいまいな知識は、まったく役に立たない。**学習範囲を重要事項に絞り込み、確実な知識になるまで繰り返す**。これが大切だ。

■直近５年間の宅建士試験・合格基準点

| (試験年度) | 令和元年 | 令和2年10月 | 令和2年12月 | 令和3年10月 | 令和3年12月 | 令和４年 | 令和５年 |
|---|---|---|---|---|---|---|---|
| 合格点 | 35点 | 38点 | 36点 | 34点 | 34点 | 36点 | 36点 |

※　宅建士試験の概要については（財）不動産適正取引推進機構のＨＰ（https://www.retio.or.jp/）を参照

## 2 「スッキリ」シリーズを使った学習プラン

### （1） 流れ

まずは、試験の全体像を押さえる。そのうえで、**①テキストを読む→②過去問集を解く**、というのが基本の流れだ。これに加え、**You Tube 中村喜久夫チャンネル**を視聴することで、より理解が深まる。

## (2) テキストを読む

テキストは「**読めばわかる**」ように書いている。また法律の趣旨など「なぜそのようなルールがあるのか」という理由付けや、具体的な事例をあげて解説している。あせらず理解することに重点を置いて読み進めていこう。理解ができていれば、応用問題にも対応できる。

※テキストの読み方の詳細は「3　テキストの読み方」を参照

## (3) 過去問集を解く

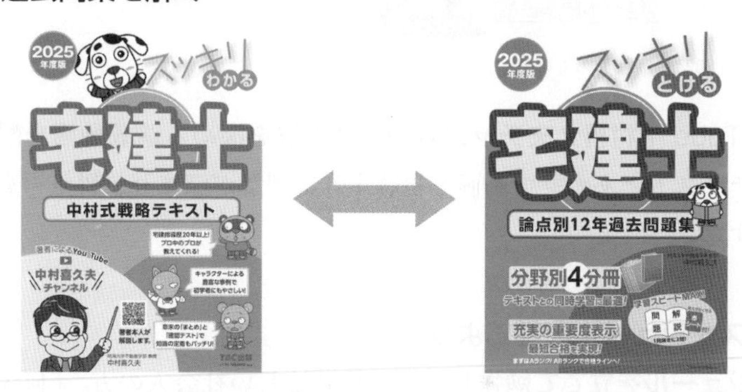


テキストを読んだら、該当分野の**過去問演習**に取り組もう。「1章読んだら、その章の問題を解く」のが基本だ。『スッキリとける宅建士』は論点別になっている（テキストと同じ章立てになっている）ので、**テキスト読了後すぐに問題演習**に取り組める。

問題を解く際は、**誤りの肢の理由を説明できるように**なることを目標にしよう。単に正解した（4つ選択肢から正解の肢を見つけた）で終わりにすることなく、それぞれの肢の正誤をきちんと説明できることが重要だ。なお、学習スピードをあげるため『スッキリとける』の解説は簡略化している。問題集の解説だけではわからないところは、テキストに戻って確認しよう。

過去問集『スッキリとける』には、12年分の問題が掲載されているが、全部を解く必要はない。**まずはAランクの問題を解くことが目標**だ（その分スピードをあげて先に進む）。また、**何回も解く**ことになるので、**問題文には**

**書き込まない方がよい**（書き込みは解説の方に）。

## （4） 講義動画を視聴する

※　画像は「2024年度版」のものです。

**You Tube 中村喜久夫チャンネル**では理解を深める講義動画を配信している。テキストとあわせて動画を視聴すれば理解が深まり、得点力も格段にアップする。

## （5） スケジュールを立てよう

**スケジュールを立てて勉強**しよう。特に忙しい社会人の方。「何曜日の何時から何時間勉強する」と決めることが大切だ。仮に実行できなくても、スケジュールを立てておけばサボったことが明確になる。合格したい、という意思があれば、どこかで取り戻そうと思えるはずだ。スケジュールを立てないと、気が付いたら試験直前だった、ということも起こりうる（多くの人はそういう失敗を繰り返している）。

## 3 テキストの読み方

### (1) 「正誤を判定○ or ×」の問題を考えてみる

**正誤を判定 ○ or ×**

大地主のタヌキチが、用途地域内にある自分の所有している土地を、駐車場用地２区画、資材置場１区画、園芸用地３区画に分割したうえで、これらを別々に売却しようとしている。タヌキチが売るのは宅地ではないので、宅建業法の免許を受ける必要はない。

**解答** 駐車場も資材置場も園芸用地も**用途地域内にあれば宅地**として扱われる。宅地を分割して売却するには、宅建業の免許が必要となる。 **×**

テキストの各章は、ケースに分かれており、ケースの冒頭に「正誤を判定○ or ×」という一問一答問題が載っている。まずは、(なんの知識もない状態で)この「正誤を判定○ or ×」にチャレンジしてほしい。それぞれのケースでは、法律をはじめとした様々なルールを学ぶわけだが、なぜそのようなルールが必要なのかということについての理解が深まるはずだ。問題文は「タヌキチが…」といった事例形式になっているが、本試験をベースに作成されている。

### (2) 本文を読む

まず読む

側注は後回し

**1 免許なしに宅建業はできない**

宅地や建物の「取引」を「業として行う」のが宅地建物取引業だ(長いので、これ以降は「**宅建業**」と省略する)。宅建業を営むには免許が必要だ。運転免許を持っている人だけが自動車の運転をできるように、宅建業免許を持っている人だけが宅建業者になることができる。

宅建**業者**と**宅建士**(宅地建物取引士)は、まったく別の存在だ。宅建士試験に受かっても、それだけでは宅建業はできないし、逆に試験に受かっていなくても宅建業者になれる。

試験では「ある行為をするのに宅建業の免許が必要か」という形で出題される。以降、**宅地**(2)、**建物**(3)、**取引**(ケース2)**業**(ケース3)とは何かについて見ていこう。

「正誤を判定○ or ×」について、自分なりに正誤（○ or ×）を判断したら、本文を読んでいこう。なぜこの事例が問題となるのか、他にどういうルールがあるのかが学べる。

テキストは「読めばわかる」ように平易に書いてある（法律的な厳密さは犠牲にしている部分もある。あくまで試験対策のテキストだ）。どんどん読み進めよう。

また、本文には「側注」がある。やや細かい内容や本試験での出題実績、理解するうえでのヒントなどが記載されている。**最初は気にしなくてもよい**。何回か通読するうちに「側注」のありがたみがわかってくる（合格に近づいている証拠だ）。

### (3)「発展」は後回し

**発展　「特別」分担金**

問題をおこした社員（宅建業者）が還付充当金を支払わなかった場合はどうなるのか。その穴埋めは他の社員で分担することになる。これを**特別弁済業務保証金分担金**、という。この納期は通知を受けてから**1カ月以内**。こちらも納付しない場合は社員としての地位を失う。

保証協会が積み立てている**弁済業務保証金準備金**（弁済業務保証金から得られる利子や配当金を積み立てたもの）を充ててもなお不足する場合に、特別弁済業務保証金分担金の納付が要請される。

「発展」とは、出題頻度が高いが、応用的論点なので最初から理解しようとすると混乱するような内容だ。テキストの読みが**2回目以降**になって理解できればよい（1回目はわからなくても気にしない。場合によっては全く無視でもよい）。

## （4）「Column」は参考程度で

**column　3％＋６万円の「６万円」とは…**

（手数料の限度額）

| | ～200万円 | 200～400万円 | 400万円～ |
|---|---|---|---|
| 5% | | | |
| 4% | 1%<br>(2万円*) | | |
| 3% | 1%<br>(2万円*) | 1%<br>(2万円*) | |
| | 3% | 3% | 3% |

（売買価格）

宅建業法では、売買価格のうち200万円までは５％、200万円から400万円までは４％、400万円を超える部分は３％と報酬限度額が定められている。売買価格が400万円を超えるのならば、手数料の限度額は３％で計算して、６万円足せば同じことなのだ。

＊200万円×1％＝2万円

「Column」というのもある。勉強のヒントを解説している。また、試験でストレートに聞かれることはないが、なぜそのような制度・ルールがあるのか、背景を知っておくと理解が深まる＝記憶につながる、というようなものもあげている。「Column」の内容は覚える必要はない。「背景なんてどうでもいい。とにかく暗記」という勉強法ができる方は無視してもらっても結構。とはいえ、興味をもつ＝勉強を進めるエネルギーになる、ことは間違いない。

## 4 合格に必要なこと

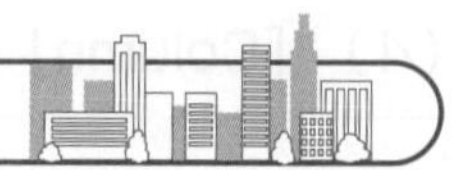

試験勉強にあたっては、①**あきらめない**、②**言い訳をしない**、③**合格を信じる**、これがなによりも大切だ。たかが宅建試験。きちんと勉強すれば（スッキリシリーズの内容をマスターすれば）、誰でも**合格**できる。頑張ろう！

2024年10月

中村　喜久夫

You Tube
「中村喜久夫チャンネル」へアクセス

# スッキリ宅建士シリーズ 合格メニュー

**鉄壁の2冊**

この1冊で合格できる!

スッキリ
わかる宅建士
中村式**戦略テキスト**

スッキリ
とける宅建士
論点別12年**過去問題集**
〈2025年1月刊行予定〉

スッキリ
うかる宅建士
30日完成**超最速ナビ**
〈2025年3月刊行予定〉

※表紙のデザインは変更となる場合があります。

**超最速コース or リベンジ**

**公開模擬試験**

★すべての人に必ず受けてほしい
★TAC宅建士講座の「全国公開模試」は、毎年10,000人以上がお申し込み!

# 本書に登場する キャラクター紹介

## 相関図

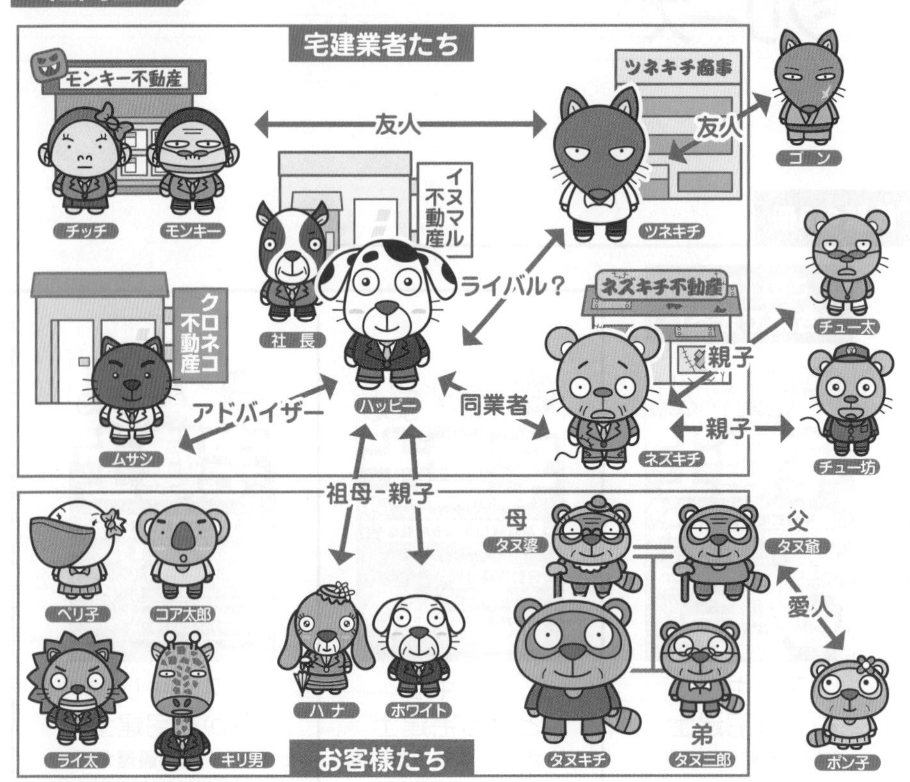


## キャラクター紹介

彼らを中心にストーリーが展開していきます。下線があるのは宅建試験の重要用語です。

◆宅建業者（とその家族）

ハッピー：宅建業者**イヌマル不動産**の新入社員。宅建士の資格取得を目指している。

ホワイト：ハッピーの父。マンションを購入するが、売主ネズキチ不動産が倒産したり、自宅の土地の一部が取得時効によりツネキチに取られそうになるなどトラブルが続く。

ハナ：ハッピーの祖母。賃貸マンション経営をしている。

ツネキチ：宅建業者**ツネキチ商事**を経営している。モンキーと組んでタヌキチの土地をだまし取ろうとする（詐欺）などちょっとずるいところがあるが、根は悪いやつではない。

ネズキチ：ネズキチ不動産を経営していたが倒産させてしまう。その後、故郷の青森県に帰り、再起を図る。しかし、ゴンに殴られる（不法行為）など不幸が続く。

チュー太：ネズキチの長男。未成年だが年齢を偽ってバイクを購入しようとする。

チュー坊：ネズキチの次男。努力家の中学生。宅建試験に合格し、父が潰したネズキチ不動産を再興しようとする。

## ◆お客様

タヌキチ：大地主タヌマ家の資産を管理している。

タヌ爺：タヌキチの父。タヌマ家の当主だが愛人騒動を起こす。

タヌ婆：タヌキチの母。成年被後見人だが、土地の売買をしようとする。

タヌ三郎：タヌキチの弟。父タヌ爺の土地を勝手に売却する無権代理事件を起こす。

ペリ子：自宅を購入するが抵当権が抹消できず、様々なトラブルに巻き込まれる。

ライ太、キリ男、コア太郎：土地を買ったり、建物を借りたり、ビルを建てようとしたり…。要は宅建業者のお客様たちです。

## ◆その他登場人物

ムサシ：クロネコ不動産を経営。宅建士。ハッピーにアドバイスをしてくれる。

モンキー：悪徳不動産業者モンキー不動産の社長。業務停止処分を無視して営業し、免許取り消しとなる。

チッチ：モンキー不動産の監査役だったが、悪人ではない。モンキー不動産の免許取り消し後、保証協会を活用して宅建業を開業する。

ゴン：ツネキチの友人。傷害罪で服役していた過去がある。

その他、**イヌマル社長**、**ポン子**などいろいろ出てきます。

# 目次

## パートⅠ　宅建業法

第1分冊

### 第1章　宅建業とは



### 第2章　宅建業免許



### 第3章　宅地建物取引士

## 第4章　営業保証金と保証協会



## 第5章　業務上の規制



## 第6章　重要事項説明・37条書面

## 第7章　自ら売主の8つの制限



## 第8章　監督処分と罰則



## 第9章　住宅瑕疵担保履行法

## パート II　法令上の制限　　第２分冊

### 第1章　都市計画法①－都市計画



### 第2章　都市計画法②－開発許可



### 第3章　建築基準法

## 第4章　国土利用計画法



## 第5章　農地法



## 第6章　土地区画整理法



## 第7章　盛土規制法・その他の法律

## パート Ⅲ－1　権利関係（前半）　第３分冊

### 第1章　制限行為能力者



### 第2章　意思表示



### 第3章　代　理

## 第4章　時　効



## 第5章　物　権



## 第6章　抵当権

## 第7章　売買契約



## 第8章　賃貸借契約・借地借家法

## パート Ⅲ−2　権利関係（後半）　第４分冊

### 第9章　債権の譲渡・消滅



### 第10章　連帯債務・保証債務



### 第11章　その他の契約・不法行為



### 第12章　相　続

You Tube
「中村喜久夫チャンネル」へアクセス

## 著者プロフィール

**中村喜久夫（なかむら・きくお）**

明海大学不動産学部教授、不動産鑑定士、賃貸不動産経営管理士。

(株)リクルート住宅情報事業部情報審査課長等を経て、独立。(株)不動産アカデミーを設立し、宅建試験をはじめとする各種資格試験対策講義、企業研修等を担当した。宅地建物取引士の法定講習（５年に１回の知事が指定する講習）のテキストの執筆、講師も担当している。全宅連の「不動産キャリアパーソン」の講師や「賃貸不動産経営管理士講習」の５点免除講習講師も担当。2014年４月明海大学不動産学部特任准教授。2018年４月教授就任。

YouTube「中村喜久夫チャンネル」で宅建試験対策の講義動画を無料公開している。

You Tube
「中村喜久夫チャンネル」へアクセス

スッキリ宅建士シリーズ

2025年度版　スッキリわかる宅建士　中村式戦略テキスト

（平成23年度版　2010年10月28日　初版　第1刷発行）
2024年11月30日　初版　第1刷発行

著　者　中村喜久夫
発行者　多田敏男
発行所　TAC株式会社　出版事業部
（TAC出版）
〒101-8383
東京都千代田区神田三崎町3-2-18
電話 03（5276）9492（営業）
FAX 03（5276）9674
https://shuppan.tac-school.co.jp
イラスト　佐藤雅則
組　版　株式会社グラフト
印　刷　今家印刷株式会社
製　本　東京美術紙工協業組合



ISBN 978-4-300-11444-5
N.D.C. 673

# 2025年度版 宅地建物取引士への道

宅地建物取引士証を手に入れるには、試験に合格し、宅地建物取引士登録を経て、宅地建物取引士証の交付申請という手続

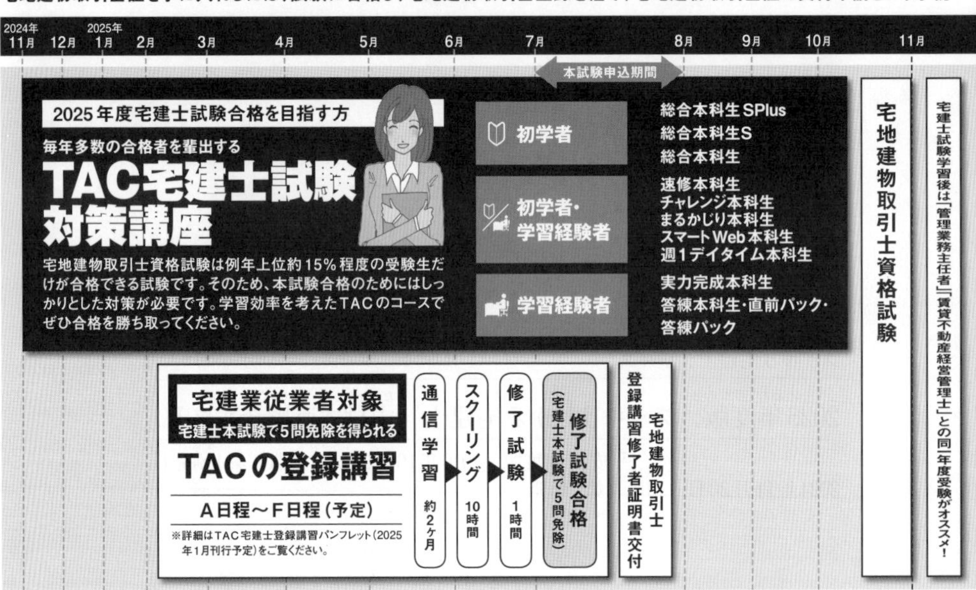

2024年 11月
12月
2025年 1月
2月
3月
4月
5月
6月
7月
8月
9月
10月
11月
本試験申込期間
2025年度宅建士試験合格を目指す方
毎年多数の合格者を輩出する
TAC宅建士試験対策講座
宅地建物取引士資格試験は例年上位約15%程度の受験生だけが合格できる試験です。そのため、本試験合格のためにはしっかりとした対策が必要です。学習効率を考えたTACのコースでぜひ合格を勝ち取ってください。
初学者
総合本科生SPlus
総合本科生S
総合本科生
初学者・学習経験者
速修本科生
チャレンジ本科生
まるかじり本科生
スマートWeb本科生
週1デイタイム本科生
学習経験者
実力完成本科生
答練本科生・直前パック・答練パック
宅地建物取引士資格試験
宅建士試験学習後は「管理業務主任者」「賃貸不動産経営管理士」との同一年度受験がオススメ!
宅建業従業者対象
宅建士本試験で5問免除を得られる
TACの登録講習
A日程～F日程(予定)
※詳細はTAC宅建士登録講習パンフレット(2025年1月刊行予定)をご覧ください。
通信学習 約2ヶ月
スクーリング 10時間
修了試験 1時間
修了試験合格(宅建士本試験で5問免除)
宅地建物取引士登録講習修了者証明書交付

"実務の世界で活躍する皆さまを応援したい"そんな思いから、TACでは試験合格のみならず宅建業で活躍されている方、活躍したい方を「登録講習」「登録実務講習」実施機関として国土交通大臣の登録を受け、サポートしております。

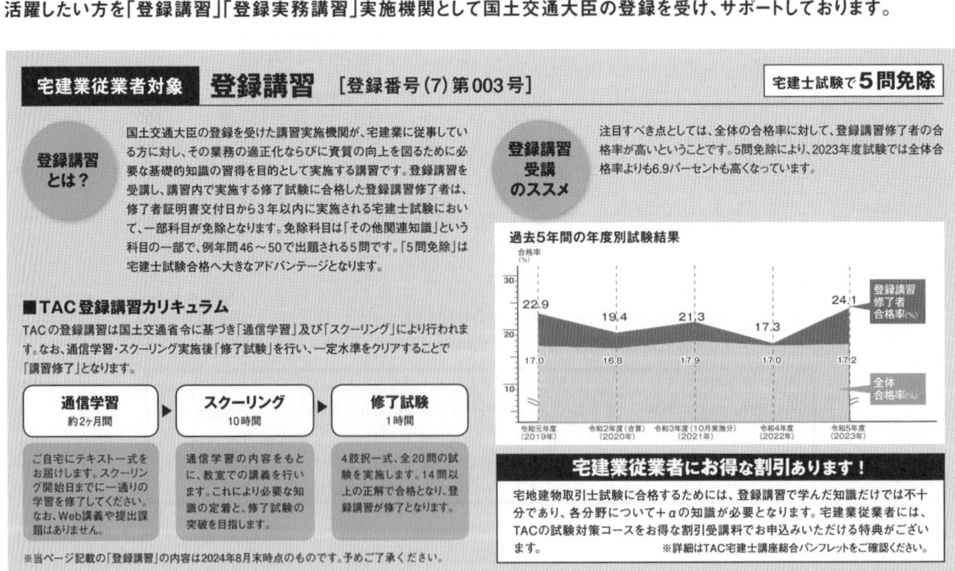

宅建業従業者対象 登録講習 [登録番号(7)第003号]
宅建士試験で5問免除
登録講習とは?
国土交通大臣の登録を受けた講習実施機関が、宅建業に従事している方に対し、その業務の適正化ならびに資質の向上を図るために必要な基礎的知識の習得を目的として実施する講習です。登録講習を受講し、講習内で実施する修了試験に合格した登録講習修了者は、修了者証明書交付日から3年以内に実施される宅建士試験において、一部科目が免除となります。免除科目は「その他関連知識」という科目の一部で、例年問46～50で出題される5問です。「5問免除」は宅建士試験合格へ大きなアドバンテージとなります。
■TAC登録講習カリキュラム
TACの登録講習は国土交通省令に基づき「通信学習」及び「スクーリング」により行われます。なお、通信学習・スクーリング実施後「修了試験」を行い、一定水準をクリアすることで「講習修了」となります。
通信学習 約2ヶ月間
スクーリング 10時間
修了試験 1時間
ご自宅にテキスト一式をお届けします。スクーリング開始日までに一通りの学習を修了してください。なお、Web講義や提出課題はありません。
通信学習の内容をもとに、教室での講義を行います。これにより必要な知識の定着と、修了試験の突破を目指します。
4肢択一式、全20問の試験を実施します。14問以上の正解で合格となり、登録講習が修了となります。
※当ページ記載の「登録講習」の内容は2024年8月末時点のものです。予めご了承ください。
登録講習受講のススメ
注目すべき点としては、全体の合格率に対して、登録講習修了者の合格率が高いということです。5問免除により、2023年度試験では全体合格率よりも6.9パーセントも高くなっています。
過去5年間の年度別試験結果
合格率(%)
30
20
10
22.9
19.4
21.3
17.3
24.1
17.0
16.8
17.9
17.0
17.2
登録講習修了者合格率(%)
全体合格率(%)
令和元年度(2019年)
令和2年度(合算)(2020年)
令和3年度(10月実施分)(2021年)
令和4年度(2022年)
令和5年度(2023年)
宅建業従業者にお得な割引あります!
宅地建物取引士試験に合格するためには、登録講習で学んだ知識だけでは不十分であり、各分野について＋αの知識が必要となります。宅建業従業者には、TACの試験対策コースをお得な割引受講料でお申込みいただける特典がございます。
※詳細はTAC宅建士講座総合パンフレットをご確認ください。

きが必要です。

12月　2026年1月

| 賃貸不動産経営管理士試験（例年11月中旬実施／12月下旬合格発表） | 宅地建物取引士資格試験　合格 | 管理業務主任者試験（例年12月初旬実施／翌年1月中旬合格発表） | 宅建士試験合格者対象 実務経験2年未満の方が資格登録をするために必要 TACの登録実務講習 第1日程～第9日程（予定） ※詳細はTAC宅建士登録実務講習パンフレット（2025年12月刊行予定）をご覧ください。 通信学習 約1ヶ月 ▶ スクーリング 12時間 ▶ 修了試験 1時間 ▶ 修了試験合格 | 宅地建物取引士 登録実務講習 修了証交付 | 宅地建物取引士 資格登録 | （下記参照） | 宅地建物取引士証交付申請 | 宅地建物取引士証交付 |
|---|---|---|---|---|---|---|---|---|

30日～60日　15日～30日

**宅建士試験合格後1年以内の方**

宅地建物取引士試験合格後1年以内に宅地建物取引士証の交付申請をする場合は、「法定講習」の受講は不要です。

**宅建士試験合格後1年超の方**

「法定講習」受講

法定講習とは？
宅地建物取引士証の交付・更新を受けるにはあらかじめ各都道府県知事が指定する機関が実施する講習（おおむね6時間）を受講する必要があります。

1. 宅地建物取引士証の更新の方
2. 宅地建物取引士証の有効期限が切れた後、新たに宅地建物取引士証の発行を希望される方（なお、宅地建物取引士証の有効期限が切れた場合、宅地建物取引士としての仕事はできませんが、宅地建物取引士の登録自体が無効になることはありません）
3. 宅地建物取引士資格試験合格後、宅地建物取引士証の交付を受けずに1年が経過した方

法定講習を受講した場合は全科目終了後、当日に宅地建物取引士証が交付されます。

# 試験ガイド

## >> 試験実施日程
（2024年度例）

| 試験案内配布 | 試験申込期間 | 試　験 | 合格発表 |
|---|---|---|---|
| 例年7月上旬より各都道府県の試験協力機関が指定する場所にて配布（各都道府県別） | ■郵送（消印有効）<br>例年7月上旬～7月中旬<br>■インターネット<br>例年7月上旬～7月下旬 | 毎年1回<br>原則として例年10月第3日曜<br>日時間帯／午後1時～3時（2時間）<br>※登録講習修了者<br>午後1時10分～3時（1時間50分） | 原則として11月下旬<br><br>合格者受験番号の掲示および合格者には合格証書を送付 |
| 【2024年度】<br>7/1（月）～7/16（火） | 【2024年度】<br>■郵送<br>7/1（月）～7/16（火）消印有効<br>■インターネット<br>7/1（月）9時30分～<br>7/31（水）23時59分 | 【2024年度】<br>10/20（日） | 【2024年度】<br>11/26（火） |

## >> 試験概要（2024年度例）

| | |
|---|---|
| 受験資格 | 原則として誰でも受験できます。また、宅地建物取引業に従事している方で、国土交通大臣から登録を受けた機関が実施する講習を受け、修了した人に対して試験科目の一部（例年5問）を免除する「登録講習」制度があります。 |
| 受験地 | 試験は、各都道府県別で実施されるため、受験申込時に本人が住所を有する都道府県での受験が原則となります。 |
| 受験料 | 8,200円 |
| 試験方法・出題数 | 方法：4肢択一式の筆記試験（マークシート方式）　出題数：50問（登録講習修了者は45問） |
| 試験内容 | 法令では、試験内容を７項目に分類していますが、TACでは法令をもとに下記の４科目に分類しています。 |

| 科　目 | 出題数 |
|---|---|
| 民法等 | 14問 |
| 宅建業法 | 20問 |
| 法令上の制限 | 8問 |
| その他関連知識 | 8問 |

※登録講習修了者は例年問46～問50の5問が免除となっています。

**試験実施機関**
(一財)不動産適正取引推進機構
〒105-0001
東京都港区虎ノ門3-8-21　第33森ビル3階
03-3435-8111　http://www.retio.or.jp/

受験資格または願書の配布時期及び申込受付期間等については、必ず各自で事前にご確認ください。
願書の取り寄せ及び申込手続も必ず各自で忘れずに行ってください。

# 直前対策シリーズ

※直前対策シリーズの受講料等詳細につきましては、2025年7月中旬刊行予定のご案内をご確認ください。

**ポイント整理、最後の追い込みに大好評!**

TACでは、本試験直前期に、多彩な試験対策講座を開講しています。
ポイント整理のために、最後の追い込みのために、毎年多くの受験生から好評をいただいております。
周りの受験生に差をつけて合格をつかみ取るための最後の切り札として、ご自身のご都合に合わせてご活用ください。

## 8月開講 直前対策講義 〈全7回／合計17.5時間〉 講義形式

ビデオブース講座　Web通信講座

**直前の総仕上げとして重要論点を一気に整理!**
**直前対策講義のテキスト（非売品）は本試験当日の最終チェックに最適です!**

**対象者**
- よく似たまぎらわしい内容や表現が「正確な知識」として整理できていない方
- 重要論点ごとの総復習や内容の整理を効率よくしたい方
- 問題を解いてもなかなか得点に結びつかない方

**特色**
- 直前期にふさわしく「短時間（合計17.5時間）で重要論点の総復習」ができる
- 重要論点ごとに効率良くまとめられた教材で、本試験当日の最終チェックに最適
- 多くの受験生がひっかかってしまうまぎらわしい出題ポイントをズバリ指摘

カリキュラム（全７回）
使用テキスト
●直前対策講義レジュメ（全1冊）

| 通常受講料（教材費・消費税10％込） | ■ビデオブース講座<br>■Web通信講座 | ¥33,000 |
|---|---|---|

※2025年合格目標宅建士講座「総合本科生SPlus」「総合本科生S」「総合本科生」をお申込みの方は、カリキュラムの中に「直前対策講義」が含まれておりますので、別途「直前対策講義」のお申込みの必要はありません。

## 10月開講 やまかけ3日漬講座 〈全3回／合計7時間30分〉 問題演習＋解説講義

教室講座　Web通信講座　DVD通信講座

**TAC宅建士講座の精鋭講師陣が2025年の宅建士本試験を**
**完全予想する最終直前講座!**

**対象者**
- 本試験直前に出題予想を押さえておきたい方

**特色**
- 毎年多数の受験生が受講する大人気講座
- TAC厳選の問題からさらに選りすぐった「予想選択肢」を一挙公開
- リーズナブルな受講料
- 一問一答形式なので自分の知識定着度合いが把握しやすい

申込者限定配付
使用テキスト
●やまかけ3日漬講座レジュメ（問題・解答 各1冊）

| 通常受講料（教材費・消費税10％込） | ■教室講座<br>■Web通信講座 | ¥9,900 |
|---|---|---|

※2025年合格目標TAC宅建士講座各本科生・パック生の方も別途お申込みが必要です。
※振替・重複出席等のフォロー制度はございません。予めご了承ください。

# 宅建士とのW受験に最適！

# 宅地建物取引士試験と管理業務主任者試験の同一年度W受験をオススメします！

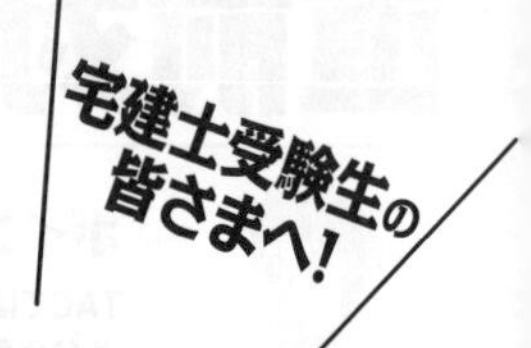


## 宅建士で学習した知識を活かすには同一年度受験!!

宅建士と同様、不動産関連の国家資格「管理業務主任者」は、マンション管理のエキスパートです。管理業務主任者はマンション管理業者に必須の資格で独占業務を有しています。**現在、そして将来に向けてマンション居住者の高齢化とマンションの高経年化は日本全体の大きな課題となっており、今後「管理業務主任者」はより一層社会から求められる人材として期待が高まることが想定されます。**マンションディベロッパーをはじめ、宅建業者の中にはマンション管理業を兼務したりマンション管理の関連会社を設けているケースが多く見受けられ、宅建士とのダブルライセンス取得者の需要も年々高まっています。

また、**試験科目が宅建士と多くの部分で重なっており、**宅建士受験者にとっては資格取得に向けての大きなアドバンテージになります。したがって、宅建士受験生の皆さまには、**同一年度に管理業務主任者試験とのW合格のチャレンジをオススメします！**

### ◆各資格試験の比較 ※受験申込受付期間にご注意ください。

| | 宅建士 | 共通点 | 管理業務主任者 |
|---|---|---|---|
| 受験申込受付期間 | 例年 7月初旬～7月末 | | 例年 8月初旬～9月末 |
| 試験形式 | 四肢択一・50問 | ↔ | 四肢択一・50問 |
| 試験日時 | 毎年1回、10月の第3日曜日 | | 毎年1回、12月の第1日曜日 |
| | 午後1時～午後3時（2時間） | ↔ | 午後1時～午後3時（2時間） |
| 試験科目（主なもの） | ◆民法<br>◆借地借家法<br>◆区分所有法<br>◆不動産登記法<br>◆宅建業法<br>◆建築基準法<br>◆税金 | ↔ | ◆民法<br>◆借地借家法<br>◆区分所有法<br>◆不動産登記法<br>◆宅建業法<br>◆建築基準法<br>◆税金 |
| | ◆都市計画法<br>◆国土利用計画法<br>◆農地法<br>◆土地区画整理法<br>◆鑑定評価<br>◆宅地造成等規制法<br>◆統計 | | ◆標準管理規約<br>◆マンション管理適正化法<br>◆マンションの維持保全（消防法・水道法等）<br>◆管理組合の会計知識<br>◆標準管理委託契約書<br>◆建替え円滑化法 |
| 合格基準点 | 36点/50点（令和5年度） | | 35点/50点（令和5年度） |
| 合格率 | 17.2%（令和5年度） | | 21.9%（令和5年度） |

※管理業務主任者試験を目指すコースの詳細は、2025年合格目標 管理業務主任者講座パンフレット（2024年12月刊行予定）をご覧ください。

# 宅建士からのステップアップに最適！

## ステップアップ・ダブルライセンスを狙うなら…

宅地建物取引士の本試験終了後に、不動産鑑定士試験へチャレンジする方が増えています。なぜなら、これら不動産関連資格の学習が、不動産鑑定士へのステップアップの際に大きなアドバンテージとなるからです。宅建の学習で学んだ知識を活かして、ダブルライセンスの取得を目指してみませんか？

## 不動産鑑定士

宅建を学習された方にとっては
見慣れた法令が
点在しているはずです。

**2024年度不動産鑑定士短答式試験**
**行政法規　出題法令・項目**

難易度の差や多少の範囲の相違はありますが、一度学習した法令ですから、初学者に比べてよりスピーディーに合格レベルへと到達でき、非常に有利といえます。
なお、論文式試験に出題される「民法」は先述の宅建士受験者にとっては馴染みがあることでしょう。したがって不動産鑑定士試験全体を通じてアドバンテージを得ることができます。

| 問題 | 法　律 | 問題 | 法　律 |
|---|---|---|---|
| 1 | 土地基本法 | 21 | マンションの建替え等の円滑化に関する法律 |
| 2 | 不動産の鑑定評価に関する法律 | 22 | 不動産登記法 |
| 3 | 不動産の鑑定評価に関する法律 | 23 | 住宅の品質確保の促進等に関する法律 |
| 4 | 地価公示法 | 24 | 宅地造成及び特定盛土等規制法 |
| 5 | 国土利用計画法 | 25 | 宅地建物取引業法 |
| 6 | 都市計画法 | 26 | 不動産特定共同事業法 |
| 7 | 都市計画法 | 27 | 高齢者、障害者等の移動等の円滑化の促進に関する法律 |
| 8 | 都市計画法 | 28 | 土地収用法 |
| 9 | 都市計画法 | 29 | 土壌汚染対策法 |
| 10 | 都市計画法 | 30 | 文化財保護法 |
| 11 | 土地区画整理法 | 31 | 自然環境保全法 |
| 12 | 土地区画整理法 | 32 | 農地法 |
| 13 | 都市再開発法 | 33 | 河川法、海岸法、公有水面埋立法 |
| 14 | 都市再開発法 | 34 | 国有財産法 |
| 15 | 景観法 | 35 | 所得税法 |
| 16 | 建築基準法 | 36 | 法人税法 |
| 17 | 建築基準法 | 37 | 租税特別措置法 |
| 18 | 建築基準法 | 38 | 地方税法 |
| 19 | 建築基準法 | 39 | 相続税法 |
| 20 | 建築基準法 | 40 | 資産の流動化に関する法律、投資信託及び投資法人に関する法律 |

(2024年2月現在)

# 書籍のご購入は

## 1 全国の書店、大学生協、ネット書店で

## 2 TAC各校の書籍コーナーで

資格の学校TACの校舎は全国に展開!
校舎のご確認はホームページにて

資格の学校TAC ホームページ
https://www.tac-school.co.jp

## 3 TAC出版書籍販売サイトで

24時間
ご注文
受付中

TAC 出版 で 検索

https://bookstore.tac-school.co.jp/

新刊情報を
いち早くチェック!

たっぷり読める
立ち読み機能

学習お役立ちの
特設ページも充実!

TAC出版書籍販売サイト「サイバーブックストア」では、TAC出版および早稲田経営出版から刊行されている、すべての最新書籍をお取り扱いしています。
また、会員登録(無料)をしていただくことで、会員様限定キャンペーンのほか、送料無料サービス、メールマガジン配信サービス、マイページのご利用など、うれしい特典がたくさん受けられます。

### サイバーブックストア会員は、特典がいっぱい!(一部抜粋)

通常、1万円(税込)未満のご注文につきましては、送料・手数料として500円(全国一律・税込)頂戴しておりますが、1冊から無料となります。

専用の「マイページ」は、「購入履歴・配送状況の確認」のほか、「ほしいものリスト」や「マイフォルダ」など、便利な機能が満載です。

メールマガジンでは、キャンペーンやおすすめ書籍、新刊情報のほか、「電子ブック版TACNEWS(ダイジェスト版)」をお届けします。

書籍の発売を、販売開始当日にメールにてお知らせします。これなら買い忘れの心配もありません。

# 書籍の正誤に関するご確認とお問合せについて

書籍の記載内容に誤りではないかと思われる箇所がございましたら、以下の手順にてご確認とお問合せをしてくださいますよう、お願い申し上げます。
なお、正誤のお問合せ以外の**書籍内容に関する解説および受験指導などは、一切行っておりません。**
そのようなお問合せにつきましては、お答えいたしかねますので、あらかじめご了承ください。

## 1 「Cyber Book Store」にて正誤表を確認する

TAC出版書籍販売サイト「Cyber Book Store」の
トップページ内「正誤表」コーナーにて、正誤表をご確認ください。

CYBER TAC出版書籍販売サイト BOOK STORE

**URL:https://bookstore.tac-school.co.jp/**

## 2 1の正誤表がない、あるいは正誤表に該当箇所の記載がない ⇒ 下記①、②のどちらかの方法で文書にて問合せをする

★ご注意ください★

**お電話でのお問合せは、お受けいたしません。**
①、②のどちらの方法でも、お問合せの際には、「お名前」とともに、
「対象の書籍名(○級・第○回対策も含む)およびその版数(第○版・○○年度版など)」
「お問合せ該当箇所の頁数と行数」
「誤りと思われる記載」
「正しいとお考えになる記載とその根拠」
を明記してください。
なお、回答までに1週間前後を要する場合もございます。あらかじめご了承ください。

**① ウェブページ「Cyber Book Store」内の「お問合せフォーム」より問合せをする**

【お問合せフォームアドレス】

**https://bookstore.tac-school.co.jp/inquiry/**

**② メールにより問合せをする**

【メール宛先 TAC出版】

**syuppan-h@tac-school.co.jp**

**※土日祝日はお問合せ対応をおこなっておりません。**
**※正誤のお問合せ対応は、該当書籍の改訂版刊行月末日までといたします。**

乱丁・落丁による交換は、該当書籍の改訂版刊行月末日までといたします。なお、書籍の在庫状況等により、お受けできない場合もございます。
また、各種本試験の実施の延期、中止を理由とした本書の返品はお受けいたしません。返金もいたしかねますので、あらかじめご了承くださいますようお願い申し上げます。

TACにおける個人情報の取り扱いについて
■お預かりした個人情報は、TAC(株)で管理させていただき、お問合せへの対応、当社の記録保管にのみ利用いたします。お客様の同意なしに業務委託先以外の第三者に開示、提供することはございません(法令等により開示を求められた場合を除く)。その他、個人情報保護管理者、お預かりした個人情報の開示等及びTAC(株)への個人情報の提供の任意性については、当社ホームページ(https://www.tac-school.co.jp)をご覧いただくか、個人情報に関するお問い合わせ窓口(E-mail:privacy@tac-school.co.jp)までお問合せください。

(2022年7月現在)

## バラして使える 4分冊 の使いかた

本書は、分野別にテキスト4分冊で構成されています。
各分冊は、それぞれ以下の要領で取り外してお使いください。

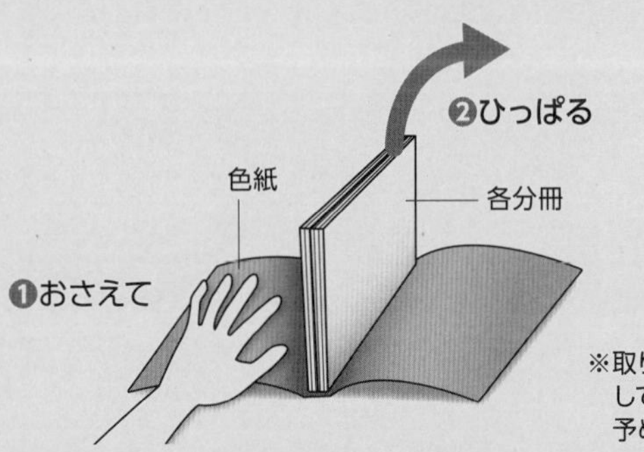


※取り外しの際の損傷につきましては、交換いたしかねます。予めご了承ください。

# パート I

# 宅建業法

ハッピー

宅建業法（住宅瑕疵担保履行法を含む）は、最重要科目だ。出題数が20問と多く、内容的にもやさしいものが多いため、得点源になる。最初は難しいと感じるかもしれないが、それは言葉に慣れていないだけ。テキストを読み込んで、過去問演習を繰り返すうちに、必ず高得点が取れるようになる。

なお、宅建業法に限っては、「捨てる分野」はない。この「テキスト編」に書いてあることは、すべて理解しよう。

You Tube
「中村喜久夫チャンネル」へアクセス

# パートⅠ　宅建業法

目　次

# 第1章　宅建業とは

## ケース1　「宅地」とは住宅の敷地のことだけではない

**正誤を判定 ○ or ×**

大地主のタヌキチが、用途地域内にある自分の所有している土地を、駐車場用地２区画、資材置場１区画、園芸用地３区画に分割したうえで、これらを別々に売却しようとしている。タヌキチが売るのは宅地ではないので、宅建業法の免許を受ける必要はない。

**解答** 駐車場も資材置場も園芸用地も**用途地域内にあれば宅地**として扱われる。宅地を分割して売却するには、宅建業の免許が必要となる。　**×**

### 1 免許なしに宅建業はできない

宅地や建物の「取引」を「業として行う」のが宅地建物取引業だ（長いので、これ以降は「**宅建業**」と省略する）。宅建業を営むには免許が必要だ。運転免許を持っている人だけが自動車の運転をできるように、宅建業免許を持っている人だけが宅建業者になることができる。

> 宅建**業者**と**宅建士**（宅地建物取引士）は、まったく別の存在だ。宅建士試験に受かっても、それだけでは宅建業はできないし、逆に試験に受かっていなくても宅建業者になれる。

試験では「ある行為をするのに宅建業の免許が必要か」という形で出題される。以降、**宅地**（2）、**建物**（3）、**取引**（ケース2）**業**（ケース3）とは何かについて見ていこう。

## 2 宅地とは

宅地といっても、住宅用の土地のことだけをいうのではない。**建物の敷地として使われる土地**であれば宅地だ。

> **① 現在、建物が建っている土地**
> **② 将来、建物を建てる目的で取引する土地**
> **③ 用途地域内にある土地**

①。**建物が建っている土地**はすべて宅地だ。商店や工場、倉庫の敷地でも宅地にあたる。

②。(現在建物は建っていなくても)**将来建物を建てる土地**であれば、これも宅地だ。

③の**用途地域**とは、市街地のこと(詳しくは「パートⅡ第1章都市計画法①」を参照)。**用途地域内にあれば**、駐車場であろうが、田畑であろうが**宅地**として扱われる。

R3⑫-34-1、
R2⑫-44-エ、
R1-42-1

一方、用途地域内にある土地でも、**道路**、**公園**、**河川**、**広場**、**水路**など、公共用地に使われている土地は宅地ではない。

## 3 建物とは

建物については、以下の2点を覚えておけば十分だ。

**「共有制リゾートクラブ会員権」**の売買も**宅建業にあたる。**会員はリゾート施設(宅地・建物)を共有することになるからだ。

> **① アパートやマンションの1室など建物の一部であっても建物にあたる。**
> **② 住居だけでなく、店舗、工場、倉庫なども建物にあたる。**

# 第1章　宅建業とは

## ケース2　自分のものを貸すときには免許不要

**正誤を判定 ○ or ×**

ハナは自分の所有する土地に４戸のアパートを建設し、学生に賃貸している。ハナの行為は宅建業にあたるので免許を受ける必要がある。

マンションを貸すのも
不動産業だよなぁ。免
許がなくていいのかな


**解答** ハナは**自ら貸主**であるから、宅建業の**免許は不要**である。 ×

### 1 貸主であれば宅建業の免許は不要だ

次は「取引」だ。宅地建物の取引とは以下の①～③をいう。

> ①　**自分の宅地・建物を自ら売買（交換）する。**
> ②　**他人の宅地・建物の売買（交換）・貸借の代理をする。**
> ③　**他人の宅地・建物の売買（交換）・貸借の媒介をする。**

交換は売買と同じ行為と考えられる。宅地や建物の代金をお金で払うか、物で払うかの違いでしかない（したがって、**売買に適用されることはすべて交換にも適用される**）。

②の**代理**や③の**媒介**とは、人が宅地・建物を売ったり買ったり、貸したり借りたりすることのお手伝いをすることだ。宅地・建物の売買や貸借を手伝うには宅建業免許が必要なのだ。

媒介のことを実務では「仲介」ともいう。「仲介手数料」「仲介業者」など。媒介と仲介は同じ意味である。

これに対し、①は自分で売買することを指している。そして①には貸借がない。自ら宅地・建物を売買するのは宅建業だが貸借するのは宅建業ではないのだ。

たとえばハナが総戸数50戸のマンションを建てたとする。これを50人の人に売る（分譲という）ならば、宅建業の免許が必要である。ところが、このマンションを50人の人に貸すのであれば、免許は不要だ。

売る
→免許が必要

貸す
→免許は不要

総戸数　50戸

このことを、**自ら貸主は免許が不要**であるという。

不動産賃貸業には宅建業の免許は不要ということだ。
下の表で確認しよう。

**◇宅建業に該当し、免許が必要となるか　○：必要　×：不要**

| | 売買（交換） | 貸　借 |
|---|---|---|
| 自ら | ○ | × |
| 代理 | ○ | ○ |
| 媒介 | ○ | ○ |

ハナからマンションを借りたコア太郎が、ゴンに「また貸し」をするのが転貸借だ。
転貸するには貸主の承諾が必要だ。

「自ら貸主」だけでなく、オーナーに代わって宅地・建物を「管理」する行為や、他人から借りた物を第三者にまた貸しする「転貸」も宅建業免許は不要だ。よく出題される事項だ。

## 2 代理は契約まで行う

では、②代理と③媒介はどう違うのか。どちらも他人の売買や貸借をお手伝いする行為だが、その範囲が違う。

一言でいえば、**契約まで行うのが代理**である。

代理と媒介では受領できる報酬額もちがう（第5章ケース9参照）。

自分の住んでいるマンションを売る場合、宅建業者に代理をお願いすれば、宅建業者は売主に代わって売買契約まで結ぶ。一方、媒介をお願いすれば、宅建業者は買主を見つけ、物件の説明等は行うが、契約自体は売主と買主で結ぶことになる。

**代理：「私の代わりに家を売ってきてください」**
**＝「契約も頼むよ」**
**媒介：「私の家を買う人を探してきてください」**
**＝「契約は自分でするよ」**

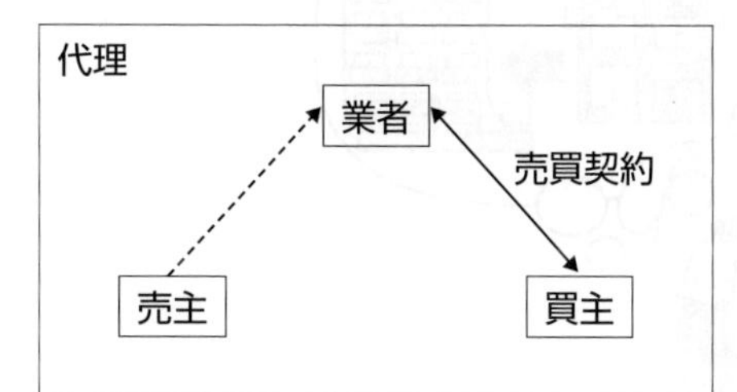


代理は契約まで行う。

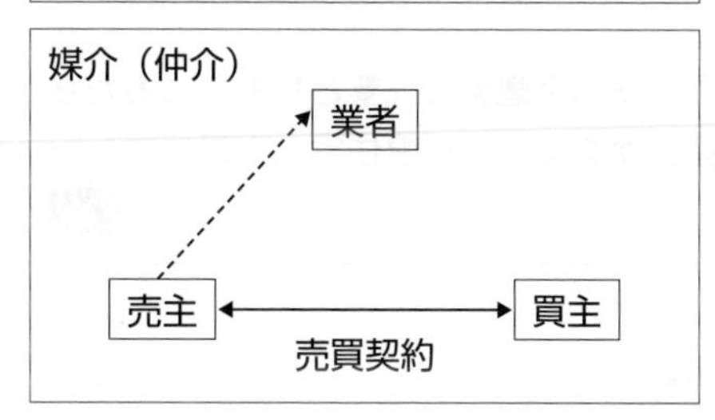


媒介（仲介）は紹介するだけ。

# ケース3　「業として」の意味

**正誤を判定 ○ or ×**

ホワイトは戸建住宅を売却し、ネズキチ不動産からマンションを購入することにした。ホワイトの行為は宅地・建物の売買にあたるから、ホワイトは宅建業の免許を取らなければならない。

オヤジ、不動産の売買
には免許が要るんだぞ


**解答** ホワイトの行為は**反復継続性がないため宅建業の「業として」にあたらない**。したがって、ホワイトは宅建業免許がなくても戸建住宅の売却もマンションの購入もできる。 **×**

## 1 業としての意味

ケース2で見たように、「宅地建物の取引」とは以下の３つのことであった。

> ① **自分の宅地・建物を自ら売買（交換）する。**
> ② **他人の宅地・建物の売買（交換）・貸借の代理をする。**
> ③ **他人の宅地・建物の売買（交換）・貸借の媒介をする。**

宅建業の免許を受けていないと、これらの行為を「**業として**」行うことはできない。

「**業として**」とは、「不特定多数を相手に反復継続して取引を行うこと」だ。「正誤を判定〇or×」で、ホワイトがマンションを買うのは、ネズキチ不動産という特定の会社からだ（不特定多数と売買するわけではない）。また、いったんマンションを買ったらしばらくは住み続けるだろう（売買を反復継続するわけではない）。したがって、ホワイトがマンションを買うとしても、「業として」にはあたらない。よって宅建業の免許も不要である。

ところが、ネズキチ不動産は違う。総戸数50戸のマンションを建てれば、50人の人に売ることになる（不特定多数が相手だ）。またネズキチ不動産の仕事は、１棟のマンションを売ったら終わりではない。次のマンションを建てて売る、また次のマンションを建てて売る、ということを繰り返すはずである（反復継続性がある）。つまり、ネズキチ不動産はマンション（宅地・建物）の売買を「業として」行っているのである。したがって、宅建業の免許を取得する必要がある。

## 2 免許がなくても宅建業ができる？

宅地・建物を自分で売買したり、売買・貸借のお手伝い（代理や媒介）を業として行ったりするには宅建業の免許が必要である。ところが、免許なしにこれらの行為ができる者もいる。

① **国、地方公共団体**
② **信託銀行、信託会社**

**地方公共団体**とは、都道府県や市町村のこと。
また「都市再生機構」は国扱い、「地方住宅供給公社」は地方公共団体扱いされるため免許不要だ。

①の国や地方公共団体には宅建業法の規定が一切適用されない。②の**信託銀行**、**信託会社**は宅建業の免許を受けなくてもいいが、一定事項を国土交通大臣に届け出なければならない。また重要事項の説明義務など、免許以外の規定は適用されるし、監督処分や罰則（第８章参照）も受ける。

信託銀行等は、免許取消処分を受けることはない。

なお、破産管財人も免許不要。裁判所の監督の下に宅地建物の売却を行うもので、「業」にはあたらない。

## 3 販売活動をしていなくても売主には免許が必要だ

売主が宅建業者に媒介を依頼し、実際の販売活動は宅建業者が行うという場合も考えられる。この場合も、売主は免許が必要となる。

R2⑩-26-3

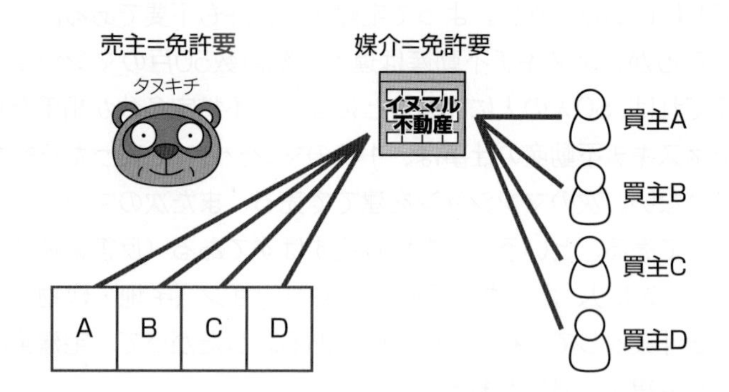


また、売主が免許不要であっても、その売主から依頼を受けて代理や媒介をするのであれば、宅建業の免許が必要となる。たとえば、国は宅建業の免許が不要だが、**国が所有する土地の販売の媒介を依頼された者**は、**免許が必要**だ。

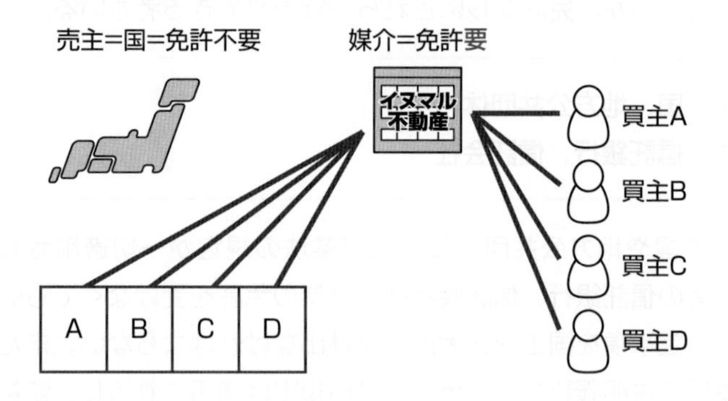

# 第1章 宅建業とは

## ケース4 廃業しても宅建業ができる？

**正誤を判定 ○ or ×**

ネズキチ不動産は3月15日にホワイトとマンションの売買契約を締結したが、業績の悪化から宅建業を廃業することを決め、4月1日に宅建業の廃業届を提出した。この場合でも、3月15日に締結したマンションの売買契約に基づくマンションの引渡しは、宅建業者として行うことができる。

**解答** 廃業し、**免許が失効した**場合でも、**それ以前に締結した契約**をやりとげるためであれば、宅建業にあたる行為をすることも認められている（みなし業者）。ホワイトも無事マンションの引渡しを受けられるわけだ。 ○

### 1 無免許営業・名義貸しの禁止

免許を受けていない者は、宅建業を営んではならない。当たり前だ。広告をするだけでも宅建業法違反になる。また、免許を受けている者が、その名義を他人に貸すことも禁止されている。

H29-36-2

### 2 免許が失効しても…（みなし業者）

個人で宅建業免許を受けている者が死亡したり、宅建業免許を持っている会社が吸収合併されたりした場合、免許を受けた本人や会社がなくなってしまうため、免許は効力を失う。死亡や合併

宅建業免許は会社（法人）で受けるとは限らない。個人で免許を受ける場合（個人事業主）もある。

「**取引を結了する目的の範囲内**において宅建業者とみなされる」と問題文にあれば、みなし業者の話しだ。
R2⑩-43-2、
H29-36-4、
H28-35-4、
H28-37-イ

でなくとも、自ら宅建業をやめる、と廃業届を出した場合も免許は失効する。つまり宅建業者ではなくなってしまう。

宅建業者ではないのだから、もはや宅建業はできないのだが、免許失効前に結んだ契約行為を完結させることはできる。契約を中途半端にしたまま、宅建業をやめられては取引した相手先が困るからだ。「**みなし業者**」とよばれる規定だ。

**免許を相続したり、譲渡することはできない**（免許の一身専属性）。吸収合併した会社の免許を引き継ぐということもない。

会社が吸収合併された場合には、吸収先の会社が（免許がなくても）宅建業を行う。また、個人で宅建業免許を取得していた人が死亡した場合には、相続人が引き継いで業務を行う（相続人は宅建業の免許がないのだが、宅建業ができる）。

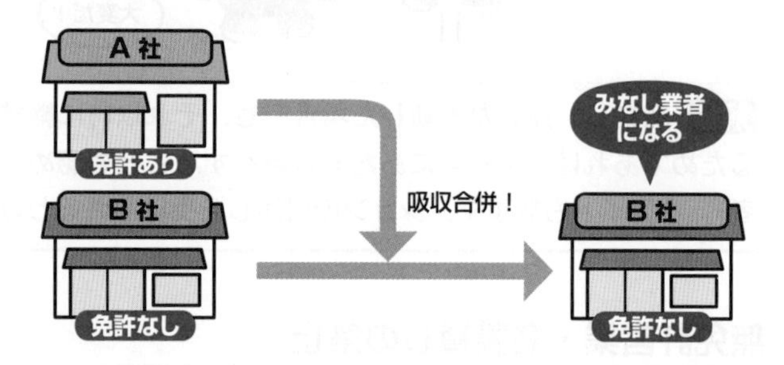


**免許取消処分**となった場合も同様に、契約の完結までは宅建業者として活動できる。

● 宅地とは、建物の敷地に供される土地をいう。次の濃く色分けされている部分が、宅地にあたる。用途地域内にあれば、駐車場であろうが、田畑であろうが宅地だ。

| | 現在、建物が建っている土地 | 将来、建物を建てる目的で取引する土地 | 更地 | 道路・公園・河川等 |
|---|---|---|---|---|
| 用途地域内 | 宅地 | 宅地 | 宅地 | − |
| 用途地域外 | 宅地 | 宅地 | − | − |

● 宅建業の免許が必要となるのは以下の行為を業として行う場合だ。

| | 売買（交換） | 貸　借 |
|---|---|---|
| 自ら | ○ | × |
| 代理 | ○ | ○ |
| 媒介 | ○ | ○ |

「貸主」「転貸」「管理」は免許が不要だ。

● 国、地方公共団体、信託銀行、信託会社は免許不要。

| 国、地方公共団体 | 宅建業法の規定は一切適用されない。 |
|---|---|
| 信託銀行、信託会社 | ①（免許は不要だが）一定事項を国土交通大臣に届け出なければならない。<br>②免許以外の規定は適用される。<br>③指示処分や業務停止処分を受けることもある（免許取消処分を受けることはない）。 |

● 宅建業免許が失効してもすでに締結済みの契約に基づく取引を結了する目的の範囲内においては、なお宅建業者である（みなし業者）。

# 第1章 確認テスト

**問題** 次の記述の正誤を判定してください。

1. 道路、公園、河川等の公共施設の用に供せられている土地は、都市計画法に規定する用途地域内に存するものであれば宅地に該当する。
2. 共有会員制のリゾートクラブ会員権（宿泊施設等のリゾート施設の全部又は一部の所有権を会員が共有するもの）の売買の媒介を不特定多数の者に反復継続して行う場合、宅建業の免許を受ける必要はない。
3. 建設会社Ａが、所有宅地を10区画に分割し、宅建業者Ｂの媒介により、不特定多数に継続して販売する場合、Ａは免許を受ける必要はない。
4. Ｃがその所有地に総戸数50戸のマンションを建設し、入居希望者に賃貸する場合、Ｃは宅建業の免許を受けなければならない。
5. Ｃがその所有地に総戸数50戸のマンションを建設した賃貸用マンションをＤが管理する場合、Ｄは宅建業の免許を受けなければならない。
6. Ｅが、甲県からその所有する宅地の販売の代理を依頼され、不特定多数に売却する場合、Ｅは宅建業の免許を受けなければならない。
7. 信託銀行が宅建業を営もうとする場合、免許を取得する必要はないが、その旨を国土交通大臣に届け出る必要がある。
8. 宅地建物取引業者Ｆが自ら売主として宅地の売買契約を成立させた後、当該宅地の引渡しの前に免許の有効期間が満了したときは、Ｆは、当該契約に基づく取引を結了する目的の範囲内においては、宅地建物取引業者として当該取引に係る業務を行うことができる。

解答解説

1．×　用途地域内の土地であっても、道路、公園、河川等公共用地の敷地は宅地ではない。建物の敷地となる可能性がないからだ。

2．×　リゾート施設（ホテルなど）は宅地建物だ。宅地建物の「売買の媒介を不特定多数の者に反復継続して行う」のだから免許が必要だ。

3．×　Ａは、「売主」として、10区画の宅地を不特定多数に継続して販売している。Ａの行為は宅建業にあたるので、Ａは宅建業の免許を受けなければならない。Ｂに販売の媒介を依頼していたとしても、Ａが売主であり、免許が必要なことに変わりはない。

4．×　Ｃは自ら貸主である。自ら貸主は免許が不要だ。Ｃは宅建業の免許を受ける必要はない。

5．×　Ｄは賃貸マンションの「管理」をしているだけである。媒介や代理をしているわけではないから、Ｄは宅建業の免許を受ける必要はない。

6．○　甲県は宅地の売主だが免許は不要だ。しかし販売の「代理」をするＥは宅建業の免許を受けなければならない。売主が免許不要でも、代理や媒介をする者は免許が必要なのだ。

7．○　信託銀行や信託会社は、免許を受けなくても宅建業を行うことができる。ただし、一定事項を国土交通大臣に届け出る必要がある。また、免許以外の規定（重要事項説明義務など）は守らなければならない。

8．○　取引の相手方保護のために、免許の有効期間満了後も宅建業者として業務を行うことができる。「みなし業者」だ。なお宅建業免許の有効期間は５年間。第２章で学ぶ。

# 第2章 宅建業免許

## ケース1 免許には「大臣免許」と「知事免許」がある

**正誤を判定 ○ or ×**

イヌマル不動産もクロネコ不動産も本店は東京都に、支店は神奈川県にある。クロネコ不動産が東京都の本店では建設業のみを営み、神奈川県にある支店では宅建業のみを営むとき、東京都知事免許を受けなければならない。

**解答** 宅建業をやっていないとしても、本店は宅建業の事務所にあたる。つまり、クロネコ不動産は**東京都と神奈川県の両方に事務所**があることになる。**国土交通大臣免許**を受けなければならない。 ×

### 1 大臣免許と知事免許

免許を与えた国土交通大臣や都道府県知事のことを**免許権者**という。

宅建業の免許には**国土交通大臣免許**と**都道府県知事免許**の２種類がある。どちらの免許を受けるのかは、事務所（本店、支店、営業所など）が１つの都道府県内にあるか、２つ以上の都道府県に設置されるかによって決まる。

事務所の数は関係ない。たとえば新宿（東京都）に本店があり、横浜（神奈川県）に支店がある会社の場合、事務所の数は2カ所しかないが国土交通大臣免許になる。一方、東京都内に事務所が23カ所ある大きな会社であっても、事務所が都内にしかないのであれば、東京都知事免許だ。

## 2 宅建業法上の事務所とは

注意すべきなのは、宅建業を営まない支店は宅建業法上の事務所にはあたらない、ということである。「○○支店」という名前が付いていても、賃貸や管理しかしない支店は宅建業法上の事務所ではない。

本社（本店）のことを「**主たる事務所**」、支店や営業所のことを「**従たる事務所**」という。

一方、本店（本社）は宅建業をしていようがしていまいが常に「事務所」にあたる。

知事免許と大臣免許の違いは事務所の設置場所の違いだけだから、免許の効力は一緒である。東京都知事免許でも横浜市にあるマンションの売主になれるし、千葉市にある戸建住宅の仲介もできる。知事免許でも全国で営業できる。

## 3 免許の申請

知事免許であれば知事に、大臣免許であれば大臣に直接、申請する。

近年の法改正で知事を経由して大臣に申請というのは廃止された。

免許には条件をつけることができる。「暴力団の実質的な支配下に入らないこと」や「免許直後1年間の宅建業取引の状況を報告すること」といったものがその例だ。

そして、免許を受けると免許証が交付される。

### ◆宅建業者免許証

免許証には、商号、代表者名、主たる事務所の所在地などが記載される。

**宅地建物取引業者免許証**

商号又は名称　株式会社　イヌマル不動産
代表者氏名　イヌマル ポン吉
主たる事務所　東京都○×区△□1-4-15
免許証番号　東京都知事（3）第4×××8号
有効期間　令和○年11月9日から令和×年11月8日まで

宅地建物取引業法第３条第１項の規定により、宅地建物取引業者の免許を与えたことを証する。

令和○年11月8日

東京都知事　小池　東京都知事印

## 4 免許の更新

H29-36-1

免許の有効期間は５年だ。それ以降も宅建業を続けたい場合には、免許の有効期間満了の90日前から30日前までの間に更新手続をとる。なお、業務停止期間中でも更新手続は受けられる。

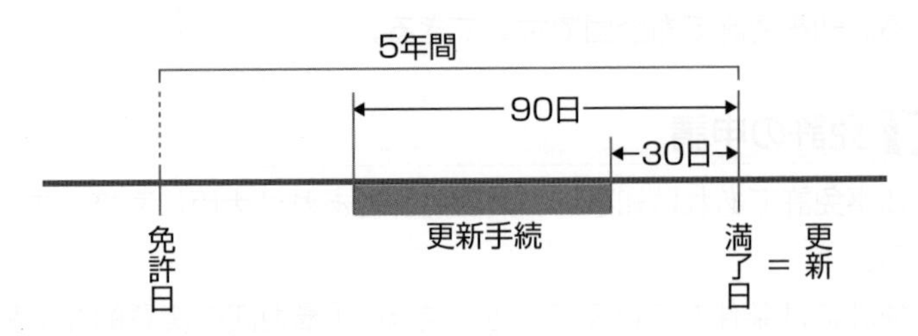


### 発展 更新されないときは

R6-38-1

正しい期間内に手続きしても、免許権者側の事情により、有効期間満了日までに更新されないということもある。その場合には、前の免許の効力が継続する（宅建業を続けることができる）。

（満了日を過ぎてから更新された）新しい免許の有効期間は、古い免許の**満了の日の翌日から**起算して**5年**となる。

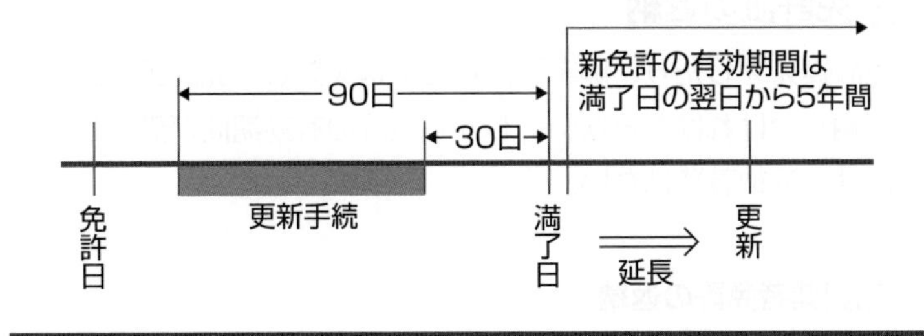


## 5 免許換え

知事免許の業者が、他の都道府県にも事務所を設置するのであれば、大臣免許を受けなおす必要がある。これを免許換えという。

たとえば都知事免許から国土交通大臣免許に免許換えをした場合、従前の免許（都知事免許）は失効する。新しい免許（国土交通大臣免許）の有効期間は**免許を受けてから５年間**だ。

免許換えの申請を怠ると、免許取消処分になる。

免許換えの申請があった場合、新免許権者は遅滞なく従前の免許権者に通知する。

**◘免許換え：新しい免許の有効期間は５年**

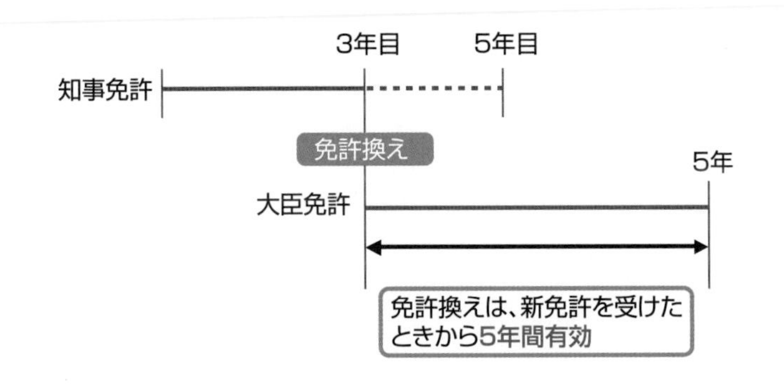

都知事免許が失効したのであれば都知事に返納する。

## 6 免許証の返納

免許換えをしたり、廃業した場合には失効した免許証を遅滞なく**返納**しなければならない。しかし免許の有効期間が満了した場合には、返納義務はない。

### ◘宅建業者免許の返納

| | |
|---|---|
| 免許換えにより失効した免許証 | 返納義務あり |
| 免許取消し処分を受けた | |
| 亡失した（＝紛失した）免許証を発見した | |
| 廃業の届出をした | |
| 免許の**有効期間が満了**した | **返納義務なし** |

なお、宅建士証は、有効期間が満了した際には返納義務がある(宅建士証については第３章で学ぶ)。

# 第2章　宅建業免許

## ケース2　業者名簿を見れば、どんな業者かがわかる

**正誤を判定 ○ or ×**

ツネキチ商事（東京都知事免許）の代表取締役であるツネキチの住所に変更があった場合、その日から30日以内に、その旨を東京都知事に届け出なければならない。

**解答** 役員の住所が変更になっても免許権者に届け出る必要はない。届出が必要なのは、事務所の所在地が変わった場合だ。 ×

### 1 宅建業者名簿

国土交通省や都道府県には、宅建業者の名簿（**業者名簿**）が備え付けられる。免許権者が業者の現状を把握するとともに、**一般の人も閲覧できる**ようになっている。

> 大臣免許の場合には、「国土交通省（の地方整備局）」と「本店所在地の都道府県」の両方に宅建業者名簿が設置される。

業者名簿は免許申請書をもとに作成される。記載（登載）されるのは次の事項だ。

**◇宅建業者名簿の登載事項**

① **免許証番号、免許の年月日**
② **商号または名称**
③ **役員、政令で定める使用人の氏名**

> **政令で定める使用人**とは、事務所の責任者のこと。支店長や営業所長だと考えてよい。
> 政令使用人ともよばれる。

④　**事務所の名称および所在地**

⑤　**指示処分、業務停止処分があったときは、その年月日および内容**

⑥　**宅建業以外の事業を行っているときは、その事業の種類**

免許の欠格事由で「役員」といった場合には、監査役は含まれない（ケース4参照）。

業者名簿の役員（③）には**監査役や非常勤役員も含まれる**。「事務所ごとに置かれる専任の宅建士の氏名」は、免許申請書には記載されるが、業者名簿には記載されない（閲覧しても見られない）。近年の法改正点だ。

## 2 変更の届出

**商号**（または名称）、**代表者の氏名**、主たる**事務所の所在地**は、免許証にも記載されている。これらについて変更があれば、業者名簿の変更の届出と合わせて、「**免許証の書換え交付申請**」も必要となる。

免許申請書の記載事項に変更があった場合、業者は30日以内に変更届出書を免許権者に提出しなければならない。**⑥の「宅建業以外の事業」は業者名簿に記載されるが、変更があっても届出は不要**だ。一方、「事務所ごとに置かれる専任の宅建士の氏名」は、業者名簿に記載されていないが、変更になった場合には届出が必要だ。

## 3 廃業等の届出

変更だけでなく、廃業した場合にも免許権者への届出が必要だ。届出義務者と、届出によりいつ免許が失効するかがポイントだ。次の表で確認しよう。

### ◆誰がいつまでに届け出るのか

| 届出事項 | 誰が届け出るのか | いつまでに届け出るのか | いつ免許が失効するか |
|---|---|---|---|
| 死亡 | 相続人 | 死亡を知った日から30日以内 | 死亡の時 |
| 法人の合併による消滅 | 消滅した会社の代表者 | その日から30日以内 | 合併の時 |
| 破産手続き開始の決定 | 破産管財人 | | 届出の時 |
| 解散 | 清算人 | | |
| 廃業 | 会社の代表者（個人業者なら本人） | | |

合併・破産・解散・廃業についてはその日から30日以内に届け出る。死亡だけは、**死亡を知った日から30日以内に届け出る**。相続人が宅建業者の死亡を知らないこともあり得るからだ。

「死亡の時から30日以内」といったヒッカケが出る。

死亡・合併の場合は、**「死亡のとき」「合併のとき」に免許は失効する**が、**破産・解散・廃業は「届出のとき」**に失効する。

つまり「破産手続きの開始があったときは、当然に免許は効力を失う」と問題文にあればそれは誤りだ。破産の場合は、届出したときに免許が効力を失う。
R2⑩-43-3、
H29-44-3

## 4 知事への通知

次に該当する場合には、国土交通大臣は、宅建業者の主たる事務所の所在地の知事に情報提供する。

- 大臣免許を与えた→免許申請書の写しを知事に提供
- 大臣免許業者から、変更の届出があった→変更届出書を知事に提供
- 大臣免許業者が廃業した→知事に通知

# ケース3 仕事に責任を持てない人には免許を与えない

**正誤を判定 ○ or ×**

チョロ吉は3年前に自己破産したが、今は復権している。チョロ吉は復権を得てから5年を経過しなければ、宅建業免許を受けることができない。

破産した人には
免許は与えられ
ませんよ。
宅建業免許

〈破産したが復権〉

**解答** 破産した者でも**復権すれば直ちに免許を受けることができる**ため、チョロ吉は免許を受けることができる。 **×**

## 1 能力や信用に問題があると免許が受けられない

宅建業にふさわしくない人を排除する（免許を与えない）基準を**欠格事由**という。**ケース3**～**ケース7**ではこの欠格事由についてみていこう。まずは能力や信用に問題がある場合には、免許を受けることができない。

> **ルール1** 心身の故障により宅建業を適正に営めない者、破産者で復権を得ない者

上記**ルール1**に該当する者は免許を受けることができない。これ以降、**ルール15**まで同じだ。

ルール１ の心身の故障により宅建業を適正に営めない者とは、「病気や加齢のため、きちんとした判断ができなくなってしまった人」だ。判断能力に問題があるので宅建業免許は受けることができない。

また、破産者に高額なお金を預けたりすることも心配なので、**破産者も免許を受けられない**。ただし、破産には復権という制度がある。復権した場合にはもはや破産者としては扱われないのでただちに免許を受けることができる。

試験では「破産後５年を経過しない者は免許を受けることができない」というヒッカケが出題される。注意しよう。

## ケース4 宅建業について悪事を働く人には免許を与えない

### 事例でチェック

モンキー不動産には、社長モンキー、取締役ゲッチュー、監査役チッチ、専任の宅建士ゴクウがいる。20XX年のモンキー不動産をめぐる動きは次のとおりであるが、宅建業の免許を受けられない者は誰か。

2/ 1　業務停止処分を受ける。しかし処分を無視して宅建業を続ける。
3/ 1　そろそろマズイと思った取締役ゲッチューが退任。
4/ 1　4月15日に聴聞すると告示がある。
4/15　聴聞。モンキー社長が出席し、弁明。
5/ 1　業務停止処分を受けたにもかかわらず、業務を続けていたことを理由に、免許取消処分を受ける。

宅建業の免許を受けられない者は、モンキー不動産、社長のモンキー、取締役のゲッチューである。

●モンキー不動産（会社）➡**アウト！**（欠格事由にあたる）
　5年間は免許を受けられない（ルール2）。

●モンキー不動産社長のモンキー➡**アウト！**（欠格事由にあたる）
　悪い会社の**役員**は悪い人だからだ（ルール3）。モンキーは個人として宅建業の免許を受けようと思っても5年間は受けられない。

●取締役のゲッチュー➡**アウト！**（欠格事由にあたる）
　聴聞告示の直前（60日以内）まで役員だった。欠格事由に該当して5年間は免許を受けられない（ルール3）。

●監査役のチッチ➡セーフ！（欠格事由にあたらない）
●専任の宅建士のゴクウ➡セーフ！（欠格事由にあたらない）

## 1 宅建業に関して悪いことをすると免許が受けられない

「宅建業に関し好ましくない行為をしてから５年を経過しない者」も免許を受けられない。具体的には次の４つだ。

宅建業法に違反した場合には、免許取消、業務停止などの監督処分を受けることがある（第8章参照）。

| | |
|---|---|
| ルール2 | 「三大悪事」で免許を取り消され、取消の日から５年を経過しない者<br>三大悪事：①不正な手段で免許取得、②業務停止処分に違反、③業務停止処分に該当し情状が特に重い |
| ルール3 | （上記取消が法人の場合）聴聞公示日前60日以内に役員だった者→取消しの日から５年間はダメ |
| ルール4 | 「処分逃れの廃業」の届出から５年を経過しない者 |
| ルール5 | （「処分逃れの廃業」の会社の）聴聞公示日前60日以内に役員だった者→廃業の日から５年間はダメ |

以下、１つずつ見ていこう。

## 2 三大悪事について

「三大悪事」は、必ず免許取消処分となる。この取消の日から５年を経過しない者は、免許を受けられない（ルール2）。

三大悪事で免許取消になった会社や人にすぐに免許を与えたのでは免許を取り消した意味がない。そこで、５年間は免許を受けられないことにした。

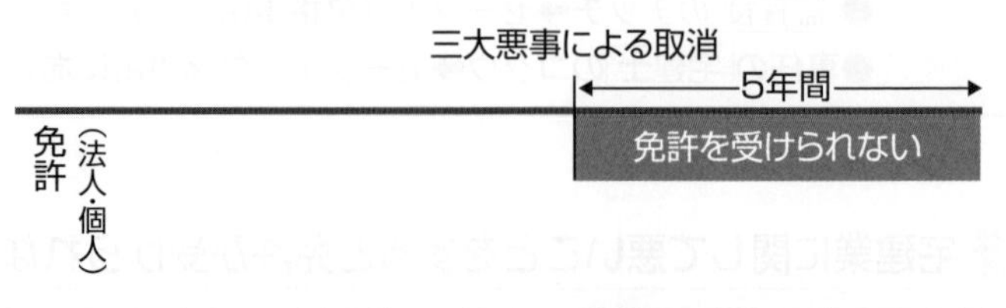


上記取消が法人（会社）の場合、**聴聞の公示日前60日以内に役員だった者**も免許を受けられない（ルール3）。

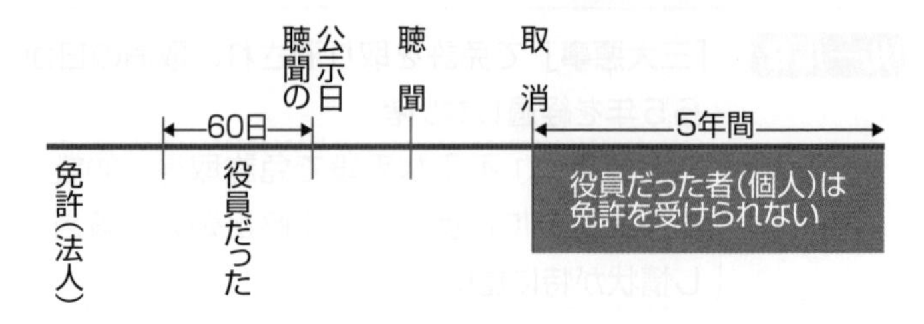


**聴聞**とは、監督処分するにあたり、処分される業者側の言い分を聞く機会のこと。原則として公開される。聴聞の日時を発表するのが聴聞の公示だ。

**この欠格事由に該当する役員には監査役は含まれない。**監査役は役員を監督するのが仕事で業務を執行する立場にはないからだ。
宅建業者名簿の役員には監査役も含まれていたことと比較して覚えよう（ケース2参照）。

## 3 処分逃れの廃業について

免許取消の処分を受けそうになると、宅建業を廃業したり、別の会社に合併させたりしてしまう業者もいる（「**処分逃れの廃業**」）。自分から廃業してしまえば免許取消処分にはならないから、ルール2 に該当しないのだ。しかし、こんな会社や役員を見逃してはならない。処分逃れの廃業についても同様の規定を置いた。

① 「処分逃れの廃業」の届出から５年を経過しない者は免許を受けられない（ルール４）。

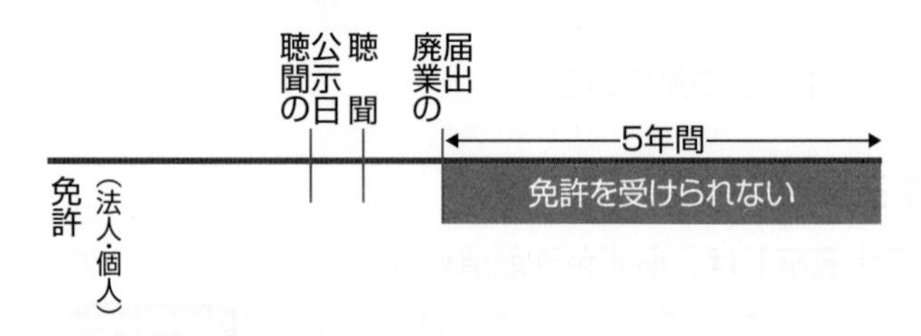

② （「処分逃れの廃業」の会社の）聴聞の公示日前60日以内に役員だった者も免許を受けられない（ルール5）。

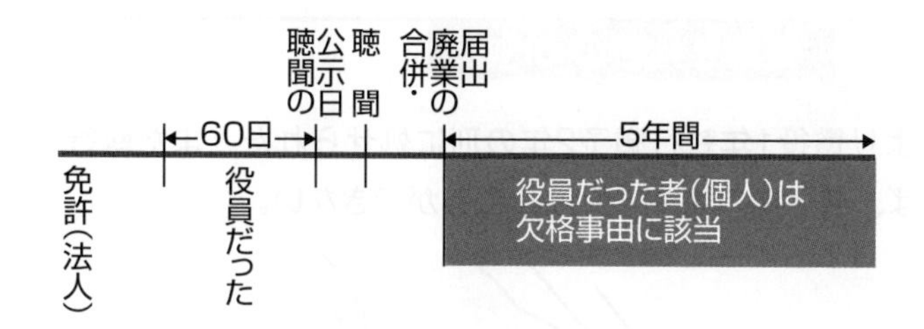


試験問題で、「（三大悪事の免許取消し処分についての）聴聞の期日及び場所を公示されたが、その公示後**処分が行われる前に**、相当の理由なく**宅地建物取引業を廃止**した」とあれば「処分逃れの廃業」だ。

## 4 独立もダメ。役員としての転職もダメ

ルール3、5に該当する「役員だった者」は、欠格事由に該当する以上、個人として宅建業の免許を受けることもできない。また欠格事由に該当する人が役員にいる会社も、免許を受けることができない（後述ルール13参照）。

# ケース5 犯罪者には免許を与えない

**正誤を判定 ○ or ×**

ゴンは、傷害罪により懲役1年執行猶予2年の刑に処せられた。まだ執行猶予期間中であれば、宅建業の免許を受けることができない。

**解答** 懲役刑は欠格事由にあたり、**執行猶予期間中**であっても**免許を受けることはできない。** ○

## 1 犯罪者は宅建業者にふさわしくなく、免許を受けられない

欠格事由の続きである。犯罪者も宅建業者としては好ましくない。一定の刑を受けた者は欠格事由に該当する。

| | |
|---|---|
| ルール6 | 禁錮以上の刑を受け、刑の執行が終わってから５年を経過しない者 |
| ルール7 | 宅建業法違反・暴力的犯罪で罰金以上の刑を受け、刑の執行が終わってから５年を経過しない者 |

懲役や禁錮、つまり刑務所に入るような悪いことをした人に免許を与えるわけにはいかない。禁錮以上の刑を受けた人は欠格事由にあたる（ルール６）。

刑罰は重い順に死刑➡懲役➡禁錮➡罰金➡拘留➡科料となっている。
なお、「過料」は刑事罰ではない（秩序罰という）。**宅建業法違反で過料に処せられても欠格事由にはならない。**

また、暴力的犯罪や宅建業法違反についてはより厳しく考えて、罰金刑でも欠格事由にあたるとした（ルール7）。

とはいえ、いったん罪に問われると未来永劫、免許が取得できないのはかわいそうだ。反省して立ち直るかもしれない。そこで「5年間」という期間を設けている。

暴力的犯罪とは、傷害罪、暴行罪、脅迫罪、凶器準備集合罪だ。現場助勢罪、**背任罪**、暴力行為等処罰に関する法律の罪も罰金刑以上で欠格事由になる。「**過失傷害**」であれば欠格事由ではない。

## 発展　いつから5年か？

ルール6 ルール7 ともに「**刑の執行が終わってから**（または執行を受けることがなくなってから）**5年**」だ。「裁判で刑が確定した日から5年」や「免許取消処分の日から5年」という意味ではない。

たとえば懲役10年の刑であれば、刑が確定した日から5年ではいまだ刑務所の中であり、免許を受けさせるわけにはいかない。

「刑の執行を受けることがなくなる」とは刑の時効の完成などだ。

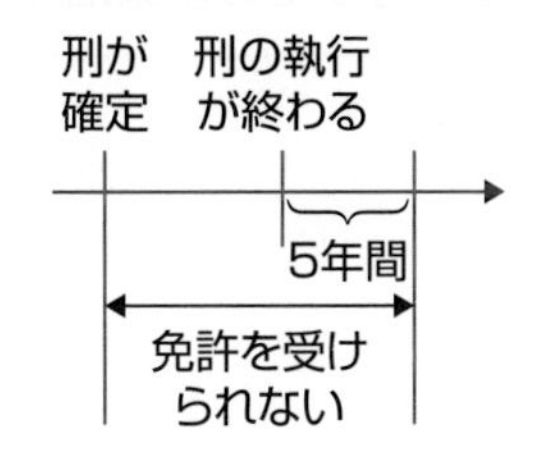


以下の2点にも注意が必要だ。

①刑罰が決まると執行猶予がつくことがある。この執行猶予期間中は免許を受けられない。しかし、執行猶予期間が満了するとその翌日から免許を受けられる。5年間待つ必要がないのだ。

②控訴、上告中は欠格事由に含まれない。無罪の推定が働くからだ。

## 2 宅建業に関する違反は過去も未来も問題になる

以下に該当した場合も免許は受けられない。

| | |
|---|---|
| ルール8 | 免許申請前５年以内に宅建業に関し、不正または著しく不当な行為をした者 |
| ルール9 | 宅建業に関し不正または不誠実な行為をすることが明らかな者 |
| ルール10 | 暴力団の構成員や構成員でなくなった日から５年を経過しない者 |
| ルール11 | 暴力団員等がその事業活動を支配する者 |

# ケース6 未成年者でも宅建業者になれる場合がある

**正誤を判定 ○ or ×**

中学生のチュー坊は、法定代理人である父ネズキチが欠格事由に該当しないのであれば、宅建業の免許を受けることができる。

**解答** 法定代理人が欠格事由に該当しなければ、未成年者でも宅建業の免許を受けることができる。

なお、もし仮にネズキチが欠格事由に該当していたとしても、**営業の許可を受ければ**、チュー坊は免許を受けることができる。 **○**

## 1 サポート役は大丈夫？

> **ルール12** （営業に関し成年者と同一の行為能力を有しない）未成年者で法定代理人が **ルール1** ～ **ルール10** に該当する。

条文上、**ルール11** は含まれていない。

未成年者（18歳未満）は法律上、半人前扱いだ。適切な判断能力を持たない者として扱われる。半人前である以上、一人では宅建業を営むことが認められていない。もし、未成年者が宅建業を営もうとするならば法定代理人（たとえば親）のサポートが必要なのだ。

未成年者のことを「制限行為能力者」とか「**成年者と同一の行為能力を有しない者**」という言い方をする。

未成年者の法定代理人が法人の場合、法人の役員が欠格事由に該当するのであれば、その未成年者は免許を受けることができない。

このサポート役の**法定代理人が欠格事由に該当する場合は免許が受けられない**（ルール12）。本人は未成年者で判断能力が不十分、サポート役は宅建業にふさわしくない、では免許を与えるわけにはいかないのだ。

## 2 営業に関し成年者と同一の行為能力を有する場合

ところで、未成年であるにもかかわらず「一人前」と扱ってもらえる場合がある。未成年者が法定代理人から営業の許可を受けている場合だ。詳しくはパートⅢ（権利関係）第１章で扱う。

**18歳未満だが宅建業に関し営業の許可を受けている**
**＝宅建業に関しては、成年者と同一の行為能力を有する**
**＝宅建業免許を受けられる。**

なお、未成年者が成年者と同一の行為能力を有する場合でも、本人（未成年者自身）が欠格事由（ルール１～ルール10）に該当すれば、当然免許は受けられない。

# ケース7 「役員に悪い人がいる」「手続に問題がある」会社には免許を与えない

**正誤を判定 ○ or ×**

ツネキチ商事に、傷害罪により懲役1年執行猶予2年の刑に処せられたゴンが役員として就任する場合、就任時において執行猶予期間中であれば、その就任をもって、ツネキチ商事の免許が取り消されることはない。

**解答** ゴンは執行猶予期間中なので欠格事由に該当する。**欠格事由に該当する者**がツネキチ商事の**役員に就任**したのだから、ツネキチ商事は欠格事由に該当し（ルール13）、**免許を取り消される**。 ×

## 1 役員や政令使用人が欠格事由にあたる会社は免許を受けられない

| | |
|---|---|
| ルール13 | 法人の役員が ルール1 ～ ルール10 に該当する。 |
| ルール14 | 政令使用人が ルール1 ～ ルール10 に該当する。 |

法人の役員や政令使用人（支店長等）が悪い人であればその会社も悪いことをする可能性が極めて高い。したがって役員や政令

使用人が欠格事由に該当する場合には、その会社も欠格事由に該当し、免許を受けることができない。役員や政令使用人が欠格事由に該当したり、欠格事由に該当する者が役員に加わったりした場合には、その会社の免許は取り消される。

## 2 手続に問題のある会社は免許を受けられない

> **ルール15** 手続上問題がある場合。
> 例：専任の宅建士が足りない
> 免許申請書に虚偽記載があった

R4-26-4

宅建業の事務所には宅建業に従事する者５人に１人以上の割合で成年の専任の宅建士を置かなければならない。宅建士が不足している場合は、２週間以内に補充しないと宅建業法違反となり免許を取り消される。また、免許申請書に虚偽記載があった場合にも欠格事由として免許が取り消される。

## 3 免許を受けている者が欠格事由に該当する場合

免許の取消については、「第８章 ケース1」の免許取消処分も参照のこと。

すでに免許を受けている者がケース3～ケース6で見てきた欠格事由に該当すると、免許が取り消される。個人で免許を受けている者や、免許を受けている法人の役員や政令使用人が、破産したり、禁錮以上の刑を受けたりした場合には、免許が取り消されるのだ。宅建業を行うのにふさわしくないものに該当したのだから当然のことである。

第2章 宅建業免許

# ケース8 事務所か案内所か、それが問題だ

**正誤を判定 ○ or ×**

イヌマル不動産（東京都知事免許）が、千葉県内で10戸の戸建住宅の分譲を行う案内所を設置し、その案内所において売買契約を締結する場合、国土交通大臣免許への免許換えを申請しなければならない。

**解答** イヌマル不動産が千葉県内に設置するのは案内所であり、事務所ではない。イヌマル不動産の事務所は東京都内にしかないのだから、東京都知事免許のままでよい。免許換えは不要だ。 ×

## 1 事務所と案内所

**〈案内所とは〉**

事務所とは本店や支店、営業所のことであった。一方、マンションのモデルルームや現地販売センターなど特定の物件だけを扱う場所は、**案内所**といって、事務所とは区別している。案内所は事務所とは異なる。都知事免許の宅建業者が千葉に案内所を設置しても大臣免許に免許換えする必要はない。

試験対策としては、**「現地販売所」「展示会場」「事務所以外の継続的に業務を行う施設を有する場所」**ときたら案内所と思っておけばいい。

**〈届出が必要な場合も〉**

案内所で契約を締結したり、申込みを受けたりするのであれば、免許権者および案内所の所在地の知事に業務開始の10日前までに届出が必要となる（**50条2項の届出**という）。

R6-39-4

● 契約しない案内所であれば届出不要だ。
● 案内所の業務を行う期間は**最長1年**。引き続き業務を行うのであれば改めて届出を行う。

## 2 事務所や案内所に備え付けるべきもの

事務所や案内所には、以下のものを備え付けなければならない。

| | ①報酬額の掲示 | ②帳　簿 | ③従業者名簿 | ④専任の宅建士 | ⑤標識の掲示 |
|---|---|---|---|---|---|
| 事務所 | ○ | ○ | ○ | ○ | ○ |
| 契約をする案内所 | × | × | × | ○ | ○ |
| 契約をしない案内所 | × | × | × | × | ○ |
| 物件の所在地 | × | × | × | × | ○ |

R3⑩-40-3

一団の宅地建物の売主は、販売（分譲）する宅地建物の所在地にも標識を掲示する。「一団の宅地建物」とは、**10戸（区画）以上**のもののことだ。

① **報酬額の掲示**　事務所ごとに報酬額を掲示する。案内所には掲示不要だ。

② **帳簿**　事務所ごとに帳簿を備え付ける。帳簿には取引のあったつど、取引内容が記載される。事業年度末に閉鎖し、**閉鎖後5年間**は保存義務がある（閲覧させる義務はない）。

　宅建業者が自ら売主となる新築住宅に係るものにあっては、帳簿の保存期間は**10年**になる。

帳簿、名簿の保存は電子ファイルでもよい。プリントアウトできるのであれば、**パソコンに保存**してもよいのだ。
またパソコンの画面上で表示するだけでも名簿の閲覧として認められる。

③ **従業者名簿**　事務所ごとに従業者名簿を備え付ける（主たる業務内容や宅建士であるか否かが記載される）。名簿は最終の記載をした時から**10年間**保存義務がある。また、取引関係者から請求があった場合には**閲覧**させなければならない。

従業者の住所は従業者名簿には記載されない。

④ **専任の宅建士**　宅建業を営む以上は、専任の宅建士を置きなさい、ということだ。専任の宅建士は**成年**が原則だ。

### ◘ 専任の宅建士の設置

| 場所 | 専任の宅建士の設置 |
|---|---|
| (1)事務所 | 業務に従事する者５名に１名以上の割合で、置く |
| (2)契約をする案内所 | １名以上 |
| (3)契約しない案内所 | 設置義務なし |

R3⑩-29-4

⑤　**標識の掲示**　すべての事務所、案内所に掲示する。一団の宅地建物の売主であれば物件の所在地にも標識を掲示する。媒介・代理を行う業者の案内所の標識には、**売主の商号**（または名称）と**免許番号**も記載する。なお、免許証を提示する義務はない。

R4-26-3

①報酬額の掲示や⑤標識の掲示は、デジタルサイネージの活用も認められる。

### ◘ 事務所の標識

| 宅地建物取引業者票 | |
|---|---|
| 免許証番号 | 国土交通大臣 知事 （　　）第　　号 |
| 免許有効期間 | 年　月　日から<br>年　月　日まで |
| 商号又は名称 | |
| 代表者氏名 | |
| この事務所に置かれている専任の宅地建物取引士の数 | （宅建業に従事する者の数　　人） |
| 主たる事務所の所在地 | 電話番号　（　） |

### ◘案内所の標識（代理・媒介）

<table>
<tr><td colspan="5">宅地建物取引業者票（代理・媒介）<br>この標識は、宅地建物取引業者としての免許の主要な内容とこの場所で分譲する宅地建物の内容を表示しています。</td></tr>
<tr><td colspan="2">免許証番号</td><td colspan="3">国土交通大臣　(　　)第　　号<br>知事</td></tr>
<tr><td colspan="2">免許有効期間</td><td colspan="3">年　月　日から<br>年　月　日まで</td></tr>
<tr><td colspan="2">商号又は名称</td><td colspan="3"></td></tr>
<tr><td colspan="2">代表者氏名</td><td colspan="3"></td></tr>
<tr><td colspan="2">主たる事務所の所在地</td><td colspan="3">電話番号　(　)</td></tr>
<tr><td rowspan="3">この場所における業務の内容</td><td>業務の態様</td><td colspan="3">案内等</td></tr>
<tr><td rowspan="2">取り扱う宅地建物の内容</td><td>名　称</td><td colspan="2"></td></tr>
<tr><td>所在地</td><td colspan="2"></td></tr>
<tr><td>売　主</td><td>商号又は名称</td><td></td><td>免許証番　号</td><td>国土交通大臣　(　)第　号<br>知事</td></tr>
<tr><td colspan="5">この場所においてした契約等については、クーリング・オフ制度の適用があります。</td></tr>
</table>

案内所の標識には、取り扱う宅地建物が記載される。

代理や媒介を行う業者の標識には、売主の商号と免許番号が記載される。

クーリング・オフについては第７章ケース3で学ぶ。

契約をしない案内所の標識には**クーリング・オフ制度の適用がある旨**を記載する。

## 3 従業者証明書

宅建業者は従業者に、**従業者証明書を携帯**させなければならない。

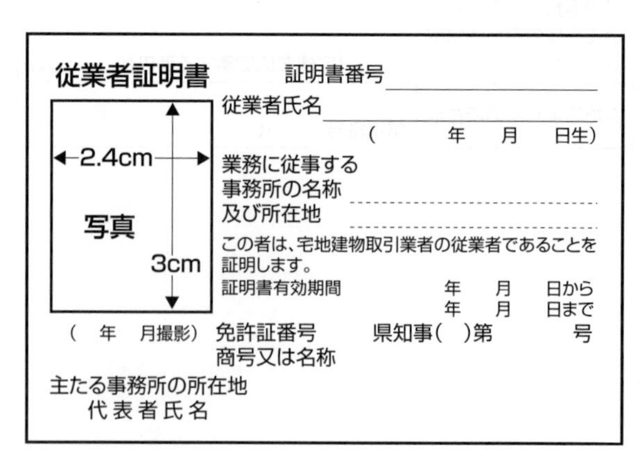
従業者証明書　証明書番号
従業者氏名
（　年　月　日生）
写真
2.4cm
3cm
（　年　月撮影）
業務に従事する事務所の名称及び所在地
この者は、宅地建物取引業者の従業者であることを証明します。
証明書有効期間　年　月　日から
年　月　日まで
免許証番号　県知事(　)第　号
商号又は名称
主たる事務所の所在地
代表者氏名

ここでいう**従業者**とは、いわゆる正社員のことだけではない。契約社員やパート・アルバイトなど、一時的に雇用された従業員、派遣社員、代表者（社長）、非常勤の役員にも従業者証明書の携帯義務がある。また従業者は、取引関係者の請求があったときは、従業者証明書を提示しなければならない。

R2⑩-39-4、
H29-37-4、
H28-38-イ

# まとめ

## ◇宅建業免許の欠格事由のまとめ

| Ⅰ　能力や信用に問題がある場合 | |
|---|---|
| ルール1 | 心身の故障により宅建業を適正に営めない者、破産者で**復権を得ない**者 |
| **Ⅱ　宅建業に関し好ましくない行為をしてから５年を経過しない者** | |
| ルール2 | **「三大悪事」**で免許を取り消され、取消の日から５年を経過しない者（①不正な手段で免許取得、②業務停止処分に違反、③業務停止処分に該当し情状が特に重い） |
| ルール3 | （上記取消が法人の場合）聴聞公示日前 **60 日以内**に役員だった者<br>→取消しの日から５年間ダメ |
| ルール4 | 「処分逃れの廃業」の届出から５年を経過しない者 |
| ルール5 | （「処分逃れの廃業」の会社の）聴聞公示日前 60 日以内に役員だった者<br>→廃業の日から５年間ダメ |
| **Ⅲ　犯罪者** | |
| ルール6 | 禁錮以上の刑を受け、刑の執行が終わってから５年を経過しない者 |
| ルール7 | 宅建業法違反・暴力的犯罪で罰金以上の刑を受け、刑の執行が終わってから５年を経過しない者 |
| **Ⅳ　その他** | |
| ルール8 | 免許申請前５年以内に宅建業に関し、不正または著しく不当な行為をした者 |
| ルール9 | 宅建業に関し不誠実な行為をすることが明らかな者 |
| ルール10 | 指定暴力団の構成員や構成員でなくなった日から５年を経過しない者 |
| ルール11 | 暴力団員等がその事業活動を支配する者 |

| Ⅴ　申請者にかかわる人がルール1～ルール10に該当する場合 |
|---|
| ルール12　（営業に関し成年者と同一の行為能力を有しない）未成年者で法定代理人がルール1～ルール10に該当する |
| ルール13　法人の役員がルール1～ルール10に該当する |
| ルール14　政令使用人がルール1～ルール10に該当する |
| **Ⅵ　手続上問題がある者** |
| ルール15　専任の宅建士が足りない、免許申請書に虚偽記載があった |

### ◇未成年者が宅建業を営むことができる場合

① 法定代理人が免許欠格事由に該当しない
➡法定代理人が責任を取るから
② 法定代理人から営業の許可を受ける

### ◇刑罰と欠格事由の関係（ルール6、ルール7）

| 死刑、懲役、禁錮 | 欠格事由に該当する |
|---|---|
| 罰金 | 宅建業法違反、暴力的犯罪の場合には欠格事由になる |
| 拘留、科料、過料 | 欠格事由には該当しない |

### ◇帳簿と名簿

| | 保存期間 | 閲覧義務 |
|---|---|---|
| 帳簿 | 閉鎖後５年<br>（自ら売主の新築住宅は10年） | なし |
| 名簿 | 最終記載から10年 | あり |

# 確認テスト

問題　次の記述の正誤を判定してください。

1．甲県に本店、乙県に支店を置き国土交通大臣の免許を受けている宅地建物取引業者Ａが宅地建物取引業を廃止した場合、Ａは、甲県知事を経由して国土交通大臣に30日以内に廃業の届出を行う必要がある。

2．宅地建物取引業者Ｂ社（丙県知事免許）の監査役の氏名について変更があった場合、Ｂ社は、30日以内にその旨を丙県知事に届け出なければならない。

3．宅地建物取引業者個人Ｃ（甲県知事免許）が死亡した場合、Ｃの相続人は、Ｃの死亡の日から30日以内に、その旨を甲県知事に届け出なければならない。

4．Ｄ社の取締役が、刑法第159条（私文書偽造）の罪を犯し、地方裁判所で懲役２年の判決を言い渡されたが、この判決に対して高等裁判所に控訴して現在裁判が係属中である。この場合、Ｄ社は免許を受けることができない。

5．Ｅ社の政令で定める使用人は、刑法第247条（背任）の罪を犯し、罰金の刑に処せられたが、その執行を終えてから３年を経過しているので、Ｅ社は免許を受けることができる。

6．宅地建物取引業者は、その業務に関して、国土交通省令に定める事項を記載した帳簿を一括して主たる事務所に備え付けなければならない。

解答解説

1. × 廃業した場合、免許権者に届け出なければならない。大臣免許であれば大臣（地方整備局）に直接届け出る。
2. ○ 業者名簿登載事項の役員には、監査役も含まれる。氏名の変更があった場合には届け出なければならない。
3. × 死亡を知った日から30日以内に届出義務がある。死亡の日からではない。
4. × 控訴、上告中は無罪の推定が働く。D社の取締役は欠格事由には該当しない。D社は免許を受けることができる。
5. × 法人（会社）の役員や政令で定める使用人が欠格事由に該当する場合は、その法人は免許を受けることはできない（ルール13、ルール14）。背任罪で罰金以上の刑を受けた者は欠格事由に該当する（ルール7）から、A社は５年間、免許を受けることができない。
6. × 帳簿や名簿は事務所ごとに備え付ける必要がある。主たる事務所に一括して備えつけるのではダメだ。保存期間（名簿10年。帳簿５年、新築住宅に係る帳簿は10年）も覚えておこう。

# 第3章 宅地建物取引士

## ケース1 宅建士とは

**正誤を判定 ○ or ×**

建物の売買の媒介を行った宅建業者は35条書面、37条書面のいずれの交付に際しても宅建士に、書面に記名させるだけでなく、その内容の説明をさせなければならない。

**解答** 35条書面にも37条書面にも宅建士の記名が必要だ。しかし、37条書面の内容説明は宅建士が行わなくてもよい。 ×

### 1 宅建士でなければできない仕事がある

次の3つの仕事（事務）は宅建士でなければできない。

> 専任の宅建士ではなくても①～③の「3つの事務」はできる（アルバイトの宅建士でもOKだ）。

① **重要事項（の）説明**
② **35条書面（重要事項説明書）への記名**
③ **37条書面（契約書等）への記名**

**重要事項説明**とは、トラブル防止のため買主や借主に物件や契約内容について書面できちんと説明するということだ（詳しくは第6章で学習する）。その説明は宅建士が行わなければならない。

37条書面とはいわゆる契約書のことだ。ここにも宅建士の記名が必要となる。

したがって、事務所や契約をする案内所であれば、宅建士がいないと仕事にならない。そこで事務所や案内所には「**成年者**である**専任**の宅建士」を置かなければならないとされている。事務所には従業員5名に1名以上の割合で宅建士を置く。契約する案内所は1名以上だ。欠員が出たら**2週間以内に補充**する。

**成年者**とは満18歳以上のこと。**専任**とは、その事務所に常勤しているということ。IT活用（いわゆるテレワーク）も認められる。

R6-29-4

## 2 試験に合格しただけでは宅建士にはなれない

宅建士になるには宅建士試験に合格する必要がある。しかし合格だけでは宅建士の3つの事務はできない。**合格→登録→交付**という3つのステップを踏む必要がある。

### ◇試験合格から宅建士証交付まで

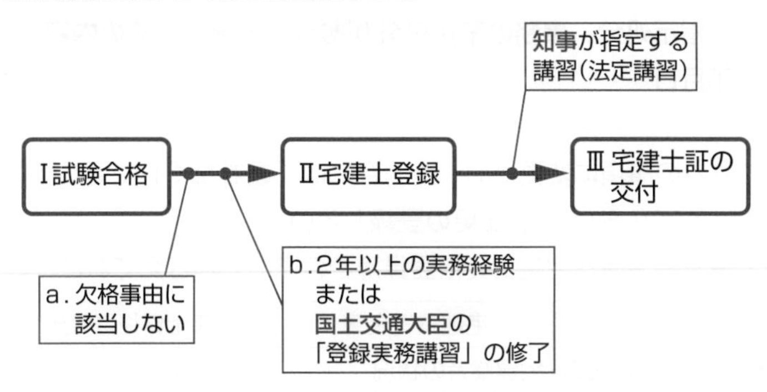


Ⅱの宅建士登録は**受験地**の都道府県知事に対して行う。試験に合格した者が宅建士登録をするためには**a.欠格事由**（**ケース2**参照）**に該当しない**、**b.2年以上の実務経験**等がある、という2つの条件をクリアする必要がある（実務経験が2年もない、という人は**国土交通大臣**の「登録実務講習」修了をもって実務経験に代えることができる）。登録がどの都道府県であっても、宅建士の業務は全国どこでもできる。

不正受験は、最長3年間、再受験禁止となる。

R6-29-1

登録は消除されない限り、一生有効だ（「5年間有効」といったヒッカケが出る）。

## 3 宅地建物取引士資格登録簿

宅建士登録をすると、都道府県の**宅建士資格登録簿**に一定の事項が記載される。知事が宅建士の状況を把握するためだ。

**〈宅建士資格登録簿の記載事項〉**

① 氏名、住所、本籍、性別、生年月日
② （宅建業者に勤めている場合は）業者の名称と免許番号
③ 試験合格日（合格証書番号）
④ 実務経験年数、従事していた業者の名称と免許番号
⑤ 国土交通大臣の「登録実務講習」の修了日
⑥ 宅建士の登録番号、年月日
⑦ 指示処分、事務の禁止処分があったときは、その内容、年月日

事務禁止処分期間中でも、宅建士証の交付を受けていなくても、変更の登録は必要だ。
R1-44-3

これらの事項に変更があった場合には「遅滞なく」変更を届け出なければならない（「変更の登録」という）。

宅建業者名簿と宅建士資格登録簿との違いを押さえておこう。

| | 宅建業者名簿 | 宅建士資格登録簿 |
|---|---|---|
| 記載されているもの | 宅建業者の状況 | 宅建士の状況 |
| 宅建士の住所の記載 | なし | あり |
| 記載内容に変更があった場合の届出 | 30日以内(変更の届出) | 遅滞なく（変更の登録） |
| 一般の閲覧 | あり | なし |

R6-43-1

宅建士証の交付を受けていない場合でも、登録内容に変更があれば、変更の登録を申請する。

## 4 宅建士証

Ⅲは宅建士証の交付だ。宅建士証の交付を受けて初めて、「3つの事務」ができるようになる。

**〈宅建士証のポイント〉**

**①交付：知事の指定する講習を受けた後、交付（例外あり）**
**②提示：求められた場合、重説時**
**③有効期間：5年間**
**④記載内容：氏名、住所等。変更があった場合→書き換え交付申請**
**⑤返納・提出：登録消除→返納、事務禁止→提出**

① 宅建士証の交付を受けるためには、**交付申請6カ月前以内に**行われる**「知事が指定する講習」**（法定講習）を受けなければならない。試験には合格したが宅建士証の交付を受けないまま何年も経過したという人もいる。法律の改正等もあり得るから法定講習で学ぶのだ。だから、**宅建士試験合格後1年以内に宅建士証の交付を受ける場合**には、法定講習が**免除**される。

R4-29-3

登録の移転（**ケース4**参照）により、移転先の知事から宅建士証の交付を受ける際も、受講は免除される。R2⑩-28-4

② 宅建士証は、取引先から**提示**を求められたときや、重要事項説明のときに**提示**しなければならない。重要事項説明のときは、求められなくても宅建士証の提示義務があることに注意。

③ 宅建士証の有効期間は**5年間**である。更新する場合には「知事が指定する講習」（法定講習）を受けなければならない。法改正もあるからだ。

④ 宅建士証には氏名、住所が記載されている。したがって氏名や住所が変わった場合には、「変更の登録」とともに「**宅建士証の書換え**交付申請」が必要になる。

氏名は、旧姓を併記することもできる。

R6-43-4

業者名、本籍は記載されていない。

宅建士証の提示にあたり、住所欄にシールを貼ったうえで提示することも認められている（個人情報保護のためだ）。
R6-43-3

### ◘宅建士証

宅地建物取引士証
氏　名　黒猫 ムサシ
（昭和50年 7月 24日生）
住　所　東京都千代田区三崎町○○
登録番号　（東京）第123456号
登録年月日　平成5年 8月 17日
令和XX年　8月 23日まで有効
東京都知事　小池
宅地建物取引士証 東京都知事 専用
交付年月日　令和XX年　8月24日
発行番号　第9712345467号

⑤　宅建士証の悪用を防止するため、一定の事項に該当すると宅建士証の返納や提出を求められる。**宅建士証の交付を受けた知事に速やかに提出、返納する。**

返納義務、提出義務に違反すると罰則＝**10万円以下の過料**もある。罰金ではないことに注意。
R4-29-2

### ◘宅建士証の返納・提出

| 返納 | ①登録が消除された。<br>②宅建士証が失効した（有効期間が満了した）。<br>③紛失したと思って再交付を受けたが、紛失したはずの宅建士証が見つかった。 |
|---|---|
| 提出 | 事務禁止処分を受けた。 |

事務の禁止期間満了後、提出者からの**返還請求があれば**宅建士証は返還される（当然に返還されるわけではない）。

宅建士証の返納について、免許証の返納と比較して整理しておこう。

### ◘返納義務の比較

R6-29-2

| 宅建業免許の有効期間が満了 | 免許証の返納義務なし |
|---|---|
| 宅建士証の有効期間が満了 | 宅建士証を返納 |

| 宅建業を廃業した | 免許証を返納 |
|---|---|
| 宅建士が宅建業者を辞めた | 宅建士証の返納義務なし |

## 5 宅建士の責務

宅建業法には「宅地建物取引士の責務」が規定されている。

**①業務処理の原則－公正誠実義務**

**宅地建物取引の専門家として、「購入者の利益の保護」「宅地建物の円滑な流通」に資するよう、公正誠実に事務を行い、宅建業に関連する業務に従事する者との連携に努めなければならない。**

**②信用失墜行為の禁止**

**宅建士の信用または品位を害する行為をしてはならない。**

**③知識能力の維持向上**

**知識及び能力の向上に努めなければならない。**

① 公正誠実に行う「事務」とは、宅建士にしかできない「3つの事務」のことだ。リフォーム会社、瑕疵保険会社、金融機関等と連携を図ることも求められている。

② 職務に直接関係しない行為や私的な行為も含まれる。

③ 常に最新の法令等を的確に把握し、必要な能力を磨く。

R6-43-2、
R4-29-4

## ケース2 試験に合格しても宅建士になれない人もいる

**正誤を判定 ○ or ×**

傷害罪により懲役１年執行猶予２年の刑に処せられたゴンは、頑張って勉強し宅建試験に合格した。またゴンには２年間の実務経験もある。まだ執行猶予期間中ではあるが、ゴンは宅建士として登録することができる。

**解答** **禁錮以上の刑を受け、５年を経過しないものは欠格事由に該当する。**したがってゴンは宅建士登録ができない。なお、執行猶予期間が満了すれば直ちに登録することができる。 ×

### 1 宅建業者と共通する欠格事由

近年の法改正により宅建士登録においても**成年被後見人・被保佐人は欠格事由ではなくなった。**

再度試験を受けて合格しても、処分の日から５年間は登録できない。

宅建士の登録欠格事由の約半分は宅建業免許の欠格事由と共通する。まずはそこから見ていこう。

| Ⅰ　能力や信用に問題がある場合 | |
|---|---|
| ルール1 | 心身の故障により宅建士の事務を適正に行うことができない者、破産者で**復権を得ない者** |
| **Ⅱ　宅建業に関し好ましくない行為をしてから５年を経過しない者** | |
| ルール2 | **「三大悪事」**で免許を取り消され、取消の日から５年を経過しない者<br>①不正な手段で免許取得、②業務停止処分に違反、③業務停止処分に該当し情状が特に重い |

| | |
|---|---|
| ルール3 | （上記取消が法人の場合）聴聞公示日前 **60 日以内**に役員だった者→取消の日から５年間ダメ |
| ルール4 | 「処分逃れの廃業」の届出から５年を経過しない者 |
| ルール5 | （「処分逃れの廃業」の会社の）聴聞公示日前 60 日以内に役員だった者→廃業の日から５年間ダメ |
| **Ⅲ　犯罪者** | |
| ルール6 | 禁錮以上の刑を受け、刑の執行が終わってから５年を経過しない者 |
| ルール7 | 宅建業法違反・暴力的犯罪で罰金以上の刑を受け、刑の執行が終わってから５年を経過しない者 |
| ルール10 | 暴力団の構成員や構成員でなくなった日から５年を経過しない者 |

ここまでは宅建業免許の欠格事由と同じだ。能力や信用に問題がある人、宅建業に関し好ましくない行為をした人、犯罪者は、宅建士にふさわしくない。

## 2 宅建業者では欠格事由となるが、宅建士ではならないもの

宅建業者では欠格事由に該当したが、宅建士では欠格事由にならないものもある。

| **Ⅳ　その他** | |
|---|---|
| ルール8 | ~~免許申請前５年以内に宅建業に関し、不正または著しく不当な行為をした者~~ |
| ルール9 | ~~宅建業に関し不誠実な行為をすることが明らかな者~~ |
| ルール11 | ~~暴力団員等がその事業活動を支配する者~~ |

宅建業での欠格事由の ルール８ ～ ルール１１ だ。宅建業に関し不正な行為をしたり、不誠実な行為をしたりすることが明らかな者である。宅建士としてもふさわしくないと思うのだが、宅建士の欠格事由からは除かれている。

また、次のようなものも宅建士では欠格事由にならない。

| V　申請者にかかわる人がルール1～ルール11に該当する場合 | |
|---|---|
| ルール12 | （営業に関し成年者と同一の行為能力を有しない）<br>未成年者~~で法定代理人がルール1～ルール11に該当する~~→宅建士にはなれない |
| ルール13 | ~~法人の役員がルール1～ルール11に該当する~~ |
| ルール14 | ~~政令使用人がルール1～ルール11に該当する~~ |
| **VI　手続上問題がある者** | |
| ルール15 | ~~専任の宅建士が足りない、免許申請書に虚偽記載があった~~ |

ルール12は未成年者の場合だ。「営業に関し成年者と同一の行為能力を有しない」、つまり法定代理人から営業許可を受けていない「フツーの未成年者」は宅建士にはなれない。宅建業免許の場合には法定代理人のサポートを受けるということで、「法定代理人が欠格事由に該当しなければ」宅建業の免許は受けられる、という規定があったが、宅建士の場合にはその規定はない。

未成年者と宅建士の問題はややこしいので（でも、ときおり試験に出る）、後でまた取り上げるが、まずは、**フツーの未成年者は宅建士にはなれない**、ということを覚えておこう。

ルール13とルール14はいいだろう。宅建士だから役員や政令使用人は関係ない。ルール15も宅建業免許の手続の話だから関係ない。

## 3 宅建士特有の欠格事由

一方、宅建士特有の欠格事由というのもある。

> **① 四大悪事で宅建士の登録消除、処分逃れの消除**
> **➡登録消除の処分の日から５年間を経過するまでは登録できない**
> **⑴不正な手段で宅建士登録したり、宅建士証の交付を受けた**
> **⑵事務禁止処分に違反**
> **⑶事務禁止処分にあたり情状が特に重い**
> **⑷登録は受けているが宅建士証の交付を受けていない者が宅建士としての事務を行い、その情状が特に重い**

宅建士に対する処分としては、指示処分、事務禁止処分、登録消除処分がある。詳しくは第8章で。

まず１つ目は、四大悪事だ。上記⑴～⑷の理由で登録消除の処分を受けた者（登録を抹消された者）の登録をすぐに認めるわけにはいかない。「処分逃れの消除」は、宅建業者の処分逃れの廃業と同様。登録消除処分の聴聞（宅建士を処分する場合も言い分を聞くのだ）の公示日から処分決定前に自分から消除した場合のことだ。

> **② 事務禁止処分期間中に、「自ら申請して」登録の消除を受け、まだ禁止期間が満了しない者**
> **➡事務禁止処分の期間が満了するまでダメ**

宅建士特有の欠格事由の２つ目は「事務禁止処分期間中に自分から消除」した場合だ。

次の事例で考えよう。

試験合格は一生有効だったことを思い出そう。

**事例**

４月１日から２カ月間の事務禁止処分を受けたツネキチは５月末まで宅建士としての仕事ができない。ところがヤケになったツネキチは、４月15日に自分から登録を抹消した。そして、５月１日になって、「やっぱり宅建士がやりたい。試験には受かっているのだから再度、登録させてくれ」と言ってきた。ツネキチは宅建士の登録ができるだろうか？

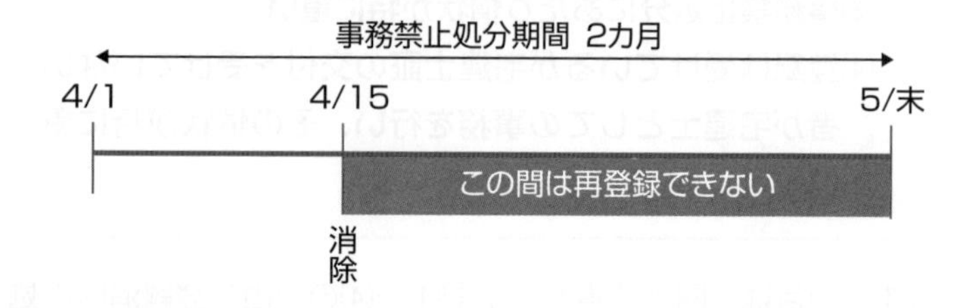


**解答**

この場合でも、ツネキチの登録申請は、５月末まで認められないということだ。

# ケース3 未成年者は絶対に宅建士になれないのか？

**正誤を判定 ○ or ×**

宅建業に係る営業に関し成年者と同一の行為能力を有しない15歳のチュー坊は、専任の宅建士となることはできないが、専任でない宅建士となることはできる。

〈未成年者〉

**解答** 「営業に関し成年者と同一の行為能力を有しない」チュー坊は、**宅建士登録ができない**。そもそも宅建士になれないのだ。もちろん、専任の宅建士にもなれない。 **×**

## 1 未成年者は宅建士登録できるのか？

15歳の未成年者は専任の宅建士には絶対になれないのだろうか。

まず、ルール12で見たように「営業に関し成年者と同一の行為能力を有しない」未成年者は宅建士登録ができない。未成年者は宅建士証をもらうどころか、登録すらできないのだ。

しかし、未成年者でも宅建業の**営業許可**を受ければその範囲で、成年扱いされる。15歳の未成年者でも法定代理人から営業許可を受ければ、宅建士登録ができる。さらに宅建士証の交付を受ければ、宅建士にもなれる。

> ルール12については、ケース2参照。宅建士証については登録→交付の順だったことを思い出そう（ケース1参照）。

> R4-33-ア

## 2 専任の宅建士になれるのか

では、この未成年者は「専任」の宅建士になることはできるのだろうか。

事務所や案内所にいる専任の宅建士は「**成年**」、つまり18歳以上であることが条件だった。したがって15歳の未成年者は（仮に営業の許可を受け、宅建士登録をしたとしても）専任の宅建士になれないのが原則である。

しかし、これには例外がある。みなし宅建士という規定により、未成年者でも「成年」の専任宅建士として扱われる。

要は、（個人で免許を受けた場合の）宅建業者本人が宅建士なのであれば「**成年の専任の宅建士**」として**扱っていく**、ということだ。法人の役員が宅建士である場合も同様だ。

> **宅建業者本人が（法人である場合においては役員が）、宅建士であるときは、その者が、自ら主として業務に従事する事務所等では、その者がその事務所等に置かれる成年の専任の宅建士であるとみなされる。**

この規定は未成年者にも適用される。だから、未成年者が営業の許可を受けて宅建士証の交付を受け、自分で宅建業の免許を取ったのであれば、15歳でも「成年の」専任の宅建士として扱われる。

未成年者が自分で免許を取らなくても宅建業者（法人）の役員であるならば、やはり「成年の」専任の宅建士になる。

### ◇未成年者は専任の宅建士になれるのか

| | | 宅建士登録 | 専任の宅建士になれるか |
|---|---|---|---|
| 成年者と同一の行為能力を有する未成年者 | 営業許可を受けた | ○ | ×→○* |
| 一般の未成年者 | | × | × |

＊　原則は×だが、「**みなし宅建士**」のみ○になる。

## ケース4 宅建士の登録先を移転できる？

**正誤を判定 ○ or ×**

宅建士（東京都知事登録）のネズキチが、ネブタ不動産（青森県知事免許）に従事した場合、ネズキチは青森県知事に対し、東京都知事を経由して登録の移転を申請しなければならない。

**解答** **登録の移転は義務ではない**。したがって、「申請しなければならない」とする問題文は誤りだ。 **×**

## 1 登録の移転とは

ケース1で学習したように、宅建士として登録すると、宅建士資格登録簿に氏名や住所、勤務先の業者名等が登録される。そして登録内容に変更があった場合は知事に対し変更を届け出なければならない。これが**変更の登録**だ。これと似て非なるものとして**登録の移転**というものがある。

たとえば、東京都知事から発行された宅建士証で青森県でも宅建士としての仕事はできるのだが、勤務地が青森県、登録が東京都では何かと不便だ。５年に１回の法定講習も登録地である東京都で受けなければならないし、変更の登録も東京都に提出しなければならない。

そこで**勤務地**が他の都道府県に変わった場合には、登録先をその都道府県に移すことができる。これが登録の移転だ。

① 登録の移転の注意点

まず、**登録の移転は義務ではない**。東京都に宅建士登録したまま、青森県の宅建業者で宅建士として働いてもいい。「登録の移転をしなければならない。」と出題されたら、誤りだ。

H30-42-2、
H29-37-2

また、**「本人の転居」を理由とする登録の移転は、申請できない**。

R3⑩-35-ウ

たとえば東京都に登録していた宅建士が千葉県に引っ越したからといって登録の移転はできない。宅建士が千葉県にある会社に転職・転勤したのであれば登録の移転を「することができる」(くどいようだが義務ではない)。

② 申請手続と移転後の有効期間

申請手続は、現在の**登録先の知事を経由**し、新しい事務所がある別の都道府県を管轄する知事へ行う。東京都知事経由で青森県知事に登録の移転の申請をした場合、**古い宅建士証と引き換え**に青森県知事から新しい宅建士証の交付を受ける。

**◘登録の移転：新しい宅建士証は残存期間のみ有効**

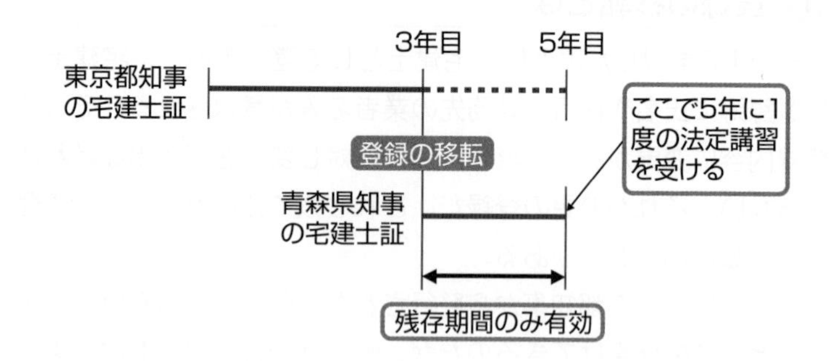

新しい宅建士証（青森県知事）の有効期間は従前の宅建士証（東京都知事）の残りの期間のみとなる。宅建士は５年に１回法定講習を受けなければならないからだ。宅建業の免許換えの場合、新しい免許の有効期間は５年間であったことと比較して覚えよう。

R4-33-エ、
R2⑩-34-4、
H28-38-ア

**◘免許換え：新しい免許証は5年間有効**

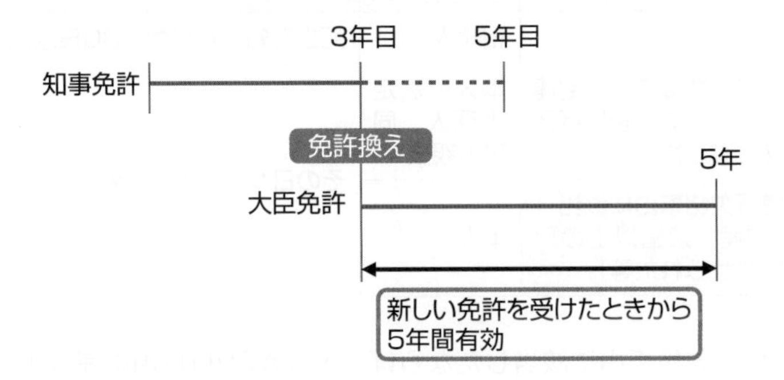


### ③　事務禁止処分期間中の移転

なお、事務禁止処分期間中は登録の移転をすることはできない。登録の移転は、宅建士に便宜を図ってあげるようなものだから、事務の禁止処分期間中という、いわば謹慎期間中には認められないのだ。

R4-33-ウ

事務の禁止処分期間中でも変更の登録はしなければならない、ということと比較して覚えよう。

宅建士資格登録簿は登録している者の実情を把握するためのものだから、勤務先が変わった場合などは変更の登録をする必要がある。

死亡の事実が判明した場合、届出がなくても知事は登録を消除しなければならない。

## 2 死亡等の届出

宅建士が宅建士でなくなった場合には、宅建士登録簿から消除する必要がある。そのため、以下の事由に該当した場合には**30日以内**に届出が必要となる。

### ◇宅建士の死亡等の届出

| 届出事項 | 届出義務者 | 期限 |
|---|---|---|
| 死亡 | 相続人 | 死亡を知った日から30日以内 |
| 心身の故障により宅建士の事務を適正に行えなくなった | 本人、法定代理人、同居の親族 | その日から30日以内 |
| 登録欠格事由に該当（破産・禁錮以上の刑に処せられた等） | 本人 | |

禁錮以上の刑に処せられた、暴力団の構成員となった(!)という場合にも届出るのだ。
R4-29-1

**登録欠格事由に該当したならば、本人が30日以内に届け出**なければいけないことに注意しよう。たとえば、**宅建士が破産**した場合（欠格事由だ）は、本人が届出る。**宅建業者が破産**した場合には、**破産管財人**が届出ることと混同しないこと。

### ◆変更の登録、宅建士証の書換えが必要か？

| | 宅建士登録簿 | 宅建士証 |
|---|---|---|
| 氏名、生年月日 | ○ | ○ |
| 住所 | ○ | ○ |
| 本籍 | ○ | × |
| 従事する業者名、免許番号 | ○ | × |

- 宅建士証で変更が必要なのは「氏名」「住所」である（業者名は宅建士証に記されていない）。
- 専任の宅建士かどうかは登録簿にも宅建士証にも記載されていない。勤務先で専任の宅建士になったとしても、宅建士登録簿の変更の登録も、宅建士証の書換えも不要だ。一方、宅建業者は、専任の宅建士が変更になった場合、業者名簿の書換えが必要。
- 勤務先の業者が「免許換え」をした場合、免許番号が変更になるので、宅建士は変更の登録が必要になることに注意。

### ◆返納義務の比較

| | |
|---|---|
| 宅建業免許の有効期間が満了 | 免許証の返納義務なし |
| 宅建士証の有効期間が満了 | 宅建士証を返納 |

### ◆「変更の登録」と「登録の移転」の比較

| | 変更の登録 | 登録の移転 |
|---|---|---|
| 事務禁止処分期間中 | 義務 | できない |
| 引越した（住所が変わった） | 義務 | できない |
| 勤務地（都道府県）が変わった | 義務 | できる（任意。義務ではない） |

### ◆「免許換え」と「登録の移転」の比較

| | |
|---|---|
| 免許換え | 新免許取得後、旧免許を返納 |
| 登録の移転に伴う宅建士証の交付 | （移転前の）宅建士証と引き換えに、新しい宅建士証を交付 |

## 確認テスト

**問題** 次の記述の正誤を判定してください。

1．甲県知事の宅建士登録を受けているAが、宅建士証の有効期間の更新を受けようとするときは、甲県知事に申請し、その申請前6カ月以内に行われる国土交通大臣が指定する実務講習を受講しなければならない。

2．宅建士Bが、宅建業者X社を退職し、宅建業者Y社に就職したとしても、X社およびY社において専任の宅建士でないのであれば、宅建士資格登録簿の変更の登録は申請しなくてもよい。

3．禁錮以上の刑に処せられた宅建士は、登録を受けている都道府県知事から登録の消除処分を受け、その処分の日から5年を経過するまで、宅建士の登録をすることができない。

4．宅建士Cは不正の手段により登録を受けたとして、登録の消除の処分の聴聞の期日及び場所が公示された後、自らの申請により、登録が消除された。Cは、登録が消除された日から5年を経過せずに新たに登録を受けることができない。

5．宅地建物取引業者である法人Z社の事務所において、専任の宅建士で成年者であるものに1名の不足が生じた。宅地建物取引業に係る営業に関し成年者と同一の行為能力を有する18歳未満の者である宅建士Dは、Z社の役員であるときを除き、専任の宅建士となることができない。

6．東京都知事の宅建士登録を受けているEが、東京都から神奈川県に転居しようとする場合、Eは転居を理由として神奈川県知事に登録の移転の申請をすることができる。

7．宅建士が転勤して、登録の移転の申請をした場合、その移転後の宅建士証の有効期間は、登録の移転の申請の日から5年となる。

8．宅建士Fが破産者で復権を得ない者に該当することとなったときは、破産宣告を受けた日から30日以内にFの破産管財人が甲県知事にその旨を届け出なければならない。

解答解説

1．× 宅建士証の交付に際し受講するのは、(甲県）知事が指定する講習だ。国土交通大臣の「登録実務講習」は、実務経験が２年未満の人が受けるものだ。

2．× 宅建士資格登録簿には、勤務先の業者名と免許証番号が記載される。勤務先がＸ社からＹ社に変わったのであれば、遅滞なく変更の登録を申請しなければならない。

3．× 「刑の執行を終わってから５年」を経過しないと登録できない。「登録消除処分の日から５年」ではない。もし禁錮10年の刑を受けたなら、「登録消除処分の日から５年」ではまだ刑務所の中だ。

4．○ 処分逃れの消除だ。登録消除処分の日から５年間は登録を受けることができない。

5．○ 未成年者であっても、宅建業に係る営業に関し成年者と同一の行為能力を有していれば、宅建士登録を受けることができる。ただし未成年である以上、専任の宅建士になることはできない。もっとも宅建士Ｄが法人Ｚの役員であれば、「みなし宅建士」の規定によりＤは成年の専任の宅建士となることができる。

6．× 転居を理由とする登録の移転は、申請できない。

7．× 登録の移転をし、新たな宅建士証の交付を受けたとき、新しい宅建士証の有効期間は従前の登録証の残存期間となる（５年ごとに法定講習受講義務があるから)。移転の申請の日から５年ではない。

8．× 宅建士について破産手続開始の決定がなされた場合は、「宅建士本人」が届け出る。宅建業者について破産手続開始の決定がなされた場合に「破産管財人」が届け出ることと混同しないように。

## ケース1 免許を取っただけでは宅建業を開業できない

**正誤を判定 ○ or ×**

宅建業免許（東京都知事免許）を受けたチッチは、事業を開始した日から３カ月以内に営業保証金を供託し、その旨を東京都知事に届け出なければならない。

チッチ不動産
開業するには
営業保証金が
必要なのよね。

**解答** 免許➡供託➡届出➡開業の順番。チッチは**事業開始前に供託し**、知事に届け出なければならない。事業開始（営業開始）できるのは、届出が済んでからだ。 ×

### 1 営業保証金とは

実は、宅建業を始めるためには免許を受けただけでは不十分だ。営業保証金を供託し、そのことを免許権者に届け出た後でなければ事業を行うことはできない。

**供託**とは、法務局にお金を預けておくこと、だと思っておけばいい。

届け出には供託書の写しを添付する。

宅建業は扱う商品が高額である。万一、宅建業者と取引した相手が損害を被ったときのために担保として一定のお金（営業保証金）を供託する仕組みになっている。実際に供託していても免許権者に「供託したよ」と届け出るまでは開業できない。この順番は重要だ。次のジュモンで覚えよう。

**必殺のジュモン「免許➡供託➡届出➡開業」**

試験で必ず役立つジュモンだ。絶対に覚えておこう。

## 2 営業保証金の供託

営業保証金についてポイントを見ていこう。

> **① 供託する営業保証金は本店（主たる事務所）1,000万円、支店（従たる事務所）1つにつき500万円。**
> **② 金銭だけでなく有価証券での供託も認められる。ただし、額面金額の一定割合しか評価されないものもある。**
> **③ 主たる事務所の最寄りの供託所に供託する。**
> **④ 営業保証金を「供託」し、その旨を免許権者に「届出」した後でなければ開業してはならない（免許➡供託➡届出➡開業の順）。**

案内所は供託金が不要だ。

R6-27-4

### ① 供託する額

まず供託する額だ。本店の他に支店が1つある宅建業者であれば、供託金額は1,500万円となる。もし支店を増やせばさらに500万円の供託が必要になる。

支店が2つであれば1,000万円＋500万円×2となり、2,000万円を供託する必要がある。

### ② 有価証券の評価額

供託するのは金銭でなくて有価証券でもよい。ただし、評価額が異なる。

> - **国債→額面金額（100%評価）**
> - **地方債・政府保証債→額面金額の90%**
> - **国土交通省令で定める有価証券→80%**

R6-27-3
株式や約束手形、小切手での供託は認められていない。

供託金額が1,500万円の宅建業者であれば、現金で1,500万円用意してもよいが、「国債1,000万円、地方債（東京都債など）500万円、現金50万円」を供託してもよいのだ。

試験では「事務所ごとに供託する」というヒッカケが出題される。

### ③ 供託方法

供託は**主たる事務所**（本社や本店のことだ）**の最寄りの供託所**（法務局）に供託する。支店の分もまとめて供託する。

### ④ 届出をしなかったときは…。

供託しないのなら宅建業は開業できない。したがって、免許を与えたままにしておく必要はない。そこで、免許を受けた日から**３カ月**以内に供託をした旨の届出がない場合、免許権者は届出をすべき旨の**催告**をしなければならない。さらにこの催告が業者に到達した日から**１カ月**以内に届出をしない場合には、免許を取り消すことができる（必ず取り消されるわけではない）。

R5-30-ア、H30-43-1

## 第4章 営業保証金と保証協会 －営業保証金②

# ケース2 何でも還付を受けられるわけではない

**正誤を判定 ○ or ×**

ハナは、居住用建物の賃貸の管理委託契約をモンキー不動産と締結していたが、モンキー不動産は、借主から受け取った家賃を約束した期日を過ぎてもハナに支払わなかった。この場合、ハナは、モンキー不動産が供託していた営業保証金の還付を受けることができる。

**解答** 営業保証金から**還付を受けられるのは、「宅建業に関する取引」**に限られる。管理委託契約は宅建業の取引ではないので、ハナは還付を受けることはできない。

**×**

## 1 営業保証金の還付とは

一般消費者が、宅建業者と取引して損害を被った場合に、営業保証金から弁済を受けることができる。これが「営業保証金の還付」だ。被害者である一般消費者は、宅建業者が供託している**営業保証金の額を限度として還付を受ける**ことができる。たとえば本店と支店が1つの宅建業者（1,500万円供託）と取引して2,000万円の被害を受けても還付を受けられるのは1,500万円までだ。

なお、本店で取引しても、支店で取引しても、供託している営業保証金の金額（この例では1,500万円）まで還付を受けられる。

> **弁済**とは、お金が支払われること、だと考えていい。

支店で取引したら500万円が限度、ではない。

## 2 営業保証金の還付を受けられる取引とは

営業保証金は、安心して宅建業者と取引してもらうための制度だ。したがって損害を受けた場合、営業保証金から還付を受けられるのは、宅建業に関する取引の場合だけだ。

たとえば、宅建業も建設業も営んでいる宅建業者と建設業に関して取引した者が、損害を受けたからと言って営業保証金から還付を受けることはできない。

また宅建業者は営業保証金から還付を受けることができない。プロ（宅建業者）を守る制度ではないからだ。

R3⑩-34-2

還付を受けられない債権について確認しておこう。

**債権**とは、お金を支払ってもらう権利のことだ、と思っておこう。

**〈還付を受けられない債権の例〉**

- **管理委託料、広告の印刷代金、内装工事代金、使用人の給料、家賃収納代行業務の債権**
- **宅建業者の債権**

## 3 営業保証金の不足額の供託

営業保証金から還付をした場合、供託してあった営業保証金が不足する。宅建業者がトラブルを起こし、営業保証金から100万円、取引の相手先に還付されたとすれば、その100万円を補充する必要がある（補充供託）。営業保証金が不足した場合、**免許権者から通知**がくる。その通知を受けた日から２週間以内に不足額を供託しなければならない。さらに供託した日から２週間以内に「供託しましたよ」と免許権者に**届け出**なければならない。２週間という数字を覚えよう。

営業保証金、保証協会では２週間以内、という数字が多い。2つだけ「１週間以内」というのがある。それを覚えよう（ケース4、ケース5参照）。

| | |
|---|---|
| ① | 顧客が損害を受ける（＝取引上の債権発生） |
| ② | 債権者（損害を受けた相手方）が供託所に還付請求して還付を受ける |
| ③ | 供託所が免許権者に通知 |
| ④ | 免許権者は宅建業者に不足額を供託するよう通知 |
| ⑤ | 宅建業者は通知を受けた日から２週間以内に不足額を供託 |
| ⑥ | 宅建業者は２週間以内に、供託した旨を免許権者に届け出る |

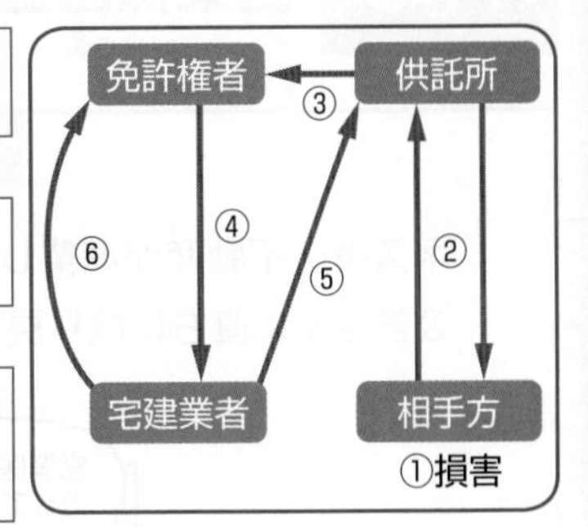


④で宅建業者に「営業保証金が不足したので供託せよ」と通知するのは免許権者であることに注意。供託所が通知するのではない。供託所は単に営業保証金を預かっている場所であり、業者に命令する権限などないのだ。

# ケース3 営業保証金を取り戻したい！

**正誤を判定 ○ or ×**

ネズキチ不動産が廃業した場合、供託している営業保証金1,000万円を、公告せずに直ちに取り戻すことができる。

**解答** 業者が廃業や支店の廃止を理由に営業保証金を取り戻す場合には、**6カ月以上の期間**を定めて、還付請求権者が申し出るべき旨の**公告**をしなければならない。その期間内に申し出がなかった場合に限り、営業保証金を取り戻すことができる。 ×

## 1 営業保証金の保管替え

営業保証金は主たる事務所、つまり本社（本店）の最寄りの供託所に供託する。ということは、本社が移転したならば供託所を変える必要がある。その手続は営業保証金に有価証券が含まれているかどうかで変わってくる。

### ア．全額金銭で供託している場合

R6-27-1、H29-32-1

現在、供託している供託所に対し、新しい供託所に**保管替え**してくれと請求するだけでいい（費用はかかる）。

**例**：千葉市に本社がある宅建業者（千葉の供託所に供託してい

る）が、東京都新宿区に本社を移したとする。この場合、新宿の供託所に供託し直さなければならない。千葉の供託所に全額金銭で供託しているのなら、「預けている営業保証金を新宿の供託所に移してください」と請求するだけでよい。

**イ．有価証券を含めて供託している場合**

この場合には「保管替え」はできない。本社移転後、営業保証金を、新本社の最寄りの供託所に**新たに供託**する。その後、旧本社の最寄りの供託所に供託してあった営業保証金を**取り戻す**。

> **ア**も**イ**も事務所移転後「遅滞なく」行う。具体的な期限は定められていない。

例：千葉市に本社がある宅建業者が現金500万円と国債500万円を供託していたとする。新宿に本社が移るのなら、（千葉の供託所に現金と国債を預けた状態のままで）新宿の供託所に1,000万円供託しなければならない。つまり一時的に千葉と新宿の両方の供託所に供託している状態（二重供託の状態）になる。新宿に供託したことが確認できたならば、千葉に預けている営業保証金を取り戻すことができる。

> お金がないからといって、先に千葉の供託所から営業保証金を取り戻してそれを新宿の供託所に供託する、というのは認められない。千葉にも新宿にも供託していない状態が生じるからだ。

## 2 営業保証金の取戻し

宅建業者が廃業するとき、供託してあった営業保証金はどうなるのだろうか。宅建業をやめるのだから当然返してもらうことができる（**営業保証金の取戻し**）。

> 免許取消でも取戻しが可能だ。R4-41-ア

ただし、その宅建業者との取引で損害を受けた者がいるかもしれない。被害者の損害を賠償する前に宅建業者に営業保証金を返してしまっては、被害者が救われないことになる。

そこで、業者が営業保証金を取り戻す前に、取引した相手方に還付を受ける機会を与えることとした。具体的には「還付請求権を持っている人は一定期間内に申し出てください」という**公告**を宅建業者が行わなければならないのだ。申し出る期間があまりにも短いと消費者保護にならないので、**6カ月以上**の期間となっている。

> **公告**とは、官報や都道府県の公報、ホームページ等により、ある事実を広く一般に知らせることだ。

しかし、公告が不要で、ただちに営業保証金を取り戻せるケー

H29-32-3

スもある（それが試験によく出る）。

### ◇比較：営業保証金の取戻し

| 公告が必要なもの | ただちに取り戻せるもの（公告が不要） |
|---|---|
| ①宅建業者でなくなった（免許の更新忘れ、破産・廃業・解散、死亡・合併、免許取消処分）<br>②一部の事務所を廃止した（保証金の供託額が超過） | ③主たる事務所を移転した<br>④保証協会の社員となった<br>⑤営業保証金の取戻事由が発生してから10年が経過した |

保証協会については、ケース4参照。

R6-36-4

**「公告が不要」**なものについて確認しておこう。

**③主たる事務所を移転した場合**。有価証券を含んで供託している業者が本社を移した場合、一時的に二重供託の状態になる。この際、旧本社最寄りの供託所に供託していた営業保証金は、公告なしに取り戻すことができる。

**④の場合**は、保証協会から還付されるので大丈夫。

**⑤の場合**、10年経過すると還付を受ける権利が時効により消滅する。債権者が営業保証金から還付してくれと請求する権利も消滅するわけだから公告は不要だ。

### 発展　免許権者への届け出

営業保証金の供託所が変わったり、「取戻しの公告」をしたときは、遅滞なく免許権者に届け出る。

# 第4章 営業保証金と保証協会－保証協会①

## ケース4 1,000万円用意しなくても開業できる方法がある

**正誤を判定 ○ or ×**

宅建業者で保証協会に加入しようとする者は、その加入の日から２週間以内に、弁済業務保証金分担金を保証協会に納付しなければならない。

チッチ不動産
保証協会があるよ。
1,000万円も
無理よ…。

**解答** **弁済業務保証金分担金の納付期限は、保証協会に「加入しようとする日」まで。「２週間以内」というのは、保証協会加入後、事務所を増設した場合の納付期限だ。**

×

### 1 保証協会

営業保証金は高額だ。そこで保証協会という制度がある。宅建業者は保証協会に加入すれば営業保証金を納めなくてよい。保証協会が「弁済業務保証金」をまとめて供託するからだ。

> **保証協会**は、宅建業者のみを社員（構成員）とする（公益認定をうけた）一般社団法人である。

A社、B社、C社、D社、E社、F社… →（分担金）→ 保証協会 →（弁済業務保証金）→ 供託所 →（還付）→ 相手方（被害者）

A社、B社…どの会社のトラブルでも、保証協会の「弁済業務保証金」から還付を受けることができる。

> 一つの保証協会の社員である者が、他の保証協会の社員となることはできない。

保証協会の社員（協会に加入する宅建業者のこと）が取引先に損害を与えた場合には、この弁済業務保証金から還付されることになる。保証協会は、他にもいろいろな業務を行っている。

**◘保証協会の業務**

| 必須業務（必ず行う） | 任意業務 |
|---|---|
| ①社員の扱った宅建業取引に関する苦情の解決 | ④一般保証業務：社員が受領した支払金・預り金の返還債務の連帯保証 |
| ②宅建業に関する研修 | ⑤手付金等保管事業（完成物件のみ） |
| ③弁済業務：営業保証金の代わりに、弁済業務保証金で弁済する | ⑥全国の宅建業者を直接又は間接の社員とする一般社団法人による宅建士等に対する研修費用の助成 |
| | ⑦宅建業の健全な発展を図るために必要な業務←国土交通大臣の承認を受けて行う |

⑤については第７章ケース**7**参照。

R5-44-1、R4-41-ウ、R3⑫-39-4、R3⑩-31-2

①について。苦情の申出及びその結果は、社員に周知させる。また、保証協会は国土交通大臣の承認を受けて、**業務の一部を委託**することができる。

加入の前に「あらかじめ報告する」といったヒッカケが出る。

宅建業者が保証協会に加入したとき（または辞めたとき）、**保証協会**は、**直ちに免許権者に報告**しなければならない。免許権者としては、業者が営業保証金を供託するのか、保証協会を通じて弁済業務保証金を供託するのか把握しておく必要があるからだ。

## 2 弁済業務保証金と分担金

営業保証金は主たる事務所1,000万円、従たる事務所500万円だったことを確認しておこう。

保証協会に加入した宅建業者は、営業保証金を供託しなくてよい。その代わり保証協会に（弁済業務保証金）分担金を納付する。分担金は、本店（主たる事務所）**60万円**、支店（従たる事務所）１カ所につき**30万円**だ。営業保証金と比べれば格安だ。

R4-39-3

ただし、**全額金銭で納付する**必要がある。納付期限も重要だ。

### ◘（弁済業務保証金）分担金の納付期限

| 保証協会に新規加入 | 加入しようとする日までに |
|---|---|
| 加入後、事務所を増設 | 新事務所設置後2週間以内に納付 |

また「2週間」という数字が出てきた。

宅建業者は、保証協会に加入しようとする日までに、（弁済業務保証金）分担金を納付しなければならない。また保証協会の社員となった後、新たに事務所を設置した場合（＝支店や営業所を増設した場合）には、その日から**2週間以内に分担金を納付**しなければならない。もし、2週間以内に納付しなければ、社員としての地位を失うことになる。

## 3 供託の期限

営業保証金の場合は、主たる事務所の最寄りの供託所に供託することになっていたが、弁済業務保証金は、**「法務大臣および国土交通大臣の定める」供託所**（東京法務局）に供託する。

R4-39-2

### ◘（弁済業務）保証金の供託

**①保証協会は分担金の納付を受けたときは、その日から1週間以内に弁済業務保証金を供託する。**

**②保証協会は、保証金を供託したときは、供託した旨を社員である宅建業者の免許権者に届け出る。**

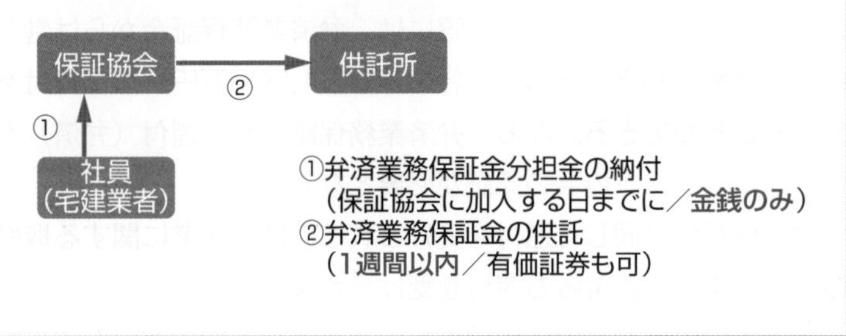


「1週間」1つ目だ。

弁済業務保証金の「供託」は営業保証金同様、有価証券でもよい（評価額は、営業保証金の場合と同じ）。

# ケース5 保証協会の社員もイロイロだ

**正誤を判定 ○ or ×**

イヌマル不動産が支店を廃止したため、保証協会が弁済業務保証金分担金を返還しようとするときは、保証協会は、公告を行う必要はない。

**解答** 保証協会に加入している業者が一部の事務所を廃止したときは、公告は不要である。 ○

## 1 弁済業務保証金の還付

分担金は（本社のみであれば）60万円と、営業保証金の1,000万円よりもずいぶん安い。それでも、保証協会に加入している会社とトラブルがあった際には、弁済業務保証金からは**営業保証金の額に相当する額**（本社のみなら1,000万円）**まで還付を受けることができる**。なお、弁済業務保証金から還付（弁済）を受けるには、保証協会の認証が必要となる。

R4-41-エ

営業保証金と同じく還付を受けられるのは**宅建業に関する取引のみ**だ。また宅建業者も還付を受けられない。

R4-39-4

弁済を受けられるのは保証協会の社員となる前の取引も含まれる。以下の事例で確認しよう。

**事例**

X0年12/ 1　ツネキチ商事が開業。
X1年　3/ 1　ツネキチ商事とタヌキチが取引。タヌキチに100万円の損害が生じる。
　　　4/ 1　ツネキチ商事が保証協会加入（加入する日までに分担金60万円を納付）。
　　　7/ 1　タヌキチが保証協会の認証を受け、弁済業務保証金から還付（弁済）を受ける。

ツネキチ商事の営業保証金1,000万円は加入後直ちに取り戻せる。公告は不要だ。

この**事例**において、タヌキチが７月１日に弁済を受けたのは、ツネキチ商事が保証協会の社員となる前の３月１日の取引についてである。

このように、**保証協会加入前の取引についてまで弁済を受けることができるため**、保証協会加入のため営業保証金を取り戻す場合には、公告不要なのだ。

このような制度があるため、保証協会は社員の加入にあたって**担保の提供**を求めることもできる。

## 2 還付充当金の納付

**〈還付充当金とは〉**

被害者に対して、弁済業務保証金により還付された場合、供託していた保証金が減少する。そのため保証協会は、還付された額に相当する額の保証金を供託する（補充供託）。問題を起こした社員（宅建業者）は、その補てんをしなければならない。これを**還付充当金**という。

**〈還付充当金の納付〉**

弁済業務保証金から還付されると、保証協会は還付充当金を納付すべきことを社員（宅建業者）に対し通知する。社員は、**通知を受けた日から２週間以内に還付充当金を保証協会に納付しなければならない**。もしこの期間内に納付しないと制裁として社員の地位を失う。

R3⑩-31-3

## 発展 「特別」分担金

問題をおこした社員（宅建業者）が還付充当金を支払わなかった場合はどうなるのか。その穴埋めは他の社員で分担することになる。これを**特別弁済業務保証金分担金**、という。この納期は通知を受けてから**1カ月以内**。こちらも納付しない場合は社員としての地位を失う。

保証協会が積み立てている**弁済業務保証金準備金**（弁済業務保証金から得られる利子や配当金を積み立てたもの）を充ててもなお不足する場合に、特別弁済業務保証金分担金の納付が要請される。

① 弁済業務保証金から還付を受けようとする者（取引の相手方）は、保証協会に認証の申出をする

↓

② 保証協会が認証する

↓

③ 認証を受けた取引の相手方は供託所に還付請求する

↓

④ 供託所が還付する

↓

⑤ 供託所は、国土交通大臣に還付された旨を通知する

↓

⑥ 通知を受けた国土交通大臣は、保証協会に通知する

↓

⑦ 保証協会は⑥の通知を受けた日から2週間以内に、還付額に相当する弁済業務保証金を供託する（補充供託）

↓

⑧ 保証協会は、社員である宅建業者に、還付充当金を納付するように通知する

↓

⑨ 社員である宅建業者は、⑧の通知を受けた日から2週間以内に還付充当金を納付する（この間に納付しないと保証協会の社員としての地位を失う）

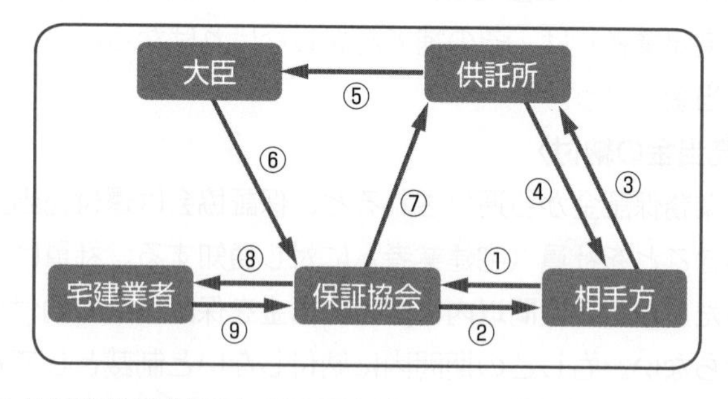


⑥で「弁済業務保証金が不足したので、供託せよ」と保証協会に通知するのは国土交通大臣だ。供託所ではない。供託所には保証協会に命令する権限はない。

## 3 分担金の取戻し

還付充当金を納めず社員の地位を失った場合だけでなく、自分から協会を辞めた場合（これも社員の地位を失った場合だ）や、事務所（支店）を廃止した場合には、社員は分担金を返還してもらうことができる。社員に分担金を返還するためには、保証協会が供託している弁済業務保証金を取り戻す必要がある。その際、公告が必要となるのかどうかが、ポイントだ。

| | |
|---|---|
| **社員の地位を失った** | **保証協会**が還付請求権者に対し6カ月以上の期間を定めて、申し出るべき旨を**公告**し、その公告期間終了後に返還する。 |
| **従たる事務所（支店）を廃止した** | 公告は不要 |

R6-36-3
公告は、宅建業者ではなく保証協会が行うことに注意。

R5-44-2、
H30-44-4

## 4 社員の地位を失った場合には

還付充当金の100万円を支払わず、社員の地位を失った宅建業者はどうなるのか。宅建業を続けるのであれば、社員の地位を失ってから**1週間以内**に営業保証金を供託しなければならない。

また、業者が社員の地位を失った場合、**保証協会**は**直ちに**免許権者に報告する。

2つ目の「1週間以内」だ。保証協会にも加入していない、営業保証金も供託していないという事態なので大急ぎで供託させるのだ。
H29-39-ウ参照

R3⑫-39-2、
R3⑩-31-4

## 5 供託所等に関する説明

営業保証金や保証協会（弁済業務保証金）があることにより、取引の相手方は宅建業者と安心して取引することができる。しかし、宅建業者がどこの供託所に営業保証金を供託したのか、またはどの保証協会に加入しているのか教えてもらわないと還付を受けられない。

そこで、取引の相手方に対し、供託所や保証協会について説明することが業者に義務づけられている。

### ◘供託所・保証協会に関する説明

| 誰が | 誰に | いつまでに | 何を説明するか |
|---|---|---|---|
| 営業保証金を利用している業者 | 取引の相手方に | 契約が成立するまでの間に | 営業保証金を供託した主たる事務所の最寄りの供託所及びその所在地 |
| 保証協会に加入している業者 | 取引の相手方に | 契約が成立するまでの間に | 社員である旨、保証協会の名称、住所、供託所の所在地 |

取引の相手方とは買主、借主だけでなく、**売主**、**貸主**も含まれる。**相手方が宅建業者であれば説明は不要だ。**宅建業者は還付を受けられないからだ。

法律上は書面を交付して説明することは要求されていない。口頭でもよい（実務では重要事項説明書に記載されることが多い）。説明も宅建士が行わなくてもよい。

## ◇比較：保証協会への加入・脱退

| | 取り戻すもの | 公告はいるのか？ |
|---|---|---|
| 保証協会に加入<br>（社員になった） | 業者が営業保証金を取り戻す | ●公告不要（協会に入るから） |
| 保証協会を脱退<br>（社員でなくなった） | 保証協会が弁済業務保証金を取り戻す（業者に分担金を返還する） | ●公告必要<br>●保証協会が公告する |

## ◇従たる事務所の廃止による保証金の取戻し

| | |
|---|---|
| 営業保証金 | 公告必要 |
| （弁済業務保証金）分担金 | 公告不要 |

## ◇数字の整理

| | |
|---|---|
| 2週間以内 | ●専任の宅建士の補充<br>●営業保証金の不足額の供託・その届出、保証協会の事務所増設の際の分担金納付・補充供託・還付充当金納付 |
| 1週間以内 | ●保証協会が、社員から納付を受けた弁済業務保証金分担金は、1週間以内に供託<br>●保証協会の社員が、社員の地位を失ったら、1週間以内に営業保証金を供託 |
| 30日以内 | ●業者名簿の変更の届出　●廃業等の届出<br>●死亡等の届出 |
| 10日前まで | ●（契約する）案内所等の届出 |
| 90日前から30日前 | ●免許更新の申請 |
| 遅滞なく | ●宅建士の変更の登録　●営業保証金の保管替え<br>●営業保証金取戻しの公告をした旨の届出<br>●取引態様の明示（注文時）<br>●34条の2の書面（媒介契約書）の交付（第5章参照）<br>●37条書面（契約書）の交付（第6章参照） |

## 確認テスト

問題　次の記述の正誤を判定してください。

1．営業保証金を供託している宅地建物取引業者は、事業の開始後新たに支店を設置したときは、その支店の最寄りの供託所に政令で定める額を供託し、その旨を免許を受けた国土交通大臣又は都道府県知事に届け出なければならない。

2．宅地建物取引業者Ａ（甲県知事免許）は、甲県内に本店Ｘと支店Ｙを設置して、額面金額1,000万円の国債証券と500万円の金銭を営業保証金として供託して営業している。Ａが新たに支店Ｚを甲県内に設置したときは、本店Ｘの最寄りの供託所に政令で定める額の営業保証金を供託すれば、支店Ｚでの事業を開始することができる。

3．宅地建物取引業者との取引により生じた債権であっても、内装業者の内装工事代金債権については、当該内装業者は、営業継続中の宅地建物取引業者が供託している営業保証金について、その弁済を受ける権利を有しない。

4．金銭のみをもって営業保証金を供託している宅地建物取引業者は、その本店を移転したためその最寄りの供託所が変更した場合、遅滞なく、供託している供託所に対し、移転後の本店の最寄りの供託所への営業保証金の保管替えを請求しなければならない。

5．保証協会に加入することは宅地建物取引業者の任意であるが、一の保証協会の社員となった後に、重ねて他の保証協会の社員となることはできない。

6．宅地建物取引業者Ａが宅地建物取引業保証協会に加入した場合、弁済業務保証金について弁済を受ける権利を有する者には、Ａが保証協会の社員となる前にＡと宅地建物の取引をした者は含まれない。

7．保証協会は、その社員の地位を失った宅地建物取引業者が地位を失った日から１週間以内に営業保証金を供託した場合は、当該宅地建物取引業者に対し、直ちに弁済業務保証金分担金を返還することが義務付けられている。

解答解説

1．×　支店の営業保証金も本店（主たる事務所）の最寄りの供託所に供託する。

2．×　営業開始できるのは、免許権者に供託した旨を届け出た後だ。「免許→供託→届出→開業」のジュモンは絶対暗記のこと。

3．○　営業保証金で還付を受けられるのは宅建業の取引の債権に限られる。内装工事は宅建業の取引ではない。他にも管理契約、広告代金、使用人の給料債権なども還付の対象外である。

4．○　金銭のみで供託している場合は、供託している供託所に保管替えを請求しなければならない。

5．○　一つの保証協会の社員である者は、他の保証協会の社員となることはできない。

6．×　Aが保証協会の社員となる前に、宅建業に関して取引をして生じた債権を有する者も弁済を受けることができる。だからこそ、保証協会に加入した場合の営業保証金取戻しは公告が不要になる（営業保証金が取り戻されても保証協会の弁済業務保証金で救済されるから）。

7．×　保証協会の社員でなくなることにより分担金を返還する場合、保証協会は、供託してある弁済業務保証金の返還を受ける必要がある。この際、公告が必要になる。直ちに返還されるのではない。

# 第5章 業務上の規制

## ケース1 未完成物件の広告・契約には制限がある

**正誤を判定 ○ or ×**

ツネキチ商事は一戸建て住宅の広告に際し、建築確認申請中であったため「建築確認申請中のため、建築確認を受けるまでは、売買契約はできません」と表示した。このことは宅建業法に違反しない。

**解答** **建築確認を受ける前の建物**について**広告してはならないし、契約することもできない**。本問のように、建築確認後でなければ契約できない旨を表示したとしても、広告をすれば宅建業法違反となる。 ×

開発許可と建築確認の内容については、パートⅡ参照。

### 1 建築確認と開発許可

土地を造成するためには開発許可が、建物を建築するには建築確認が、必要となる。いい加減な造成工事をされては危険だし、住みよい街づくりのためには建物の規模や用途を制限する必要も出てくるからだ。

### 2 広告や契約の制限

この**開発許可**（土地）や**建築確認**（建物）**が得られなければ、広告をしてはならない**（広告開始時期の制限）。3階建ての新築住宅の広告をしたが、建築確認が下りなかった（3階建ての住宅を建てることが認められなかった）ということであれば、嘘の広告をしたことになってしまうからだ。

開発許可や建築確認を受ける前は、広告だけでなく、契約をすることも禁止されている（契約締結時期の制限）。ただし、**貸借の代理・媒介に関して**は建築確認前、開発許可前でも**契約は認められている**。売買と比べて金額が少ないため、影響も少ないからだ。

契約締結時期の制限は**業者間取引でも適用**がある。念のため。

R1-35-4

### ◆広告開始時期の制限と契約締結時期の制限

| （建築確認、開発許可前でも） | 売買・交換（自ら、代理、媒介） | 貸借（代理、媒介） |
| --- | --- | --- |
| 広告できるか | × | × |
| 契約できるか | × | ○ |

広告開始時期、契約締結時期の制限の対象となるのは、開発許可、建築確認だけではない。農地法の転用許可、宅地造成等規制法の許可、都市計画事業地内の建築制限などもその対象だ。

「建築確認申請中」と表示しても広告はできないし、建築確認を受けることを停止条件とする売買契約も認められない。必要な許可、確認がおりるまでは広告や契約はできないのだ。

### 発展　変更の確認

建築確認を受けた後、建築内容を変更するということもありうる。この「変更の確認」を申請している期間も広告できる（変更の確認を受ける予定であることを表示し、かつ、当初の確認内容をあわせて表示する）。

R4-37-ア

# ケース2 広告・契約の規制はまだまだある

**正誤を判定 ○ or ×**

宅建業者ツネキチ商事の社長ツネキチは、マンションの販売に際し、ホワイトに「この付近に鉄道の新駅ができる」と説明したが、実際には新駅設置計画は存在せず、ツネキチの思い込みであることが判明し、ホワイトは契約しなかった。契約しなかった以上、被害が出ていないので、ツネキチ商事は宅建業法に違反しない。

**解答** 将来の環境、交通の利便について**断定的な判断の提供は禁止**されている。このような判断を提供し勧誘すること自体が禁止されているのであり、**契約が成立しないとしても宅建業法違反**となる。また、ツネキチの思い込み、つまり過失であるとしても免責されない。 ×

## 1 誇大広告の禁止

広告で嘘をつく「虚偽広告」や「誇大広告」はもちろん禁止されている（不当表示の禁止）。存在しない物件で客をつる「おとり広告」も「虚偽広告」だ。このとき、**被害者（広告でだまされた人）がいなくても、宅建業法違反**となり、監督処分や罰則（懲役または罰金）を受ける。

H29-42-ウ参照

## 2 取引態様の明示義務

宅建業者は、**取引態様を明示する**必要がある。取引態様とは、売主、代理、媒介のいずれの役割なのか、ということだ。

宅建業者は「広告をするとき」と「注文を受けたとき」にその都度、取引態様を明示しなければならない。注文を受けたときに明示するのは、**口頭でもよい**。明示するのは宅建士でなくてもよい。

R6-33-3、4

## 3 断定的な判断の禁止

「必ず値上がりする物件だ」「鉄道の新駅ができるはずだ」といった宅地や建物の将来の環境、交通その他の利便について誤解させるべき断定的判断を提供することは禁止されている（断定的判断の提供の禁止）。実際に契約しなくてもそれらの行為をするだけで違反行為となる。また、過失でも免責されない。

## 4 不当な履行遅延の禁止

宅地・建物の**登記の移転**、**引渡し**、**代金の支払い**を不当に遅延してはならない。契約をしたのであればさっさと実行しなさい、ということだ。「不当に」となっているので正当な理由がある場合、たとえば相手方の債務不履行（約束違反）があるならば、話は別だ。買主が代金を支払わないのなら、引渡しの義務はないからだ。

宅建業者が媒介報酬の支払いを拒んでも「不当な履行遅延の禁止」には該当しない。
H26-41-3参照

# ケース3 秘密を漏らしてはならない

**正誤を判定 ○ or ×**

宅建業者だけでなくその従業員にも守秘義務があるため、イヌマル不動産の従業員であるハッピーは、業務を通じて知り得た秘密を、いかなる場合にも他に漏らしてはならない。

**解答** **正当な理由があれば、秘密を漏らしても守秘義務違反とはならない。**裁判で証言するなど法律上の義務がある場合や、取引の相手方に真実を告げなければならないといった場合には、正当な理由があるとされる。 ×

## 1 宅建業者の業務処理原則

宅建業者は、取引の関係者に対し、信義を旨とし、誠実にその業務を行わなければならない。また、業務を適正に実施するために必要な**従業員教育を行う**よう努めなければならない。

R4-30-ウ

## 2 守秘義務

宅建業者やその従業者は、職務上、他人の秘密（財産状況や家庭状況など）を知る機会も多い。そのため、宅建業者及びその従業者には、**正当な理由なしに業務上知り得た秘密を他に漏らしてはならない**という守秘義務が課せられている。宅建業を廃業したり、退職して従業員でなくなったとしても、守秘義務がある。

R4-30-エ

もっとも、正当な理由がある場合には、守秘義務違反とはならない。「本人の承諾がある」「裁判で証言を求められた」「取引の相手方に真実を告げる」といった場合には、秘密をもらしても守秘義務違反とはならない。

## 3 強引な営業の禁止

近年、投資用マンションなどの勧誘に関する苦情が急増したことから、様々な禁止事項が追加された。条文の表現で、ひととおり確認しておこう（条文のまま選択肢の１つとして使われる可能性があるからだ）。

**◘宅建業者が、相手方にしてはならない行為－1**

**① 正当な理由なく、当該契約を締結するかどうかを判断するために必要な時間を与えることを拒むこと**
**② 勧誘に先立って宅建業者の商号（または名称）、勧誘を行う者の氏名、契約の締結について勧誘をする目的である旨を告げずに、勧誘を行うこと**
**③ 宅建業者の相手方等が契約を締結しない旨の意思（勧誘を引き続き受けることを希望しない旨の意思を含む）を表示したにもかかわらず、勧誘を継続すること**
**④ 迷惑を覚えさせるような時間に電話し、または訪問すること**
**⑤ 深夜または長時間の勧誘その他の私生活または業務の平穏を害するような方法によりその者を困惑させること**

R5-36-エ

R5-28-ア

R5-28-ウ

クーリング・オフについては第７章ケース3参照。

申込者の自己都合で申込みを撤回した場合でも、申込金は返還しなければならない。ケース4で説明する手付と違い、まだ契約は成立していないので、申込者を拘束することはできないのだ。

## 4 預り金の返還を拒むことの禁止

契約が成立しなかった、または手付放棄やクーリング・オフで契約が解除された場合には、預かっていた金銭（申込金など）はすみやかに返還しなければならない。また、手付放棄による契約の解除を妨げる行為も禁止されている。これも内容的には難しいものではない。条文の表現で確認しておこう。

### ◘宅建業者が、相手方にしてはならない行為－2

> **① 宅建業者の相手方等が契約の申込みの撤回を行うに際し、既に受領した預り金を返還することを拒むこと**
> **② 宅建業者の相手方等が手付を放棄して契約の解除を行うに際し、正当な理由なく、当該契約の解除を拒み、または妨げること**

手付放棄についてはケース4で。

### 発展 制限行為能力者の取消しについて

宅建業者（個人に限る。また未成年者は除く）が宅建業の業務に関し行った行為は、**行為能力の制限によっては取り消すことができない。**

制限行為能力者が行った行為は取消しが認められる。これが原則だ。しかし、制限行為能力者が宅建業者だった場合には話しが変わってくる。

たとえば、成年被後見人が免許を取り、自分が売主となって宅地建物の売買契約を結んだとする。その後、『先日の契約は取り消します。自分は制限行為能力者なので、あきらめてください』というのは認められないのだ。

もちろんこれは個人の宅建業者の話しだ（制限行為能力者の話しなので法人は関係ない）。また未成年者は除かれている。未成年者が免許を取るには成年と同一の行為能力を有する（＝つまり取消しができない）か、法定代理人が同意をしているのだから、相手方の保護は図られるということだろう。

制限行為能力者については、パートⅢ権利関係　第１章で詳しく学ぶ。なお近年の法改正により成年被後見人、被保佐人は欠格事由ではなくなった。「心身の故障により宅建業を適正に営むことができない者」が免許を受けられないのだ。
R3⑩-40-2

未成年者の免許については、第２章ケース6を参照。

# 第5章 業務上の規制

## ケース4 「約束は守る」が原則だが……

**正誤を判定 ○ or ×**

ツネキチ商事がマンションの販売に際して、手付金500万円を貸し付けることにより売買契約の締結の誘引を行ったが、買主ライ太はこれを断り契約の成立には至らなかった。手付の貸与は禁止されているが、契約に至らなかったのでツネキチ商事は宅建業法に違反しない。

**解答** **手付貸与は禁止**されている。実際に契約しなくても**勧誘しただけで宅建業法違反**となる。 **×**

## 1 手付とは

**手付**とは契約成立のときに交付される金銭だ。手付にはいろいろな種類があるが、まず**解約手付**を覚えよう。解約手付を交付すると次のような効果がある。

> 他には、契約が成立した証拠になる「証約手付」（どんな手付でもこの性質はもつ）、損害賠償額の予定としての意味をもつ「違約手付」がある。

① **買主は手付を放棄すれば契約を解除できる（手付放棄）。**

② **売主は手付の倍額を返還すれば契約を解除できる（手付倍返し）。**

③ **相手方が履行に着手した後は、手付放棄も手付倍返しもできない。**

売主が手付倍返しにより契約を解除するためには、実際に現金を買主に渡す必要がある**（現実の提供）**。単に「倍返しします」と意思表示するだけではダメだ。

契約した以上、それを守らなければいけないのが大原則だ。しかし、手付の放棄（①）や、倍返し（②）により、契約をキャンセルすることが認められる。たとえば、5,000万円のマンション売買契約を結び、買主が手付金として500万円支払ったとする。ところが他でもっといいマンションが4,000万円で売りに出ていることがわかったならば、手付金の500万円はあきらめて、4,000万円のマンションを買った方が得になる。買主は手付放棄により5,000万円の売買契約を解約できるのだ。

R2⑩-32-1、H28-34-3

この手付放棄は便利な制度なのだが、期限を決めておかないといつまでも契約が安定しない。そこで、相手方が契約の履行（契約内容の実行）に着手した場合には、もう手付による契約の解除はできない、としている（③）。

**〈契約の履行にあたるものの例〉**

- **買主が手付金以外の代金（中間金、残金）を支払う**
- **売主が引渡しを行う**
- **移転登記を行う**

## 2 手付貸与の禁止とは

宅建業法は、手付の貸与を禁止している。

売主が「手付金は貸してあげますよ。借用書にサインしてくれれば、1円もなくてもマンションを買えます」という売り方をしてはいけない、ということである。このような売り方では買主が軽卒に契約することになりかねないし、契約を解除した場合には借金（手付金の未払い）だけが残るということになる。そのため**業者は、手付を貸与して契約を勧誘してはならない**とされている。たとえ、買主が了承していたとしても認められない。実際に契約しなくても、手付金を貸しますよ、といって**勧誘すること自体が宅建業法違反だ**。

一方、手付金を減額する、といった行為は、業法違反ではない。

| 手付金貸与にあたる | 手付金貸与にあたらない |
| --- | --- |
| ・手付金の分割払い<br>・手付金を約束手形で支払う | ・手付金の減額<br>・手付金を融資してくれる銀行を紹介する |

宅建業者間の取引であっても、手付貸与は禁止されている。誤解する人が多い。しっかり覚えよう。

## 発展 犯罪収益移転防止法

いわゆるマネーロンダリングを防ぐための法だ。この法律では、「特定取引」に対し本人確認等を義務づけている。宅地建物の売買契約の締結、その代理・媒介もこの法律の「特定取引」にあたる。「本人確認の実施」「本人確認記録の作成・保存」「取引記録の作成・保存」「疑わしい取引の届出」などが義務づけられている（**交換や貸借の代理・媒介は特定取引ではない**。本人確認等の義務はない）。

R4-30-イ

# ケース5 専任か一般か、それが問題だ

**正誤を判定 ○ or ×**

イヌマル不動産がハナの所有する賃貸アパートの売却の媒介依頼を受け、ハナとの間に専属専任媒介契約を締結した場合、ハナはイヌマル不動産が探してきた相手方以外の者とは売買契約を締結することができない。

**解答** **専属専任媒介契約であるため**、ハナはイヌマル不動産以外の業者に依頼することもできないし、**自己発見取引も禁止**されている。ハナが契約できるのは、イヌマル不動産が見つけてきた買主だけだ。 ○

## 1 専任媒介と一般媒介

上記「正誤を判定○or×」で、ハナはイヌマル不動産以外の宅建業者にも媒介依頼できるのか。それはハナとイヌマル不動産がどういう媒介契約を結んだのかによる。媒介契約には、他の業者にも依頼してよい一般媒介契約と、他の業者には依頼してはいけない専任媒介契約の２つがある。

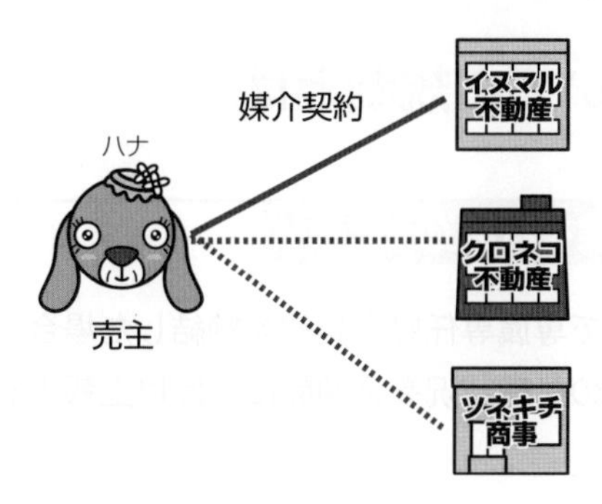


## 2 専属専任媒介契約とは

専任媒介契約で、売主が自分で買主を見つけた場合はどうなるのか？　他の業者に依頼したわけではないからルール違反ではない、と売主は思うだろう。一方、宅建業者にしてみれば専任だということで、広告費もたくさん使った後で、売主から買主を見つけたといわれても困ってしまう。

そこで専属専任媒介契約という契約形態が設けられた。これは依頼者が買主を見つけること（**自己発見取引**という）を禁止する特約が付けられた専任媒介契約である。専属専任媒介は自己発見取引禁止。これはよく覚えておこう。

専属専任媒介契約について、試験では「依頼者が当該宅地建物取引業者が探索した相手方以外の者と売買または交換の契約を締結することができない旨の特約を含む専任媒介契約」と書かれることもある。

## 3 媒介契約の種類

以上をまとめると、媒介契約の種類は次のようになる。

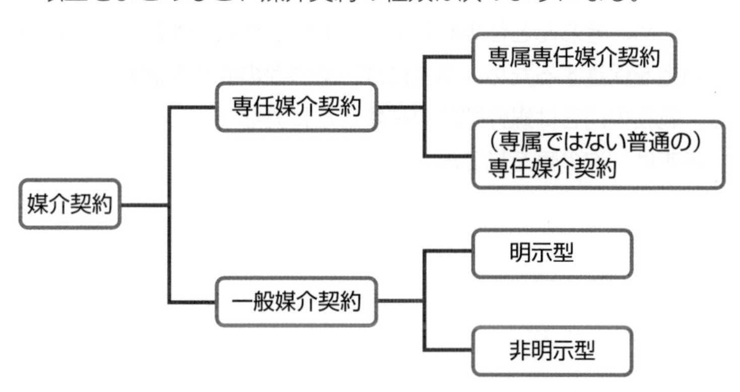


一般媒介は他の業者にも依頼していることを明らかにする義務のある「明示型」と義務のない「非明示型」に分かれる。

# ケース6 媒介契約についての規制とは

**正誤を判定 ○ or ×**

イヌマル不動産とハナとの間で専属専任媒介契約を締結した場合、イヌマル不動産はハナに対し、業務の処理状況を２週間に１回以上報告しなければならない。

専任媒介契約で
お願いします。
任せてください！
イヌマル不動産

**解答** 専属専任媒介契約の報告義務は、1週間に1回以上だ。 ×

## 1 媒介を受けた業者の義務

媒介契約、特に専任媒介契約を結ぶと他の業者に依頼できなくなるため、きちんと仕事をしてくれないと依頼者が困る。そこで依頼者を保護するため、業者にはいくつかの義務が課せられている。義務の内容は媒介契約の種類ごとに異なる。

まずは、次の表を見てみよう。

| | 一般媒介 | 専任媒介 | |
|---|---|---|---|
| | | （普通の専任） | 専属専任 |
| ①他の業者への依頼 | ○ 可 | × 不可 | × 不可 |
| ②自己発見取引 | ○ 可 | ○ 可 | × 不可 |
| ③有効期間 | 制限なし | 3カ月以内 | |
| ④契約の自動更新 | ○ 可 | × 不可<br>（依頼者の申出がなければ更新できない） | |
| ⑤指定流通機構への登録 | 義務なし<br>（登録は可能） | 7日以内<br>（休業日を除く） | 5日以内<br>（休業日を除く） |
| ⑥業務の処理状況の報告 | 義務なし | 2週間に<br>1回以上<br>（休業日含む） | 1週間に<br>1回以上<br>（休業日含む） |
| ⑦申込みが入ったら | 遅滞なく依頼者に報告する | | |

①と②は説明不要だろう。それぞれの媒介契約の定義だ。

③。専任媒介契約の場合、有効期間は**3カ月以内**だ。

3カ月を超えた契約は3カ月に短縮される。媒介契約自体が無効になるわけではない。

④にあるように、契約の更新も依頼者が希望した場合のみだ。**自動更新特約は無効**である。

一方、一般媒介契約に③④のような規制はない。イヌマル不動産がダメだと思えば、イヌマル不動産との契約はそのままにしておいて、他の業者にも依頼すればいいからだ。

⑤の**指定流通機構**とは、宅建業者間の物件情報交換ネットワークのことだ。指定流通機構に物件が登録されると、他の業者でもその情報を見ることができる。物件を探している人が、イヌマル不動産以外の会社を訪問したとしても、指定流通機構に登録してあれば、物件が売りに出されていることがわかるようになっているのだ。

仮に依頼者が、イヌマル不動産ではいつまでたっても売却できないと思った場合、契約期間満了後に他の業者との契約に切り替えればいいわけだ。

実務では、指定流通機構をREINS（レインズ）と呼んでいる。

## 指定流通機構の仕組み

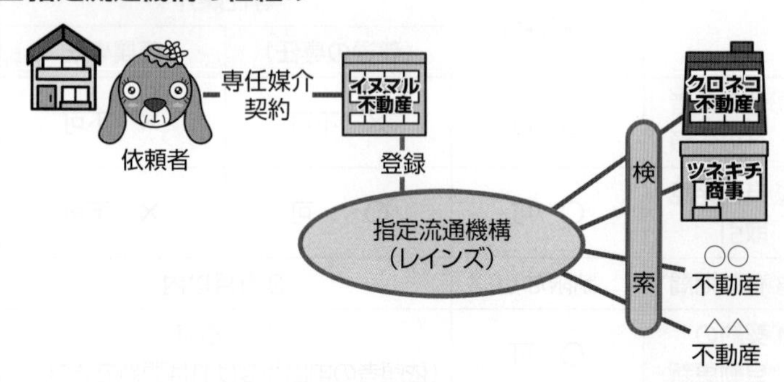


依頼者の物件は指定流通機構に登録されているので、買い希望客がどの宅建業者を訪問しても、その物件の存在を知ることができる。

このように、指定流通機構に登録した方が、売却先が早く見つかる可能性が高いため、専任媒介契約では指定流通機構に登録することが義務付けられている。**普通の専任であれば媒介契約締結の日から7日以内、専属専任は5日以内**だ。日数のカウントにあたっては**休日はのぞかれる**。「レインズをのぞく」と覚えよう。

> 7日以内・5日以内をカウントするにあたり、業者の休業日は除かれる。
> ゴールデンウィークなど長期の休みがある場合、登録ができないからだと考えよう。

**レインズをのぞく**

物件を登録すると指定流通機構から宅建業者に対し**登録を証する書面**が発行される。宅建業者は登録を証する書面を**遅滞なく**依頼者に引き渡さなければならない。

> 指定流通機構への登録を証する書面は、紙ではなく、「電磁的方法」により提供することも可能だ（詳細は、第6章ケース7 3 電磁的方法による書面の提供参照）。

⑥。**業務の処理状況**も**報告**する。**普通の専任であれば２週間に１回以上、専属専任は１週間に1回以上**は報告する義務がある。報告は**口頭**でもよい。

R6-32-3

⑦。媒介契約を受けた宅地建物に**申し込み**があった場合、依頼者に遅滞なく**報告**する。専任媒介だけでなく一般媒介であってもだ。

レインズにも取引状況を登録する（例：書面による購入申し込みあり）。
事実と異なれば指示処分となる。

## 2 指定流通機構への登録

**〈登録事項〉**

指定流通機構に登録するのは、不動産の「**所在、規模、形質、価額、法令上の制限、専属専任媒介であるときはその旨**」だ。

所有者の住所氏名などがわかる**「登記の内容」は登録事項とはなっていない。**所有者の住所氏名がわかると、それを見た他の業者が顧客を奪うという行為が可能になってしまうからだ。

**〈依頼者への周知〉**

レインズのステータス管理機能により、依頼者（売主）は申し込み状況など最新の登録情報を確認できる。この機能を通じて申し込み状況を確認するよう依頼者に周知する。

登録証明書にＩＤとＰＷが記載されている。この機能によりいわゆる「囲い込み」を防ぐことができる（囲い込み＝専任の依頼を受けた業者が両手取引を狙って、他の業者から物件照会があっても申し込み済などと偽り案内しないこと）。

**〈成約したら〉**

登録した物件の売買契約が成立したときは、「**登録番号、売買契約の年月日、取引価額**」を遅滞なく指定流通機構に通知する（成約情報の通知）。一般媒介契約の場合も、指定流通機構に登録した物件が成約したときは、通知に努めることとされている。

## 3 媒介業務以外の不動産取引に関連する業務

宅建業者や宅建士は、媒介以外の不動産関連業務を行うこともある（例：空家の利活用、コンサルティング業務など）。この場合、媒介業務との区分を明確にする必要がある。

媒介業務との区分が明確ならば、媒介報酬（**ケース8**以降で解説）とは別に関連業務の報酬を受領することができる。

# ケース7 媒介契約書を作ろう

**正誤を判定 ○ or ×**

ハナと専任媒介契約を結んだイヌマル不動産が、価額について意見を述べる際、依頼者ハナから価額の根拠を明らかにする旨の請求がなければ、その根拠を明らかにする必要はない。

4,000万円
ですか。
そうです。その
根拠は…。
イヌマル
不動産

**解答** **価額について意見を述べる**ときは、相手方に請求されなくても、**必ずその根拠**を示さなければならない。 **×**

## 1 媒介契約書

> **試験**では、「34条の2の書面」と出る。

> 買主から媒介依頼を受けた場合も、書面を交付する。
> R4-31-4

媒介契約を結んだのであれば、遅滞なく、宅建業者は依頼者に媒介契約書を渡さなければならない。一般媒介であっても、業者間取引であっても、媒介契約書の交付が必要だ。

媒介契約書には以下のことが記載される。

> 建物状況調査とは「建物の**構造耐力上主要な部分**又は**雨水の浸入を防止する部分**に関する調査であって、国土交通省令で定める者が実施したもの」のことだ。

**① 宅地・建物を特定するために必要な表示（物件の所在地、建物の種類・構造など）**
**② 宅地・建物を売買すべき価額（または評価額）**
**③ 媒介契約の種類（専任媒介か一般媒介か）**
**④ （既存の建物であれば）建物状況調査を実施する者のあっせんに関する事項**

⑤　**媒介契約の有効期間、解除に関する事項**
⑥　**指定流通機構への登録**
⑦　**報酬額、報酬の受領の時期**
⑧　**違反に対する措置**
⑨　**国土交通大臣が定めた標準媒介契約約款に基づくか否か**

②の価額だが、業者が価額（または評価額）について意見を述べるときは、依頼者から請求がなくても、**根拠**を示さなければならない。これは書面でなくても**口頭でもよい**。

④は、**建物の状況調査**（ひび割れ、雨漏り等の有無）**を実施する者のあっせんの有無**について記載する。中古住宅が対象（店舗や事務所は対象外）。

標準媒介契約約款では、あっせん「無」とするときは理由を記入することとしている。

⑥の指定流通機構への登録に関する事項も、媒介契約書への記載事項だ。**一般媒介契約でも登録するのかどうか**（登録する場合は指定流通機構の名称）**が記載**される。

一般媒介契約は指定流通機構への登録義務はないが、**登録することはできる**、からだ。

⑨の標準媒介契約約款とは、国土交通大臣が定めた媒介契約書のモデルだ。モデルを使っているのか、独自の契約内容なのか明記しなさい、ということだ。

R6-32-3

**媒介契約書の作成義務は宅建業者にある**。したがって、宅建業者が媒介契約書へ**記名押印**する。押印も必要なことに注意しよう。

**媒介契約書には宅建士の記名は不要**だ。また、媒介契約書は、紙ではなく、「電磁的方法」により提供することも可能だ。

## 2 代理にも適用。貸借には適用なし

ケース**5**以降、媒介契約について説明してきたが、これは**代理契約にもあてはまる**。また、あくまで売買（交換）の媒介・代理の話だ。貸借の代理・媒介では法律上は専任・一般という区別はない。したがって貸借の場合、**指定流通機構への登録義務や媒介契約書の作成・交付義務はない**。

よく出題される。H29-28-イ、H28-41-1、H27-28-ウ

# ケース8 売買の媒介の場合、業者への報酬はいくら？

**正誤を判定 ○ or ×**

イヌマル不動産は、ハナからアパートを売却するよう媒介依頼を受け、買主ライ太との間で売買契約を成立させた。イヌマル不動産がハナから受領できる報酬の限度額は156万円である。なお売買代金は5,200万円（消費税200万円を含む）であり、イヌマル不動産及びハナは消費税課税業者である。

**解答** 売買価格は消費税を除いた5,000万円。
「5,000万円×0.03＋６万円＝156万円」
さらに、消費税分10％を上乗せして、
「156万円×1.1＝171.6万円」
これが、ハナに請求できる報酬の限度額となる。 **×**

**媒介報酬**とは、いわゆる仲介手数料のことだ。

## 1 媒介報酬の限度額が決まっている

宅建業者が売買の媒介を行った場合に、受け取ることのできる限度額は、次の表のように定まっている。

### ◘売買の媒介報酬の限度額（速算式）

| 売買価格（本体価格） | 報酬の限度額（税抜き） |
|---|---|
| 400万円超 | （売買価格の）３%＋６万円 |
| 200万円超～400万円以下 | （売買価格の）４%＋２万円 |
| 200万円以下 | （売買価格の）５% |

この表の数字は覚えなければならない。特に売買価格（本体価格）が400万円を超えた場合の「３%＋６万円」という数字は絶対に覚えよう。

たとえば、1,000万円の物件の媒介をしたならば、次のように計算し、36万円になる。

1,000万円×３%＋６万円＝30万円＋６万円＝36万円

## 2 報酬限度額の求め方

媒介報酬限度額を求める手順は以下の通りだ。

**① 本体価格を求める**
**② 速算式を適用する**
**③ 消費税額を上乗せする**

### ① 本体価格を求める

売買価格には、消費税が加算されている場合がある。しかし、速算式に適用するのは、消費税を抜いた**本体価格**だ。

土地の売買には消費税は課税されないが、建物の売買には消費税が課税される（売主が課税業者の場合）。

たとえば土地600万円、建物400万円の住宅を課税業者から購入する場合、建物には消費税10%が加算されて、実際の売買代金は1,040万円になる。

600万円(土地)+400万円(建物)×1.1＝600万円+440万円＝1,040万円

しかし、報酬限度額の計算においては消費税40万円を含めず、本体価格の1,000万円で計算する。

### ② 速算式を適用する

本体価格1,000万円に対し、速算式を適用する。

1,000万円×３％＋６万円＝36万円

③　**消費税額を上乗せする**

宅建業者が課税業者であれば報酬に消費税相当額（10%）を上乗せすることができる。

36万円×1.1＝39.6万円

39.6万円が報酬の限度額となる。

**発 展　免税業者は４％**

R6-28-ア

宅建業者が非課税業者（免税業者）の場合にはみなし仕入率分として４%を上乗せできるため、37.44万円が報酬の限度額となる。

36万円×1.04＝37.44万円

## 3 両手と片手

上記で求めたのは、**依頼者の一方から受け取る**ことのできる**限度額**（上限額）だ。たとえば下図ａであればイヌマル不動産は、売主・買主それぞれから36万円＋税を受領することができる（いわゆる両手）。図ｂであれば、売主から36万円＋税を受領するだけだ（片手）。

またあくまで**限度額**なので、依頼者（売主や買主）と宅建業者との話し合いによって、これより低い額になることもある。

**図ａ**

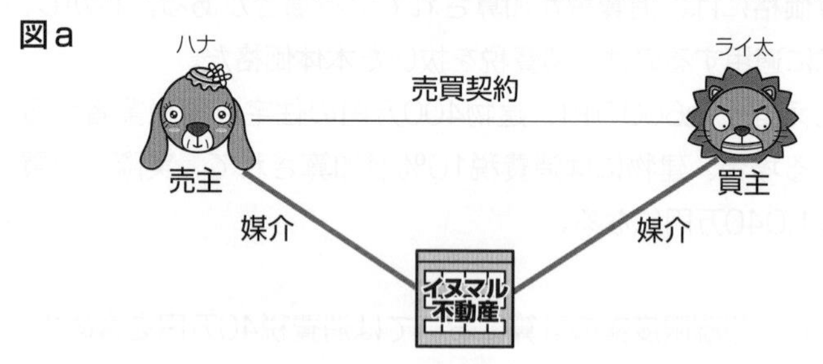


イヌマル不動産は売主・買主の両方から媒介を依頼されている（両手）

図b

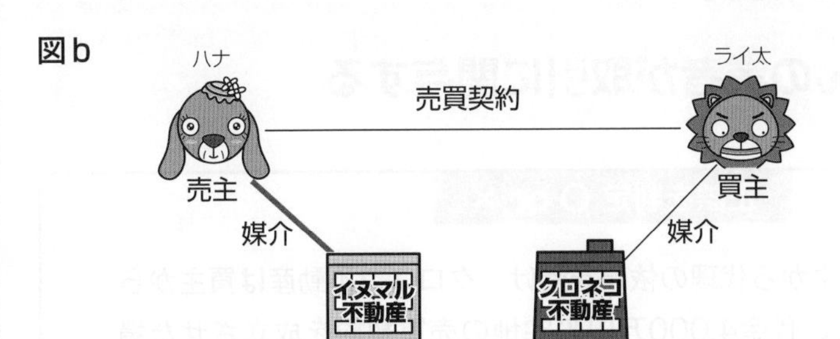


イヌマル不動産は売主からのみ媒介を依頼されている(片手)

## column　3％＋6万円の「6万円」とは…

(手数料の限度額)

| | ～200万円 | 200～400万円 | 400万円～ |
|---|---|---|---|
| 5%～4% | 1%<br>(2万円*) | | |
| 4%～3% | 1%<br>(2万円*) | 1%<br>(2万円*) | |
| 3%～ | 3% | 3% | 3% |

(売買価格)

宅建業法では、売買価格のうち200万円までは5％、200万円から400万円までは4％、400万円を超える部分は3％と報酬限度額が定められている。売買価格が400万円を超えるのならば、手数料の限度額は3％で計算して、6万円足せば同じことなのだ。

＊200万円×1％＝2万円

# ケース9 たくさんの業者が取引に関与する

**正誤を判定 ○ or ×**

イヌマル不動産は売主から代理の依頼を受け、クロネコ不動産は買主から媒介の依頼を受けて、代金4,000万円の宅地の売買契約を成立させた場合、イヌマル不動産は売主から277万2,000円、クロネコ不動産は買主から138万6,000円の報酬をそれぞれ受けることができる。なおイヌマル不動産およびクロネコ不動産は消費税課税事業者である。

複数の業者が関与することもある…。

**解答** **「媒介報酬の限度額の２倍」までしか受領できない。**イヌマル不動産、クロネコ不動産の報酬額の合計が277万2,000円以下でなければならない。 **×**

## 1 売買の代理報酬の限度額

代理報酬の限度額は、媒介の２倍である。宅建業者と売主の間の契約が代理だったとしよう。宅建業者は売主の代理として売主のために働くことになる。報酬も「基本的には」売主だけから受け取る。だから限度額も媒介の２倍となる（買主からもらう分も売主からもらう）。

たとえば、本体価格1,000万円の代理報酬限度額は72万円になる。さらに消費税相当額が加算される。

（1,000万円×３%＋６万円）×２倍＝72万円

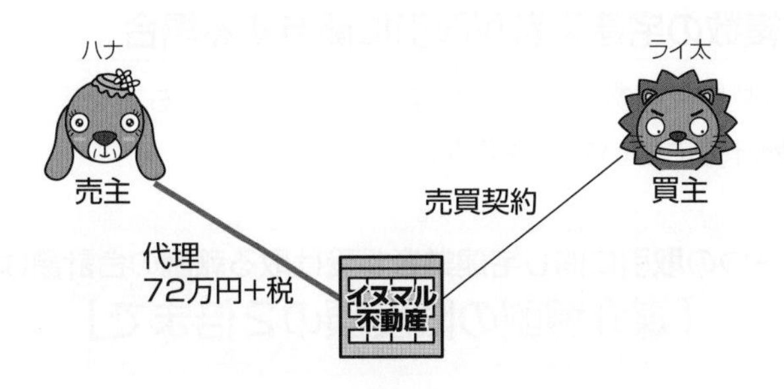


宅建業者は売主に代わって契約を結ぶ(代理)
売主からだけ報酬をもらうのならば72万円+税が限度額

これ以降の図で、「+税」とは、消費税課税事業者であれば10%を加算する、という意味だ。非課税事業者であれば4%を加算する。

報酬は「基本的には」売主だけから受け取る、と書いたのは、**相手方（買主）の承諾があれば、相手側からも報酬を受け取ることができる**からだ。ただし、売主からの報酬と買主からの報酬の**合計額が媒介報酬の２倍以内**でなくてはならない。

本体価格1,000万円の物件の代理で、買主から報酬として10万円（＋税）を受け取れば、売主からは62万円（＋税）しか受け取れないことになる。

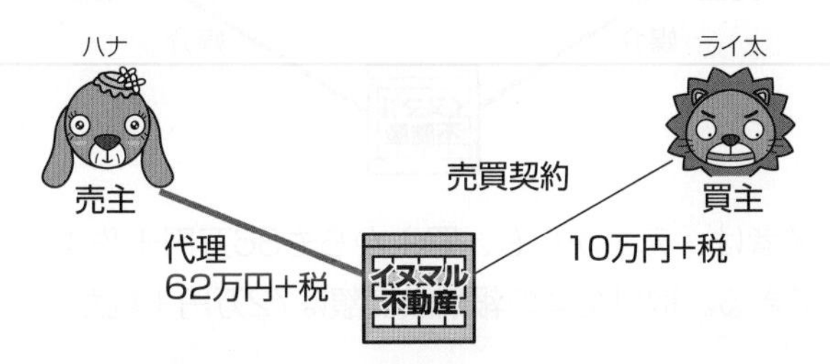


買主から報酬10万円(+税)受領すれば、売主からの報酬は62万円(+税)が限度額になる。

## 2 複数の宅建業者が取引に関与する場合

売買契約に多数の業者が関与するということもある。この場合の報酬計算については重要なルールがある。

一つの取引に関し宅建業者が受け取る報酬の合計額は
**「媒介報酬の限度額の２倍まで」**

以下、具体的なケースごとにみていこう。本体価格は1,000万円、業者は消費税課税業者とする。どの場合も「業者が受け取ることのできる報酬の**合計額**」は、「36万円＋税」の２倍（72万円＋税）までになる。ケース④が特に重要だ。

1,000万×３％＋6万円＝36万円。

ケース①　宅建業者１社が売主、買主を媒介し、契約を成立させた

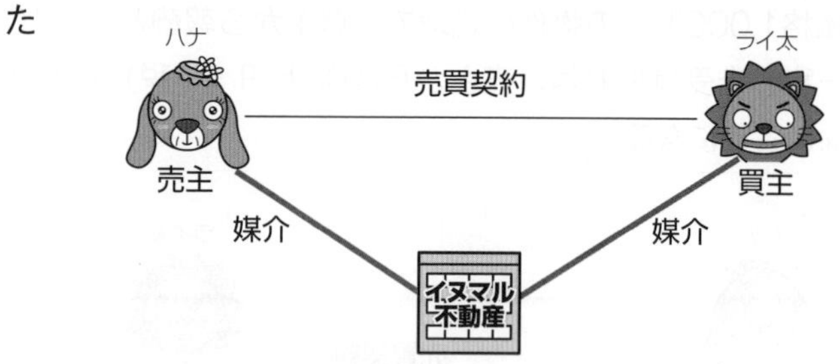


宅建業者は、売主からも、買主からも36万円＋税までもらうことができる。取引全体の報酬限度額は72万円＋税だ。

ケース②　売主、買主それぞれ別の業者が媒介し、契約を成立させる

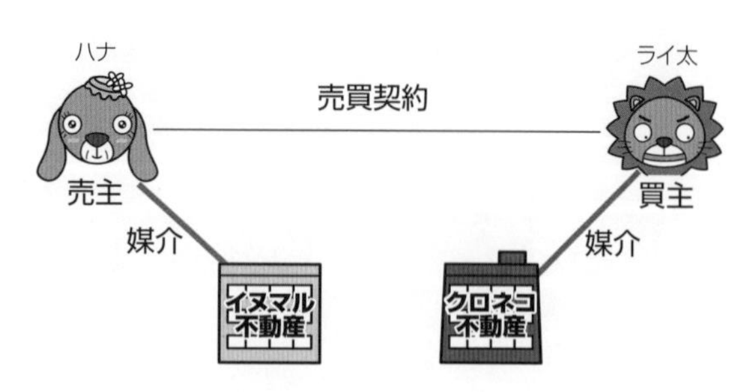

売主の媒介業者は売主から、買主の媒介業者は買主から36万円＋税までもらえる。取引全体の報酬限度額は72万円＋税だ。

### ケース③　宅建業者が代理として契約を成立させる

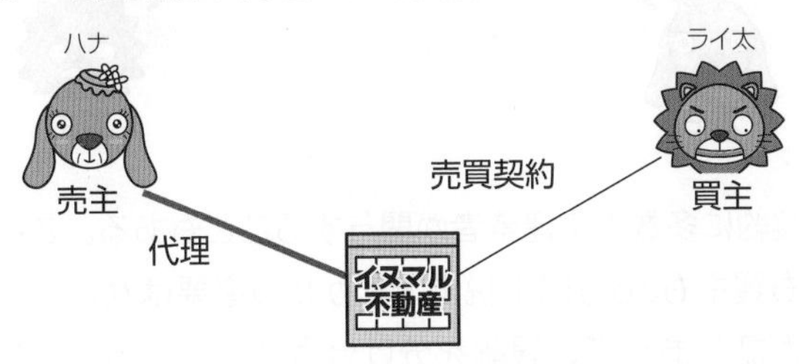


代理の場合は、売主から媒介報酬額の２倍（72万円＋税）まで受け取ることができる。買主からも報酬を受け取ることができるがその場合は、売主から受け取る報酬額が減る。つまり取引全体の報酬限度額は72万円＋税だ。

### ケース④　代理業者と媒介業者が取引に関与する

ケース④の出題が多い。
R2 ⑩-30-1、
H27-33-ア、
H26-37-イ、
H25-37

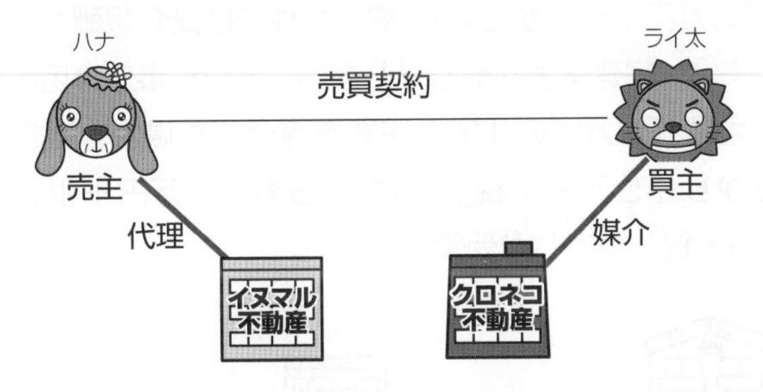


代理業者は売主から代理の報酬限度額72万円＋税をもらおうと考えるだろう。媒介業者は、買主から36万円＋税をもらおうと考えるはずだ。しかし、**取引全体の報酬限度額は媒介報酬限度額の２倍まで**でなければならない。つまり全体で72万円＋税以下でなければならないのだ。

もし、**代理業者が売主から72万円＋税を受け取った場合には、媒介業者は買主からは報酬を受け取ることができなくなる。媒介業者が買主から36万円＋税を受け取った場合には、代理業者が受領できる報酬限度額は36万円＋税までだ。**

代理業者、媒介業者が話し合って、それぞれの報酬額を決めることになる。

### ケース⑤　たくさんの業者が関与する

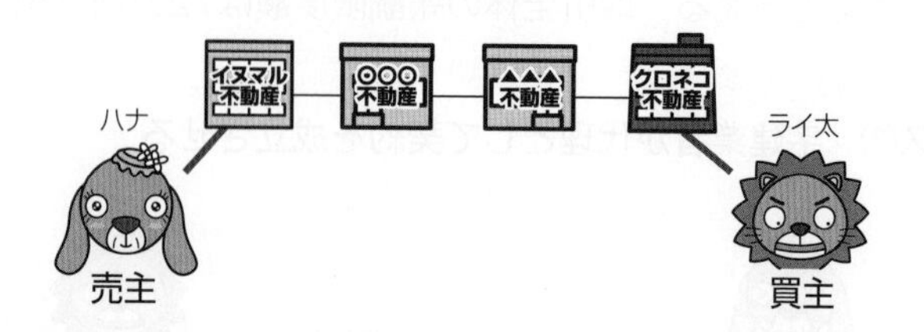


売買契約に多数の宅建業者が関与することもある。この場合でも売主も買主も36万円＋税までしか払う必要はない。宅建業者どうしが話しあって、報酬を分け合うことになる。この場合も「業者が受け取ることのできる報酬の合計額」は、36万円＋税の２倍（72万円＋税）までなのだ。

## 3 低廉な空家等の媒介の特例

低廉な空家等（本体価格が800万円以下の宅地・建物）については、「媒介に要する費用」を加算できる（通常の報酬とあわせて「30万円＋税」が上限）。安い物件では媒介報酬も少なくなってしまい、宅建業者が取り扱わない、という事態は困るのだ。

たとえば100万円の住宅の売買を媒介した場合、通常であれば売主から「５万円＋税」、買主からも「５万円＋税」で合計「10万円＋税」までしか受領できない。

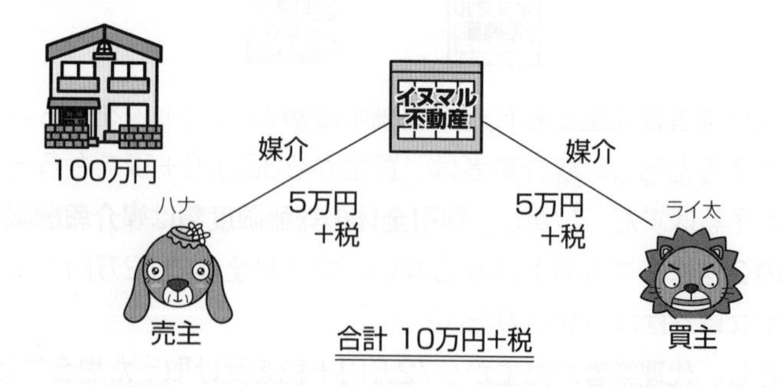


しかし、あらかじめ依頼者に説明し合意を得ておけば、媒介に要する費用として25万円まで加算できる（報酬の片手分が「30万円＋税」になる）。

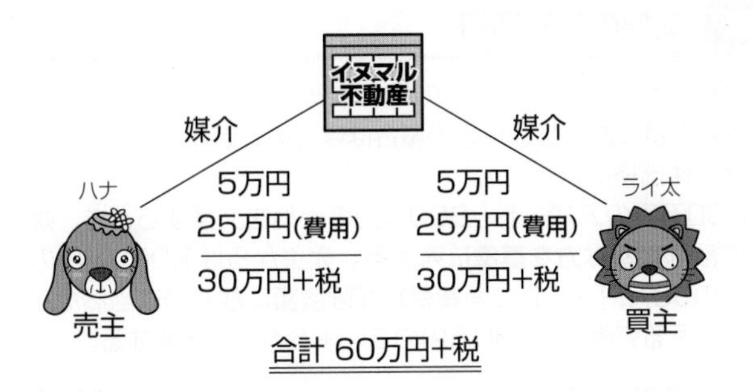


買主からの報酬にも加算できる。近年の法改正点だ。

特例のポイントについて確認しておこう

### ■低廉な空家等の報酬のポイント

① 本体価格が800万円以下の宅地・建物が対象。宅地・建物の使用状態は不問。

② 通常の報酬とあわせて「30万円＋税」まで受領できる。買主からも受領できる（両手であれば「60万円＋税」まで受領ＯＫ）。

③ 「媒介に要する費用」に相当する金額を上回る報酬も可能（実費相当額までではない）。

④ あらかじめ報酬額について依頼者に説明し、合意する。

R4-26-4

代理の場合にも、媒介に要する費用を受領できる。

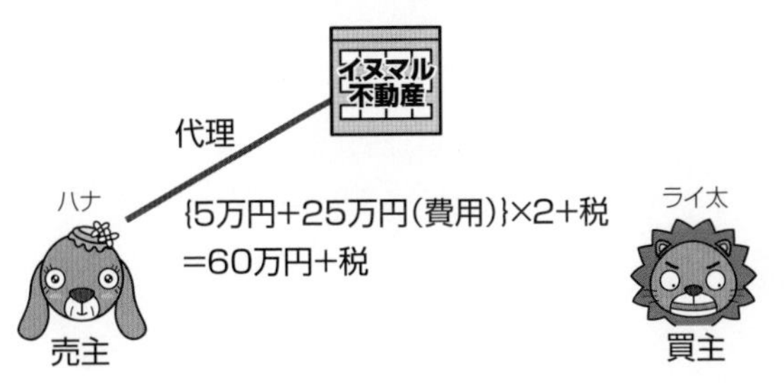

## 発展　交換の物件価格

交換の場合も計算式は売買の場合と同様に、媒介の片手は、3％＋6万円が限度になるし、代理の場合は媒介の2倍が限度になる。注意すべきは物件価格だ。

1,000万円のアパートと800万円の土地を交換するとき、媒介報酬の限度額は**高額な方を基準**に考える。売主からは1,000万円の3％＋6万円の36万円（これに消費税）が限度額になるのは当然だが、買主からもらえる報酬も1,000万円の3％＋6万円で計算する。

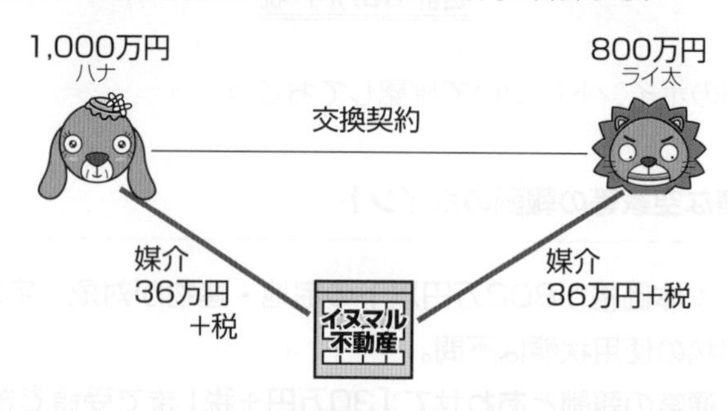


交換の物件価格は高い方を採用

# ケース10 貸借の媒介の場合、業者への報酬はいくら？

**正誤を判定 ○ or ×**

イヌマル不動産（消費税課税業者）が、媒介により貸主をハナ、借主をコア太郎とする居住用アパートの賃貸借契約を成立させた（賃料は１月10万円）。この場合、ハナとコア太郎の承諾を得たときは、ハナから11万円、コア太郎から11万円の媒介報酬を受領することができる。

**解答** イヌマル不動産が受け取ることのできる報酬限度額は、貸主ハナ、借主コア太郎の双方合わせて賃料の**1月分が上限**である。賃料10万円に消費税を加えた11万円が限度額となる。 **×**

## 1 貸借の報酬限度額

貸借の場合、媒介でも**代理**でも、依頼者（貸主と借主）から受け取ることのできる報酬額の合計は**賃料の１月分＋税が限度**だ。賃料の１月分の税の範囲内であれば、貸主、借主から受け取る**割合について決まりはない**。

貸主の代理であっても借主が了承すれば、借主からも報酬を受け取ることができる。

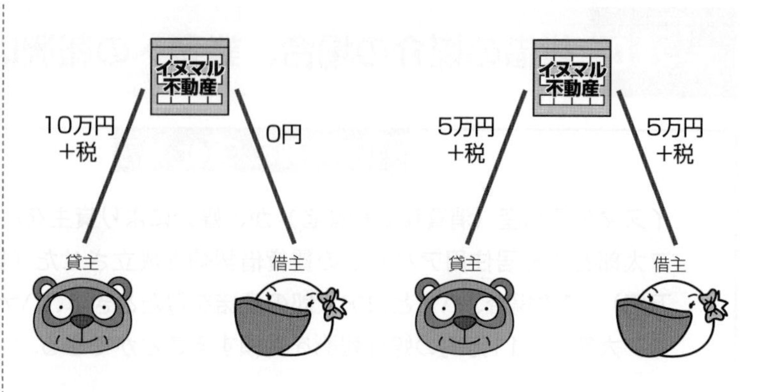


居住用建物と宅地の賃貸借には消費税は課税されないが、事業用建物（事務所や店舗）であれば賃料に消費税が加算されているので、それを控除する。

なお、賃料も売買同様、消費税を抜いた本体価格（賃料）で報酬限度額を計算する。

## 2 居住用建物の場合

**店舗兼用住宅**は、居住用建物ではない。R3⑩-44-3

居住用建物の場合も賃料の１月分が限度なのだが、事務所や店舗の場合と異なり、**割合が決まっている**。原則として依頼者の一方から受け取ることができる報酬限度額は賃料の0.5月分＋税だ。

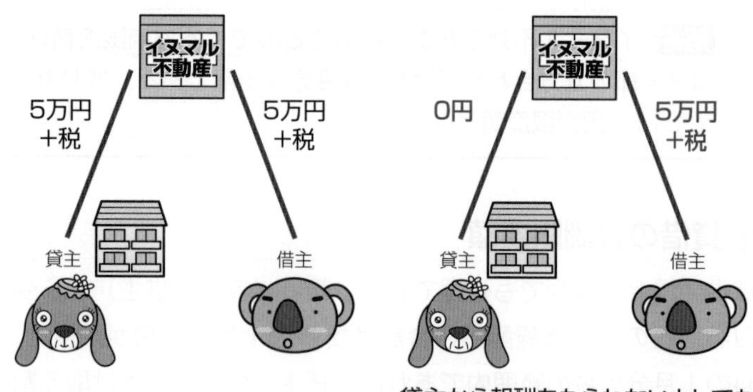


ただし、**相手方があらかじめ承諾すれば合計で**１月分を限度に割合を自由に決めることができる。

R2⑩-30-2

たとえば、居住用アパートの賃貸借契約を媒介した場合、**借主の承諾があれば**、借主から媒介報酬として賃料の１月分を受領することもできる（貸主からは報酬を受け取ることはできない）。

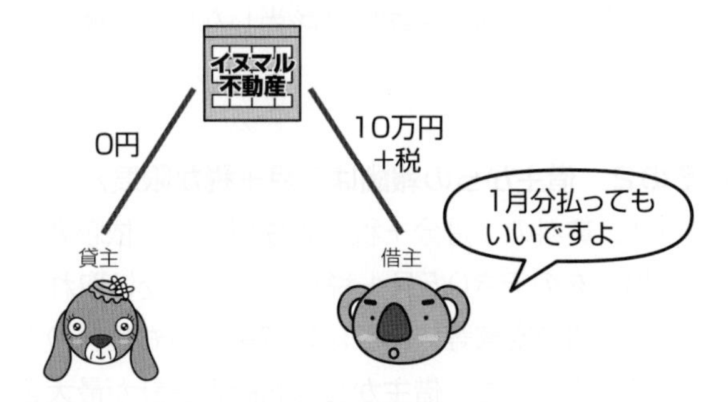


**この承諾は、「媒介依頼を受けるとき」に得ておく必要がある。**媒介依頼を受けるときは何も言わずに報酬を請求するときになって「報酬は1.1月でいいですか？」ともちかけるのはダメだ。

## 3 長期空家等の報酬の特例

長期の空家等は、借主を見つけるのに時間や手間がかかる。そこで、貸主である依頼者から報酬限度額を超えた報酬を受領できるという特例がある（賃料の「２月分＋税」が上限）。

また、媒介・代理契約を結ぶ際に、あらかじめ報酬額について依頼者に説明し、合意を得る必要がある。また、以下２点に注意だ。

**〈注意点その１　長期の空家等とは〉**

長期の空家とは媒介の依頼を受ける時点で以下①または②の状態にあるもののことだ。

①現に長期間使用されておらず、または将来にわたり使用の見込みがない宅地建物

例：１年超、居住者が不在となっている空家やマンションの空き住戸

②将来にわたり居住・事業等の用途に供される見込みがない宅地建物

例：相続等により利用されなくなった直後の空家やマンションの空き住戸であって今後も利用が認められないもの

入居者募集を行っている賃貸集合住宅の空き室は、事業の用に供されているので、長期の空家には該当しない（報酬の特例を適用することはできない）。

**〈注意点その２　借主からの報酬は１月＋税が限度〉**

借主からは、賃料の１月分＋税（居住用建物は依頼者の承諾を受けている場合をのぞき0.5月＋税）までしか受け取れない。それに加えて（長期の空家等であれば）貸主からも賃料の１月分＋税まで受領できる（貸主・借主からの報酬の合計が最大２月＋税まで）。

## 4 権利金の授受がある場合

契約終了時に**返還される一時金**は敷金、保証金などと呼ばれる。

賃貸借契約において権利金が支払われる場合がある。権利金とは賃貸借契約締結時に支払われる一時金のうち、**契約終了時に返還されないもの**をいう。権利金の授受がある場合、**権利金を売買代金とみなして売買の報酬の計算式を適用**することもできる。

R2⑩-30-3、H29-26-1

「賃料15万円、権利金400万円」の事務所の賃貸借を媒介した場合、依頼者の一方から受領できる報酬の限度額は、400万円を売買代金とみなして計算すると18万円＋税になる。貸主、借主それぞれから18万円＋税まで受領できるから合計36万円＋税まで受領できる。賃料の１月分で計算した15万円＋税よりも多くなる。

〈賃料で報酬を計算した場合〉

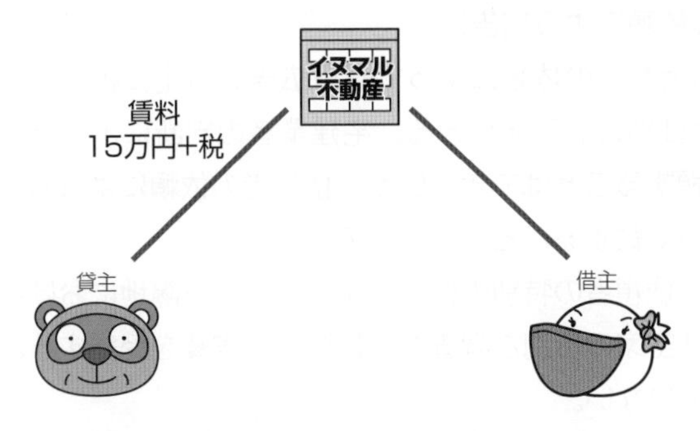


貸主からの報酬と借主からの報酬あわせて
15万円+税までしか受領できない。

〈権利金で報酬を計算した場合〉

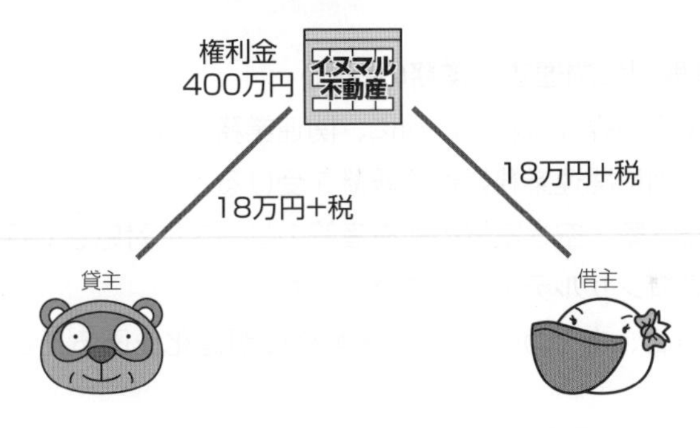


合計36万円+税まで受領することができる。

ただし、**居住用建物にはこの計算式は適用できない**。権利金を売買代金とみなして報酬額を計算できるのは、**宅地や非居住用建物**（店舗や事務所など）**だけ**だ。

H29-26-4

## 5 不当に高額な報酬を要求する行為の禁止

宅建業者は報酬以外に、媒介に要した費用（交通費や通常の広告費、案内料、申込料など）を請求することはできない。実際に受領しなくても**要求しただけで宅建業法違反**となる。

また報酬は成約に至った場合にのみ受領できる。

「重要事項説明を行った対価」（H29-26-3）や「指定流通機構への情報登録料」（H29-43-エ）などを請求することはできない。これらは媒介業務の範囲内の行為だからだ。

## 6 媒介報酬以外の報酬

R5-34-イ

**〈特別の依頼による広告〉**

「**依頼者からの依頼によって行う広告**の料金に相当する額」は「**報酬とは別に**」受領できる。宅建業者の判断により行った広告料を受領することはできないが、依頼者の依頼によるものであれば、別途受領することができるのだ。

また、依頼者の特別の依頼により行う「遠隔地における現地調査」や「空家の特別な調査」等に要する**実費**を受領することは禁止されていない。

これらは媒介報酬ではない。媒介報酬とは別に受領できる金銭だ。これらの費用を受領することについて、**事前に依頼者から承諾を得ておく**必要がある。

また、**成約に至らなくても受領できる。**

**〈不動産取引に関連する業務の報酬〉**

宅建業者が媒介契約とは別に、関連業務を行う場合には、媒介報酬とは別に関連業務に係る報酬を受けることができる。具体的には、空き家・空き室等の所有者等のニーズに対応して行う業務や不動産コンサルティング業務などだ。

この場合、あらかじめ、**関連業務の明確化**を図ることが必要だ。

### ◘関連業務の明確化

**① あらかじめ契約内容を十分に説明して依頼者の理解を得る**
**② 媒介契約とは別に、業務内容、報酬額等を明らかにした書面等により契約を締結する**
**③ 成果物がある場合には書面で交付等する**

# まとめ

## ◇広告開始時期と契約締結時期の制限

| （建築確認、開発許可前でも） | 売買・交換<br>（自ら、代理、媒介） | 貸借<br>（代理、媒介） |
| --- | --- | --- |
| 広告できるか | × | × |
| 契約できるか | × | ○ |

## ◇一般媒介と専任媒介の比較

| | 一般媒介 | 専任媒介 | |
| --- | --- | --- | --- |
| | | （普通の専任） | 専属専任 |
| ①他の業者への依頼 | ○　可 | ×　不可 | ×　不可 |
| ②自己発見取引 | ○　可 | ○　可 | ×　不可 |
| ③有効期間 | 制限なし | 3カ月以内 | |
| ④契約の自動更新 | ○　可 | ×　不可<br>（依頼者の申出がなければ更新できない） | |
| ⑤指定流通機構への登録 | 義務なし<br>（登録は可能） | 7日以内<br>（休業日を除く） | 5日以内<br>（休業日を除く） |
| ⑥業務の処理状況の報告 | 義務なし | 2週間に1回以上<br>（休業日含む） | 1週間に1回以上<br>（休業日含む） |
| ⑦申込みが入ったら | 遅滞なく依頼者に報告する | | |

### 媒介契約書への記載事項

① 宅地・建物を特定するために必要な表示（物件の所在地、建物の種類・構造など）
② 宅地・建物を売買すべき価額（または評価額）
③ 媒介契約の種類（専任媒介か一般媒介か）
④ （既存の建物であれば）建物状況調査を実施する者のあっせんに関する事項
⑤ 媒介契約の有効期間、解除に関する事項
⑥ 指定流通機構への登録
⑦ 報酬額、報酬の受領の時期
⑧ 違反に対する措置
⑨ 国土交通大臣が定めた標準媒介契約約款に基づくか否か

### 売買の媒介報酬の限度額（速算式）

| 売買価格 | 報酬の限度額（税抜き） |
| --- | --- |
| 400万円超 | （売買価格の）3%＋6万円 |
| 200万円超～400万円以下 | （売買価格の）4%＋2万円 |
| 200万円以下 | （売買価格の）5% |

### 貸借の媒介報酬の限度額

① 依頼者双方から受け取ることができる報酬額は、賃料の1月分が上限。
② 居住用建物の場合、依頼者の一方から受け取ることができる報酬額は、賃料の0.5月分が上限。ただし、あらかじめ依頼者の承諾があれば1月分までもらうことができる。
③ 居住用建物以外の場合は、権利金の額を売買価格とみなして計算することもできる。

※ 売買、貸借とも、消費税課税事業者であれば10%、免税事業者であれば4%を加算できる。

# 確認テスト

問題　次の記述の正誤を判定してください。５については報酬の上限額を計算してください。

1．宅地建物取引業者Ａは、自ら売主として、宅地の売却を行うに際し、買主が手付金100万円を用意していなかったため、後日支払うことを約して、手付金を100万円とする売買契約を締結したことは宅建業法に違反しない。

2．宅地建物取引業者Ａは、Ｂとの間に専属専任媒介契約を締結したときは、当該契約の締結の日から５日以内（休業日を除く。）に、所定の事項を当該宅地の所在地を含む地域を対象として登録業務を現に行っている指定流通機構に登録しなければならない。

3．宅地建物取引業者Ａが、Ｂ所有の宅地の売却の媒介依頼を受け、Ｂと媒介契約を締結した。Ｂの申出により、契約の有効期間を６月と定めた専任媒介契約を締結した場合、その契約はすべて無効である。

4．宅地建物取引業者Ａは、オフィスビルの所有者Ｃから賃貸借の媒介を依頼されたが、過去数次にわたってＣの物件について賃貸借の媒介をしていたことから、当該依頼に係る媒介契約を締結したとき、Ｃに対し、書面の作成及び交付を行わなかったことは宅地建物取引業法に違反しない。

5．宅地建物取引業者Ａ（消費税課税事業者）が売主Ｂ（消費税課税事業者）からＢ所有の土地付建物の媒介の依頼を受け、買主Ｃとの間で売買契約を成立させた場合、ＡがＢから受領できる報酬の上限額はいくらか。なお、土地付建物の代金は6,400万円（うち、土地代金は4,200万円）で、消費税額及び地方消費税額を含むものとする。

6．宅地建物取引業者Ａ（消費税課税事業者）は、Ｂ所有の建物について、Ｂ及びＣから媒介の依頼を受け、Ｂを貸主、Ｃを借主とする定期借家契約を成立させた。１カ月分の借賃は13万円、保証金（Ｃの退去時にＣに全額返還されるものとする。）は300万円とする。建物が居住用である場合、ＡがＢ及びＣから受け取ることができる報酬の限度額は、Ｂ及びＣの承諾を得ているときを除き、それぞれ７万1,500円である。

解答解説

1．×　手付金を後日支払うことを認めるのは、手付の貸与にあたる（その場で支払うべきお金を貸して、後で返してもらうのと同じこと）。宅建業法違反だ。

2．○　専属専任媒介契約を締結した日から５日以内（休業日を除く）に、宅地または建物について、その所在、規模、形質、売買すべき価額等を、指定流通機構に登録しなければならない。専属専任は５日以内、通常の専任は７日以内に登録だ。

3．×　専任媒介契約の有効期間は最長３カ月。これを超える契約をした場合には契約期間が３カ月に短縮される。媒介契約が無効になるわけではない。

4．○　賃貸借の媒介においては媒介契約書の交付は義務付けられていない。

5．○　報酬の上限額は211万2,000円となる。

計算方法は、①本体価格を求める。建物価格2,200万円のうち200万円は消費税だから、報酬計算のもとになる本体価格は6,200万円になる。②本体価格が400万円以上なので、３％＋６万円で報酬限度額を計算する。6,200万円×３％＋６万円＝192万円となる。③課税業者なので消費税を加算すると192万円×1.1＝211万2,000円となる。

6．○　貸主借主双方の承諾がない限り、「賃料13万円の半月分」が、一方当事者から受領できる限度額である。賃料の２分の１に消費税を加算すると、６万5,000円×1.1＝７万1,500円となる。なお、保証金300万円は、Ｃの退去時に全額返還されるものなので、売買代金とみなして報酬限度額を計算することはできない。

# 第6章 重要事項説明・37条書面 －重要事項説明①

## ケース1 宅建業者は重説義務を負っている

**正誤を判定 ○ or ×**

マンションの売買において、売主イヌマル不動産、イヌマル不動産の媒介業者クロネコ不動産および買主の媒介業者ツネキチ商事の三者がいずれも宅建業者である場合は、クロネコ不動産、ツネキチ商事のみならず、イヌマル不動産も、買主に対して宅建業法第35条に規定する重要事項の説明をすべき義務を負う。

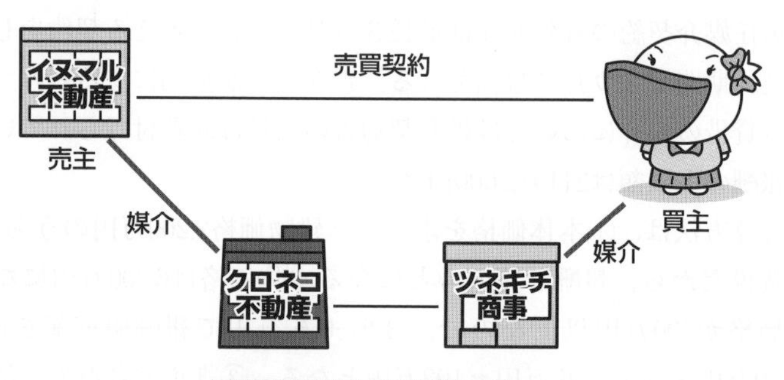


重説義務があるのは誰なのか…。

**解答** **取引にかかわったすべての業者に重説義務がある。**買主の媒介のツネキチ商事はもちろん、売主のイヌマル不動産、売主の媒介をしたクロネコ不動産にも重説義務がある。 ○

### 1 全体像－重要事項説明の基本事項

買主・借主が物件や契約内容をよく理解してから契約するために、「重要事項説明」というもの（以下、重説と省略）がある。

まずは、以下の内容を頭に叩き込もう。

> **①宅建業者は、②相手方（買主・借主）に対して、③契約が成立するまでの間に、④宅建士をして、⑤重要事項について、⑥書面を交付して説明をさせなければならない。**

①～⑥について、それぞれポイントを見ていこう。

## 2 ポイントその1

### ① 宅建業者は

**重説義務**を負っているのは、**宅建業者**だ。重説をしなかった場合、処分されるのは宅建士ではなく、宅建業者だ。

### ② 相手方（買主・借主）に対して

説明が必要なのは、買主・借主に対してだ。交換の場合は、両当事者に説明する。

なお、**買主・借主が宅建業者の場合には説明は不要**となる（⑥の書面交付は必要）。

### ③ 契約が成立するまでの間に

よく理解してから契約するために行うのだから、当然、**契約前**に行う必要がある。

### ④ 宅建士をして

重説は、宅建士でなければできない。宅建士は、重説の際には**宅建士証を提示**する（相手から求められていなくても提示する）。提示しなければ、監督処分の他、罰則を受けることがある。

宅建士であれば、専任の宅建士でなくてもよい。

### ⑤ 重要事項について

説明される事項は、大きく分けて「物件に関する事項」（**ケース2**）と「契約内容に関する事項」（**ケース3**）に分かれる。マンション（区分所有建物）独自の説明事項もある（**ケース4**）。

### ⑥ 書面を交付して

口頭の説明だけでは理解できないこともあるので、書面（重要事項説明書）交付義務がある。重要事項説明書には、**宅建士の記名**が必要。買主・借主が宅建業者でも**重要事項説明書の交付は必要**だ（説明は不要だが書面は交付する）。

書面の交付と説明は、同時である必要はない。先に書面を交付してもよい。
また、重要事項説明書は、紙ではなく、「電磁的方法」により提供することも可能だ（詳細は、第6章**ケース7** **3** 電磁的方法による書面の提供　参照）。

## 3 ポイントその2

以下のことも知っておこう。

⑦ **重説する場所はどこでもよい。**

事務所以外の場所、たとえば喫茶店や買主の自宅で説明してもよい。

⑧ **（買主以外の）すべての業者に重説義務がある。**

複数の業者が取引に関与した場合、すべての業者に重説義務がある。

重要事項説明書には、すべての業者名とそれぞれの宅建士の記名が必要。

ただし、**1人の宅建士が複数の業者を代表して重説してもよい。**

# ケース2 物件に関する重説事項とは

**正誤を判定 ○ or ×**

宅地の売買の媒介において、当該宅地が造成に関する工事の完了前のものであるときは、その完了時における形状、構造並びに宅地に接する道路の構造および幅員を（重説で）説明しなければならない。

**解答** 未完成物件の場合、工事完了時における形状、構造等を重要事項として説明しなければならない。宅地の場合には、宅地に接する道路の構造および幅員も重説事項だ。 ○

## 1 重要事項説明の勉強方法

試験では「重説では○○について説明しなければならない」という形式で出題される。したがって重説で説明される事項についてはすべて覚えておく必要がある。物件、取引条件、マンション、賃借についての重説事項（以下ケース2～ケース5参照）を読んでその内容を理解しよう。

まずは、「物件に関する重説事項」から見ていこう。

重要事項の具体的項目は、パートⅡ法令上の制限や、パートⅢ権利関係を勉強してからでないとわからない用語も多い。まずはざっとみておこう。

## 2 物件に関する重説事項

〈1　物件に関する重説事項〉

| |
|---|
| ①　登記された権利の種類、内容、登記名義人（または表題部所有者）<br>②　法令に基づく制限の概要<br>③　私道負担に関する事項<br>④　飲用水・電気・ガス・排水施設（下水）の状態<br>⑤　未完成物件は工事完了時における形状・構造等<br>⑥　建物状況調査の概要、建物の建築及び維持保全状況に関する書類の保存状況等<br>⑦　その他国土交通省令等で定める事項 |

登記についてはパートⅢ第14章参照。また、土地の権利が借地権である場合にも説明する（借地権については、パートⅢ第8章参照）。

①　登記された権利の種類、内容

その不動産は誰のものなのか、抵当権がついているか、ということが説明される。注意すべきは以下の点だ。

- 貸借でも、抵当権の登記についての説明が必要
- 「引渡し時までに抵当権を抹消する」と売主がいった場合でも抵当権の説明が必要
- 差押えの登記があれば説明する
- 所有権保存登記がなくても表示登記があれば、表題部に記録されている所有者名を説明する
- 移転登記の申請時期は説明不要（重説段階ではまだ確定していないから）

法令上の制限は都市計画法、建築基準法だけでない。「地域における歴史的風致の維持及び向上に関する法律」などというマイナーな法律が出題されたこともある。しかし、法律名や制限の内容まで覚える必要はない。土地や建物の利用制限（建築にあたって許可が必要等）があれば、重説対象と思っておけばよい。
R6-41-エ

②　法令上の制限

住みよい街づくり、建物の安全性確保のために土地の利用は一定の制限を受ける（都市計画法、建築基準法その他法令による制限）。中には住宅を建築できない、という土地もある。住宅が欲しくて土地を購入したのに、家が建てられない、というのでは困るから、重説できっちりと説明される。

建蔽率、容積率については、パートⅡ第3章ケース5、6参照。

なお、建物の貸借であれば建蔽率、容積率、用途規制などは説明不要だ。すでに建っている建物を借りるわけだから、土地の利

用制限については、建物賃借人には無関係だからだ。

### ③　私道負担に関する事項

私道の位置、面積、負担金の有無などが説明される。私道負担がない場合には「私道負担なし」と記載する。なお、**建物貸借では私道負担については説明不要だ。**

### ④　飲用水・電気・ガス・下水の状態

都市ガスなのか、プロパンガスなのかということが説明される。これらの施設が整備されていない場合には、その整備の見通しおよび**整備についての負担**に関する事項を説明しなければならない。住居だけでなく、事務所や店舗の場合でも説明が必要だ。

> 宅地内のガス配管設備の所有権がプロパンガス販売業者にある、といった場合も説明する。
> R6-26-ア、
> H29-41-3

### ⑤　未完成物件は工事完了時における形状・構造等

宅地であれば、（宅地に接する）**道路の構造・幅員**が、建物であれば、**主要構造部・内装および外装の構造（仕上げ）・設備の配置**について説明する。

> R6-37-ウ
> 建物貸借の媒介でも説明する。
> H28-36-エ

### ⑥　建物状況調査の概要、建物の建築及び維持保全状況に関する書類の保存状況等

既存建物（中古の建物・マンション）の場合には、以下の(1)(2)を説明する。

(1)　**建物状況調査**の実施の有無
過去１年以内に（RC造、SRC造の共同住宅は２年以内に）建物状況調査を実施しているかどうかを説明する。実施している場合にはその**結果の概要**（劣化事象の有無）も説明する。**貸借**の場合も説明する。

> R6-37-イ、
> R4-34-1、
> R3⑫-44-イ、
> R2⑩-31-3、
> H30-39-2

(2)　建物の建築及び維持保全の状況に関する**書類の保存状況**
建築確認済証などの書類の保存の状況について説明する。なお、**書類の有無（保存状況）を説明すればよく、記載内容の説明までは不要**。また、**貸借**の場合は、書類の保存状況は重説対象ではない。

> 建物状況調査の実施の有無や書類の保存の状況について、売主等に照会すれば調査義務を果たしたことになる（**宅建業者が調査する義務はない**）。

| | 売買 | 貸借 |
|---|---|---|
| (1)建物状況調査の実施の有無、結果の概要 | ○ | ○ |
| (2)書類の保存状況 | ○ | × |

R4-36-2、
R3⑫-42-イ、
R2⑫-42-2、
R1-39-1、
R1-28-2、
H30-37-2

⑦ その他国土交通省令等で定める事項

土地・建物の安全性に関する事項も説明が必要だ。

| | 宅地 | 建物 |
|---|---|---|
| (1)造成宅地防災区域内にあるときはその旨 | ○ | ○ |
| (2)土砂災害警戒区域内にあるときはその旨 | ○ | ○ |
| (3)津波災害警戒区域内にあるときはその旨 | ○ | ○ |
| (4)水害ハザードマップにおける宅地建物の所在地 | ○ | ○ |
| (5)石綿(アスベスト)の使用の有無の調査結果が記録されているときはその内容 | — | ○ |
| (6)建物が耐震診断を受けているときはその内容(昭和56年6月1日以降に着工した建物は除く) | — | ○ |
| (7)住宅性能評価を受けた新築住宅であるときはその旨 | — | △(売買・交換のみ) |

R4-36-3、
R3⑫-44-ア、
R3⑩-33-4

R4-34-4

R6-41-ウ

(3)の**津波災害警戒区域**の指定を受けた区域内にあるのであれば重説で説明する。

(4)の水防法に基づき市町村が作成した**水害ハザードマップの有無**、ハザードマップにおける**宅地建物の所在地**について説明する。水害ハザードマップには、「**洪水**」「**雨水出水(内水)**」「**高潮**」の**3種類**があり、**それぞれのマップを提示**し、取引対象となる宅地建物のおおむねの**位置を示す**。なお、水害ハザードマップに記載されている内容の説明までが宅建業者に義務付けられてるわけではない。

市町村が水害ハザードマップを作成していない(公表していない)ことが確認された場合は、その照会をもって調査義務を果たしたことになる(水害ハザードマップが存しない旨の説明を行う)。
R3⑩-33-1
宅地建物の「位置を示す」ことにも注意。
R6-37-ア、
R4-36-3

(5)の**石綿(アスベスト)**の調査結果が記録されている場合にその内容を説明する。宅建業者に調査義務があるわけではない(調査結果がないならば、なし、と説明すればよい)。

(6)の**耐震診断**について。建築基準法の改正により昭和56年6月1日より前に着工した「旧耐震基準」の建物についてのみが対象となる。「**耐震診断の有無**」、「**(耐震診断を受けているときは)**

**その内容**」を説明することになる。

宅建業者が耐震診断することまで求められているわけではない。

⑺はあくまで**新築住宅が対象**だ。また、売買（交換）の場合にのみ説明義務がある。**建物貸借の場合は説明不要**だ。

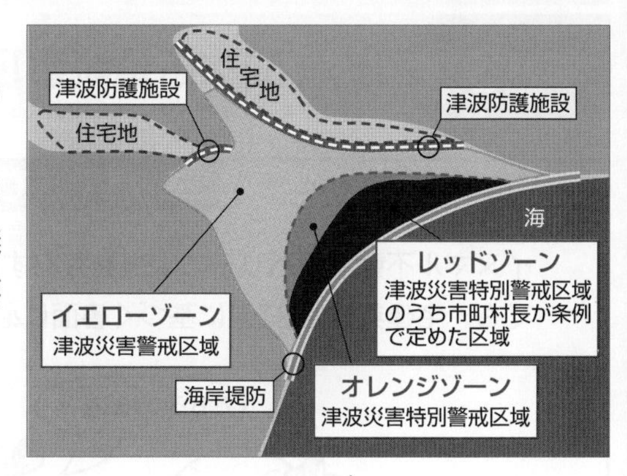

# ケース3 契約に関する重説事項とは

**正誤を判定 ○ or ×**

イヌマル不動産がペリ子に宅地を販売する場合、代金の支払い方法についても、宅建業法第35条に基づく書面に必ず記載しなければならない。

**解答** 代金およびその支払いの時期、方法は重説事項ではない。 ×

〈2　取引条件に関する重説事項〉

① 代金（交換差金）・借賃以外に授受される金銭の額と授受の目的
② 契約の解除に関する事項
③ 損害賠償額の予定・違約金に関する事項
④ 手付金等の保全措置の概要
⑤ 支払金・預り金の保全措置の概要
⑥ あっせんする金銭貸借の内容、金銭貸借不成立の場合の措置
⑦ 契約不適合責任の履行措置の概要（保証契約等）
⑧ 割賦販売に関する事項

契約不適合責任については、パートⅢ権利関係で学ぶ。

① 代金（交換差金）・借賃以外の金銭の額と目的

代金や賃料以外の金銭、たとえば手付金などについて説明する。貸借の場合は、敷金（保証金）、礼金（権利金）などだ。

目的も説明する。R3⑩-26-2

意外に思うかもしれないが、代金や賃料は重説事項ではない（金額はもちろん、支払いの時期、方法も重説事項ではない）。

② 契約の解除に関する事項

解除できるのはどんな場合か、その手続きなどを説明する。定めがない場合も「解除に関する定めなし」と記載する。

③ 損害賠償額の予定・違約金に関する事項

「違約金は売買代金の10%とする」といったことを説明する。定めがない場合も「違約金の定めなし」と記載する。

R2⑩-31-1

④ 手付金等の保全措置の概要

万一業者が倒産した場合等に備えて手付金の保全措置が取られることがある。ここでは保全措置を行う機関の種類およびその名称を説明する。

R6-34-1
手付金等の保全措置については、第7章**ケース7**参照。
R4-32-3

⑤ 支払金・預り金の保全措置の概要

受領する場合の保証・保全措置の有無と概要を説明する。なお預り金が50万円未満の場合は説明不要だ。

⑥ あっせんする金銭貸借の内容、金銭貸借不成立の場合の措置

住宅ローン等のあっせんのことだ。融資条件や、**融資が不成立の場合の措置**を説明する。

融資条件とは「取り扱い金融機関の名称、融資額、融資期間、金利、返済方法、保証料、事務手数料等」のことだ。

⑦ 契約不適合責任の履行措置（保証契約等）

契約不適合責任の履行に関して、保証保険契約の締結や銀行による連帯保証を講じるかどうか、講じる場合は**その概要**が説明される（措置を講じないときも「措置を講じない」と説明する）。

⑧ 割賦販売に関する事項

割賦販売とは、**1年以上**の期間にわたり、売買代金を分割して、毎年あるいは毎月定期的に支払う、というものだ。

R4-30-ア

重説では、**現金販売価格**、**割賦販売価格**及び引渡しまでに支払う額、**賦払金**の額と支払いの時期・方法を説明する。

定期的に支払う金額を賦払金という。

〈取引条件だが、重説では説明不要とされるもの〉

① 代金（借賃）の額、支払時期、方法
② 引渡し時期
③ 移転登記の申請時期
④ 契約不適合責任の内容についての定め
⑤ 天災その他不可抗力による損害の負担に関する定め

これらは37条書面（契約書のこと）に記載される。代金や引渡しの時期などは、重要事項説明を受けて、契約をする段階になって決まることと考えられているのだ。詳しくは、**ケース6**で解説する。

# ケース4 マンション（区分所有建物）特有の重説事項とは

**正誤を判定 ○ or ×**

購入しようとするマンションの建物の計画的な維持修繕のための費用を特定の者にのみ減免する旨の規約の定めがある場合、宅建業者は、買主が当該減免の対象であるか否かにかかわらず、その内容を重要事項として説明しなければならない。

**解答** 管理費等が特定の者のみ減免される規約の定めがある場合はその旨を説明しなければならない。**買主が減免対象でなくても説明が必要。** ○

マンションは権利形態が特殊なので、以下の項目が追加される。

### 〈3 マンション（区分所有建物）の重説事項〉

**〈売買でも貸借でも説明する事項〉**
① 専有部分の利用制限に関する規約の定め（案も含む）
② 管理委託先の氏名（商号）および住所（主たる事務所の所在地）

**〈売買のみで説明する事項〉**
③ 一棟の建物の敷地に関する権利の種類・内容
④ 共用部分に関する規約の定め（案も含む）
⑤ （建物または敷地の一部を）特定の者のみに使用を許す規約の定め（案も含む）

**専有部分**とは、自分が所有する住戸と思っておこう。

R6-26-ウ、H29-41-1

R6-26-エ、
R2⑩-44-4

**⑥　一棟の建物の計画的な維持修繕のための費用の積立てを行う旨の規約の定め（案も含む）、既に積み立てられている金額**
**⑦　建物の所有者が負担しなければならない通常の管理費の額**
**⑧　修繕積立金や管理費等を特定の者にだけ減免する旨の規約の定め（案も含む）**
**⑨　建物の維持修繕の実施状況が記録されているときはその内容**

規約とはマンションの管理規約のことだ。マンション所有者たちで決めたルールだ。

①、④～⑥、⑧については規約で定めるものだ。規約に定めがあるのなら重説で説明する。規約が最終決定していない**「案」の段階であっても説明する。**

①「事務所としての使用が禁止されている」「ペット飼育が認められない」といった**利用制限**がある場合、説明する。貸借であっても説明する。

②マンション管理適正化法の**登録番号**も説明する（登録業者の場合）。これも賃貸でも説明が必要だ。

②一棟の建物及びその敷地（つまりマンション全体）の管理が委託されている場合は、**管理の委託会社**についても説明する。会社の住所も重説事項であることに注意。

③敷地が**定期借地権**であれば説明する。

③では敷地の面積、持分割合が所有権なのか借地権なのか、説明する（借地権の場合には地代や存続期間についても）。

規約共用部分とは、独立した部屋（専有部分）を規約で共用部分（マンション所有者で共同使用する部分）にすることだ。

④では**規約共用部分**などが説明される。マンションの集会室や管理人室などがその例だ。

⑤敷地内駐車場や専用庭など、**専用使用権**について説明する。

⑥マンション全体の**修繕積立金**の積立総額、売買対象の専有部分の修繕積立金額を説明する。**滞納**があればそれも説明する。

⑥、⑦滞納があれば新所有者（買主）にも支払い義務があるからだ。

⑦管理費の**滞納**があれば、その額も説明する。

⑧たとえば管理費はマンション所有者全員で負担すべきだが、支払いを免除されている者がいるならば、ここで説明する。

⑨売主、管理組合、マンション管理業者等に記録の有無を確認する。

⑨は**記録がある場合にのみ**重説義務がある。記録が保存されていない場合に宅建業者が調べる義務はない。保存されていない旨を説明すればよい。

# 第6章 重要事項説明・37条書面－重要事項説明⑤

## ケース5 「賃貸」だってきちんと説明してほしい

**正誤を判定 ○ or ×**

敷金の授受の定めがあるときは、その敷金の額、契約終了時の敷金の精算に関する事項及び金銭の保管方法を説明しなければならない。

**解答** 敷金の保管方法は、重説事項ではない。 ×

### 1 貸借特有の重説事項

ケース2～ケース4ですでに説明をしたことに加え、賃貸借では、以下の項目について重説が必要となる。

**〈4 貸借特有の重説事項〉**

| | 宅地 | 建物 |
|---|---|---|
| ①台所、浴室、便所等、設備の整備状況 | － | ○ |
| ②契約期間および契約の更新に関する事項 | ○ | ○ |
| ③定期借地、定期借家、終身建物賃貸借である場合はその旨 | ○ | ○ |
| ④宅地・建物の用途その他利用の制限に関する事項 | ○ | ○ |
| ⑤敷金等の精算に関する事項 | ○ | ○ |
| ⑥管理の委託先の氏名(商号)、住所、登録番号 | ○ | ○ |
| ⑦契約終了時の宅地上の建物取壊しに関する事項を定めようとするときはその内容 | ○ | － |

定期借家は正しくは定期建物賃貸借という。詳しくはパートⅢ第8章ケース5とケース7で学ぶ。

R6-41-イ、
R1-39-3

①については、居住用だけでなく、事業用でも説明する。

②契約期間の定めがない場合は、その旨説明する。

③定期借家とは契約更新のない借家契約のことだ。定期借地はその借地版。

> 滞納賃料との相殺、原状回復費として充当される予定の有無などだ。

⑤は、敷金、保証金など契約終了時に精算することとされている金銭について説明する。これらの事項の定めがない場合にもその旨説明する。

> R1-41-1

⑥賃貸住宅管理業法に基づく賃貸住宅管理業者であれば、賃貸管理業者の氏名、主たる事務所の所在地、登録番号を説明する。

⑦は、土地賃貸借の契約終了時に建物を取り壊して明け渡すべきか否かを説明する。

## 2 ＩＴ重説

> IT重説でも宅建士証を提示する。
> R4-40-ア、ウ、エ、H30-39-4

テレビ会議等を利用した、いわゆるＩＴ重説も認められている。ＩＴ重説を行うには以下の条件を満たさなければならない。

**① 宅建士証や図面が視認できる**
**ＩＴ重説でも宅建士証を提示する。相手方が画面上で視認できたことを確認する。**
**② 双方が発する音声を十分に聞き取ることができる**
**③ 重説書面をあらかじめ送付している**
**電磁的方法による提供も可能だ。**
**④ 映像及び音声の状態について宅建士が確認している**

## 3 建物貸借では説明不要なもの

以下の5つは、建物貸借においては説明不要だ。試験でよく問われるのでチェックしておこう。

〈試験によく出る建物貸借では重説不要な項目〉

①容積率・建蔽率・用途規制（法令に基づく制限の概要）
②私道負担
③（建物の建築・維持保全状況に関する）書類の保存状況
④住宅性能評価を受けた旨

R6-37-エ

## 発展 信託受益権の売買

宅建業者が信託受益権の売主となる場合は、通常の宅地・建物の売買同様、重説義務がある。ただし、一定の場合には重説不要となる。

〈（宅地・建物の）信託受益権の売買に係る重説事項〉

| 下記の場合には重説不要 |
| --- |
| ①買主が金融商品取引法に定める特定投資家<br>②１年前以内に同一の内容の契約について書面交付している<br>③買主に金融商品取引法に定める目論見書を交付している |

**信託受益権の売買**とは、土地建物から発生する経済的利益（賃料）を得る権利（受益権）を売買することだ。たとえば、タヌキチが土地を信託銀行に預けたとする。信託銀行はその土地を有効活用（ビルを建てて賃貸するなど）し、得られた賃料の一部を配当という形でタヌキチに支払う。この配当を受け取る権利が信託受益権だ。タヌキチが信託受益権を売ると、配当を受け取る権利が買主に移ることになる。

投資の専門家に対しては重説は不要だ（①）。また重説以上に詳しい「目論見書」を交付している場合にも重説は不要だ（③）。

なお、宅建業者が重説不要となっていないことに注意。宅建業者といえども信託受益権に詳しいとは限らないからだ。

R2⑩-44-3

## ケース6 37条書面ってなんだ!?

**正誤を判定 ○ or ×**

イヌマル不動産が建物の貸借の媒介を行う場合、宅建業法第37条に規定する書面には、「天災その他不可抗力による損害の負担に関する定め」があるときはその内容を必ず記載しなければならない。

**解答** **天災その他不可抗力による損害の負担に関する定めは、37条書面の記載事項だ。**貸借の媒介・代理であっても記載しなければならない。賃貸住宅であっても地震や落雷にあって滅失することもあり得るのだから、その場合の対応について記載する必要がある。 ○

### 1 37条書面（契約書）とは

> いわゆる「契約書」だが、宅建業法37条に規定があることから**37条書面**と呼ばれている。

宅建業者は契約を締結したときは、契約内容を記載した書面を交付しなければならない。

重要事項説明書との共通点、相違点を押さえることが重要だ。

| | 重要事項説明書 | 37 条書面 |
|---|---|---|
| ①交付時期 | 契約成立前 | 契約成立後、遅滞なく |
| ②交付対象者 | 買主、借主 | 両当事者（買主、借主だけでなく、売主、貸主にも交付） |
| ③宅建士による説明 | 必要（買主、借主が宅建業者であれば説明不要） | 不要 |
| ④宅建士の記名 | 必要 | |

媒介業者が複数いるなど、共同で37条書面を作成した場合、それぞれの業者名と宅建士の記名が必要。
R4-32-1

まず、①の**交付時期**。重説は契約成立前であった。37条書面は契約内容を記載するものだから、契約後、遅滞なく交付する。

続いて②の**対象者**。売主・貸主には重説不要であったが、37条書面は交付する。

そして、37条書面にも宅建士の記名が必要だ（④）。

37条書面も、紙ではなく、「電磁的方法」により提供することも可能だ（詳細は、第6章**ケース7** 3 電磁的方法による書面の提供　参照）。

## 2 37条書面に必ず記載すること

37条書面には**必ず記載しなければならない**項目と**特に定め**（特約）**がある場合にのみ記載する**項目がある。まずは必ず記載する事項だ。

**〈37条書面に必ず記載する事項（絶対的記載事項）〉**

| | 売買 | 貸借 | |
|---|---|---|---|
| ①当事者の住所・氏名（誰が） | ○ | ○ | |
| ②宅地・建物の所在・構造等（何を） | ○ | ○ | |
| ③代金（借賃）の額、支払時期、方法（いくらで） | ○ | ○ | ③〜⑥が重説にはない項目であることに注意 |
| ④宅地建物の引渡し時期（いつ） | ○ | ○ | |
| ⑤移転登記の申請時期（いつ） | ○ | × | |
| ⑥（既存の建物であるときは、）建物の構造耐力上主要な部分等の状況について当事者双方が確認した事項 | ○ | × | |

⑥。R1-34-2

仮に契約のときに引渡しの時期が決まっていなくても、「引渡しの時期：未定」と記載しなければならない。⑥も「確認した事項なし」と記載する。
R6-44-2、R2⑫-37-1

37条書面とは契約内容を記載した書面だ。誰が、何を、いくらで買ったのか（借りたのか）、いつ引き渡されるのか、については必ず記載される（①～⑤）。

**〈貸借の記載事項〉**

**貸借の場合は①②③④のみだ。**貸借の契約であれば「⑤移転登記」をしないし、「⑥建物の状況調査」までは不要ということだ。

R6-40-エ、R5-27-4、H30-34-エ

## 3 定めがあれば記載する事項

以下の⑦～⑭は「定めがある場合」に記載される事項だ。これらの事項を**定めなかった場合には**、37条書面に**記載する必要はない**。

例えば、「契約を解約した場合には違約金200万円」という特約を定めた場合には、37条書面に記載する。しかし、違約金に関して何の取り決めもしなかった場合に「違約金の定めなし」と記載する必要はない（定めがないのだから）。これに対し、絶対的記載事項は定めがなくても記載する。例えば宅地建物の引渡しの時期（絶対的記載事項の④）を決めていなくても（定めがなくても）、「引渡しの時期：未定」といった記載をしなければならない。

**〈特に定めがある場合に記載される事項〉**

| | 売買 | 貸借 | |
|---|---|---|---|
| ⑦代金（賃料）以外に授受される金銭の定めがあるとき➡金銭の額、授受の時期、その目的 | ○ | ○ | 重説と共通 |
| ⑧契約の解除に関する定めがあるとき➡その内容 | ○ | ○ | |
| ⑨損害賠償額の予定・違約金に関する定めがあるとき➡その内容 | ○ | ○ | |
| ⑩金銭貸借のあっせんに関する定めがあるとき➡金銭貸借不成立の場合の措置 | ○ | × | |
| ⑪契約不適合責任の履行措置（保証契約等）に関する定めがあるとき➡その概要 | ○ | × | |
| ⑫契約不適合責任の内容に関する定めがあるとき➡その内容 | ○ | × | 重説にはない項目 |
| ⑬天災その他不可抗力による損害の負担に関する定め（危険負担）があるとき➡その内容 | ○ | ○ | |
| ⑭税金（租税その他の公課の負担）に関する定めがあるとき➡その内容 | ○ | × | |

手付金も⑦に該当する。R3⑩-41-イ

R4-32-4、R3⑫-40-2

R6-40-ア

⑦。重説では、「金銭の額」と「目的」が説明対象だったが、それに加えて37条書面では「**授受の時期**」も記載事項となる。

なお「授受の方法」までは記載不要だ。

| 重説 | 「金銭の額」「目的」 |
|---|---|
| 37条書面 | 「金銭の額」「目的」「授受の時期」 |

R6-40-イ、
R4-44-3、
R3⑫-26-3、
R3⑫-42-ア、
R3⑩-37-3

⑩。金銭貸借（住宅ローン）のあっせんについて。重説では、金銭貸借の「内容」と「不成立の場合の措置」の両方が説明対象だったが、37条書面では「不成立の場合の措置」のみとなる。

| 重説 | 「金銭貸借の内容」と「不成立の場合の措置」 |
|---|---|
| 37条書面 | 「不成立の場合の措置」 |

賃貸借の媒介であれば「金銭貸借、不成立の場合の措置」は記載不要だ。

⑬の天災その他不可抗力による損害の負担に関する定め（危険負担）とは、売買契約成立後、天災（地震や落雷）などが原因で建物が滅失した場合の対応のことだ。

**「天災その他不可抗力による損害の負担に関する定め」**は（重説の記載事項ではないが）**37条書面に記載する**、ということをしっかりと覚えておこう。

**〈貸借の記載事項〉**

なお、**貸借の場合は⑦⑧⑨⑬のみだ**。貸借には金銭貸借（住宅ローン）のあっせん（⑩）、契約不適合責任（⑪、⑫）、税金（⑭）は関係ないのだ。

H30-34-ア

### 発展　37条書面に記載不要なもの

以下のものは、記載不要だ（必要と誤解する人が多い）。

① 契約期間及び更新に関する事項
　実務では契約書に書かれることが多いだろうが、37条書面記載事項ではない（重説の対象にはなっている）。
② 保証人の氏名
③ 媒介報酬額

これらは「保証契約（保証人と債権者の契約）」、「媒介契約」の内容であり、宅地建物の売買（または賃貸借）の契約内容ではないからだ。

# ケース7 「重説」以外にも説明しなければならない事項がある

**正誤を判定 ○ or ×**

ツネキチ商事が建物の貸借の媒介をするに当たり、当該建物の近隣にゴミ集積場所を設置する計画がある場合で、それを借主が知らないと重大な不利益を被るおそれがあるときに、ツネキチ商事が、その計画について故意に借主に対し告げなかった場合には、宅建業法違反となる。

他にも説明することあるんだ…。
集積所
スッキリ
わかる
宅建


**解答** 借主が知らないと重大な不利益を被るおそれのある事実を、故意に告げなかった場合には、重要な事項の不告知として宅建業法違反となる。 ○

## 1 重要な事項の不告知

重要事項説明以外の項目でも、「相手方（買主・借主）の判断に**重要な影響を及ぼす**こととなるもの」について、**故意に**（わざと、という意味）事実を告げないことは宅建業法違反となる（**重要な事項の不告知**）。

重説との違いを覚えておこう。

### ◇比較：重要事項説明と重要な事項の不告知

| 重要事項説明 | 重要な事項の不告知 |
|---|---|
| ●必ず書面で<br>●宅建士（専任でなくても可）<br>●過失で説明しなくても違法 | ●口頭でも可<br>●宅建士でなくても可<br>●故意に告げない場合のみ違法（過失であれば免責） |

## 2 供託所等の説明

宅建業者と取引して損害を受けた場合、営業保証金や弁済業務保証金から還付を受けることができた（第４章参照）。

宅建業者は、取引の相手方に対し、契約が成立する前に、「どこの供託所に供託しているのか」または「どの保証協会に加入しているのか」を説明をするようにしなければならない。

供託には、営業保証金だけでなく、瑕疵担保履行法に基づく「住宅販売瑕疵担保保証金」というものもあり、これも契約前に説明が必要だ（第９章参照）。

- **説明は宅建士でなくてもよい。**
- **書面ではなく、口頭で説明してもよい。**
- **売主、貸主に対しても説明する必要がある。**
- **相手方が宅建業者であれば説明不要（宅建業者は保証金から還付をうけることができないから）。**

H30-28-ウ

## 3 電磁的方法による書面の提供

重要事項説明書や37条書面は、「書面」（＝紙）で提供するのが原則だが、**相手方の承諾を得た場合**には、**電磁的方法により提供**を行うこともできる。

書面又は電子情報処理組織を使用する方法で承諾を得る。口頭承諾はダメだ。R5-33-4

**〈電磁的方法により提供ができる書面〉**

① **指定流通機構への登録を証する書面（第５章ケース6）**
② **媒介契約書（第５章ケース7）**
③ **重要事項説明書（第６章ケース1〜5）**
④ **37条書面（第６章ケース6）**

第７章で学ぶクーリング・オフについては、電磁的方法は認められない。

**⑤ 住宅販売瑕疵担保保証金の供託所の説明（第9章ケース1）**

電磁的方法としては、「電子メール」「ウエブサイト上に表示された記載事項を相手方がダウンロードする」「USBメモリ、CD-ROM等を交付する」といった方法がある。この際以下の条件を満たすことが必要となる。

R5-26

- **書面への出力（プリントアウト）が可能であること**
- **電子書面に改変が行われていないか確認できる措置を講じていること**
- **「ウエブサイトからダウンロードにより提供」する場合には、提供した旨を相手方に通知すること**
- **「重要事項説明書」「37条書面」については、交付に係る宅建士が明示されていること**

R6-35-2

MEMO

# まとめ

## ◇比較：37条書面と重要事項説明

<table>
<tr><th rowspan="2"></th><th colspan="2">37条書面</th><th rowspan="2">重要事項説明</th></tr>
<tr><th>売買・交換</th><th>貸借</th></tr>
<tr><td rowspan="6">必ず記載する事項</td><td colspan="2">①当事者の住所・氏名</td><td>—</td></tr>
<tr><td colspan="2">②宅地・建物の所在、構造等</td><td>○</td></tr>
<tr><td colspan="2">③代金（借賃）の額、支払時期、方法</td><td>×</td></tr>
<tr><td colspan="2">④物件の引渡し時期</td><td>×</td></tr>
<tr><td>⑤移転登記の申請時期</td><td>×</td><td>×</td></tr>
<tr><td>⑥建物の構造耐力上主要な部分の状況について確認した事項</td><td>×</td><td>×</td></tr>
<tr><td></td><td colspan="2">⑦代金（借賃）以外に授受される金銭の額と目的、授受の時期</td><td>○<br>※「授受の時期」は重説には記載不要</td></tr>
<tr><td></td><td colspan="2">⑧契約の解除に関する事項</td><td>○</td></tr>
<tr><td></td><td colspan="2">⑨損害賠償の予定・違約金の定め</td><td>○</td></tr>
<tr><td></td><td>⑩あっせんする金銭貸借不成立の場合の措置</td><td>×</td><td>○<br>※重説ではあっせんする金銭貸借の「内容」も説明する</td></tr>
<tr><td></td><td>⑪契約不適合責任の履行措置（保証契約等）</td><td>×</td><td>○</td></tr>
<tr><td></td><td>⑫契約不適合責任の内容</td><td>×</td><td>×</td></tr>
<tr><td></td><td colspan="2">⑬天災その他不可抗力による損害の負担に関する定め（危険負担）</td><td>×</td></tr>
<tr><td></td><td>⑭税金の負担</td><td>×</td><td>×</td></tr>
</table>

### ◇37条書面には必要だが重説には不要なもの

① 代金（借賃）の額、支払時期、方法
② 物件の引渡し時期
③ 移転登記の申請時期
④ 建物の構造耐力上主要な部分の状況について確認した事項
⑤ 契約不適合責任の内容
⑥ 天災その他不可抗力による損害の負担に関する定め（危険負担）
⑦ 税金の負担

### ◇契約不適合責任について

- 貸借ならば、重説も37条書面とも記載不要
- （売買については）重説では内容までは不要。37条書面では内容と履行措置（保証保険契約）の両方について記載が必要

### ◇遅滞なく、行うべきもの

- （宅建士の）変更の登録
- 営業保証金の保管替え
- 取引態様の明示（注文時）
- 媒介契約書の交付
- 37条書面（契約書）の交付

# 確認テスト

問題　次の記述の正誤を判定してください。なお、7については正しいものを1つ選んでください。

1．宅地建物取引業者が、マンション1戸の賃貸借の媒介を行うに際し、宅地建物取引業法第35条の規定による重要事項の説明を行った場合、マンションの所有者についての登記名義人は説明したが、当該マンションに係る登記されている抵当権については説明しなかったことは宅地建物取引業法に違反しない。

2．宅地の売買の媒介において、当該宅地の契約不適合を担保すべき責任の履行に関し保証保険契約の締結等の措置を講じないときは、その旨を買主に重要事項説明として説明しなくてもよい。

3．マンションの建物の計画的な維持修繕のための費用の積立を行う旨の規約の定めがある場合、宅地建物取引業者は、その内容を説明すれば足り、既に積み立てられている額については重要事項説明として説明する必要はない。

4．宅地建物取引業者が建物の貸借の媒介を行う場合、当該建物が住宅の品質確保の促進等に関する法律第5条第1項に規定する住宅性能評価を受けた新築住宅であるときは、その旨を重要事項として説明する必要がある。

5．事業用建物の賃貸借の媒介を行うに当たっても、居住用建物と同様に、台所、浴室等の設備の整備状況について重要事項説明として説明しなければならない。

6．建物の売買を行う場合、当該建物について石綿の使用の有無の調査の結果が記録されていないときは、宅地建物取引業者Aは、自ら石綿の使用の有無の調査を行った上で、その結果の内容を重要事項説明として説明しなければならない。

7．宅地建物取引業者が、その媒介により建物の貸借の契約を成立させた場合に、宅地建物取引業法第37条の規定に基づく契約内容を記載した書面に記載しなければならない事項は、次の①～④のうちどれか。

①借賃についての融資のあっせんに関する定めがあるときは、当該融資が成立しないときの措置

②天災その他不可抗力による損害の負担に関する定めがあるときは、その内容

③建物の契約不適合を担保する責任についての定めがあるときは、その内容

④当該建物に係る租税等の公課の負担に関する定めがあるときは、その内容

解答解説

1．×　違反する。賃貸の媒介でも抵当権について説明しなければならない。抵当権が実行されれば、借家人はマンションを明け渡さなければならないからだ（パートⅢ　第6章参照）。抵当権の有無は賃借人にとって重要な事項なのだ。

2．×　宅地・建物の売買（交換）に際し、「契約不適合を担保すべき責任の履行に関し、保証保険契約の締結などの措置を講ずるか、講ずる場合はその内容」は、重説事項である（貸借の場合は不要）。

3．×　修繕積立金の積立額も重説事項だ。

4．×　住宅性能評価が重説事項となるのは、新築住宅の売買の場合のみ。中古住宅や新築でも賃貸であれば重説不要。

5．○　居住用、事業用を問わず、建物賃貸借においては、台所、浴室等の設備の整備状況について説明しなければならない。

6．×　石綿の使用の有無の調査の結果が記録されているときは、その内容について説明しなければならないが、記録がない場合に調査義務まではない。

7．②「天災その他不可抗力による損害の負担に関する定め」があるのなら、貸借の媒介でも37条書面に記載しなければならない。

# 第7章 自ら売主の8つの制限

## ケース1 業者が売主の場合には、厳しくなる！

**正誤を判定 ○ or ×**

宅建業者イヌマル不動産が自ら売主となり、タヌキチ所有の宅地の売買契約を宅建業者クロネコ不動産と締結した。イヌマル不動産は自己の所有に属しない物件の売買契約を締結したことになり、宅建業法に違反する。

**解答** **買主が宅建業者**（クロネコ不動産）**だから、「自ら売主の8つの制限」の適用はない。**イヌマル不動産の行為が宅建業法違反となることはない。 ×

### 1 自ら売主の8つの制限の基本事項

宅建業者が売主となり、宅建業者**以外が買主**となる場合には、業者には、以下の「**8つの制限**」が課される。

① 自己の所有に属さない物件の契約制限（ケース2）
② クーリング・オフ（ケース3）
③ 損害賠償額の予定等の制限（ケース4）
④ 手付額の制限（ケース5）
⑤ 契約不適合責任についての特約の制限（ケース6）
⑥ 手付金等の保全措置（ケース7）
⑦ **割賦販売契約の解除等の制限**
⑧ **所有権留保等の禁止**

「8つの制限」は、あくまで宅建業者以外の「素人」が買主の場合に、買主保護の観点から設けられた規定だ。**宅建業者が買主の場合には適用されない**ので注意しよう。

また、宅建業者が**代理、媒介**として取引に関与する場合にも、その業者には8種規制の適用はない。宅建業者が売主の場合にのみ守るべきルールだ。

# ケース2 自己の所有に属さない物件の契約制限とは

**正誤を判定 ○ or ×**

タヌキチが所有する宅地について、イヌマル不動産はタヌキチと売買契約の予約をし、ペリ子に転売した。宅建業者イヌマル不動産が自ら売主となって、他人の所有物（タヌキチの宅地）を売買することは宅建業法違反となる。

**解答** イヌマル不動産は他人物売買をしているが、タヌキチとの間で売買の予約をしているため、宅建業法違反とはならない。イヌマル不動産は当該宅地を確実に手に入れることができ、ペリ子に迷惑をかけるおそれがないからだ。 **×**

**停止条件付き契約**とは、ある条件が成就した場合にのみ契約が有効になる、というもの（例：「宅建試験に受かったら100万円あげる」）。問題文に「契約の効力の発生に一定の条件が付されている」とあれば、停止条件付き契約のことだ。他人物売買の例外としては認められない。

## 1 他人物売買の制限

意外に思うかもしれないが、他人の物を売る契約（他人物売買）も有効な契約だ。

しかし、**宅建業者が売主**で**業者以外が買主**の場合には、**他人物売買は制限されている**。当該不動産を**確実に入手できる**場合でなければ認められない。

確実に入手できる場合とは、宅建業者が土地の所有者と、その土地の**売買契約を締結している**場合だ。売買契約の**予約でもいい**。

ただし、土地の所有者と売買契約を締結しているといっても、**停止条件付き売買契約の場合は除かれる**。条件が成就しなければ契約が白紙に戻るからだ。

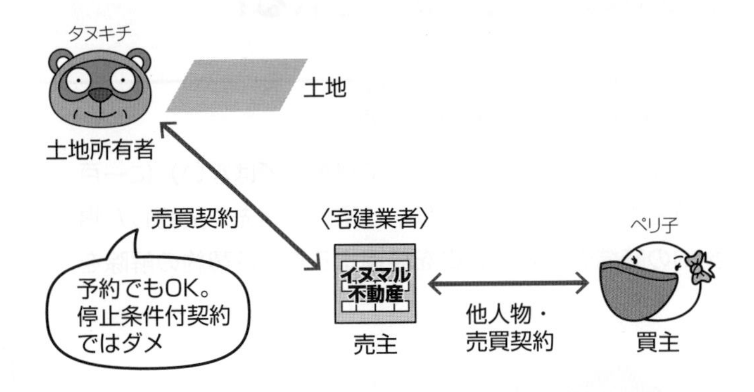


## 2 未完成物件の売買の制限

買主に不動産を引き渡すことができない可能性があるのは、他人物売買の場合だけではない。未完成の建物、未造成の土地なども、建築中、造成中に業者が倒産し、物件を引き渡せなくなることもあり得る。

したがって、**業者自らが売主**である場合には、**未完成物件の売買は原則禁止**されている。ただし、**手付金等の保全措置**というのをとっていれば、売買することが**認められる**。

万が一、建築や造成が中途半端なまま業者が倒産しても、支払ったお金（手付金等）が返還され、買主が被害にあうことはないからだ。
手付金等の保全措置については**ケース7**参照。

## 第7章 自ら売主の8つの制限

## ケース3 「やっぱりやめた！」 は許される?

**正誤を判定 ○ or ×**

イヌマル不動産は自ら売主となって、ペリ子（宅建業者ではない）に一戸建て住宅を売った。買主ペリ子の希望によりペリ子の勤務先で契約した場合、ペリ子は当該契約の締結の日から8日を経過するまでは契約の解除をすることができる。

**解答** ペリ子は**自ら申し出て勤務先で契約しているため、クーリング・オフは、できない**。つまり契約を解除することができない。 **×**

> クーリング・オフについて、問題文では「**宅建業法第37条の2の規定に基づく売買契約の解除**」という表現が使われるが、条文名まで覚えなくても問題は解ける。

### 1 クーリング・オフとは

消費者保護の観点から、一定の条件に該当した場合には、買主が契約を解除することを認めるのが**クーリング・オフ**だ。ポイントは次の2点だ。

> R4-38-4

**① 契約しても、買主が書面により申し出れば、契約の解除ができる。**
**② 売主は損害賠償を請求できないし、預り金や手付金も返還しなければならない。**

> R5-35-2、3

①クーリング・オフは**書面**で行う必要がある。

電磁的方法は認められていない。

②解除を認めても損害賠償や違約金を支払うのでは消費者保護にならない。**預り金や手付金も返還**される。

手付放棄による契約の解除は手付金をあきらめなければならなかったが、クーリング・オフでは、一切金銭的負担がなく解除できる。買主にとっては、とてもありがたい規定だが、売主（業者）にしてみれば、クーリング・オフができる条件を限定してもらわないとキツい。そこで、一定の条件に該当した場合には、契約の解除（クーリング・オフ）はできないとした。

## 2 クーリング・オフができない場合とは

**〈場所による制限〉**

まず、契約（買受けの申込み）をした場所の問題だ。以下の①か②のどちらかに**該当**する場合にはクーリング･オフはできない。

> **①　宅建業者の事務所・案内所等で契約（買受けの申込み）をした**
> **②　買主が申し出て、「買主の自宅」または「買主の勤務先」で契約（買受けの申込み）をした**

「テント張り」「仮設小屋」など**一時的かつ移動容易**な案内所であれば**クーリング・オフできる。**3で解説する。

喫茶店やホテル、銀行であれば買主が指定した場合であってもクーリング・オフの対象となる。
R6-30-4

上記①、②以外の場所で契約（買受けの申込み）をした場合は、クーリング・オフの対象となる。

**〈時間による制限〉**

しかし、いつまでもクーリング・オフが認められるのでは業者も安心できない。そこで上記①、②以外の場所で契約したとしても、以下の③または④に該当した場合には、クーリング・オフはできなくなる。

> **③　クーリング・オフについて宅建業者から書面で告げられた日から起算して８日間を経過した**
> **④　宅地建物の引渡しを受け、かつ、代金全額を支払った**

③は「契約した日」から８日間を経過した、というヒッカケに注意しよう。

**電磁的方法は認められていない。**
R5-35-1

期間を計算する際は、「初日不算入」が原則だが、クーリング・オフの場合は、**「告知を受けた日」を含めて8日間**となる。

告げられた日を含めて８日間がクーリング・オフできる期間だ。

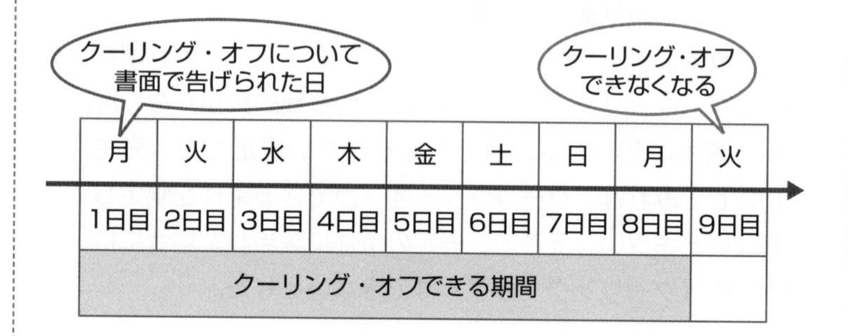


買主が解除する書面を発信した時点で解除の効力が発生する（**発信主義**）。R3⑩-39-3、H29-31-イ参照

月曜日に書面で告げられたとすれば、翌週の月曜日までにクーリング・オフする旨の**書面を発信**すればよいのだ。

そして、クーリング・オフのルールに関して、買主に不利な特約は認められない。

クーリング・オフの期間について、「書面で告げられてから6日間」というように短縮するのは買主に不利な特約だから無効だが、「10日間に延ばす」というような買主に有利な特約は認められる。

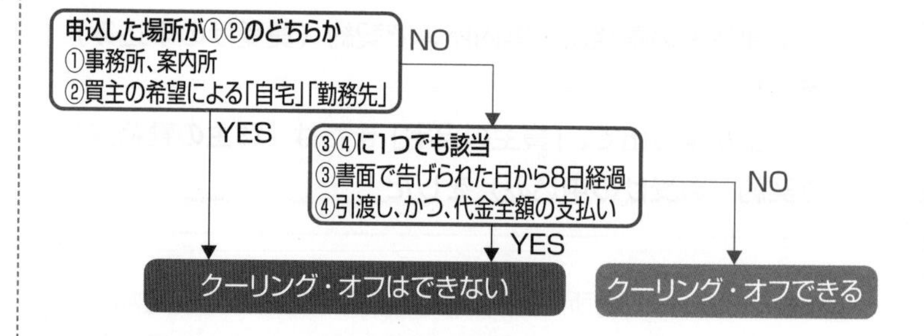


## 発展　申込みの場所と承諾の場所が違う場合

申込みの場所と承諾（契約成立）の場所が異なる場合、買主の意思が表示された「**申込みの場所**」でクーリング・オフの可否が判断される。契約（売主が承諾）した場所が事務所であっても、申込みをした場所が喫茶店等であれば、クーリング・オフの対象となる。

| 申込みの場所 | 承諾の場所 | クーリング・オフ |
|---|---|---|
| 喫茶店 | 事務所 | できる |
| 事務所 | 喫茶店 | できない |

## 3 クーリング・オフができる事務所・案内所について

例外的にクーリング・オフ制度が適用される案内所や事務所もある。以下の3つだ。

> ①　**土地に定着しない案内所**
> ②　**専任の宅建士を置かない案内所**
> ③　**取引に関与しない宅建業者の事務所・案内所**

①　案内所であっても「テント張りの案内所」のように「**土地に定着しない案内所**」であればクーリング・オフの対象となる。

②　案内所には、「契約をする案内所」と「契約をしない案内所」があったのを覚えているだろうか。②の「**専任の宅建士を置かない案内所**」とは、契約をしない案内所のことだ。この「契約をしない案内所」で、契約した場合もクーリング・オフができる。

「専任の宅建士を置かない案内所」は、**標識**にも**クーリング・オフ制度の適用がある旨、表示**する。

③　売主業者の事務所、案内所だけでなく、媒介（代理）業者の事務所や案内所で申込みをした場合も、買主はクーリング・オフによる解除はできない。

しかし、「**取引に関与しない宅建業者**」**の事務所**であれば、クーリング・オフできる。

H25-34-3では、「買主が、自ら指定した宅建業者であるハウスメーカー（売主より売却の代理・媒介の依頼を受けていない）の事務所で買受けの申込をした」という出題がされた。このハウスメーカーは宅建業者であるが、買主はクーリング・オフできる。宅地建物の取引には無関係の業者だからだ。

# 第7章 自ら売主の8つの制限

## ケース4 損害賠償額の予定等の制限

**正誤を判定 ○ or ×**

イヌマル不動産が、自ら売主として、ペリ子（宅建業者ではない）と一戸建て住宅の売買契約を締結した。その際、当事者の債務の不履行を理由とする契約の解除に伴う損害賠償の額が、売買代金の２割を超える特約をしたときは、その特約はすべて無効となる。

**解答** 損害賠償の予定額が2割を超えた場合は、**「2割を超えた部分」だけが無効となる。**すべて無効になるわけではない。 **×**

### 1 損害賠償額の予定等とは

契約違反（債務不履行という）があった場合、結局はお金で解決するしかない。**損害賠償**とか**違約金**と呼ばれるものだ。しかし、実際に契約違反があった後、損害賠償請求してみても、なかなか折り合いがつくものではない。そこで前もって約束違反があった場合の損害賠償や違約金の額を決めておくことがある。これが**損害賠償額の予定**だ。実際の損害額を立証しなくてよいから大変便利なものだ。

> 損害賠償の予定額を500万円と決めておけば、実際の損害額が300万円しかなくても500万円もらえる。だが、逆に1,000万円の損害が出たとしても500万円しかもらえない。

宅建業者が売主の場合、損害賠償額を予定し、または違約金について**定める場合には、売買代金の２割まで**と決められている。

**損害賠償額の予定 ＋ 違約金 ≦ 売買代金の２割**

損害賠償額を予定しない、または違約金を定めないのであれば、**実損額を請求**できる。（宅建業者が売主でも）実損額が売買代金の３割であることを立証できるならば、３割を請求することができる。

## 2 ２割を超えた分は無効

「売買代金の２割まで」ということは、4,000万円の物件であれば800万円まで、ということになる。もし、損害賠償額の予定を1,000万円と設定してしまった場合には、**２割を超えた分が無効**となり、800万円が損害賠償額の予定額になる。万一、買主が損害賠償しなければならない事態になったとしても、800万円を支払えばよい、ということになる。

# ケース5 手付額の制限

**正誤を判定 ○ or ×**

イヌマル不動産が、自ら売主として、ペリ子（宅建業者ではない）と一戸建て住宅の売買契約を締結した（売買代金4,000万円、手付金400万円）。その際、契約に「当事者の一方が契約の履行に着手するまでは、ペリ子は手付金400万円を放棄して、イヌマル不動産は1,000万円を支払えば、契約を解除できる」と定めた場合、その定めは無効である。

手付放棄すれば
契約解除できるよ。
イヌマル
不動産
手付金

**解答** 手付放棄・手付倍返しよりも買主に不利な特約は無効である。しかし、この事例では手付金が400万円だからイヌマル不動産は800万円支払えば解除できるところを、特約で1,000万円支払わなければ解除できないとしている。これは買主にとって有利な特約。有効だ。 ×

## 1 手付の額も２割まで

**〈解約手付〉**

手付にはいくつか種類があるのだが、宅建業者が売主、業者以外が買主の場合には、手付は**必ず解約手付**とみなされる。

解約手付については第５章ケース4参照。

R4-43-1

- 買主は、手付金を放棄することで契約を解除できる。
- 売主である宅建業者は手付金の倍額を**現実に提供**して、契約を解除できる。
- **相手方が契約の履行に着手した後は、売主も買主も契約の解除ができない。**

「売主は手付金を返還すれば解除できる」といった買主に不利な特約は、認められない。

**〈手付額の制限〉**

しかし、せっかく解約手付という制度があっても、手付金額があまり高くては、買主は放棄しにくい。そこで業者が自ら売主の場合には手付金の額を売買代金の２割までに制限している。

**手付金額 ≦ 売買代金の２割**

## 2 ２割を超えた分は無効

売買代金の２割までということは、4,000万円の物件であれば800万円まで、ということになる。もし、手付金を1,000万円と設定してしまった場合には、**２割を超えた分が無効**となり、２割の800万円までが手付金として扱われる。差額の200万円は中間金として扱われ、手付放棄により契約を解除した場合でも返還される。

通常、手付金を支払った後、物件の引渡しと同時に残りの代金を支払う（残金決済）。しかし契約によっては、引渡し以前にいくらか支払うというものもある。これが**中間金**だ。

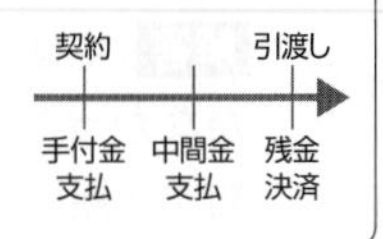


また、「買主は手付金の放棄に加え100万円支払わなければならない」といった**買主に不利な特約は無効**である。

「売主は代金の３倍を償還する」というように買主に有利な特約であれば有効だ。

# ケース6 雨漏りがあったらどうなるの？

**正誤を判定 ○ or ×**

ツネキチ商事が、自ら売主として、タヌキチ（宅建業者ではない）に一戸建て住宅を売却した。売買契約にツネキチ商事は契約不適合責任を一切負わないとする特約を定めた場合、その特約は無効となり、契約不適合責任を通知する期間は、引渡しの日から２年となる。

**解答** 宅建業法に違反する特約は無効である。無効ということは特約そのものがなかったこととなり、民法の規定が適用される。買主が契約不適合責任を通知する期間は、**不適合を知った時から１年**になる。 **×**

契約不適合責任についてはパートⅢ 第7章ケース3で詳しく学ぶ。

## 1 契約不適合責任とは

購入した住宅が雨漏りしたとする。欠陥住宅を引き渡したのでは、契約違反だ。売主は責任を負わなければならない（**契約不適合責任**）。買主は売主に対し、「目的物の修補や代替物の引渡し」を請求できる（**追完請求**）。仮に修理してもらっても、契約で合意した時期より引渡しが遅れることになるだろう。買主は契約の**解除**や**損害賠償請求**もできる。

## 2 民法では契約不適合責任についてどのように定めているか

宅建業法の規定の前に、民法の規定を説明しておく。こちら

（民法）が原則だ。売主が宅建業者以外の場合にも、適用される。

〈契約不適合責任（民法）〉

> ① **買主が不適合を知った時から１年以内に売主に通知しないときは、権利を失う**
> ② **「売主は契約不適合責任を負わない」という特約を付けることもできる。**

追完請求（不適合のない状態にしてもらうこと）、代金減額請求、損害賠償請求、契約の解除、ができなくなる。

②は買主に不利な特約だが、民法では認められている。

## 3 宅建業者が売主の場合にはどうなるのか？

宅建業者が売主の場合、買主に不利な特約は許されない。したがって上記2②の**契約不適合責任を負わないという特約を付けることができない**。たとえば、「損害賠償請求はできるが解除はできない」といった特約は買主に不利な特約であり無効となる。しかし、**通知期間については、民法より不利な規定も認められる。**

R4-43-2

〈通知期間の比較〉

> ① **民法➡不適合を知った時から１年以内**
> ② **宅建業者が売主➡**引渡しから２年（以上）

②が①より不利なことがわかるだろうか。民法の規定では買主が不適合を知った時から１年以内に通知する必要がある。欠陥の存在がわからない以上、通知できないので「買主が不適合を知った時から」という規定になっている。

しかし、これでは、建物を引き渡して５年も10年も経ってから責任追及されるということもあり得る。業者としては、いつまでも昔の話を持ち出される可能性があるのではなかなか商売しにくい。そこで宅建業法では、**通知期間を「引渡し」から２年（以上）とすることも可能**とした。

試験では「引渡しの日から2年」を「契約の日から2年」とするヒッカケが出る。

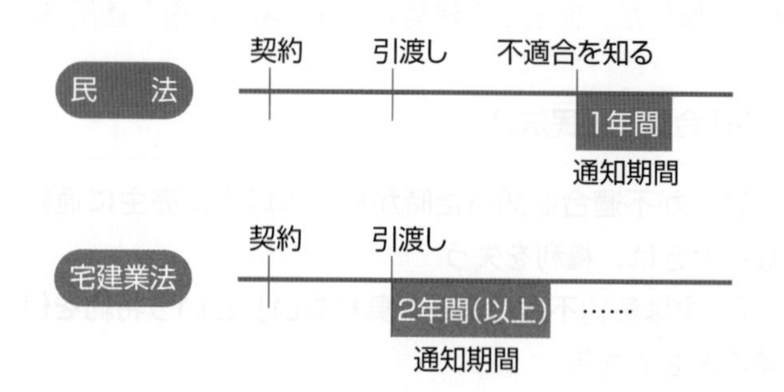


念のため、2年以上の意味も説明しておく。あまり期間が短いと消費者保護に欠けるので、最低でも2年とした。もちろん、3年でも4年でもよい。

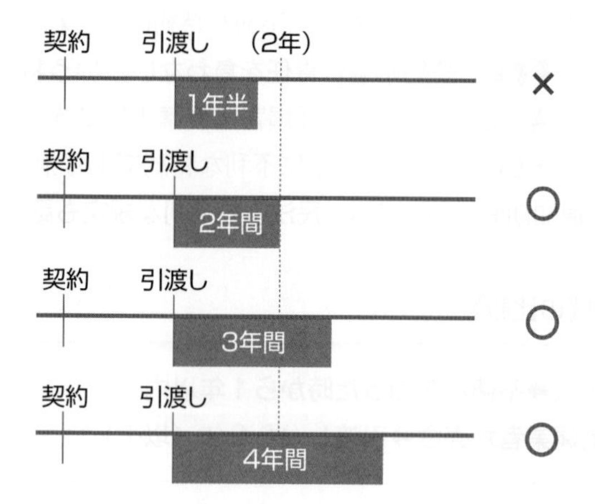


## 4 宅建業法違反の特約をしたらどうなるのか？

宅建業者が売主のとき、「契約不適合責任の通知期間は引渡しから1年以内とする」というように業法の規定（2年以上）よりも買主に不利な特約をした場合には、業法違反となり、この特約は**無効**となる。

このとき、契約不適合責任の通知期間はどうなるのか。引渡しから2年になるかといえば、そうではない。「引渡しから1年以内」という特約が無効になるということは、特約は何もなかったことになるのだ。その結果、**民法の原則に戻り**、「買主が不適合を知った時から1年以内」に通知すれば、契約不適合責任を追及できることになる。

## 5 住宅品質確保法

**新築住宅**であれば、「**住宅品質確保法**」の適用を受ける。ポイントを整理しておく。

- 種類または品質に関して契約内容に適合しない状態を「瑕疵」という。
- 家の基礎部分や柱の欠陥、雨漏りについては、売主（業者）が10年間、瑕疵担保責任を負わなければならない。

**住宅品質確保法**の正式名称は「住宅の品質確保の促進等に関する法律」。
買主が宅建業者の場合にも、住宅品質確保法は適用される。

### ◆宅建業者が10年間責任を負う範囲

- **構造耐力上主要な部分（基礎部分や柱など）**
- **雨水の侵入を防止する部分**

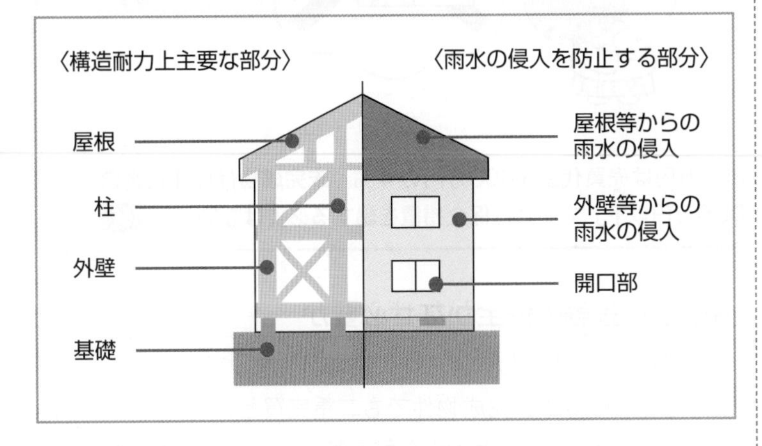

# ケース7 手付金等の保全措置

**正誤を判定 ○ or ×**

イヌマル不動産が、自ら売主として、ペリ子（宅建業者ではない）と工事完了前の一戸建て住宅を5,000万円で販売する契約を締結し、手付金等の保全措置を講じずに200万円を手付金として受領した場合、宅建業法違反となる。

手付金払っちゃったけど…。
倒産
イヌマル不動産


**解答** 手付金の200万円は売買代金5,000万円の４％。**未完成物件は「代金の5％以下かつ1,000万円以下」**であれば**保全措置を講ずる必要はない。** ×

## 1 手付金等の保全がなぜ必要か

未完成物件であれば、完成前に業者が倒産してしまう、ということも起こり得る。完成物件でも二重売買ということもあり得る。このようにきちんと物件が引き渡されるのか、購入者としては不安である。

そこで売主が宅建業者の場合には、**手付金等の保全措置**というものが設けられている。一定額を超える手付金等は、**保全措置を講じた後でなければ受領できない**のだ。

R6-34-4

講じない場合、買主は支払いを拒むことができる。

〈保全が必要な手付金等〉

**①契約締結の日以降、引渡し前に支払われる金銭で、**
**かつ**
**②代金に充当されるもの**

**引渡し後に授受される金銭は保全の必要がない**（引渡しを受けているので、「手付金を払ったが宅地建物が入手できなかった」という事態にはならないからだ）。

## 2 手付金等の保全の方法

手付金等の保全方法としては、①銀行や信用金庫などによる連帯保証、②保険事業者による保証保険、③指定保管機関による保管、といった方法がある。③の保管は、完成物件についてのみ認められる。

R5-44-4

| 完成物件 | 銀行等、保険事業者、指定保管機関 |
|---|---|
| 未完成物件 | 銀行等、保険事業者 |

指定保管機関とは、第4章で学習した保証協会のことだ。

## 3 手付金等の保全が不要な場合もある

ただし、次の場合には保全措置を取る必要がない。

**① 買主へ所有権の移転登記がされる（買主が所有権の登記をする）。**
**② 手付金等の額が小さい場合**
**(1)未完成物件：代金の５％以下、かつ、1,000万円以下**
**(2)完成物件：代金の10％以下、かつ、1,000万円以下**

H28-43-エ参照

①の場合、買主名で登記されるということは、買主の権利が守られる、ということだ。万一、業者が倒産しても心配ないから手付金の保全も不要だ。

②。手付金等が少額であれば、保全措置は不要だ。完成、未完成は売買契約の時点で判断する。

## ◆保全措置の要否の具体例

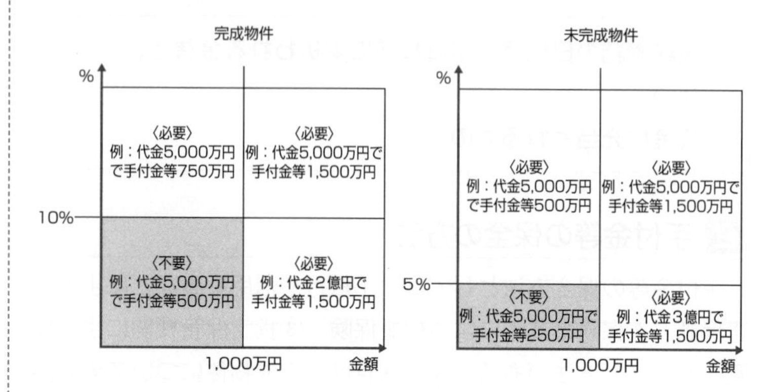


## 4 手付金等保全の注意点

注意すべき点が２つある。

### ①　手付金以外の中間金についても保全の対象となる

手付金だけでなく**中間金も保全の対象**となる。手付金「等」保全義務、といっているのはそのためだ。

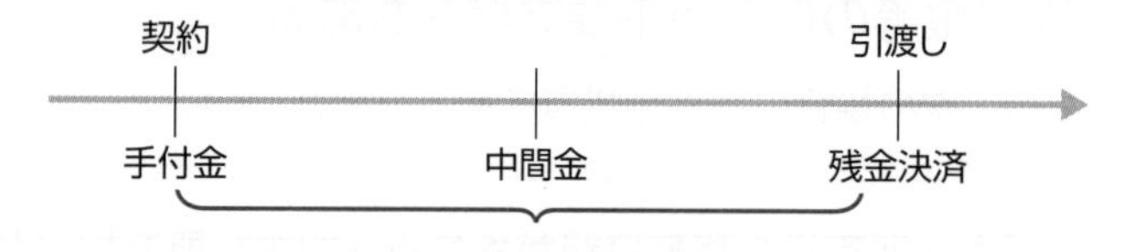


### ②　支払った全額について保全の対象となる

売買価格4,000万円の未完成物件でも、手付金が250万円だった場合、保全が必要になる。５％を超えた50万円だけが保全の対象となるのではない。250万円**全額が保全の対象**となる。

以上、①②を踏まえて次の事例で考えてみよう。

**事例**

売買代金１億円の完成物件がある。次の⑴⑵について、保全措置を取る必要はあるか。

⑴　手付金1,200万円を支払い、そのあと中間金として700万円を支払った。

⑵　手付金800万円を支払い、そのあと中間金として700万円を支払った。

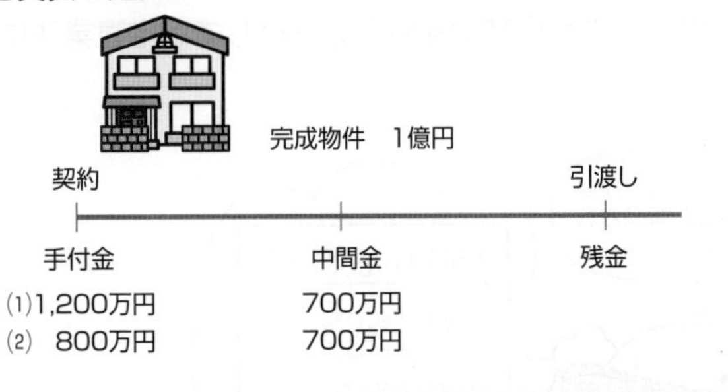


**解答**

完成物件なので、10％かつ1,000万円以下までは保全不要だ。１億円の10％は1,000万円だから、1,000万円を超えた場合に保全が必要となる。

まず⑴の場合。手付金として1,200万円受領する前に保全措置が必要となる。そして、中間金の700万円についても保全措置を取る必要がある（全額で考える）。つまり、手付金も中間金も保全措置を取らなければ受領することはできない。

次に⑵の場合。手付金は800万円だ。この時点では保全措置不要だ。しかし中間金700万円を加えると合計1,500万円になる。1,000万円を超えてしまうので、中間金を受領する前に1,500万円について保全措置を取る必要がある。

# ケース8 割賦販売にもルールがある

**正誤を判定 ○ or ×**

イヌマル不動産が、自ら売主として、ペリ子（宅建業者ではない）とマンションの割賦販売契約を締結した。買主ペリ子からの賦払金が支払期日までに支払われなかった場合、直ちに契約を解除したとしても宅建業法に違反しない。

2回目の支払いが遅れたので、解除されるのかな…。
割賦販売契約書
1回目支払い 済
1,500万円
2回目支払い
1,000万円
3回目支払い
1,000万円


**解答** 違反する。宅建業者が売主で買主が業者以外の場合には、**30日以上の期間を定めて書面で催告**し、その期間内に支払われないときでなければ解除はできない。**「直ちに解除」は宅建業法違反だ。** **×**

## 1 割賦販売契約の解除等の制限

**割賦販売**とは、簡単に言えば、分割払いだ。宅地や建物の引渡し後、１年以上の期間にわたり２回以上に分割して代金を支払うことをいう。不動産売買の割賦販売の場合、支払期間が10年以上に及ぶことも多く、その間には支払いが滞るおそれもある。

売主としては「もし支払いが滞ったら、契約を解除して土地・建物を返してもらうぞ」と条件を付けたいところだが、「売主＝業者」かつ「買主＝一般人（業者以外）」の場合には、条件の付け方に一定の制限がある。民法の規定と業者が売主の場合の規定の比較をしてみよう。

| 民　　法 | 「割賦金の支払いが１日でも遅れたら契約を解除する」という特約を付けることもOK |
|---|---|
| 業者が売主（宅建業法） | **30日以上の期間を定めて書面で催告**し、その期間内に支払いがされていないときでなければ、契約の解除や残代金の一括請求をすることはできない。 |

R2⑩-32-3、H28-29-エ

## 2 所有権留保等の禁止

**所有権留保**とは、売買契約は締結したが代金の全額が支払われるまでは、所有権を買主に移さない（所有権移転登記を行わない）というものだ。

「売主＝業者」かつ「買主＝一般人（業者以外）」で割賦販売を行った場合の所有権留保は禁止されている。代金の全額が支払われていなくても、**物件を引き渡すまでに**、登記の移転など売主の義務を履行しなければならないのだ。

R4-43-4

しかし、例外的に所有権の留保が認められる場合もある（この例外を覚える）。

> **①　宅建業者の受領した額が、代金の３割以下であるとき**
> **②　（代金の３割を超える額を支払った場合でも）買主が、抵当権設定や保証人を立てるなどの残代金の支払いの担保措置を講じる見込みがないとき**

## まとめ

● 宅建業者が売主となって、宅建業者以外の「素人」に売る場合には8つの規制がある。

● 自己の所有に属さない物件は契約してはならない。
- ▶ **①他人物売買**：契約や予約をしていればいい（代金未払いでも未登記でもいい）。停止条件付きはダメ。
- ▶ **②未完成物件**：手付金等の保全措置を取ればいい。（5％以下かつ1,000万円以下であれば保全不要）

### ◇クーリング・オフ

| クーリング・オフできない | クーリング・オフできる |
| --- | --- |
| ●事務所、案内所での申込み・契約<br>●買主が申し出た「買主の自宅」「買主の勤務先」<br>●クーリング・オフについて宅建業者から書面で告げられてから８日間経過<br>※　書面で告げる必要あり。口頭では８日間が始まらない<br>●宅地建物の引渡しを受けかつ代金全額を支払う | ●買主の取引銀行の店舗内<br>●テント張りの現地案内所<br>●専任の宅建士を置かない案内所<br>●ホテルのロビー<br>●出張先から電話で申込み<br>●買主が指定したレストラン<br>●（買主が申し出たのではなく）業者が買主の自宅や勤務先に押しかけた場合 |

### ◇損害賠償額の予定等の制限

損害賠償額の予定 ＋ 違約金 ≦ 売買代金の2割

### ◇手付の制限

手付金額 ≦ 売買代金の2割

| 買主に不利として無効になる特約の例<br>＝無効 | 買主に有利として有効となる特約の例<br>＝有効 |
|---|---|
| ●手付放棄による契約解除は契約締結後30日以内に限る。<br>●買主が解除する場合は手付金だけでなく、中間金も放棄する。 | ●売主が解約するには「手付３倍返し」が必要。<br>●買主は「手付半額放棄」で解約できる。 |

### ◇契約不適合責任の特約

① 民法より買主に不利となる特約は無効。
② 契約不適合責任の通知期間を「引渡しの日から2年（以上)」とする特約は（民法より不利だが）有効。

### ◇手付金等の保全

保全措置を講じた後でなければ、手付金等を受領してはならない。ただし以下の場合には、保全措置不要。

① 買主名で登記された
② 手付金等の額が以下の場合
⑴ 未完成物件は、代金額の5%以下かつ1,000万円以下の場合
⑵ 完成物件は、代金額の10%以下かつ1,000万円以下の場合

# 第7章 確認テスト

**問題** 次の記述の正誤を判定してください。

1. 宅地建物取引業者Aが、自ら売主として、宅地建物取引業者でないBに、自己の所有に属しない建物を売買する場合、Aが当該建物を取得する契約を締結している場合であっても、その契約が停止条件付きであるときは、当該建物の売買契約を締結してはならない。
2. 宅地建物取引業者Aが、自ら売主となり、宅地建物取引業者でない買主Bとの間で締結した宅地の売買契約について、Bは喫茶店において買受けの申込みをし、その際にAからクーリング・オフについて何も告げられずに契約を締結した。この場合、Bは、当該契約の締結をした日の10日後においては、契約の解除をすることができない。
3. 宅地建物取引業者Aが、自ら売主としてマンション（販売価額3,000万円）の売買契約を締結した。Aは、宅地建物取引業者でないEとの売買契約の締結に際して、当事者の債務不履行を理由とする契約の解除に伴う損害賠償の予定額を600万円、それとは別に違約金を600万円とする特約を定めた。これらの特約はすべて無効である。
4. 宅地建物取引業者Aが、自ら売主となり、宅地建物取引業者でない買主Bとの間で、中古住宅及びその敷地である土地の売買契約を締結しようとする場合、Aが契約不適合責任の通知期間について定める場合、引渡しの日から１年とする特約は無効であり、当該期間は引渡しの日から２年となる。
5. 宅地建物取引業者Aが、自ら売主として、宅地建物取引業者でないBとの間で土地付建物の売買契約を締結した。Aは、当該建物が未完成であった場合でも、Bへの所有権移転の登記をすれば、Bから受け取った手付金等について、その金額を問わず宅地建物取引業法第41条に定める手付金等の保全措置を講じる必要はない。
6. 宅地建物取引業者Eは、Fの所有する宅地を取得することを停止条件として、宅地建物取引業者Gとの間で自ら売主として当該宅地の売買契約を締結した。このことは宅地建物取引業法に違反しない。

**解答解説**

1．○　停止条件付きの契約では確実に取得できるとはいえないので、宅建業者以外の者に売買することはできない。

2．×　業者がクーリング・オフについて何も告げていない以上、（クーリング・オフできなくなる）８日間の期間がスタートしない。したがって誤り。なお、口頭で告げただけでもダメ。また、「契約の日から８日間経過するとクーリング・オフできなくなる」（←もちろんウソ）というヒッカケにも注意。

3．×　損害賠償の予定額と違約金の額を合算した額が代金の10分の２を超えた分が無効となる。すべてが無効になるわけではない。問題文のような特約をしても損害賠償金と違約金を合わせて600万円までしか受け取ることができない。

4．×　契約不適合責任の通知期間の特約が宅建業法に違反した場合には民法の規定が適用となる。つまり通知期間は「契約不適合を知ったときから１年以内」となる。

5．○　買主名で登記されれば保全措置は不要。

6．○　違反しない。買主も宅建業者だから「自ら売主の８つの制限」は適用されない。典型的なヒッカケ問題だ。

# 第8章　監督処分と罰則

## ケース1　悪い業者は処分される

**正誤を判定 ○ or ×**

ツネキチ商事（東京都知事免許）が、神奈川県内で行う建物の売買に関し、取引の関係者に損害を与えるおそれがあるときは、ツネキチ商事は、東京都知事から指示処分を受けることはあるが、神奈川県知事から指示処分を受けることはない。

**解答**　免許権者である東京都知事も、現地の知事である神奈川県知事も指示処分を出すことができる。　**×**

### 1　宅建業者に対する監督処分

宅建業者に対する監督処分としては、**①指示処分**、**②業務停止処分**、**③免許取消処分**の３つがある。知事や国土交通大臣（地方整備局長）がこれらの処分をするためには、事前に公開による聴聞を行わなければならない。業者側の言い分を聞いてから処分するのだ。

**①指示処分**と**②業務停止処分**は、免許権者だけでなく、違反行為地の知事にも処分権限がある。これに対し③の**免許取消処分**を**行えるのは免許権者だけ**だ。

東京都知事免許のツネキチ商事が神奈川県内で問題を起こしたのであれば、神奈川県知事も処分することができる。

## 2 処分後の措置

**〈処分した旨の通知〉**

違反行為地の知事が処分を行った場合、処分年月日及び内容を遅滞なく、**免許権者に通知・報告**する。免許権者としては自分が免許を与えた業者の動向を把握しておく必要があるからだ。

免許権者が知事であれば「通知」、大臣であれば「報告」となる。
大臣免許の業者が本店所在地以外の知事から処分された場合、報告を受けた大臣は本店所在地の知事に通知する。

**国土交通大臣は、免許権者としてのみ**監督処分することができる。大臣が処分した場合には、その旨を遅滞なく、宅建業者の事務所の所在地を管轄する知事に通知する。

**〈業者名簿への記載〉**

指示処分、業務停止処分があった場合、**免許権者は業者名簿に処分日及び内容を記載**する。

**〈公告〉**

宅建業者に業務停止処分、免許取消処分したときは、**公告**しなければならない。大臣による処分は官報、知事による処分は公報やウェブサイトへの掲載により公告が行われる。なお、**指示処分は公告不要**だ。

R6-31-4

**◘宅建業者に対する監督処分**

| 処分の種類 | 誰が処分するのか | | 処分後の措置 | |
|---|---|---|---|---|
| | 免許権者 | 違反行為地の知事 | 業者名簿への記載(年月日、処分内容) | 公告 |
| 指示処分 | ○ | ○ | ○ | × |
| 業務停止処分 | ○ | ○ | ○ | ○ |
| 免許取消処分 | ○ | × | — | ○ |

処分に至らない場合でも、免許権者、国土交通大臣、行為地の知事は必要な**指導**、**助言**および**勧告**をすることができる。

## 3 処分事由

**a）指示処分**

免許権者、業務地を管轄する知事は、以下の場合に指示処分をすることができる。

**指示処分**とは「ある行為をしろ」とか「ある行為をするな」と命じることだ。試験では「必要な指示をする」と表現される。

④。H30-32-1

① 業務に関し、取引関係者に損害を与えた（与えるおそれが大きい）
② 業務に関し、取引の公正を害する行為をした（害するおそれが大きい）
③ 業務に関し、他の法令に違反し、宅建業者として不適当であると認められる
④ 宅建士が監督処分を受けた場合で、宅建業者にも責任がある
⑤ 宅建業法の規定に違反した

H29-29-1参照

①～③は「**業務に関し**」というのがポイント。宅建業以外の業務、たとえば「マンション管理業に関し」、③の「他の法令違反」があっても指示処分を受けることはない。

**b）業務停止処分**

**免許権者**、業務地を管轄する**知事**は、業務停止処分をすることもできる。業務停止処分は**1年以内**の期間を定めて、業務の全部または一部の停止を命じるものだ。

**c）免許取消処分**

出題が多いところだ。しっかり覚えよう。

**〈必要的免許取消〉**

次の事項に該当した場合は、**免許権者**は**必ず**免許を取り消さなければならない。

**① 欠格事由に該当する（宅建業法違反で罰金刑以上に処せられる、破産者となった　等々）**
**② 免許換えをすべきなのにしていない**
**③ 免許を受けてから１年以上事業を開始しない、引き続き1年以上営業を休止した**
**④ 廃業の事実が判明した**
**⑤ 不正な手段で免許を取得した、業務停止処分に違反した、業務停止処分に該当し情状が特に重い**

①。宅建業者が欠格事由（第２章ケース3〜ケース7で学んだ ルール1 〜 ルール14 ）に該当した場合、免許を取り消される。

⑤はいわゆる**三大悪事**だ。**必ず免許が取り消される**。その後、５年間は免許を受けることができない。
R6-31-1

〈任意的免許取消〉

次の事項に該当した場合は、**免許権者**は免許を取り消すことができる。

**① 免許を与える際に付した条件に違反した**
**② 宅建業者の所在地が不明になった（公告から30日を経過しても申し出がない）**
**③ 営業保証金を供託した旨の届出がない**

R6-38-4

試験では、「宅建業者の事務所の**所在地を確知できない**」という表現になる。
R6-31-2
この所在地不確知により免許を取り消す場合は聴聞不要。

②。宅建業者の所在地が不明となったときは、免許権者は官報等で公告する。公告の日から**30日を経過**しても宅建業者から申出がないときは、免許を取り消すことができる。

## 4 内閣総理大臣との協議等

消費者庁の設置に伴い、内閣総理大臣との協議等の規定が設けられた。次の2つの点に注意しておこう。

消費者保護の規定とは媒介契約、重要事項説明、37条書面、自ら売主の8つの制限などのことだ。

> **① 国土交通大臣が消費者保護の規定に違反した大臣免許業者に監督処分を行うにあたっては、あらかじめ内閣総理大臣に協議しなければならない。**
>
> **② 内閣総理大臣は、消費者保護行政の観点から宅建業者でない個人の利益の保護を図るために必要があると認められるときは、国土交通大臣に対し処分に関する意見を述べることができる。**

知事免許の業者は、内閣総理大臣との協議等の対象外である。念のため。

## 5 信託会社に対する監督処分

宅建業を営む旨の届出をしている信託会社は、国土交通大臣の免許を受けた宅建業者とみなされる。そのため、宅建業法違反があった場合には指示処分や業務停止処分を受けることがある（**免許取消処分を受けることはない**）。

第8章 監督処分と罰則

# ケース2 悪い宅建士も処分される

**正誤を判定 ○ or ×**

宅建士が取締役をしている宅建業者が、不正の手段により宅建業の免許を受けたとして、その免許を取り消されるに至った場合、宅建士の登録を消除される。

私の宅建士資格は
どうなるのだろうか…。
モンキー不動産
免許取消！
取締役
兼
宅建士

**解答** 宅建業者（法人）が不正の手段により免許を取得したとして免許取消となった場合、その法人の役員は宅建士の登録欠格事由に該当する（第3章ケース2 ルール3 参照）。宅建士の欠格事由に該当する以上、登録は消除される。 ○

## 1 宅建士に対する監督処分

宅建士に対する監督処分としては、①**指示処分**、②**事務禁止処分**、③**登録消除処分**の3つがある。事務禁止処分は、1年以内の期間を定めて命じられる。処分するためには公開による**聴聞**を行わなければならないのは、宅建業者の場合と同様だ。**指示処分**と**事務禁止処分**は、登録している知事だけでなく、行為地の知事にも処分権限がある。**登録消除処分**ができるのは登録している知事だけだ。

国土交通大臣は宅建士に対して監督処分することはできない（報告を求めることはできる）。

## 2 処分事由

### a）指示処分、事務禁止処分

次の事項に該当した場合、登録権者、行為地を管轄する知事は、指示処分または事務禁止処分をすることができる。

R5-41-2

**① 自己が専任の宅建士として従事している事務所以外の事務所の専任宅建士である旨の表示をした**
**② 他人に名義貸しをした**
**③ 宅建士として行う事務に関し、不正または著しく不当な行為をした**

③。「宅建士として行う事務」とは、⑴重要事項説明、⑵35条書面への記名、⑶37条書面への記名、の３つだ。これ以外の行為（たとえば誇大広告）をしても、宅建士として監督処分を受けることはない。

上記①～③に該当して、指示処分となったが処分に従わないときは、改めて事務禁止処分とすることができる。

事務の禁止処分をうけても、従業者として宅建業者に従事することはできる。「宅建士として行う３つの事務」ができなくなるだけだ。

登録消除処分は、宅建士資格者（登録は受けているが、宅建士証の交付を受けていない者）も対象となる。

### b）登録消除処分

次の事項に該当した場合、登録権者は、登録消除処分をしなければならない。

R5-41-3

**① ⑴不正な手段で宅建士登録をした・宅建士証の交付を受けた、⑵事務禁止処分に違反した、⑶事務禁止処分の事由に該当し情状が特に重い**
**② 登録の欠格事由に該当した**
**③ （登録はしているが）宅建士証の交付を受けていない者が宅建士の事務を行い、情状が特に重い**

①、③は宅建士の四大悪事だ。必ず登録消除となる。

## 3 宅建士証の提出と返納

宅建士は、事務禁止処分を受けた場合には、宅建士証の交付を受けた知事に宅建士証を提出しなければならない。登録消除処分を受けた場合は、宅建士証を返納しなければならない。

H30-32-4

### ◘宅建士に対する監督処分

| 処分の種類 | 誰が処分するのか | | 処分後の措置 | | |
|---|---|---|---|---|---|
| | 登録している知事 | 違反行為地の知事 | 登録簿への記載 | 公告 | 宅建士証 |
| 指示処分 | ○ | ○ | ○ | × | — |
| 事務の禁止処分 | ○ | ○ | ○ | × | 提出する |
| 登録の消除処分 | ○ | × | — | × | 返納する |

宅建士の監督処分では、公告はない。

R5-41-4

宅建士証の提出、返納義務に違反すると10万円以下の過料に処せられることもある。

違反行為地の知事が監督処分をした場合、遅滞なく、登録している知事に通知しなければならない。

## ケース3 懲役や罰金を受けることもある

**正誤を判定 ○ or ×**

ツネキチ商事の従業者ゴンが、建物の売買について勧誘するに際し、当該建物の利用の制限に関する事項で買主の判断に重要な影響を及ぼすものを故意に告げなかった場合、ツネキチ商事に対して1億円以下の罰金刑が科せられることがある。

**解答** 買主の判断に重要な影響を及ぼすものを故意に告げない（重要な事項の不告知）は罰則の対象だ。**行為者ゴンが罰せられるだけでなく、宅建業者（法人）ツネキチ商事に対しても最高で1億円の罰金刑が科せられる。** ○

### 1 宅建業者への罰則

宅建業者に対する罰則は懲役と罰金のみだ。過料はない。

重大な宅建業法違反については、監督処分だけでなく罰則が課されることもある。たとえば「不正の手段により宅建業の免許を受けた者」や「業務停止処分に違反して営業した宅建業者」は「3年以下の懲役もしくは300万円以下の罰金またはこれらの併科」を受けることがある。

免許権者だけでなく、行為地の知事も報告を求めることができる。

大臣や知事から求められた**報告**をしなかったり、虚偽の報告をしたり、**立入検査**を拒んだ場合には50万円以下の罰金に処せられることもある。

H29-29-4、R1-29-エ

## 2 両罰規定

宅建業者の代表者、従業員、代理人等が 1 の違反行為を行った場合、行為を行った者が刑罰を受けるだけでなく、業者に対しても罰金刑が科せられる（両罰規定)。最高額はなんと１億円だ。

## 3 宅建士への罰則

以下の宅建業法違反があった場合には、50万円以下の罰金が課せられる。

> **①　（大臣や知事から）報告を求められた宅建士が、報告をせずまたは虚偽の報告をした**

行為地の知事も報告を求めることができる。
R5-41-1

以下の宅建業法違反があった場合には、10万円以下の過料が課せられる。

> **②　宅建士証の返納義務に違反した**
> **③　宅建士証の提出義務に違反した**
> **④　重要事項説明の際、宅建士証を提示しなかった**

試験対策上は次の２点が大切だ。

**ポイント1** 宅建士の罰則は「50万円以下の罰金」と「10万円以下の過料」しかない。これ以外の金額はない。懲役や禁錮もない。「20万円の過料」とか「懲役１年」とあれば誤りだ。

**ポイント2** 宅建士証の提示義務違反で罰則があるのは、重説のみ。

重説の際だけでなく、相手方から求められた際も宅建士証の提示義務があるが、後者については違反しても罰則はない（監督処分はある)。

# まとめ

## ◇宅建業者に対する監督処分

| 処分の種類 | 誰が処分するのか | | 処分後の措置 | |
|---|---|---|---|---|
| | 免許権者 | 違反行為地の知事 | 業者名簿への記載（年月日、処分内容） | 公告 |
| 指示処分 | ○ | ○ | ○ | × |
| 業務停止処分 | ○ | ○ | ○ | ○ |
| 免許取消処分 | ○ | × | ― | ○ |

## ◇宅建士に対する監督処分

| 処分の種類 | 誰が処分するのか | | 処分後の措置 | | |
|---|---|---|---|---|---|
| | 登録している知事 | 違反行為地の知事 | 登録簿への記載 | 公告 | 宅建士証 |
| 指示処分 | ○ | ○ | ○ | × | ― |
| 事務の禁止処分 | ○ | ○ | ○ | × | 提出する |
| 登録の消除処分 | ○ | × | ― | × | 返納する |

- 事務禁止処分を受けたら宅建士証を提出。登録消除処分なら返納。
- 宅建業者（法人）の従業員等が罰則を受けた場合、法人にも最高１億円の罰金刑（両罰規定）。
- 宅建士への罰則は「50万円以下の罰金」と「10万円以下の過料」しかない（懲役や禁錮はない）。

# 確認テスト

**問題** 次の記述の正誤を判定してください。

1．丙県知事は、丙県の区域内における宅地建物取引業者C（丁県知事免許）の業務に関し、Cに対して指示処分をした場合、遅滞なく、その旨を丙県の公報により公告しなければならない。

2．甲県知事は、宅地建物取引業者A（甲県知事免許）に対して指示処分をしようとするときは、聴聞を行わなければならず、その期日における審理は、公開により行わなければならない。

3．宅地建物取引業者A（甲県知事免許）の専任の宅建士が事務禁止処分を受けた場合において、Aの責めに帰すべき理由があるときは、甲県知事は、Aに対して指示処分をすることができる。

4．宅地建物取引業者A（甲県知事免許）が、乙県の区域内の業務に関し乙県知事から指示を受け、その指示に従わなかった場合でも、甲県知事は、Aに対し業務停止の処分をすることはできない。

5．宅地建物取引業者A社は、その相手方等に対して契約に係る重要な事項について故意に事実を告げない行為は禁止されているが、法人たるA社の代表者が当該禁止行為を行った場合、当該代表者については懲役刑が科されることがあり、またA社に対しても罰金刑が科されることがある。

**解答解説**

1．×　指示処分は公告不要だ。

2．○　聴聞は公開により行わなければならない。

3．○　宅建士が監督処分を受けた場合で、宅建業者にも責任がある場合は、業者に対して指示処分をすることができる。

4．×　免許権者は、他の都道府県知事から指示処分を受け、その指示に従わなかった宅建業者に対して、業務停止処分をすることができる。

5．○　宅建業者の代表者、従業員、代理人等が違反行為を行った場合、行為を行った者が刑罰を受けるだけでなく、業者に対しても罰金刑が科せられる（両罰規定）。

# 第9章 住宅瑕疵担保履行法

## ケース1 新築住宅を買ったときには特別な保護がある

正誤を判定 ○ or ×

イヌマル不動産（宅建業者）が売主となって、クロネコ不動産（宅建業者）との間で、新築住宅の売買契約を締結し当該住宅を引き渡す場合、資力確保措置を講ずる義務を負う。

**解答** 買主が宅建業者である場合には、資力確保措置を講ずる義務はない。 ×

### 1 瑕疵担保履行法とは

#### ① 「売主が業者・買主が業者以外」の場合は資力確保が必要

住宅品質確保法（品確法）では、新築住宅の売主（宅建業者）は引渡しから**10年間**、瑕疵担保責任があると定めている（第7章ケース6参照）。瑕疵とは、種類又は品質に関して契約の内容に適しない状態のことだ。

対象となるのは、住宅の「**構造耐力上主要な部分**」と「**雨水の侵入を防止する部分**」だ。たとえば給水設備やガス設備の瑕疵であれば対象外だ。

しかしこのような法律があっても売主が倒産しては、責任追及をすることができない。そこで、住宅瑕疵担保履行法により、宅建業者が売主となって、宅建業者以外の買主と新築住宅の売買契約を結ぶ場合には、**資力確保の措置**が義務付けられている。10

**新築住宅**とは、建設工事の完了から1年以内で人が住んだことがないものをいう。

契約不適合責任のことを、住宅瑕疵担保履行法では瑕疵担保責任と呼んでいる。

住宅瑕疵担保履行法の正式名称は、特定住宅瑕疵担保責任の履行の確保等に関する法律。

**年間**の瑕疵担保責任の履行を確実なものとするためだ。

### ② 資力確保について

資力の確保の方法としては**保証金の供託**と**保険契約の締結**とがある。両方を併用してもいい（販売した住戸の半分は供託で、半分は保険でということも可能）。

資力の確保が義務付けられるのは、**売主＝宅建業者、買主＝業者以外（一般消費者）**の**新築住宅売買**のみだ。宅建業者間の取引や、一般消費者が買主であっても代理や媒介する業者には資力確保の義務はない。

品確法は業者間取引でも適用されるが、住宅瑕疵担保履行法は買主が業者の場合には適用がない。

| ヒッカケパターン | 出題例 | 解答 | 解説 |
| --- | --- | --- | --- |
| 新築住宅の媒介をする場合にも資力確保義務がある | R1-45-1<br>30-45-1<br>26-45-2 | × | 媒介業者には資力確保義務はない。 |
| 買主が宅建業者の場合にも資力確保義務がある | R2⑩-45-4<br>27-45-1 | × | 買主が宅建業者ならば資力確保義務はない。 |
| 買主が建設業者ならば資力確保義務はない | R4-45-1<br>R3⑩-45-1 | × | 買主が宅建業者ではない<br>→資力確保義務あり |

## 2 資力確保の方法

### ① 保証金の供託

新築住宅を供給する宅建業者は「住宅販売瑕疵担保保証金」を主たる事務所の最寄りの供託所に供託しなければならない。

R5-45-3

保証金は金銭だけでなく、国債、地方債など一定の有価証券による供託も認められる。また買主に対し、**供託所の名称や所在地について書面を交付して説明**しなければならない（相手方の承諾があれば、書面ではなく電磁的方法も可）。

「営業保証金の供託の場合」と対比して、覚えておこう。

住宅瑕疵担保保証金の取戻しには、免許権者の承認が必要となる。
R4-45-4

R5-45-2

H28-45-3では正しい肢として出題された。

保険会社が工事中に建物を検査し、合格しないと保険には入れない。

R4-45-2、
R2⑩-45-4、
H26-45-3

### ◇「営業保証金の供託」と「住宅販売瑕疵担保保証金の供託」の比較

| | 営業保証金 | 住宅販売瑕疵担保保証金 |
|---|---|---|
| 共通点 | ●有価証券でも供託可（評価額は国債100%、地方債・政府保証債90%、その他80%）<br>●主たる事務所の最寄りの供託所に供託<br>●金銭だけで供託しているのならば保管替えの請求。金銭と有価証券で供託しているのならば、いったんは二重供託。<br>●契約の成立前に供託所について説明する。 | |
| 説明は口頭でもよいか | 口頭説明でもOK | 書面を交付して説明する。（買主の承諾があれば電磁的方法による提供も可） |
| 説明する義務があるのは | 宅建業者（売主、代理、媒介） | 新築住宅の売主である宅建業者 |
| 誰に説明するのか | 両当事者（売主、買主、貸主、借主） | 新築住宅の買主 |
| 不足額の供託と届出 | 還付があった旨の通知を受けた日から2週間以内に不足額を供託する。 | 「①還付があった旨の通知を受けた日」または「②基準額に不足することを知った日」から2週間以内に供託する。 |

住宅事業者が倒産するなど、欠陥を直すことができない場合には、消費者が瑕疵担保保証金を還付請求して、保証金を受け取ることができる。

| ヒッカケパターン | 出題例 | 解答 | 解説 |
|---|---|---|---|
| 供託所の所在地等について記載した書面の交付及び説明を、新築住宅を引き渡すまで行う | 29-45-1<br>27-45-2 | × | 説明は、売買契約を締結するまでに行う。 |

### ② 住宅瑕疵担保責任保険

保証金の供託に代えて、国土交通大臣が指定した住宅瑕疵担保責任保険法人との保険契約を締結してもよい。保険は買主が引渡しを受けてから10年以上の期間、有効な契約であることが必要だ。保険料は業者が支払う。

宅建業者が保険に入り、欠陥が見つかった場合には**業者に保険**

**金が支払われる**（業者は保険金を使って欠陥を修理する）。万一業者が倒産した場合には買主（所有者）に保険金が支払われる。

## 3 届出義務

### ① 免許権者に対する届出

宅建業者は免許権者に対し、**基準日**（3月31日）における資力確保措置の状況を、**基準日から3週間以内**（4/21まで）**に届け出**なければならない。

近年の法改正で届出は**年1回**になった。また基準日から3週間以内に供託すればよいことになった。R4-45-3

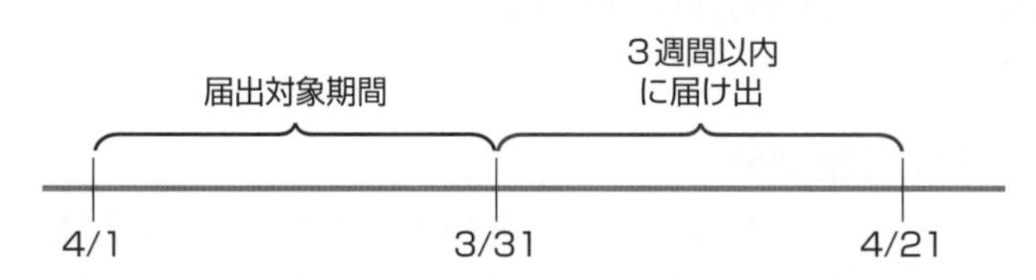


| ヒッカケパターン | 出題例 | 解答 | 解説 |
| --- | --- | --- | --- |
| 住宅を引き渡した日から3週間以内に、その住宅に関する資力確保措置の状況について届出る | 30-45-2<br>28-45-2 | × | 基準日から3週間以内。 |
| 基準日から50日以内に、届出る | R2⑩-45-3 | × | |

### ② 届出を行わないと…

R6-45-2

資力の確保措置や届出を行わない場合、**基準日の翌日から起算して50日を経過した日以降**、自ら売主となる新築住宅の売買契約を新たに締結することができなくなる。

新築住宅の売主になれないだけ。媒介、代理や中古物件の売主にはなれる。

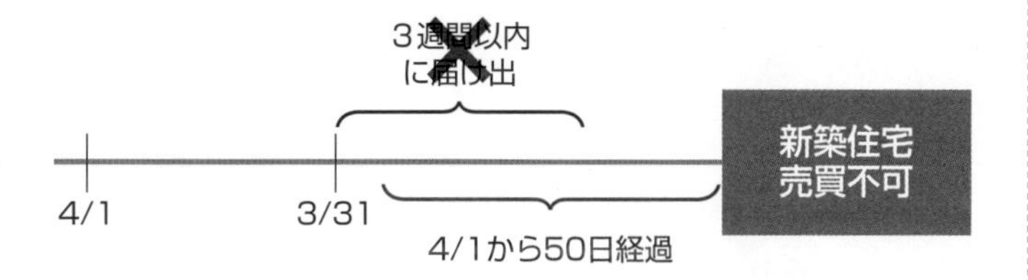

| ヒッカケパターン | 出題例 | 解答 | 解説 |
|---|---|---|---|
| （資力確保措置について届出しないと）基準日から50日経過した日以降、売買契約ができなくなる。 | 26-45-1 | × | 基準日の翌日から起算して50日経過した日以降だ。 |
| （資力確保措置について届出しないと）基準日以降、売買契約ができなくなる。 | 27-45-3<br>25-45-2 | × | |
| 宅地の売買契約ができなくなる／新築住宅の仲介ができなくなる | (出題例なし) | × | |

### ③ 罰則、監督処分

供託や保険加入をしないで新築住宅の売買契約をした者は、懲役や罰金を受けることがある。供託等の届出をしなかったり、虚偽の届出をした場合も罰金刑を受けることがある。

また、宅建業法上の監督処分の対象となる。

● 売主（宅建業者）、買主（宅建業者以外）との間で新築住宅の売買契約が締結され、当該住宅が引き渡される場合には、売主は①保証金の供託、②保険への加入といった資力確保の措置を取らなければならない。

### ◇住宅瑕疵担保履行法の頻出事項

① 売主＝業者、買主＝業者以外　の新築住宅の売買に適用がある。
② 住宅の「構造耐力上主要な部分」と「雨水の侵入を防止する部分」が対象
③ 契約が成立する前に書面を交付して、住宅販売瑕疵担保保証金を供託している供託所の所在地、供託所の表示等について説明
④ 基準日から３週間以内に、免許権者に資力確保措置の状況について届け出なければならない。
⑤ （資力確保の届出がない場合）基準日の翌日から起算して50日を経過した以降は新築住宅の売買ができなくなる

＊ 上記５つを覚えてから、過去問を解けば、住宅瑕疵担保履行法は簡単だとわかるはずだ。

# 確認テスト

**問題** 次の記述の正誤を判定してください。

1．宅建業者は、自ら売主として新築住宅を販売する場合だけでなく、新築住宅の売買の媒介をする場合においても、資力確保措置を講ずる義務を負う。

2．自ら売主として新築住宅を販売する宅建業者は、住宅販売瑕疵担保保証金の供託をする場合、当該住宅の売買契約をするまでに、当該住宅の買主に対し、供託所の所在地等について記載した書面を交付して説明しなければならない。

3．自ら売主として新築住宅を宅建業者でない買主に引き渡した宅建業者は、基準日前1年間分の資力確保措置の状況について、その免許を受けた国土交通大臣または都道府県知事に届け出なければならない。

4．自ら売主として新築住宅を宅建業者ではない買主に引き渡した宅建業者は、基準日に係る住宅販売瑕疵担保保証金の供託及び住宅販売瑕疵担保責任保険契約の締結の状況について届出をしなければ、当該基準日から起算して50日を経過した日以後、新たに自ら売主となる新築住宅の売買契約を締結してはならない。

**解答解説**

1．× 資力確保措置を講ずる義務があるのは、売主である宅建業者だ。媒介するだけであれば、資力確保義務を負わない。

2．○ 供託所に関する説明は、売買契約をする前に書面を交付して行う。「新築住宅を引き渡す前に行う（×）」「口頭でもよい（×）」といったヒッカケに注意しよう。

3．○ 保証金の供託状況、保険契約の締結の状況について届け出なければならない。なおこの届出は、基準日から3週間以内に行う。

4．× 新築住宅の売買契約を新たに締結することができなくなるのは、基準日「の翌日」から起算して50日を経過した日以降だ。

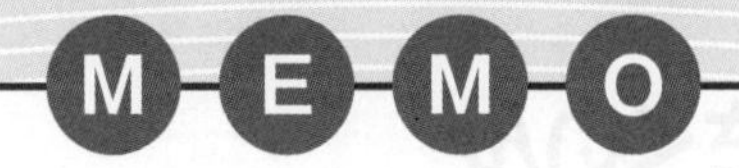
MEMO

# テキスト編・さくいん

第1分冊

あ



か



さ



た

## な



## は



## ま



## や



## ら

# 本書に登場する キャラクター紹介

## キャラクター紹介

彼らを中心にストーリーが展開していきます。下線があるのは宅建試験の重要用語です。

### ◆宅建業者（とその家族）

ハッピー：宅建業者**イヌマル不動産**の新入社員。宅建士の資格取得を目指している。

ホワイト：ハッピーの父。マンションを購入するが、売主ネズキチ不動産が倒産したり、自宅の土地の一部が取得時効によりツネキチに取られそうになるなどトラブルが続く。

ハナ：ハッピーの祖母。賃貸マンション経営をしている。

ツネキチ：宅建業者**ツネキチ商事**を経営している。モンキーと組んでタヌキチの土地をだまし取ろうとする（詐欺）などちょっとずるいところがあるが、根は悪いやつではない。

ネズキチ：ネズキチ不動産を経営していたが倒産させてしまう。その後、故郷の青森県に帰り、再起を図る。しかし、ゴンに殴られる（不法行為）など不幸が続く。

チュー太：ネズキチの長男。未成年だが年齢を偽ってバイクを購入しようとする。

チュー坊：ネズキチの次男。努力家の中学生。宅建試験に合格し、父が潰したネズキチ不動産を再興しようとする。

◆**お客様**

タヌキチ：大地主タヌマ家の資産を管理している。

タヌ爺：タヌキチの父。タヌマ家の当主だが愛人騒動を起こす。

タヌ婆：タヌキチの母。成年被後見人だが、土地の売買をしようとする。

タヌ三郎：タヌキチの弟。父タヌ爺の土地を勝手に売却する無権代理事件を起こす。

ペリ子：自宅を購入するが抵当権が抹消できず、様々なトラブルに巻き込まれる。

ライ太、キリ男、コア太郎：土地を買ったり、建物を借りたり、ビルを建てようとしたり…。要は宅建業者のお客様たちです。

◆**その他登場人物**

ムサシ：クロネコ不動産を経営。宅建士。ハッピーにアドバイスをしてくれる。

モンキー：悪徳不動産業者モンキー不動産の社長。業務停止処分を無視して営業し、免許取り消しとなる。

チッチ：モンキー不動産の監査役だったが、悪人ではない。モンキー不動産の免許取り消し後、保証協会を活用して宅建業を開業する。

ゴン：ツネキチの友人。傷害罪で服役していた過去がある。

その他、**イヌマル社長**、**ポン子**などいろいろ出てきます。

# 本書に登場する キャラクター紹介

## 相関図

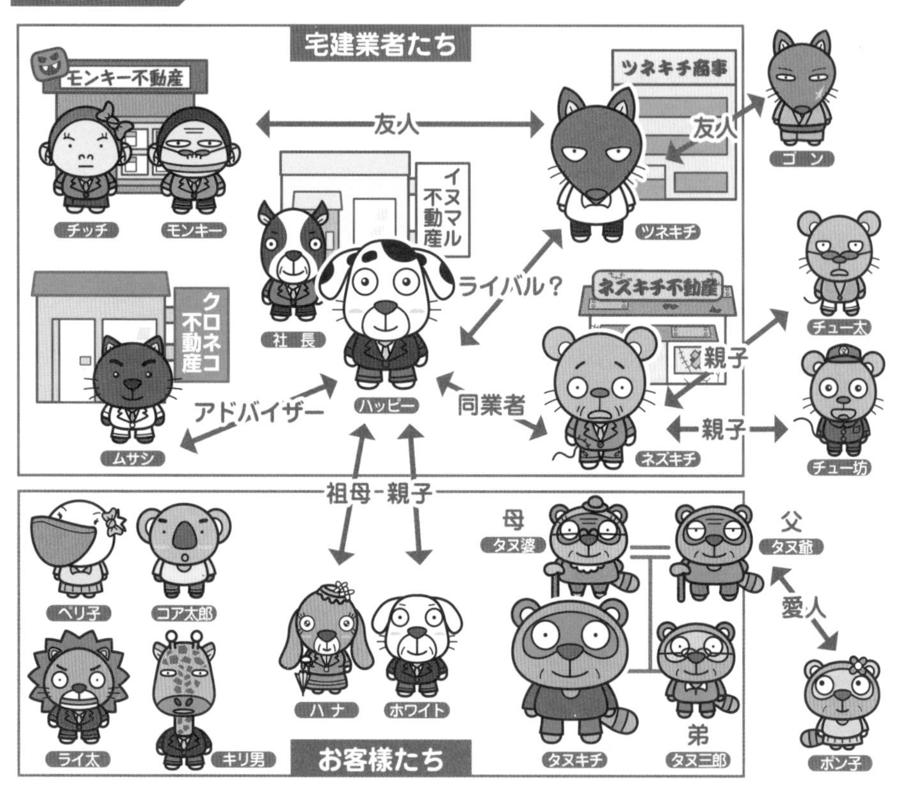

## バラして使える 4分冊 の使いかた

本書は、分野別にテキスト4分冊で構成されています。
各分冊は、それぞれ以下の要領で取り外してお使いください。

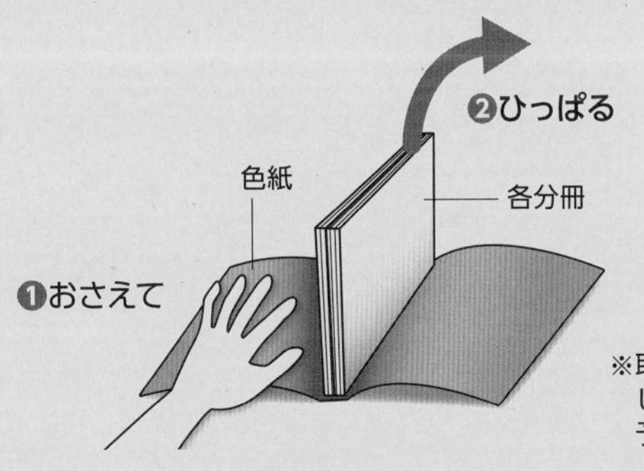


※取り外しの際の損傷につきましては、交換いたしかねます。予めご了承ください。

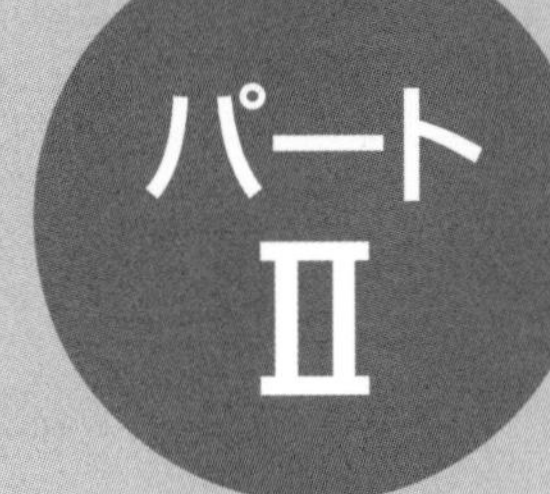


# 法令上の制限

タヌキチ

都市計画法・建築基準法から各2問、農地法・土地区画整理法・盛土規制法、国土法およびその他法令から4問、計8問が出題される。

「暗記科目」と思われがちだが、実は法律の規定の意味を理解することが大切な分野だ。農地法・国土法は簡単な出題が多い。都市計画法・建築基準法に時間を割こう。

実務をやっていないと、難しいと感じるかもしれないが、慣れれば得点源になる。頑張ろう！

You Tube
「中村喜久夫チャンネル」へアクセス

# パートⅡ　法令上の制限

目　次

# 第1章 都市計画法①－都市計画

## ケース1 住みよい街にするには計画が必要だ

**正誤を判定 ○ or ×**

都市計画区域は、一体の都市として総合的に整備し、開発し、および保全される必要がある区域であり、２以上の都府県にまたがって指定されてもよい。

またがっていいの？
甲県
乙県
都市計画区域

**解答** **都市計画区域は行政区画とは無関係に指定**できる。２つ以上の都府県、２つ以上の市町村にまたがって指定されることもある。 ○

### 1 都市計画とは

住みよい街づくりのために作られるのが、**都市計画**だ。まず、**都市計画区域**を定め、その区域内では計画的な街づくりを行うことにした。この区域内では、**土地の利用も制限を受ける**。

「市町村の中心の市街地を含み…**一体の都市として**総合的に**整備**し、**開発**し、及び**保全**する必要がある区域」とあれば都市計画区域のことだ。

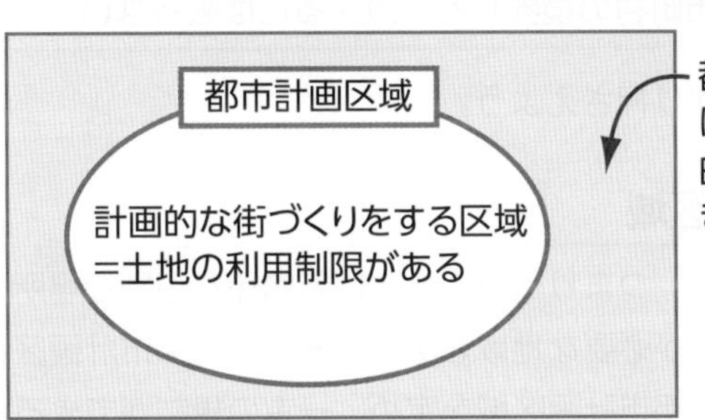

都市計画区域
計画的な街づくりをする区域
=土地の利用制限がある
都市計画区域の外は、基本的には自由な土地利用ができる

都市計画区域は**原則として都道府県が指定**する。また都市計画区域は、行政区域（市町村の境界）と一致するとは限らない。2つ以上の市町村にまたがって指定されることもある。

2つ以上の都府県にまたがって都市計画区域を指定する場合は、**国土交通大臣**が指定する。

**◇都市計画区域の例**

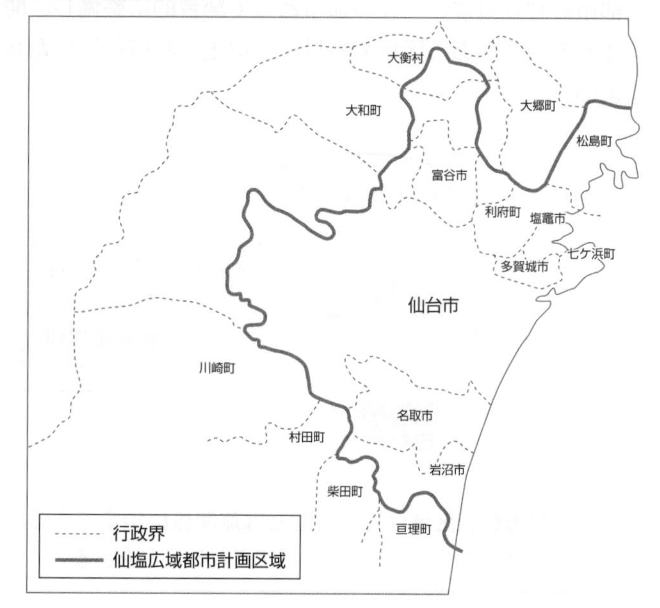


仙台市ホームページ（https://www.city.sendai.jp）より

仙台市周辺の都市計画区域は、５市４町１村からなる「仙塩広域都市計画区域」として宮城県により指定されている。都市計画区域は市町村の境界と一致していないし、指定しているのは県（宮城県）だ。

都市計画区域は、

> ①　**原則として都道府県が指定する。**
> ②　**行政区域（市町村の境界）と一致するとは限らない。**

この2点はしっかり押さえよう。

試験では「市町村の区域外にわたり、都市計画区域を指定することができる」という表現になる。

## 2 準都市計画区域

都市計画区域の外、つまり街づくりとは無関係な辺鄙（へんぴ）な場所であっても一定の規制が必要な地域もある。そこで、都市計画区域の**外であっても**、**準都市計画区域**を定め、一定の規制ができるようにした。

◇準都市計画区域

> ① 都市計画区域外の区域のうち、(中略) 放置すれば、将来、都市としての整備、開発、保全に支障が生じるおそれのある区域
> ② 都道府県が指定する

市町村や大臣が指定する、というヒッカケに注意。

## 3 都市計画の内容

都市計画では、どのようなことが決められるのだろうか。次の表で確認しておこう(大まかなイメージをつかんでおけばよい)。

◇都市計画の主な内容と決定権者

| | 内 容 | 決定権者 |
|---|---|---|
| ①都市計画マスタープラン | 「基本方針・構想」(整備・開発・保全の方針) のこと。 | 都道府県 |
| ②区域区分 | 市街化区域と市街化調整区域に分けること。 ケース2 | 都道府県 |
| ③用途地域 | 住宅地域なのか、商業地域なのか、工業地域なのか。 ケース3 | 市町村 |
| ④補助的地域地区 | さらにきめ細やかに建てられる建物の高さや大きさ、用途などを決めていく。 ケース4 | 市町村 (風致地区は都道府県が決定することもある) |
| ⑤都市施設 | 道路、学校、公園、上下水道といった公共施設をどこにおくのかということ。 ケース6 | 都道府県または市町村 |
| ⑥地区計画 | 地域の特性に応じた街づくりを計画する。 ケース5 | 市町村 |

都市計画区域が2つ以上の都府県にまたがる場合、「決定権者」が都道府県から国土交通大臣になる。

この他に建蔽率、容積率、敷地面積の最低限度、外壁の後退距離の限度、高さの限度などを都市計画で定める。

## 発展　都市計画の決定手続

- 原案は2週間縦覧する。
- 都市計画審議会の議を必ず経る。
- 都市計画は公告のあった日から効力を生じる。

**縦覧**とは、都市計画の原案を誰でも見られるようにしておくこと。縦覧期間内であれば住民、利害関係人は意見書を提出できる。

〈市町村が定める都市計画〉

市町村が原案作成
↓
原案を公告。2週間縦覧に供する
↓
市町村都市計画審議会の議を経る
↓
都道府県知事に協議する
↓
都市計画決定。公告のあった日から効力を生じる

〈都道府県が定める都市計画〉

都道府県が原案作成
↓
関係市町村の意見を聴く
↓
原案を公告。2週間縦覧に供する
↓
都道府県都市計画審議会の議を経る
↓
（国の利害に重大な関係がある都市計画はあらかじめ国土交通大臣に協議し同意を得る）
↓
都市計画決定。公告のあった日から効力を生じる

- 都道府県の定めた都市計画と市町村の定めた都市計画が矛盾するときは、**都道府県の都市計画が優先**される。
- ①土地の所有権者・借地権者、②まちづくりNPO、③都市再生機構等は、**都市計画の決定・変更を提案できる**（土地所有者等の$\frac{2}{3}$以上の同意が必要）。

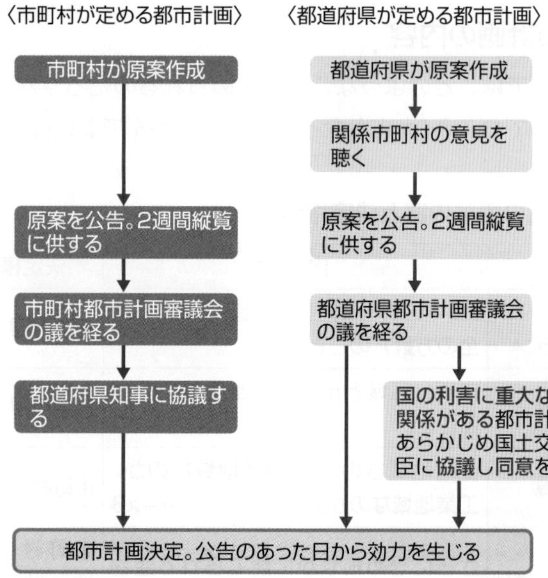

土地の所有権者以外も提案できる、というのがポイントだ。住宅供給公社、都市緑化支援機構も提案できる。

MEMO

# ケース2 建築が認められない区域もある

**正誤を判定 ○ or ×**

都市計画区域については、無秩序な市街化を防止し、計画的な市街化を図るため、市街化区域と市街化調整区域との区分を必ず定めなければならない。

**解答** 区域区分が定められていない都市計画区域（非線引き区域）もある。必ず区域区分されるわけではない。 ×

## 1 市街化区域と市街化調整区域

都市計画区域を決めた後は、その区域内を市街化区域と市街化調整区域とに分ける（**区域区分**という）。

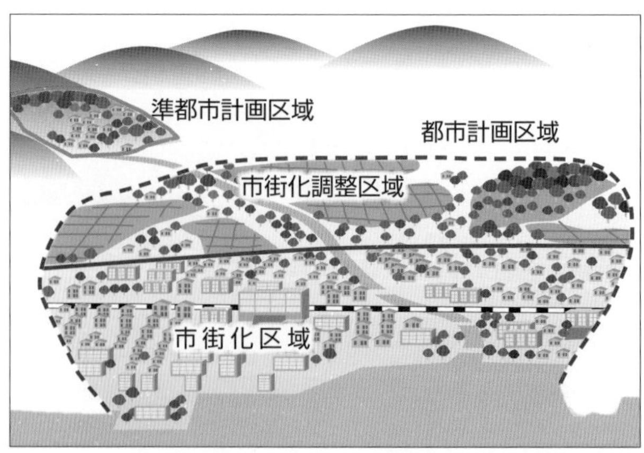

**市街化区域**とは街としてどんどん発展させていく区域である。一方、**市街化調整区域**とは市街化を**抑制**する区域だ。つまり市街化させない区域だから、調整区域内では原則として建物を建てることが認められない。

### ◘市街化区域と市街化調整区域の定義

| 市街化区域 | すでに市街地を形成している区域、およびおおむね10年以内に優先的かつ計画的に市街化を図るべき区域 |
|---|---|
| 市街化調整区域 | 市街化を抑制すべき区域 |

なかには、区域区分が行われない都市計画区域もある。このような区域を**区域区分の定められていない都市計画区域**（通称「**非線引き区域**」）という。つまり都市計画区域内は、**市街化区域**、**市街化調整区域**、**非線引き区域**の３つに分けられることになる。

**区域区分は「必要があるときに」定める。** 必ず定めるものではない。ただし、三大都市圏の一定区域内では必ず区域区分を定める。

なお、都市計画区域のほかには、準都市計画区域と「都市計画区域でも準都市計画区域でもない」区域があるため、結果として、日本は５つの区域に分けられることになる。

### ◘日本の５つの区域

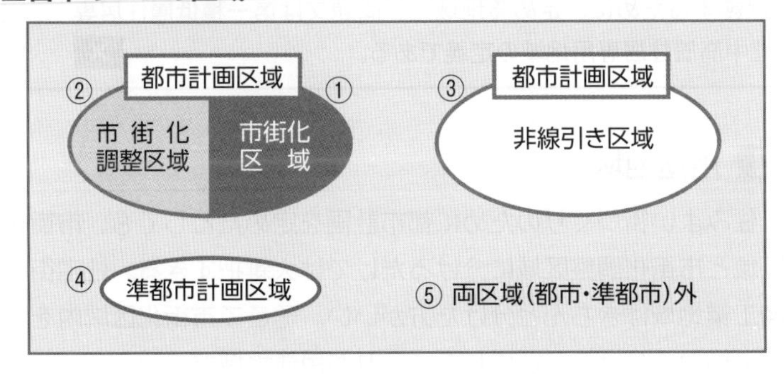

# ケース3 住宅地域か工業地域か、それが問題だ

**正誤を判定 ○ or ×**

第一種住居地域は、低層住宅に係る良好な住居の環境を保護するため定める地域であり、第二種住居地域は、中高層住宅に係る良好な住居の環境を保護するため定める地域である。

**解答** 第一種住居地域は住居の環境を保護するために、第二種住居地域は主として住居の環境を保護するために、定める地域だ。問題文は第一種低層住居専用地域および第一種中高層住居専用地域の定義である。 **×**

## 1 用途地域

住みよい街づくりのために都市計画を定めたとしても、市街化区域と市街化調整区域に分けるだけでは大雑把すぎる。住宅街と商工業地域はきちんと分けた方がいい。そこで市街化区域内をさらに細かく分けることにした。これが**用途地域**だ。

用途とは使い道のこと。つまり、その地域を住宅地域にするのか、商業地域にするのか、はたまた工業地域にするのか、を決めるのだ。

用途地域は**市町村**が決定する。用途地域は全部で13種類ある。

## ◇ 13種類の用途地域のイメージ図

用途地域ごとに建築できる建物の用途（使い方）が制限される（第３章ケース4参照）。

**第一種低層住居専用地域**

低層住宅の良好な環境を守るための地域。小規模なお店や事務所をかねた住宅や小中学校などが建てられる。

**第二種低層住居専用地域**

主として低層住宅の良好な環境を守るための地域。小中学校などのほか、150㎡までの一定の店舗などが建てられる。

**田園住居地域**

農業の利便の増進を図りつつ、これと調和した低層住宅に係る良好な住居の環境を保護するため定める地域。

**第一種中高層住居専用地域**

中高層住宅の良好な環境を守るための地域。病院、大学、500㎡までの一定の店舗などが建てられる。

**第二種中高層住居専用地域**

主として中高層住宅の良好な環境を守るための地域。病院、大学などのほか、1,500㎡までの一定の店舗や事務所などが建てられる。

**第一種住居地域**

住居の環境を守るための地域。3,000㎡までの店舗、事務所、ホテルなども建てられる。

**第二種住居地域**

主として住居の環境を守るための地域。店舗、事務所、ホテル、パチンコ屋、カラオケボックスなども建てられる。

**準住居地域**

道路の沿道において、自動車関連施設などの立地と、これと調和した住居の環境を保護するための地域。

**近隣商業地域**

R6-15-3

近隣の住民が日用品の買物をする店舗等の業務の利便の増進を図る地域。住宅や店舗のほかに小規模の工場も建てられる。

**商業地域**

主として商業の業務の利便の増進を図る地域。住宅や小規模の工場も建てられる。

**準工業地域**

主として環境悪化のおそれのない工業の業務の利便を図る地域。危険性、環境悪化が大きい工場のほかは、ほとんど建てられる。

**工業地域**

主として工業の業務の利便の増進を図る地域で、どんな工場でも建てられる。住宅や店舗は建てられるが、学校、病院、ホテルなどは建てられない。

**工業専用地域**

専ら工業の業務の利便の増進を図る地域。どんな工場でも建てられるが、住宅、店舗、学校、病院、ホテルなどは建てられない。

## ◇用途地域図

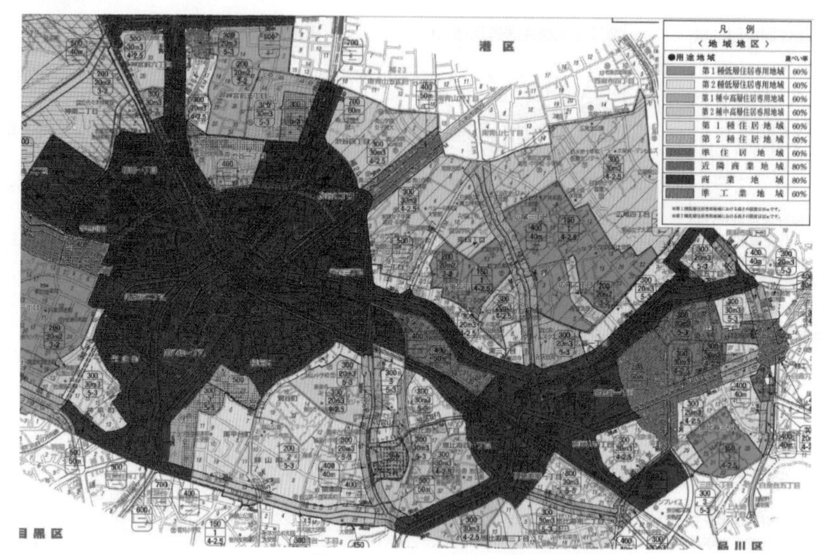


渋谷区ホームページ（https://www.city.shibuya.tokyo.jp）より

## ◇用途地域の種類

| 分類 | | 用途地域 | どのような地域か |
|---|---|---|---|
| | 低層住居系 | 一低専 | 低層住宅のための良好な環境を保護する |
| | 低層住居系 | 二低専 | 主として、低層住宅のための良好な環境を保護する |
| | 低層住居系 | 田園 | 農業の利便の促進＋低層住宅に係る環境を保護する |
| | 中高層住居系 | 一中高 | 中高層住宅のための良好な環境を保護する |
| | 中高層住居系 | 二中高 | 主として、中高層住宅のための良好な環境を保護する |
| 住居系 | | 一住居 | 住居の環境を保護する |
| 住居系 | | 二住居 | 主として、住居の環境を保護する |
| 住居系 | | 準住居 | 幹線道路沿いの業務の利便＋住居との調和 |
| 商業系 | | 近商 | 近隣住民への日用品を供給する商業の利便増進 |
| 商業系 | | 商業 | 主として、商業の利便増進 |
| 工業系 | | 準工 | 主として、環境の悪化のおそれのない工業の利便増進 |
| 工業系 | | 工業 | 主として、工業の利便増進 |
| 工業系 | | 工専 | 専ら工業の利便増進 |

試験では、用途地域の定義が聞かれることもある。キーフレーズ（表の色文字になっているキーフレーズ）はしっかり覚えよう。

## 2 用途地域はどこに定めるのか

市街化区域内には、用途地域を必ず定める。市街化区域を住宅地域にするのか、商業地域にするのかきちんと分けるのだ。市街化調整区域は、市街化させないのだから、用途（どのように使うのか）を原則として定めない。

条文上は、「市街化区域については、**少なくとも用途地域を定める**」という表現がされている。

| 市街化区域 | 用途地域を必ず定める。 |
|---|---|
| 市街化調整区域 | 原則として定めない。 |
| 非線引き区域 | 定めることができる。 |
| 準都市計画区域 | 定めることができる。 |

都市計画区域でも準都市計画区域でもない区域には、用途地域を定めることはできない。

調整、非線引、準都市には、無指定（用途地域が定められていない地域）もある、ということだ。

**column まずは基本を固めよう**

ケース3までの内容は「法令上の制限」を学ぶ上での基本知識となる。特に5つの区域に分かれること（市街化区域、市街化調整区域、非線引き区域、準都市計画区域、その他の区域）や13種類の用途地域について、しっかりと覚えてから先に進もう。ここがあやふやだと第2章以降もわからなくなる。特に第3章建築基準法は、用途地域を覚えておかないと話にならない。先を急ぐ気持ちを押さえて、理解できるまで繰り返し読もう。まずは基本を固めることだ。

第1章 都市計画法① ー都市計画

# ケース4 きめ細やかな街づくりをしよう

**正誤を判定 ○ or ×**

高層住居誘導地区は、住居と住居以外の用途を適正に配分し、利便性の高い高層住宅の建設を誘導するため、第一種中高層住居専用地域、第二種中高層住居専用地域等において定められる地区をいう。

**解答** **高層住居誘導地区は、住居と住居以外の用途が混在されやすい地域に定**められる。一種・二種中高層住居専用地域のような住居専用地域には指定されない。 ×

## 1 （補助的）地域地区とは

住みよい街を作るために、用途地域に加え、よりきめ細やかな街づくり計画が決められている。それが「（補助的）**地域地区**」と呼ばれるものだ。

地域地区は**市町村**が決定する。ただし、風致地区だけは市町村だけでなく**都道府県**が決定することもある。

（補助的）地域地区は、次のパターンでの出題が考えられる。

このケース4は細かい内容が多く、苦手にする人が多い。最初は「こういう地区があるんだな」くらいでいい。細かい内容の記憶は後回し。初めから無理に覚えようと思わないことだ。

## 2 よく出る地域地区

| 地区名 | 内容 | 準都市（準都市計画地域） | 無指定（用途地域が指定されていないところ） |
|---|---|---|---|
| ①高度地区 | 建築物の高さの最低限度または最高限度を定める | ○ | × |
| ②高度利用地区 | 市街地の高度利用のため、容積率の最低限度および最高限度、建蔽率の最高限度、建築面積の最低限度、壁面の位置の制限等を定める | × | × |

R4-15-3

R5-15-2

①**高度地区**とは、建物の**高さ**について制限するために指定される地区だ。高さの最高限度は20mとか、最低でも７m以上にする、といったことが決められる。

②の**高度利用地区**とは、市街地において細分化した敷地等の統合を促進し、防災性の向上と**高度利用**を図るために指定される地区だ。

| 地区名 | 内容 | 準都市 | 無指定 |
|---|---|---|---|
| ③高層住居誘導地区 | 住居と住居以外の用途を適正に配分し、利便性の高い高層住宅の建設を誘導するために、容積率・建蔽率の最高限度、敷地面積の最低限度を定める | × | × |
| ④特例容積率適用地区 | 未利用となっている容積率の活用を促進して土地の高度利用を図る | × | × |

③は高層マンションを建てる区域と考えておこう。④は東京駅を３階建てにして、周辺のビルに容積率を移転した例が有名。

この２つの地域地区は 準都市 には**指定されない**。辺鄙な場所に高層住居を誘導する必要はないし、容積率の活用の促進をはかる必要もない。これらの地区は土地の積極的な利用を目的とするもので、 準都市 にはなじまないものだからだ。

さらに都市計画区域内でも**特定の用途地域の中にしか指定されない**（これが試験に出る）。次の表で確認しよう。

| | 一低専 | 二低専 | 田園 | 一中高 | 二中高 | 一住居 | 二住居 | 準住居 | 近商 | 商業 | 準工 | 工業 | 工専 |
|---|---|---|---|---|---|---|---|---|---|---|---|---|---|
| ③高層住居誘導地区 | × | × | × | × | × | ○ | ○ | ○ | ○ | × | ○ | × | × |
| ④特例容積率適用地区 | × | × | × | ○ | ○ | ○ | ○ | ○ | ○ | ○ | ○ | ○ | × |

次は景観地区と風致地区だ。景観も風致も都市の美観のことだが、景観は人工美、風致は自然美のこと。

| 地区名 | 内容 | 準都市 | 無指定 |
|---|---|---|---|
| ⑤景観地区 | 市街地の良好な景観の形成を図る地域（人工美） | ○ | ○ |
| ⑥風致地区 | 都市の風致（自然美）を維持するために定める地域<br>**地方公共団体の条例で規制される**（例：京都、鎌倉） | ○ | ○ |

H30-16-2

風致地区は土地利用を（都市計画ではなく）**条例で規制**することにも注意。

## 発展 その他、覚えておきたい（補助的）地域地区

| 地区名 | 内容 | 準都市 | 無指定 |
|---|---|---|---|
| ⑦特別用途地区 | 用途地域「内」で土地利用の増進、環境保護等のために「補完」して定める。<br>例：文教地区、特別工業地区、臨港地区など、地区の特性にふさわしい土地利用を図る | ○ | × |
| ⑧特定用途制限地域 | （用途地域が定められていない地域において）良好な環境のために建築物の用途を制限する。<br>例：ラブホテルやパチンコ店を規制する | ○ | ○<br>※調整区域には指定できない |

R4-15-2、
R1-15-4

R5-15-3
⑧の特定用途制限地域は**市街化調整区域には指定されない。**市街化調整区域は建物を建てないのが原則なので、建物の用途を制限するまでもないためだ。

⑦の特別用途地区は、用途地域が指定されているところに一定の目的のために補完的に指定される。その目的に応じて必要な規制を**条例**で定

める（用途制限を厳しくできる。大臣の承認があれば緩和もできる）。
一方⑧の特定用途制限地域は用途地域の指定のないところに指定される。用途地域の指定がないのだから何でも建てていい、ではなく特定の用途のものは建てられないよう規制する。

| 地区名 | 内容 | 準都市 | 無指定 |
|---|---|---|---|
| ⑨特定街区 | 高層ビルを建築するために、容積率、高さの最高限度、壁面の位置の制限を定める | × | ○ |
| ⑩防火地域、準防火地域 | 市街地における火災の延焼を防止するために、建物の構造が規制される地区だ<br>➡第３章（建築基準法）で詳しく学ぶ | × | ○ |

⑨特定街区では、建築基準法の容積率、高さ制限等の規定は適用されない。法律で一律に規制するのではなく、その街区に適した制限を個別に都市計画で定めていく。
⑩は市街地や幹線道路沿いに指定される。

# ケース5 特色ある街づくりをしよう

**正誤を判定 ○ or ×**

市町村長は、地区整備計画が定められた地区計画の区域内において、地区計画に適合しない行為の届出があった場合には、設計の変更その他の必要な措置をとることを勧告することができる。

**解答** **市町村長**は、届け出られた行為が地区計画に適合しないと判断すれば、設計の変更や建築行為の中止などを**勧告**することができる。あくまで勧告であって命令することはできない。 ○

## 1 地区計画とは

**地区計画**とは市町村単位の小さな街づくりだ。細かい地区を設けて、それぞれの区域の特性にふさわしい街づくりを図っていくのだ。

たとえば、東京都中央区の中に「日本橋問屋街地区」「銀座地区」を設ける。

地区計画に関するポイントは、次の3点だ。

②土地の区画形質の変更については第2章ケース1参照。

① **地区計画は都市計画区域内に市町村が定める。**
② **地区計画の区域内において、土地の区画形質の変更、建築物の建築、工作物の建設の行為を行う場合には、行為に着手する30日前までに市町村長に届出が必要。**
③ **地区計画にふさわしくない建物であれば、市町村長は**

工事等の中止を勧告できる。

①。用途地域が定められていない地域（無指定）にも地区計画を定めることができる。しかし、準都市には地区計画を定めることはできない。

R6-15-4、
R5-15-4

②。「地区整備計画」等が定められている地区計画の区域内では、建築物の建築等にあたっては事前に**市町村長**への**届出**が必要となる。計画にそぐわない建物を建てられては困るからだ。

③。**勧告**とは「その建物は地区計画と合わないので建築を止めた方がいいのではないですか」と勧めるだけのものだ。指示や命令と違い**拘束力はない**。

なお、市町村長への届出が必要といっても、例外もある。

**例外〈届出が不要のもの〉**

- **国や地方公共団体が行う行為**
- **非常災害のための応急措置としての行為**
- **開発許可を受けた行為**
- **通常の管理行為、軽易な行為、都市計画事業として行う行為**

開発許可については第2章参照。試験では、「法29条1項の許可」と表現することもある。

地区計画とはどういうものであるか理解してもらうためにいろいろ説明したが、試験対策としては、まず以下のことを覚えよう。

**地区計画（区画形質の変更、建築等に着手する）**
**30日前までに市町村長に届出**

# ケース6 都市を作る！

**正誤を判定 ○ or ×**

市街地開発事業の施行区域内においては、「非常災害のために必要な応急措置として行う建築物の建築」であっても、都道府県知事の許可を受けなければならない。

**解答** 「市街地開発事業の施行区域内」とあるので、計画決定の段階だ。「非常災害のため必要な応急措置」として行う行為は許可不要。 ×

## 1 都市施設とは

都市施設がまだ作られていない計画段階であれば「**都市計画施設**」と呼ばれる。

**都市施設**とは、学校、病院、公園、道路、下水道などのように生活に必要不可欠な施設のこと。これらの施設をどこに作るのかも都市計画で決めていく。

> ① 市街化区域と非線引き区域には、道路・公園・下水道を必ず定める。
> ② 住居系の用途地域には、義務教育施設を必ず定める。
> ③ 都市計画区域外にも定めることができる。

R6-15-1

都市計画は、都市計画区域内に定めるのが原則だが、この都市施設だけは**都市計画区域の外にも設けることができる**。道路などは、都市計画区域外の辺鄙な場所にも通さないと、交通が分断されてしまうからだ。

## 2 都市計画制限

① **都市計画施設と市街地開発事業**

道路や学校、病院などを単体で作る場合が**都市計画施設**、市街地の再開発など都市施設を一体的に整備していくのが**市街地開発事業**だ。

市街地開発事業は、市街化と非線引で定めることができる。

市街地を開発するのだから調整や準都市にはなじまないのだ。

**◇市街地開発事業を定める区域**

| 市街化 | 調整 | 非線引 | 準都市 | その他 |
|---|---|---|---|---|
| ○ | × | ○ | × | × |

R6-15-2

② **都市計画制限**

これらの予定地に建物を建てられては、都市施設の建設や市街地開発事業がスムーズに進まない。そこで、これらが計画された区域内で建物を建築等をするには、知事等の許可を必要とした。土地の利用が制限されるのだ。これを**都市計画制限**という。都市計画制限は、**計画決定の段階**と**事業決定の段階**に分かれる。

**◇都市計画制限の例**

たとえば、道路を破線部分まで拡幅しようとする場合、その区域内は**建築等の制限**を受けることになる。

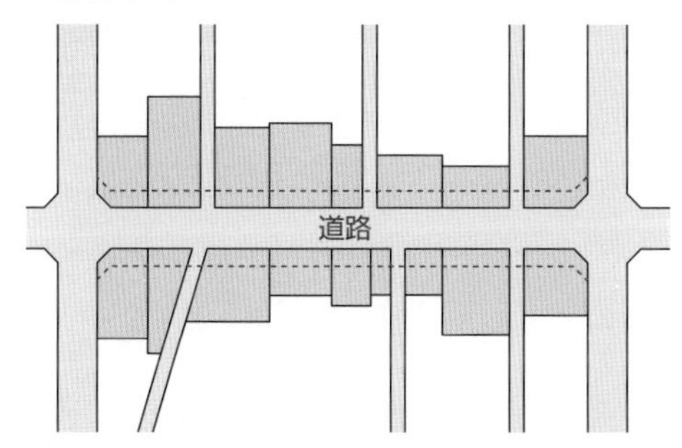

### ③　計画決定の段階（次ページの図Ⅰの段階）

計画決定の段階では将来的に市街地開発事業や都市施設を作るということが計画されているだけで、具体的な日程などは決まっていない。したがって、この段階での都市計画制限は**比較的緩やかだ**。建築物の建築にあたっては**知事等の許可**が必要だが、「非常災害の応急措置」などは許可を受けずに行える。また、「木造2階建て以下の建物で容易に移転可能なもの」など必ず許可されるものもある。

試験で「市街地開発事業の施行区域」「都市計画施設の区域」とあれば、この段階の話である。

**事業決定**されると必要な用地の収用（行政による強制的な土地の取得）も可能になる（＝土地収用法の規定による事業認定の告示が不要となる）。

### ④　事業決定の段階（次ページの図のⅡの段階）

本格的に事業に着手することが決まると、都市計画事業として認可され告示される（**事業決定**）。試験で「事業地」とあれば、事業決定の段階だ。事業決定されると土地の利用についてはより**厳しい規制を受ける**。建物の建築だけでなく**土地の形質の変更**なども知事等の許可がなければできなくなる。また、**非常災害時の応急措置としての行為等にも、知事等の許可が必要**となる。

また、事業決定の段階で知事等が許可を与える場合には、あらかじめ**施行者の意見**を聴かなければならない。

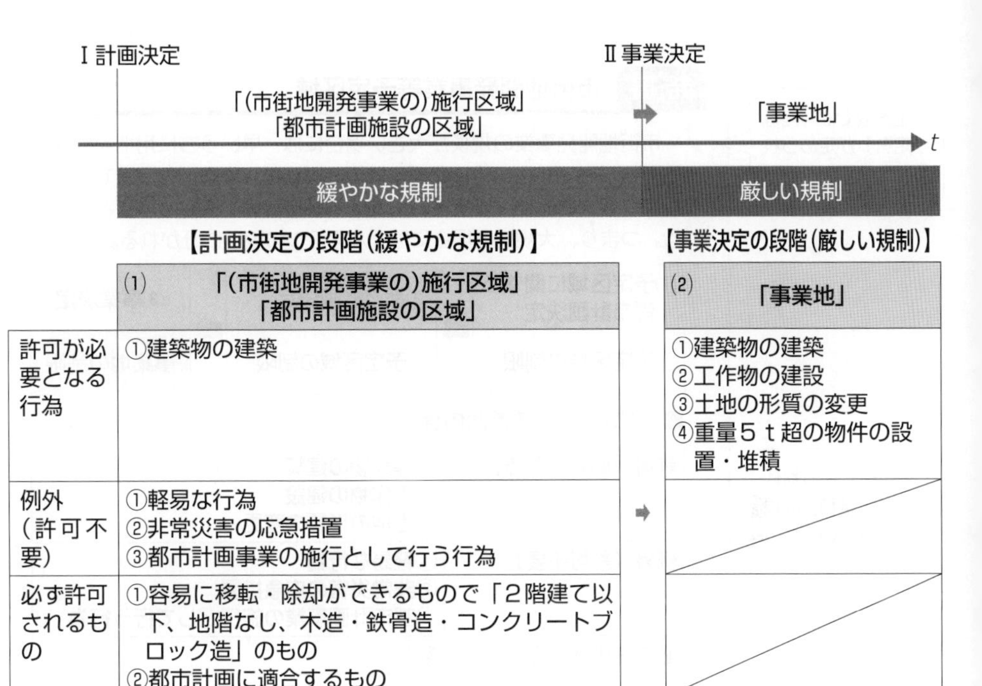


| | 【計画決定の段階（緩やかな規制）】<br>(1)「（市街地開発事業の）施行区域」「都市計画施設の区域」 | 【事業決定の段階（厳しい規制）】<br>(2)「事業地」 |
|---|---|---|
| 許可が必要となる行為 | ①建築物の建築 | ①建築物の建築<br>②工作物の建設<br>③土地の形質の変更<br>④重量５ｔ超の物件の設置・堆積 |
| 例外（許可不要） | ①軽易な行為<br>②非常災害の応急措置<br>③都市計画事業の施行として行う行為 | |
| 必ず許可されるもの | ①容易に移転・除却ができるもので「２階建て以下、地階なし、木造・鉄骨造・コンクリートブロック造」のもの<br>②都市計画に適合するもの | |

予定区域では「施行予定者」が定められる。

## 発展 市街地開発事業等予定区域

市街地開発事業の規模が大きい場合には、早いうちに用地を確保する必要が出てくる。そこで都市計画の詳細が決まる前の段階であっても、概要をもとに**「予定区域に関する都市計画」**を定めることができる。つまり、大規模な場合には、次の３つの段階に分かれる。

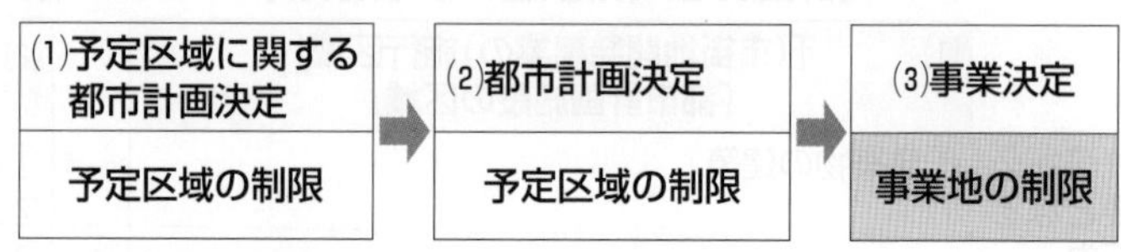


**■⑴予定区域内の制限内容**

「重量５ｔ超の物件の設置・堆積」は規制を受けない。

| 許可が必要となる行為 | ①建築物の建築<br>②工作物の建設<br>③土地の形質の変更 |
|---|---|
| 例外（許可不要） | ①軽易な行為<br>②非常災害の応急措置<br>③都市計画事業の施行として行う行為 |
| 必ず許可されるもの | なし |

制限内容は事業決定の場合とほぼ同じだ（④重量５ｔ…がない）。例外（許可不要）があるのは計画決定と同じだ。つまり計画決定と事業決定の間の「やや厳しい規制」といえる。

予定区域では、国が行う行為は、**国の機関と知事等との協議**が成立すれば許可があったものとみなされる（みなし許可）。

**◇都市計画区域等**

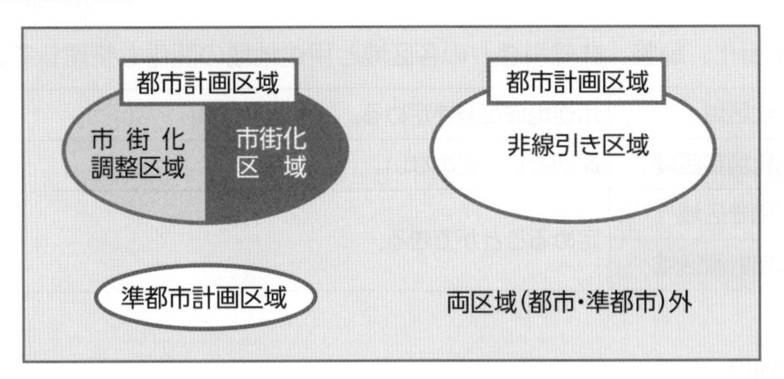


- 都市計画区域は都道府県が指定（2つ以上の都府県にまたがる場合には国土交通大臣が指定）
- 準都市 は都道府県が指定

**◇用途地域の種類**

| 分　類 | | 用途地域 | どのような地域か |
|---|---|---|---|
| | 低層住居系 | 一低専 | 低層住宅のための良好な環境を保護する |
| | | 二低専 | 主として、低層住宅のための良好な環境を保護する |
| | | 田　園 | 農業の利便の促進＋低層住宅に係る環境を保護する |
| | 中高層住居系 | 一中高 | 中高層住宅のための良好な環境を保護する |
| | | 二中高 | 主として、中高層住宅のための良好な環境を保護する |
| 住居系 | | 一住居 | 住居の環境を保護する |
| | | 二住居 | 主として、住居の環境を保護する |
| | | 準住居 | 幹線道路沿いの業務の利便＋住居との調和 |
| 商業系 | | 近　商 | 近隣住民への日用品を供給する商業の利便増進 |
| | | 商　業 | 主として、商業の利便増進 |
| 工業系 | | 準　工 | 主として、環境の悪化のおそれのない工業の利便増進 |
| | | 工　業 | 主として、工業の利便増進 |
| | | 工　専 | 専ら工業の利便増進 |

● 用途地域は、市町村が決定する。

● 「市街化、調整、非線引き」の各区域と用途地域の関係も整理しておこう。

| 市街化区域 | 用途地域を必ず定める。 |
|---|---|
| 市街化調整区域 | 原則として定めない。 |
| 非線引き区域 | 定めることができる。 |
| 準都市計画区域 | |

**◇地域地区**

● 地域地区は、市町村が決定する（風致地区は都道府県が決定することもある）。

**◇地区計画**

● 地区計画の区域内において、土地の区画形質の変更、建築物の建築等の行為を行う場合には、「行為に着手する30日前」までに「市町村長」に「届出」が必要。

● 市町村長ができるのは工事等の中止の「勧告」までだ。

**◇都市施設**

① **市街化区域と非線引き区域には、道路・公園・下水道を必ず定める。**
② **住居系の用途地域には、義務教育施設を必ず定める。**
③ **都市計画区域外にも定めることができる。**

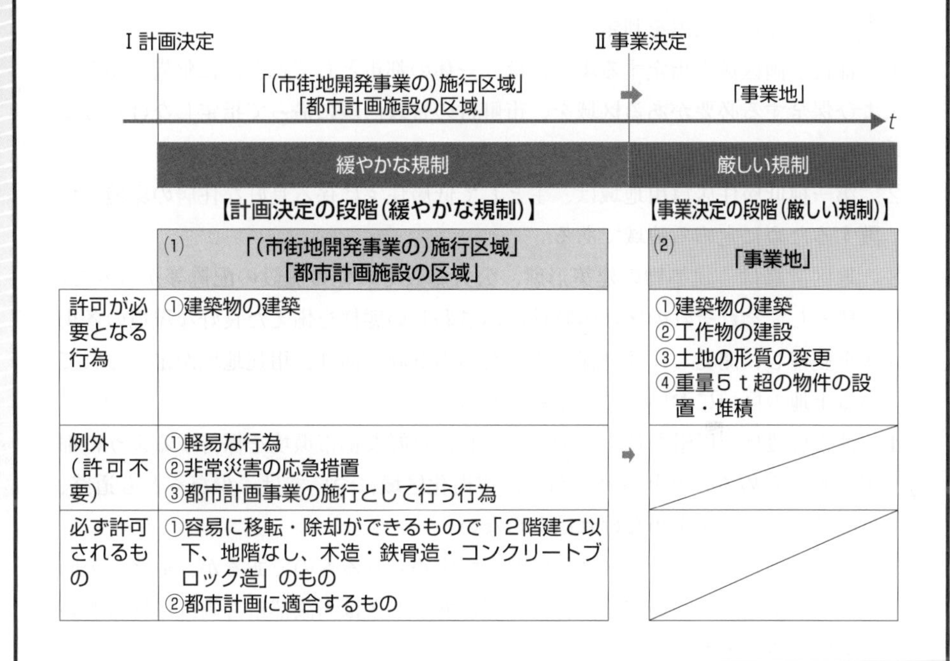


【計画決定の段階(緩やかな規制)】 【事業決定の段階(厳しい規制)】

| | (1) 「(市街地開発事業の)施行区域」「都市計画施設の区域」 | (2) 「事業地」 |
|---|---|---|
| 許可が必要となる行為 | ①建築物の建築 | ①建築物の建築<br>②工作物の建設<br>③土地の形質の変更<br>④重量5ｔ超の物件の設置・堆積 |
| 例外(許可不要) | ①軽易な行為<br>②非常災害の応急措置<br>③都市計画事業の施行として行う行為 | |
| 必ず許可されるもの | ①容易に移転・除却ができるもので「2階建て以下、地階なし、木造・鉄骨造・コンクリートブロック造」のもの<br>②都市計画に適合するもの | |

## 確認テスト

問題　次の記述の正誤を判定してください。

1．都市計画区域を指定する場合には、一体の都市として総合的に整備・開発および保全する必要がある区域を、市町村の行政区域に沿って指定しなければならない。

2．第一種低層住居専用地域は、主として低層住宅に係る良好な住居の環境を保護するために定める地域である。

3．地区計画は、建築物の建築形態、公共施設その他の施設の配置等からみて、一体としてそれぞれの区域の特性にふさわしい態様を備えた良好な環境の各街区を整備し、開発し、及び保全するための計画であり、用途地域が定められている土地の区域においてのみ定められる。

4．都市施設は、円滑な都市活動を確保し、良好な都市環境を保持するように都市計画に定めることとされており、市街化区域については、少なくとも道路、公園及び下水道を定めなければならない。

5．都市計画は、都市計画区域内において定められるものであるが、道路や公園などの都市施設については、特に必要があるときは当該都市計画区域外においても定めることができる。

6．都市計画施設の区域または市街地開発事業の施行区域内において建築物を建築しようとする者は、原則として、都道府県知事の許可を受けなければならない。

解答解説

1．×　都市計画区域は、行政区域と一致するとは限らない。

2．×　これは「第二種低層住居専用地域」の定義である。第一種であれば「主として」という言葉が入らない。

3．×　用途地域が定められていない区域であっても、地区計画を定めることができる。市街化調整区域にも地区計画を定められるのだ。

4．○　市街化区域（と非線引き区域）には必ず、道路、公園および下水道を定めるものとされている。

5．○　都市計画は都市計画区域内で定めるのが大原則だが、都市施設については都市計画区域外にも定めることができる。道路など、区域外に出たところでなくなってしまっては困るからだ。

6．○　都市施設（道路、学校等）の建設や、市街地の整備が計画されている区域内だから、計画の邪魔になるような建築物を勝手に作られては困る。建築にあたっては、原則として知事の許可が必要だ。

# 第2章 都市計画法②－開発許可

## ケース1 開発行為を行うには知事の許可が必要だ

**正誤を判定 ○ or ×**

開発行為とは、主として建築物の建築の用に供する目的で行う土地の区画形質の変更をいい、建築物以外の工作物の建設の用に供する目的で行う土地の区画形質の変更は開発行為には該当しない。

**解答** 「特定工作物の建設」の用に供する目的で行う「土地の区画形質の変更」も開発行為に該当する。 **×**

### 1 開発行為とは

開発行為とは、簡単にいえば土地の造成工事のことだ。安全で住みよい街づくりのためにはいい加減な土地造成が行われては困る。そこで一定の造成工事（開発行為）を行うには知事の許可（開発許可）が必要となる。

「法29条１項の許可」とも言う。大きな市（政令指定都市、中核市、特例市）では市長が許可権者となるが、「**開発許可＝知事の許可**」とさえ覚えておけば、問題は解ける。

**〈開発行為〉**

| | |
|---|---|
| ① 建築物の建築<br>② 特定工作物の建設 | のために行う土地の区画形質の変更 |

**土地の区画形質の変更**とは、以下のような造成工事のことだ。

**形質の変更**とは形状や性質を変えることだ。

① **区画の変更**（例：道路を新設して区画を変更する）

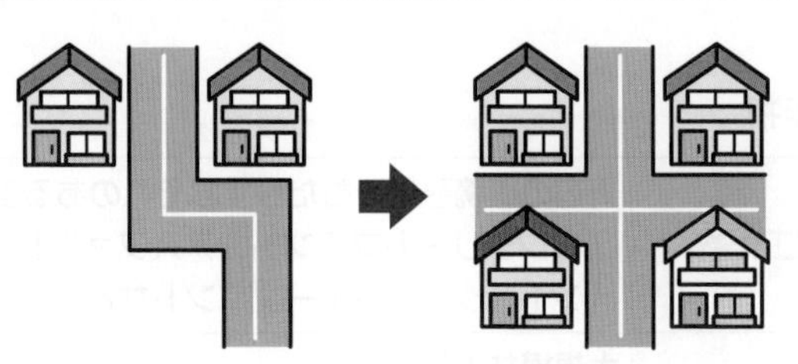

② **形状の変更**（例：斜面をひな壇状にする）

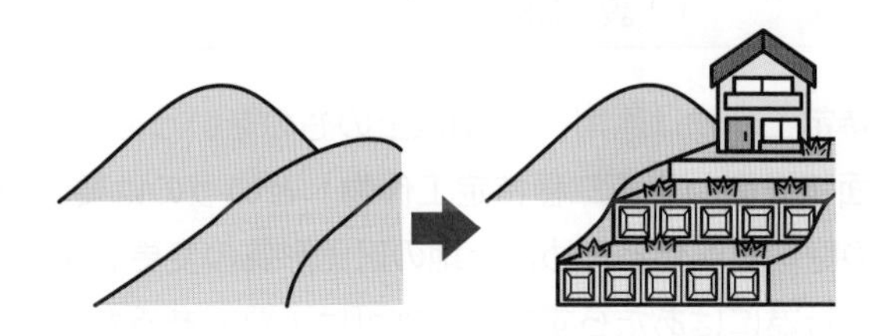

③ **性質の変更**（例：農地や山林を宅地にする）

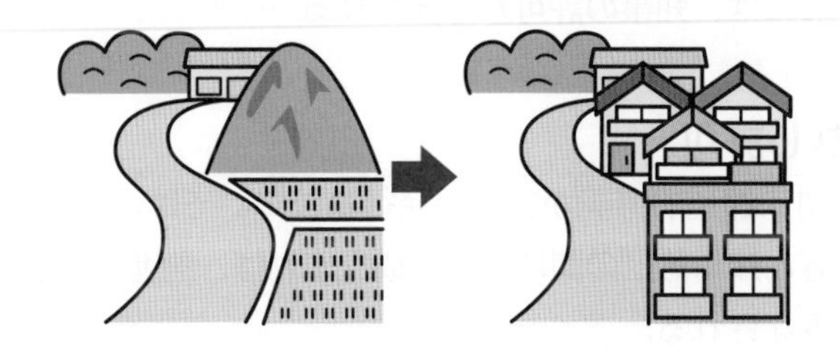

造成工事をしても土地の**「区画形質の変更」をしないのならば開発行為ではない**（知事の許可を得る必要はない）。また、土地の区画形質の変更をしたとしても、**①建築物の建築、②特定工作物の建設のためでなければ開発行為ではない。**知事の許可なしで行うことができる。

たとえば立体駐車場（建築物）を作るために土地の区画形質の変更を行えば開発行為にあたるが、青空駐車場や畑（建築物ではない）を作るために土地の区画形質の変更を行っても、それは開発行為ではない。

## 2 特定工作物とは

造成工事の目的が建築物の建築だけでなく、特定工作物を作る場合も開発行為にあたる。**特定工作物**とは以下のものをいう。

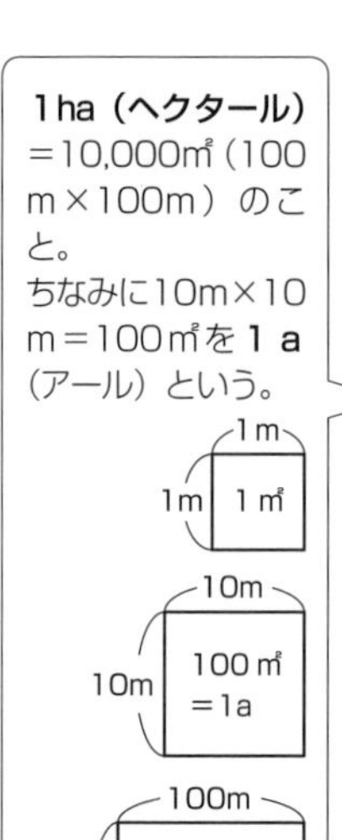

1ha（ヘクタール）
＝10,000㎡（100m×100m）のこと。
ちなみに10m×10m＝100㎡を1a（アール）という。
1m
1m
1㎡
10m
10m
100㎡
＝1a
100m
100m
10,000㎡
＝1ha

### ◇特定工作物

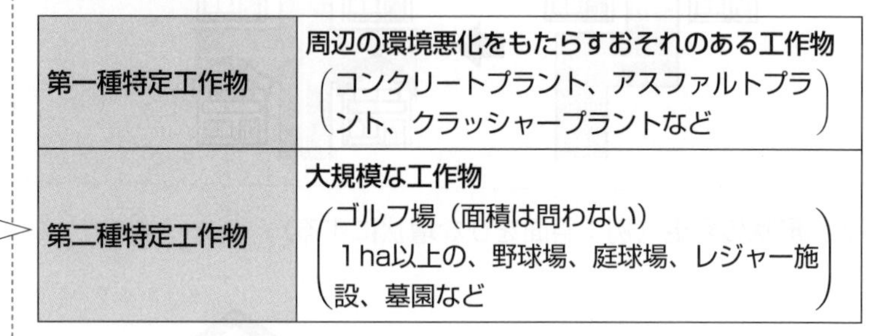

| | |
|---|---|
| **第一種特定工作物** | **周辺の環境悪化をもたらすおそれのある工作物**<br>（コンクリートプラント、アスファルトプラント、クラッシャープラントなど） |
| **第二種特定工作物** | **大規模な工作物**<br>（ゴルフ場（面積は問わない）<br>1ha以上の、野球場、庭球場、レジャー施設、墓園など） |

第二種特定工作物は原則、1ha以上のものをいうのだが、「**ゴルフ場は面積を問わず第二種特定工作物**」というのは要記憶だ。3,000㎡の庭球場を作るために土地の区画形質の変更をする場合には、開発行為にはあたらず知事の許可は不要であるが、市街化区域内で1,000㎡のミニゴルフ場を作るために土地の区画形質の変更をするには、知事の許可が必要となる。

## 3 みなし許可

許可は必要だが協議でよい、ということだ。許可不要ではない。

国の機関、都道府県等が行う開発行為については、国の機関、都道府県等と知事等との間に協議が成立すれば、開発許可があったものとみなされる。

# ケース2 開発行為でも知事の許可が不要な場合もある

**正誤を判定 ○ or ×**

タヌキチは所有する800㎡の山林を造成し、農業用施設を作ろうとしている。この土地が市街化区域内にある場合、タヌキチは開発許可を受けなくてはならない。

**解答** 許可不要。**市街化区域内**において、建築物（農業用施設）を作るために土地の区画形質を変更（山林を宅地に造成）しているので、**面積が1,000㎡以上であれば許可が必要**となるが、800㎡であれば許可は不要だ。 ×

## 1 開発許可が不要な場合

開発行為を行うには知事の許可が必要だが、小規模な開発や公的な目的で行う開発行為は、許可は不要だ。乱開発の心配がないからだ。

## ◘開発許可が不要な場合（①、②、③のどれかにあたれば**許可不要**）

| | 都市計画区域内 | | | 都市計画区域外 | |
|---|---|---|---|---|---|
| | 市街化区域 | 調整区域 | 非線引き | 準都市計画区域 | その他 |
| ①小規模開発 | 1,000㎡未満* | — | 3,000㎡未満 | | 1ha未満 |
| ②農林漁業のための開発行為 | | ●農業を営む者の居住の用に供する建物（＝農家の住居）　等<br>●農産物の生産・集荷用に供する建築物 | | | |
| ③公益目的の開発行為、軽微な開発行為 | ●図書館、博物館、公民館、駅舎などの鉄道施設、変電所等<br>●土地区画整理事業、都市計画事業、市街地再開発事業、住宅街区整備事業、防災街区整備事業<br>●車庫・物置の設置など通常の管理行為、軽易な行為<br>●非常災害のために必要な応急措置 | | | | |

＊三大都市圏の一定の区域では、500㎡未満となる。
R3⑩-16-2

R6-16-3、
H30-17-1

## ◘開発許可不要の覚え方

| 開発許可 | 市街化区域 | 1,000㎡未満 | 非線引区域 | 準都市計画区域 | 3,000㎡未満 | その他 | 10,000㎡ |
|---|---|---|---|---|---|---|---|
| 今日から | 紫外 | 線が強くなる。 | 避難するタヌ爺 | と | サン | タ | 1万人 |

### ①　小規模開発

まず小規模なものであれば許可不要となる。小規模とはどれくらいの大きさなのかは、区域によって異なる。市街化区域は1,000㎡未満のものは許可不要とした。**調整**は小規模であっても許可が必要だ。そもそも開発などしてほしくない区域だからだ。**非線引**や**準都市**、**その他**は市街化区域よりも面積要件が緩和されている。

### ② 農林漁業のための開発行為

農林漁業用の建物であれば、許可不要だ（農家等の住宅も許可不要。家がなければ農林漁業ができない）。しかし、**市街化**は、農林漁業よりも市街化を進める地域なので、農林漁業用を理由に許可不要となることはない。

また、農作物の**加工・貯蔵のための建築物を作る開発行為には許可が必要**だ。もはや第一次産業（農林水産業）の範疇ではないと考えよう（加工＝工業、売るために貯蔵する＝商業）。

#### 発展 「農産物」の加工・貯蔵のための建築物

注意して欲しいのは、許可が要るのは「農産物」の加工・貯蔵のための建築物だ、ということ。農林漁業の「生産資材」の貯蔵・保管のための建築物（サイロや農機具の収納施設等）は許可不要だ。生産資材がないと農林漁業ができないから、これは第一次産業のための建築物と考えられ、許可不要になる。あまり出題されることはないが、混乱する人がいるので念のため。

| 建築物の用途 | 許可の要否 | 理由 |
|---|---|---|
| 農作物の加工・貯蔵 | 要 | 工業・商業の範囲に入るから |
| 生産資材の貯蔵・保管 | 不要 | 第一次産業だから |

### ③ 公益目的の開発行為、軽微な開発行為

図書館を建設する目的など公的な目的の場合は許可不要となる。しかし、**学校（幼稚園、小中学校、高校）、医療施設、社会福祉施設等**の建設を目的とする開発行為は「公益目的の開発」には入らず、規模によっては**許可が必要**となる。

| 許可　不要 | 図書館、博物館、公民館、駅舎、変電所、都市公園施設、道路・河川・港湾を構成する建築物 |
|---|---|
| 許可　　要 | 学校、医療施設（病院、診療所）、社会福祉施設 |

博物館（R4）、都市公園（R3⑩）、公民館（R2⑫）、変電所（H29）などが最近の出題例。

病院(R6、R1)、医療施設（H26）が最近の出題例。

## 2 開発許可の問題の解法手順

開発許可が必要か否かを問われた場合には、①そもそも開発行為にあたるのか、②開発行為にあたる場合、「許可不要」に該当

しないか、の２段階で考えていく。

開発許可の問題の解答手順

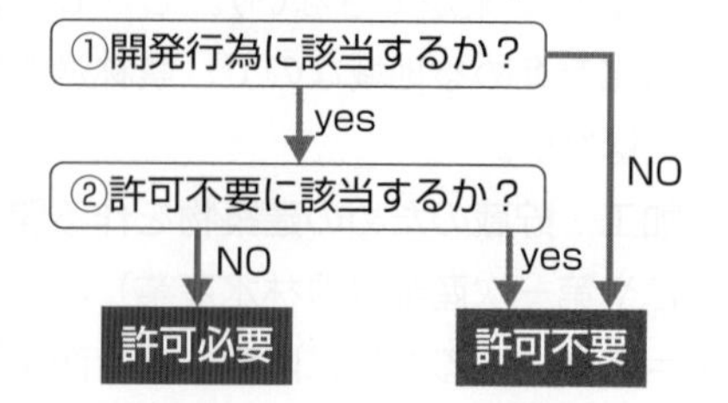


**事例１**

**市街化調整区域内における庭球場の建設の用に供する目的で行う5,000㎡の土地の区画形質の変更は開発許可が必要である。○か×か。**

**解答**　×

H29-17-4では「3,000㎡の遊園地」が、R1-16-3では「8,000㎡の野球場」が出題された。これらも10,000㎡未満なので第２種特定工作物ではない。

庭球場は10,000㎡以上であれば第２種特定工作物にあたる。ということは、「5,000㎡の庭球場」は特定工作物ではない（もちろん建築物でもない）。開発行為とは、「建築物の建築、特定工作物の建設のために行う土地の区画形質の変更」をいうのだから、「5,000㎡の庭球場」を作るために土地の区画形質の変更を行っても、それは開発行為ではない。開発行為ではないのだから、開発許可などいらない。上図のフローチャート①の段階でNOなのだから、許可不要となる。

**事例２**

**準都市計画区域における2,500㎡のゴルフ場を作るための土地の区画形質の変更は開発許可が必要である。○か×か。**

**解答**　×

ゴルフ場は面積を問わず第２種特定工作物だ。だから解答を○と勘違いする人が少なくない。

しかし問題文をよく読んでほしい。「準都市計画区域における」とある。**準都市**では3,000㎡未満の開発行為は許可不要だ。つまりフローチャート②の段階で許可不要になる。

# ケース3 開発許可の手続とは

**正誤を判定 ○ or ×**

開発行為により、公共施設が設置されたときは、その公共施設は、開発許可を受けた者が管理する。

**解答** **開発行為により設置された公共施設は、原則として市町村が管理する。**
開発許可を受けた者ではない。 ×

## 1 開発許可の手続

開発許可の手続は次のようになっている。

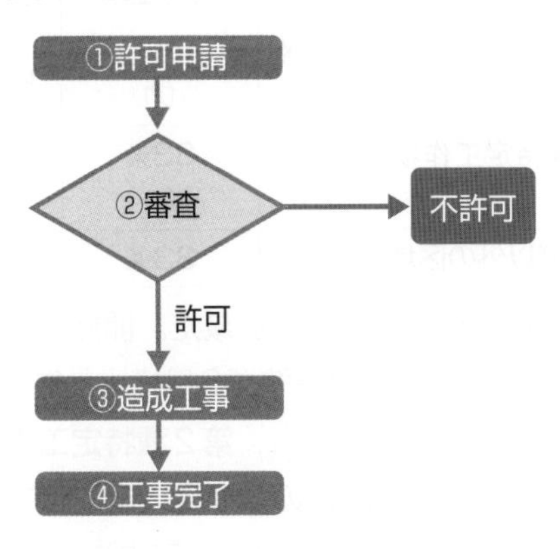

① 許可申請

- 開発許可申請は土地の所有権者でなくてもできる。ただし、土地の所有権者等の**相当数の同意**が必要（全員の同意までは不要）。
- 申請にあたっては、**あらかじめ**「開発行為に関係のある公共施設の管理者」と協議し、その**同意**を得る。また「開発行為により設置される公共施設の管理者となる者」と協議する。

R5-16-1

| 開発行為に関係のある公共施設（既存） | 管理者と | 協議・同意 |
|---|---|---|
| 設置される公共施設（新設） | 管理者となる者と | 協議 |

- 申請は書面（開発許可申請書）で行う。申請書には⑴開発区域の位置・規模、⑵**予定建築物**の**用途**、⑶設計図書、⑷工事施行者等を記載する。また、公共施設の管理者の**同意書面**、協議書面を添付する。

都市計画法の33条、34条に開発許可基準が規定されている。

② 審　査

申請内容が許可基準（33条）に該当していれば、許可される。調整では33条の基準だけでなく34条の基準も満たさなければならない。

**開発審査会**とは、開発行為の許可についての審査請求に対する裁決や、調整区域における開発許可、建築許可に関する議決を行うための機関。

| 区域、建設するもの | 許可基準 | 開発審査会の同意 |
|---|---|---|
| 調整で建築物や第１種特定工作物を建設する | 33条＋34条㋐ | 必要な場合も㋒ |
| 調整で第２種特定工作物を建設する | 33条㋑ | 不要 |
| 市街化調整区域以外の区域 | 33条 | 不要 |

- 調整は市街化を抑制する区域だ。開発行為はなるべくしてほしくないから、許可基準が２段構えと厳しいのだ㋐。
- ただし調整内であっても、**第２種特定工作物**の建設を目的とする開発行為は**33条の基準さえ満たしていれば許可**される㋑。第２種特定工作物（ゴルフ場や、１ha以上の野球場やレジャー施設）ができても市街化が促進されることはな

いからだ。

- 知事等が 調整 区域内の開発行為を許可するには、**開発審査会の同意**が必要となる場合もある(ウ)。 市街化 や 非線引 で開発審査会の同意が必要とあれば、その肢は誤りだ。
- 知事は遅滞なく、文書で許可または不許可を通知する。
- 不許可の場合、不服があれば**開発審査会に審査請求**できる。

調整内であっても、**第二種特定工作物**の建設を目的とした開発行為であれば、**開発審査会の同意は不要**だ。

開発許可をしたときは、知事は開発登録簿に登録する。
R6-16-4

③ 造成工事

- 開発許可区域内では建物の建築等は制限される（開発行為の邪魔になるから**ケース4**参照）。

④ 工事完了の公告

- 工事が完了したときは**知事等に届け出**る。知事は工事内容が開発許可の内容に適合していると認めたときは、**検査済証**を交付し、工事が完了したことを**公告**する。

⑤ 公共施設の管理

- 開発行為により設置された公共施設は工事完了公告の日の翌日以降、**原則として市町村**が管理する。

R2⑩-16-3

⑥ その他

開発許可を受けた場合でも、以下の行為については許可等や届出が必要となる。

| | |
|---|---|
| **工事内容・区域を変更する** | 改めて知事等の許可を得る（軽微な変更であれば知事等への届出） |
| **開発行為を止める（廃止）** | 知事等へ届出 |
| **許可を受けた土地の所有者が変わる（開発許可に基づく地位の承継）** | 特定承継（売買、譲渡等）<br>➡知事等の承認が必要<br>一般承継（相続、合併等）<br>➡手続不要（当然に承継する） |

軽微変更とは、
・小規模な敷地の形状変更
・工事施行者の氏名・住所変更
・工事着手予定日、完了予定日の変更
などだ。

## 発展 無指定における制限

- 知事は無指定において開発許可をする場合、必要があれば、建蔽率、建築物の高さ・構造・設備等に関する制限を定めることができる。無指定なのであまり大規模なものが建たないよう制限するのだ。

## 発展 自己居住用住宅の許可基準

許可基準は33条に定められているが、自己居住用住宅の開発許可については、「道路・公園等の配置」や「給水施設の配置」などの基準は適用されない。自己居住用住宅であれば「井戸水でいい」と本人が言っているのならば、それで構わないということだろう。それに対し「排水施設」などはきちんとしてくれないと周囲に迷惑をかけることになる。

大変、細かい話だが「排水施設の基準は、自己居住用住宅にも適用がある」ということは、しっかり覚えよう。

H23-17-3などで排水施設の基準が自己居住用建物にも適用されることが出題されている。

○は適用されるもの

| | 一般の許可基準 | 自己居住用住宅の許可基準 |
|---|---|---|
| 用途地域に適合 | ○ | ○ |
| 排水施設 | ○ | ○ |
| 道路・公園等の配置 | ○ | × |
| 給水施設 | ○ | × |
| 災害危険区域・地すべり防止区域等の除外 | ○ | × |
| 申請者の資力・信用 | ○ | ×（1ha未満） |
| 工事完成能力 | ○ | ×（1ha未満） |

災害危険区域とは、土砂災害特別警戒区域、浸水被害防止区域、津波被害防止区域などのことだ。「自己居住用」では適用除外だが、「自己の業務用」では適用される。
R4-16-3

# 第2章 都市計画法② －開発許可

## ケース4 建築制限のいろいろ

**正誤を判定 ○ or ×**

市街化調整区域のうち、開発許可を受けた開発区域以外の区域では、建築物を建築する場合、都道府県知事の許可が必要である。

区画形質の変更しないから許可不要だよな。
調整


**解答** **市街化調整区域は**市街化を抑制する区域。**知事の許可がなければ建築物の建築は認められない**のが原則だ。 ○

## 1 開発区域内の建築制限

開発区域内は建築制限を受ける。開発行為の邪魔になってはいけないからだ。

### ◇開発区域内の建築制限

| | 工事完了公告前（造成工事中） | | 工事完了公告後 |
|---|---|---|---|
| 原　則 | 建築等は禁止 | ➡ | 予定建築物以外の建築行為は禁止 |
| 例外的に建築が認められるもの | ①工事用仮設建築物<br>②知事が支障ないと認めた建築物<br>③開発行為に不同意の権利者が行う建築 | ➡ | ①知事の許可がある場合*<br>②用途地域に適合している建築物等 |

＊（工事完了公告後は）国の機関または都道府県等については、**知事との協議**が成立すれば、知事の許可があったものとみなされる。

## 2 市街化調整区域内における建築制限

市街化調整区域は、市街化を抑制する区域だ。開発行為が伴わなくても、建物を建てられるのは困る。そのため、**建築物の建築や第一種特定工作物の新設は原則禁止**される。

R5-16-4

たとえば 調整 区域内に、道路に面する平坦な更地があったとする。そこに家を建てるとしても、これは開発行為ではない（土地の区画形質の変更を行っていない）。だからといって建築を認めては市街化が進んでしまう。

そこで 調整 区域内では、（開発行為を伴わない）単なる建築であったとしても、知事の許可が必要とした。つまり、 調整 区**域では知事等の許可なしには建築等ができないのだ。**

新築だけでなく、改築、用途変更も許可が必要だ。

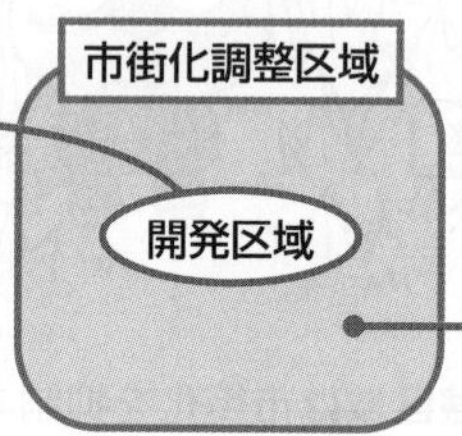


**開発許可を受けた区域**
⇨予定建築物であれば、許可がなくても建築できる

**開発区域以外の区域**
＝普通の市街化調整区域
⇨建築行為には知事の許可が必要

試験で「市街化調整区域のうち開発許可を受けた開発区域以外の区域」とあったら、普通の（＝開発許可を受けていない）調整区域のことだ。

開発許可の場合と同様、国または都道府県等が行う行為は、知事との協議が成立することで建築許可があったものとみなされる（みなし許可）。

ただし、例外的に、知事等の許可が不要な場合もある（それが試験で出題される）。

### ◆市街化調整区域内における建築制限

| | |
|---|---|
| 原則 | 知事等の許可を受けなければ、建築物の建築・改築・用途変更、第一種特定工作物の新設はできない。 |
| 例外 | 以下のものは、知事等の許可がなくても建築等ができる。<br>①農林漁業用の一定の建物、農林漁業に従事する人の住宅<br>②図書館、博物館、公民館、駅舎など鉄道施設、変電所等の公益施設<br>③都市計画事業の施行として行う行為<br>④非常災害のための応急措置<br>⑤仮設建築物<br>⑥車庫・物置の設置など通常の管理行為、軽易な行為<br>⑦第二種特定工作物 |

③。R2⑩-16-2

**ケース2**で説明した「**開発許可が不要の場合**」とほぼ同じだ。市街化を促進しないもの、公益目的のもの、国や都道府県が行うもの等であれば、建築が認められるのだ。

また、**第二種特定工作物の新設**であれば、知事等の**許可は不要**だ。ゴルフ場や庭球場ができても市街化にはつながらないからだ。

農作物の**加工・貯蔵のための建築物の建築行為は許可が必要**だ。これも開発許可の場合と同様だ。

## 3 田園住居地域内の建築等の制限

田園住居地域内の**農地**においては、市街化調整区域の土地と同様に建築制限がある。建築物の建築等を行うには**市町村長の許可**が必要となるのだ。ただし一定の場合には許可不要となる。

知事の許可ではない事に注意。

**◇田園住居地域内の農地の建築等の制限**

| | |
|---|---|
| 原則 | 田園住居地域内の**農地**の区域内では**市町村長**の許可がなければ土地の形質変更、建築物の建築、工作物の建設などはできない。 |
| 例外 | 以下のものは、市町村長の許可がなくても建築等ができる。<br>仮設の工作物、農業を営むための行為、**都市計画事業の施行**として行う行為、通常の管理行為・軽易な行為、**非常災害のための応急措置** |

H30-16-1

国や地方公共団体が建築等を行う場合は許可不要。ただし、あらかじめ市町村長に協議しなければならない。

## 4 違反是正措置

都市計画法の違反行為があった場合、国土交通大臣、都道府県知事又は市長は、必要な限度において、建築物等の改築、移転、除却など**違反を是正するため必要な措置を命ずることができる**。

# まとめ

### ◇開発許可

- 開発行為とは、①建築物の建築、②特定工作物の建設のために行う土地の区画形質の変更のこと。
- 開発行為を行うには知事等の許可が必要。

### ◇開発許可が不要な場合

<table>
<tr><th rowspan="2"></th><th colspan="3">都市計画区域内</th><th colspan="2">都市計画区域外</th></tr>
<tr><th>市街化区域</th><th>調整区域</th><th>非線引き</th><th>準都市計画区域</th><th>その他</th></tr>
<tr><td>小規模開発</td><td rowspan="2">1,000㎡*<br>未満</td><td>(許可必要)</td><td colspan="2">3,000㎡未満</td><td>1ha未満</td></tr>
<tr><td>農林漁業のための開発行為</td><td colspan="4">(許可不要)<br>●農業を営む者の居住の用に供する建物等<br>(＝農家の住居)**</td></tr>
<tr><td>公益目的の開発行為、軽微な開発行為</td><td colspan="5">(許可不要)<br>●図書館、博物館、公民館、駅舎などの鉄道施設、変電所等<br>●土地区画整理事業、都市計画事業、市街地再開発事業<br>●車庫・物置の設置など通常の管理行為、軽易な行為<br>●非常災害のための応急措置</td></tr>
</table>

＊三大都市圏の一定の区域では、500㎡未満となる（500㎡の開発行為であっても許可が必要となる場合がある)。
＊＊農産物の生産・集荷用に供する建築物を作る開発行為も調整区域等では許可不要となる。

- 市街化調整区域では小規模を理由に開発許可が不要となることはない。
- 市街化区域内においては、1,000㎡以上であれば農林漁業のための開発行為であっても開発許可が必要。
- 学校（幼稚園、小中学校、高校)、医療施設、社会福祉施設等の建設を目的とする開発行為は「公益目的の開発」には入らない。規模によっては許可が必要。

| 許可　不要 | 図書館、博物館、公民館、駅舎、変電所 |
|---|---|
| 許可　　要 | 学校、医療施設（病院、診療所)、社会福祉施設 |

### ◇開発区域内の建築制限

開発行為の邪魔にならないように建築等が制限される。

| | 工事完了公告前（造成工事中） | | 工事完了公告後 |
|---|---|---|---|
| 原　則 | 建築等は禁止 | ➡ | 予定建築物以外の建築行為は禁止 |
| 例外的に建築が認められるもの | ①工事用仮設建築物<br>②知事が支障ないと認めた建築物<br>③開発行為に不同意の権利者が行う建築 | ➡ | ①知事の許可がある場合<br>②用途地域に適合している建築物 |

● 工事完了公告後は国の機関と知事等との「協議」が成立すれば、許可があったものとみなされる。

### ◇建築制限

<table>
<tr><th></th><th>市街化調整区域</th><th>田園住居地域の農地</th></tr>
<tr><td rowspan="1">許可が必要な行為</td><td>● 建築物の建築・改築・用途変更<br>● 第一種特定工作物の新設</td><td>● 土地の形質変更<br>● 建築物の建築<br>● 工作物の建設</td></tr>
<tr><td>許可権者</td><td>知事</td><td>市町村長</td></tr>
<tr><td rowspan="2">例外（許可不要）</td><td colspan="2">● 都市計画事業の施行として行う行為<br>● 通常の管理行為・軽易な行為<br>● 非常災害のための応急措置</td></tr>
<tr><td>● 図書館など公益施設<br>● 第二種特定工作物</td><td>● 農業を営むための行為</td></tr>
</table>

※許可が必要な行為、例外とも主なもののみ

# 確認テスト

**問題** 次の記述の正誤を判定してください。

1. 市街化区域内の既に造成された宅地において、敷地面積が1,500㎡の共同住宅を建築する場合は、当該宅地の区画形質の変更を行わないときでも、原則として開発許可を受けなければならない。
2. 市街化区域内において、農業を営む者の居住の用に供する建築物の建築の用に供する目的で行う開発行為であれば、常に開発許可は不要である。
3. 市街化調整区域において、野球場の建設を目的とした8,000㎡の土地の区画形質の変更を行う場合、都道府県知事の許可が必要である。
4. 開発行為を行おうとする者は、開発許可を受けてから開発行為に着手するまでの間に、開発行為に関係がある公共施設の管理者と協議し、その同意を得なければならない。
5. 開発許可を受けた開発区域内の土地であっても、当該許可に係る開発行為に同意していない土地の所有者は、その権利の行使として建築物を建築することができる。

**解答解説**

1. × 土地の区画形質の変更を行わないのであれば、開発行為ではない。開発許可は不要だ。
2. × 設問は市街化区域だ。市街化区域においては農林漁業のための例外措置はない。したがって1,000㎡以上であれば、許可が必要となる。
3. × 8,000㎡の野球場は第2種特定工作物にはあたらない。土地の区画形質変更をしても開発行為にあたらない。よって許可は不要。
4. × 開発許可を申請する段階で、公共施設の管理者と協議しその同意を得ておく必要がある。開発許可を受けてから開発行為に着手するまでではない。
5. ○ 開発区域内は、工事が完了するまでは原則として建築等は禁止される。しかし、例外が3つある。その1つが、開発行為に同意しなかった権利者が行う建築だ。

# 第3章 建築基準法

## ケース1 基準をクリアした建物しか建てられない

**正誤を判定 ○ or ×**

高さ25mの建築物には、安全上支障がない場合を除き、非常用の昇降機を設けなければならない。

非常用昇降機は必要なのか?
高さ25m


**解答** 高さ**31m超**の建物には**非常用昇降機**の設置義務がある。25mであればその義務はない。 ×

### 1 建築基準法とは

危険な建物を建てられては、皆が迷惑する。そこで建築物について、**最低限度**これは守ってくれ、というルールを定めた。それが建築基準法だ。

建築基準法の適用（制限）を受けない建物もある。

① **文化財←一切制限を受けない。**
② **既存不適格建築物←一部、制限を受けない。**

文化財とは文化財保護法の（仮）指定をうけた建築物だ。

R4-17-1、H30-18-4

「既存不適格建築物」とは建築時には適法だったが、法改正により、違反状態となってしまった建築物のことだ。改正後の規定に適合しない状態でも違反扱いはしない。旧耐震基準の建物などがその例だ。

緊急の必要があれば建築物の使用禁止・制限の命令もできる。
R6-17-2、
R1-17-1

特定行政庁は、既存不適格建築物の所有者等に対して、維持保全に関し必要な**指導**及び**助言**をすることができる。著しく危険な場合には勧告、命令もできる。

## 2 単体規定と集団規定

建築基準法の規定は、**単体規定**と**集団規定**に分かれる。

**単体規定**は主に建物の安全面・衛生面に関する規定で全国どこにある建物にでも適用される。

一方、**ケース3**～**ケース8**で解説する**集団規定**は計画的な街づくりに適合しているかどうかという規定であり、**都市計画区域内や準都市計画区域内で適用**される。

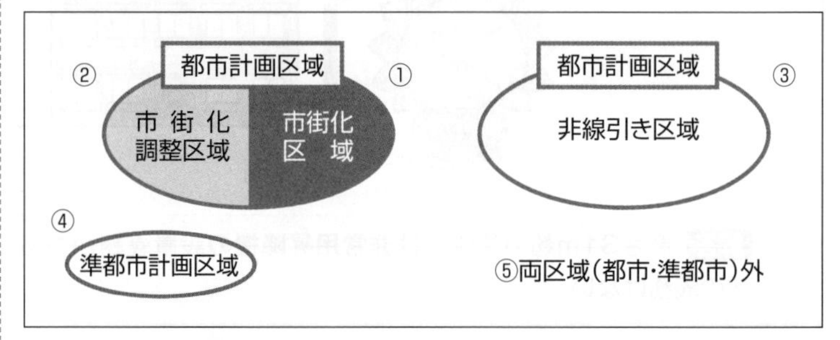


※①～④は単体規定と集団規定の両方が適用される
⑤は単体規定のみが適用される

単体規定はたくさんあるが、まずは以下のことを覚えておこう。

〈主な単体規定〉

**①居室の採光及び換気**

- **住宅の居室には採光のため床面積の7分の1以上の窓その他の開口部を設ける（地階の居室は例外）。ただし照明設備の設置により「10の1以上」まで緩和できる。**
- **換気のためには20分の1以上の開口部。**

**②石綿などに対する衛生上の措置**

- **アスベスト（石綿）は、原則使用禁止。ホルムアルデヒ**

ド、クロルピリホスも使用が制限されている。

**③避雷設備**

- 原則として高さ20mを超える建物には避雷設備を設ける。

R6-17-1

**④昇降機**

- 原則として高さ31mを超える建物には非常用昇降機を設ける。

昇降機とはエレベーターのこと。
R2⑩-17-4

**⑤その他**

- 居室の天井の高さは、2.1m以上。
- 屋上広場や2階以上の階にあるバルコニーの周囲には、高さ1.1m以上の手すり壁（又はさく、金網）を設ける。

一室の天井の高さが異なる場合には**平均の高さ**を測る。
R2⑩-17-2

## 発展　やや細かな単体規定

〈敷地の衛生及び安全〉

- 「建築物の敷地は、接する道路より高く」「建築物の地盤面は、周囲の土地より高く」が原則（排水などに支障がなければＯＫ）。
- 建築物の敷地には、雨水や汚水を排出・処理するための下水管、下水溝等を設ける。

〈長屋又は共同住宅の各戸の界壁〉

- 長屋又は共同住宅の各戸の界壁は、（遮音性能などが）技術的基準に適合するもので、小屋裏又は天井裏に達するものとするのが原則。しかし、国土交通大臣が定めた構造方法を用いる場合は、界壁が小屋裏に達しなくてもよい。

近年の法改正で、例外が認められるようになった。

原則

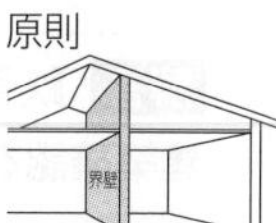


例外

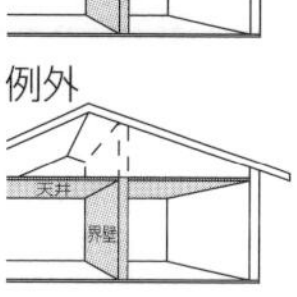


## 発展　地方公共団体による制限

- 地方公共団体は、必要な制限を条例で**付加**する（厳しくする）ことができる。
- 地方公共団体は**災害危険区域**を指定し、**必要な制限**を条例で定めることができる。

R5-17-1、
R4-17-3、4

# ケース2 建物を勝手に建ててはいけない

**正誤を判定 ○ or ×**

鉄骨２階建て、高さ８ｍ、延べ床面積150㎡の住宅を新築する場合、建築主事または指定確認検査機関の確認を受けなければならない。

いよいよ
建築だよ。
建築確認忘れないでね。
設計図

**解答** 鉄骨２階建ての建築物は、大規模建築物にあたる。建築にあたっては、建築確認を取る必要がある。 ○

## 1 建築物の種類

建物が街づくりの計画に適合しているのか、安全なのかをきちんと確認する必要がある。これが**建築確認**だ。

建築確認は、**建築主事**（副主事）または**指定確認検査機関**が行う。

> **建築主事**・副主事とは建築確認を行う公務員のこと。建築主事等がいる地方公共団体の長のことを**特定行政庁**という。具体的には市町村長や知事だ。試験対策上は役所と思っておけばいい。

まず、**都市計画区域内等で建物を新築する場合には必ず建築確認を受けなければならない**。一方、（都市計画区域等以外の）山の中にある一軒家など、辺鄙な場所にある建物であれば建築確認などという面倒なことを言わずに自由に建てさせても問題ないだろう。

しかし、防災上の配慮が必要な建物（**特殊建築物**）や**大規模建築物**は、別だ。全国どこでも建築確認が必要となる。

### ◇建築物の種類

**❶特殊建築物**

防災上の配慮が必要な建築物
例：共同住宅、ホテル、病院・診療所、劇場・映画館、学校、百貨店、コンビニエンスストア、工場、車庫、倉庫等➡200㎡を超える場合には全国において建築確認が必要となる

「事務所」「一般住宅」は特殊建築物ではない。

**❷大規模建築物**

2階建て以上または200㎡超の建築物

建築副主事は大規模建築物の建築確認は行えない。

➡①と②は、全国どこでも建築確認が必要となる

**❸一般建築物**

上記以外の建築物
➡都市計画区域内等では建築確認が必要となる

## 2 建築確認が必要な行為

建築確認が必要となるのは新築だけではない。増改築や大規模修繕なども建築確認が必要となる。

| 建築物の種類 | 確認が必要な場所 | 行為 | | | |
|---|---|---|---|---|---|
| | | 新築 | 増改築・移転 | 大規模修繕・模様替え | 用途変更 |
| 200㎡超の特殊建築物 | 全国どこでも | ○ | △＊1 | ○ | ○ |
| 大規模建築物 | | ○ | △＊1 | ○ | × |
| 一般建築物 | 都市計画区域等＊2の区域内 | ○ | △＊1 | × | × |

R4-17-2

＊1 「△」＝10㎡以下であれば確認不要。ただし防火地域内または準防火地域内であれば10㎡以下でも確認がいる。

H30-18-2

＊2 都市計画区域等とは、都市計画区域、準都市計画区域、都道府県が指定する区域、準景観地区のことだ。

R6-17-3
防火地域については、**ケース8**参照。

R6-17-4。
H29-18-4では、ホテルから共同住宅への用途変更が出題された。どちらも特殊建築物だが、用途が異なるので建築確認が必要だ。

3階建て以上の共同住宅など一定の建物は中間検査が必要になる。

R3⑫-17-4

**〈増改築〉**

原則として、10㎡以下の増改築・移転に建築確認は不要であるが、**防火地域内または準防火地域内**にある場合には、**10㎡以下**の増改築・移転であっても**建築確認が必要**となる。

**〈用途変更〉**

たとえば事務所（特殊建築物ではない）を改装してコンビニ（特殊建築物）にするといった場合、面積が200㎡超であれば建築確認が必要となる。

## 3 建築確認の手続

**◇建築確認の申請から使用開始まで（建築主事によるプロセス）**

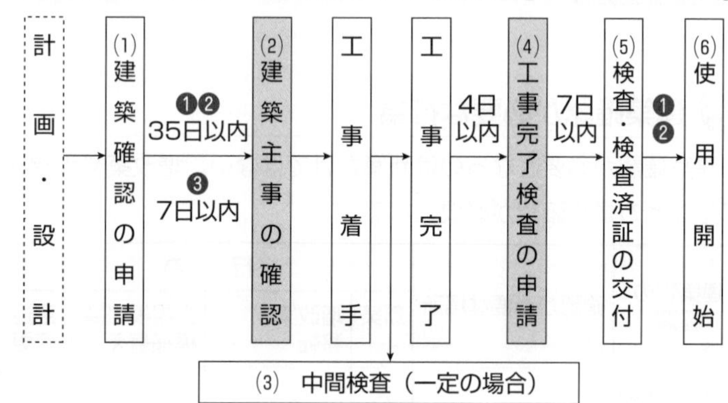


ポイントは次のとおり。

- 確認済証の交付：建築確認の申請を受理した日から、原則として、❶200㎡超の特殊建築物、❷大規模建築物は**35日以内**に、❸一般建築物は７日以内に**確認済証**が交付される。
- 検査済証の交付：工事が完了した日から**４日以内に到達**するように**工事完了検査の申請**をする。建築主事等は申請を受理した日から７日以内に検査済証を交付しなければならない。
- 使用開始：（❶200㎡超の特殊建築物、❷大規模建築物は）検査済証が交付されるまでは建物を使用開始してはならない。ただし以下の例外がある。
  (1) 特定行政庁、建築主事等が支障がないと認めたとき

(2) 工事完了検査の申請が受理された日から**7日を経過**したとき

❸一般建築物であれば、検査済証の交付前から使用できる。

# ケース3 道路に面していなければ家は建てられない

**正誤を判定 ○ or ×**

建築物の敷地は、必ず幅員４ｍ以上の道路に２ｍ以上接しなければならない。

**解答** 道路に２ｍ以上接していない土地でも、特定行政庁が許可すれば建築が認められる（周囲に広い空き地などがあり、安全であると判断される場合だ）。

**×**

## 1 接道義務

都市計画区域等においては、幅４ｍ以上の道路に、２ｍ以上接している土地でなければ建築が認められない（接道義務）。火災等の際に消火活動や避難に支障をきたさないためだ。

特定行政庁が指定する場合には幅６ｍ以上の道路に接する必要がある。

ここでいう道路とは建築基準法で認められた道路のことだ。たとえば自動車専用道路は含まれない。

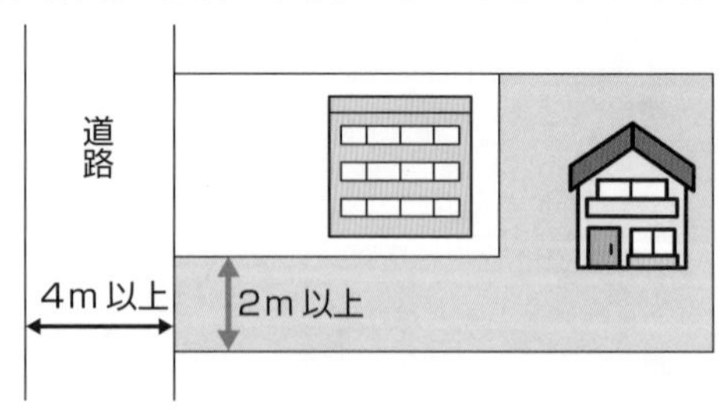

## 2 接道義務の例外（2mの例外）

① 道路に2m以上接していない土地でも、**特定行政庁が建築審査会の同意を得て許可すれば**建築が認められる（周囲に広い空き地などがあり、安全であると判断される場合だ）。

「道路の利用者が少数で、戸建住宅を建築する」など一定の基準を満たす場合、建築審査会の同意は不要。特定行政庁の許可のみでOK。

② 地方公共団体は条例で、接道条件を付加する（＝**厳しくする**）ことができる。たとえば「道路に3m以上接していなければ建築を認めない」など（緩和することはできない）。

## 3 2項道路とセットバック（4mの例外）

道路の幅員は4m以上あることが原則であるが、**特定行政庁が指定した道路（2項道路）**であれば幅員4m未満の道路であっても建築が認められる。古くからある道路などは幅員が狭いものも多く、建築物が立ち並んでいるため、道路の幅員が狭いからといって建築を認めないのは、影響が大きいからだ。

1.8m未満の場合は建築審査会の同意が必要。
R4-18-3

ただし、**道路の中心線から2m後退した線が道路境界**となる。道路の境界線とみなされる線と道路との間の部分（図のイロアミ部分）は敷地面積に算入することはできない。建物を再建築する際には、図の色アミ部分（A）よりも敷地後退（セットバック）しなければならないのだ。

片方に崖や水路があり、両側に2mを取れないときは、崖などの境界線から道路側に4m後退した線が道路境界とみなされる。

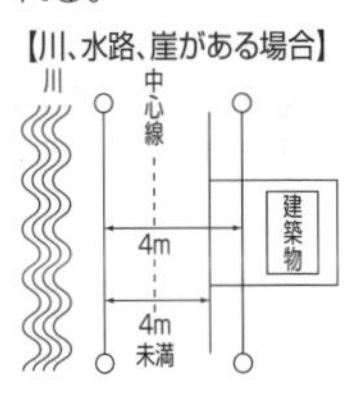


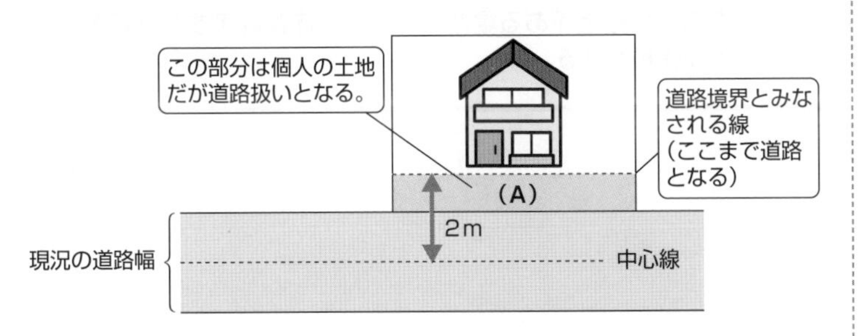


隣の家も、お向かいさんも、皆が再建築する際、道路の中心線から2mのラインまで敷地が後退していけば、いずれは幅4mの道路になるというわけだ。

また、(A)の部分は道路扱い。したがって容積率や建蔽率（**ケース5**で学ぶ）の計算において、敷地面積に含めることはできない。

## 発展 道路に関して覚えておきたいこと

やや細かいことだが試験で問われる可能性もあることだ。余裕のある人は目を通しておこう。

〈道路内の建築制限〉

- 道路内には原則として建築物を建築できない。通行の邪魔になるからだ。
- ただし、公衆便所、巡査派出所、公共用歩廊（アーケードなど）は、特定行政庁が許可すれば建築することができる（許可するには、建築審査会の同意が必要）。
- 「地盤面下に建築するもの」も建築できる。要は地下街のことだ。

〈壁面線の指定および制限〉

- 特定行政庁は壁面線を指定できる。街区内の建築物の位置をそろえ、環境の向上を図るためだ。 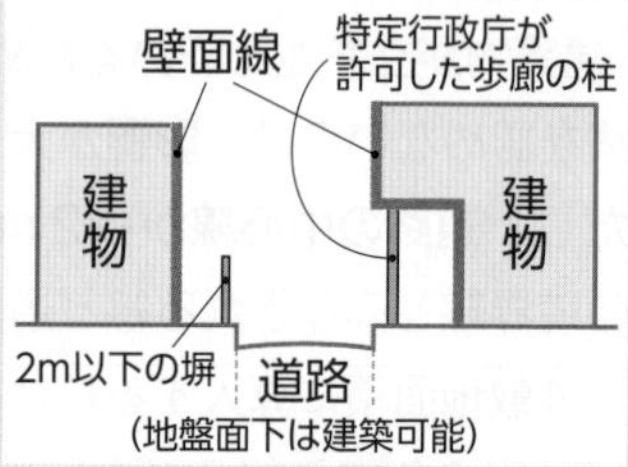
- 次のものは壁面線を越えて建築できない。
  ①建築物の壁、（壁に代わる）柱
  ②高さ2m超の門、塀
- 壁面線の指定がある場合、特定行政庁が許可すれば建蔽率が緩和される。



R2⑩-18-1

R5-18-2

次のものは壁面線を越えて建築できる。
①地盤面下の部分
②特定行政庁が建築審査会の同意を得て許可した歩廊の柱

建蔽率についてはケース5で学ぶ。

# 第3章 建築基準法

## ケース4 用途地域にふさわしい建物しか建てられない

**正誤を判定 ○ or ×**

第一種低層住居専用地域内では、小学校は建築できるが、中学校は建築できない。

**解答** **幼稚園、小中学校、高校は、工業地域と工業専用地域には建てられない。**後はどの地域でも建てられる。住居専用地域に中学校がなければ困るだろう。

×

### 1 用途規制

**用途地域ごとに、建てられる建物が決まっている。**用途地域にふさわしくない建物は建築を認めないことで、環境を守っていくのだ（「**用途規制**」の表参照）。表の「×」がついている用途の建物は建築できない。一低専では、静かな住環境を阻害するような建物の建築は認められていない。一方、商業には多くの建物の建築を認めて、高度利用を図っている。

禁止されている用途の建築物（表の×がついているもの）でも、**特定行政庁が許可**したときは建築できる。

なお、次ページの表は、用途規制のイメージをつかんでもらうために載せている。くれぐれも「これを覚えるのか！」とウンザリしないこと！

## ◆[参考] 用途規制（暗記は不要）

○印：建築できるもの、×印：原則、建築できないもの

| 主な用途 ＼ 用途地域等 | ① 一低住専 | ① 二低住専 | ① 田園 | ② 一中高住専 | ② 二中高住専 | ③ 一住居 | ③ 二住居 | ③ 準住居 | ④ 近商 | ⑤ 商業 | ⑥ 準工業 | ⑦ 工業 | ⑧ 工専 |
|---|---|---|---|---|---|---|---|---|---|---|---|---|---|
| ㋐ 住宅、共同住宅、寄宿舎、下宿 | ○ | ○ | ○ | ○ | ○ | ○ | ○ | ○ | ○ | ○ | ○ | ○ | × |
| ㋑ 兼用住宅のうち非住宅部分の床面積が50㎡以下かつ建築物の延べ面積が$\frac{1}{2}$未満のもの | ○ | ○ | ○ | ○ | ○ | ○ | ○ | ○ | ○ | ○ | ○ | ○ | × |
| ㋒ 幼稚園、小学校、中学校、高等学校 | ○ | ○ | ○ | ○ | ○ | ○ | ○ | ○ | ○ | ○ | ○ | × | × |
| ㋓ 図書館等 | ○ | ○ | ○ | ○ | ○ | ○ | ○ | ○ | ○ | ○ | ○ | ○ | × |
| ㋔ 神社、寺院、教会等 | ○ | ○ | ○ | ○ | ○ | ○ | ○ | ○ | ○ | ○ | ○ | ○ | ○ |
| ㋕ 老人ホーム、福祉ホーム等 | ○ | ○ | ○ | ○ | ○ | ○ | ○ | ○ | ○ | ○ | ○ | ○ | × |
| ㋖ 保育所等、公衆浴場、診療所 | ○ | ○ | ○ | ○ | ○ | ○ | ○ | ○ | ○ | ○ | ○ | ○ | ○ |
| ㋗ 老人福祉センター、児童厚生施設等 | □ | □ | □ | ○ | ○ | ○ | ○ | ○ | ○ | ○ | ○ | ○ | ○ |
| ㋘ 巡査派出所（交番）、公衆電話所等 | ○ | ○ | ○ | ○ | ○ | ○ | ○ | ○ | ○ | ○ | ○ | ○ | ○ |
| ㋙ 大学、高等専門学校、専修学校等 | × | × | × | ○ | ○ | ○ | ○ | ○ | ○ | ○ | ○ | × | × |
| ㋚ 病院 | × | × | × | ○ | ○ | ○ | ○ | ○ | ○ | ○ | ○ | × | × |
| ㋛ 床面積の合計が150㎡以内の一定の店舗、飲食店等 | × | ○ | ○ | ○ | ○ | ○ | ○ | ○ | ○ | ○ | ○ | ○ | ▲ |
| ㋜ 〃 500㎡以内の 〃 | × | × | ◇ | ○ | ○ | ○ | ○ | ○ | ○ | ○ | ○ | ○ | ▲ |
| ㋝ ㋜以外の物品販売業を営む店舗・飲食店 | × | × | × | × | △ | ☆ | ○ | ○ | ○ | ○ | ○ | ○ | × |
| ㋞ 床面積の合計が10,000㎡を超える店舗・飲食店 | × | × | × | × | × | × | × | × | ○ | ○ | ○ | × | × |
| ㋟ ㋝以外の事務所等 | × | × | × | × | △ | ☆ | ○ | ○ | ○ | ○ | ○ | ○ | ○ |
| ㋠ ボーリング場、スケート場、水泳場等 | × | × | × | × | × | ☆ | ○ | ○ | ○ | ○ | ○ | ○ | × |
| ㋡ ホテル、旅館 | × | × | × | × | × | ☆ | ○ | ○ | ○ | ○ | ○ | × | × |
| ㋢ 自動車教習所、床面積の合計が15㎡を超える畜舎 | × | × | × | × | × | ☆ | ○ | ○ | ○ | ○ | ○ | ○ | ○ |
| ㋣ マージャン屋、パチンコ屋、射的場、勝馬投票券販売所等 | × | × | × | × | × | × | ○ | ○ | ○ | ○ | ○ | ○ | × |
| ㋤ カラオケボックス、ダンスホール | × | × | × | × | × | × | ○ | ○ | ○ | ○ | ○ | ○ | ○ |
| ㋥ 2階以下かつ床面積の合計が300㎡以下の自動車車庫 | × | × | × | ○ | ○ | ○ | ○ | ○ | ○ | ○ | ○ | ○ | ○ |
| ㋦ 営業用倉庫、3階以上または床面積の合計が300㎡を超える自動車車庫（一定規模以下の附属車庫を除く） | × | × | × | × | × | × | × | ○ | ○ | ○ | ○ | ○ | ○ |
| ㋧ 客席の部分の床面積の合計が200㎡未満の劇場、映画館、演芸場、観覧場、ナイトクラブ | × | × | × | × | × | × | × | ○ | ○ | ○ | ○ | × | × |
| ㋨ 〃 200㎡以上 〃 | × | × | × | × | × | × | × | × | ○ | ○ | ○ | × | × |
| ㋩ キャバレー、料理店等 | × | × | × | × | × | × | × | × | × | ○ | ○ | × | × |
| ㋪ 個室付浴場業に係る公衆浴場等 | × | × | × | × | × | × | × | × | × | ○ | × | × | × |
| ㋫ 作業場の床面積の合計が50㎡以下の工場で危険性や環境を悪化させるおそれが非常に少ないもの | × | × | × | × | × | ○ | ○ | ○ | ○ | ○ | ○ | ○ | ○ |
| ㋬ 作業場の床面積の合計が150㎡以下の自動車修理工場 | × | × | × | × | × | × | × | ○ | ○ | ○ | ○ | ○ | ○ |
| ㋭ 日刊新聞の印刷所、作業場の床面積の合計が300㎡以下の自動車修理工場 | × | × | × | × | × | × | × | × | ○ | ○ | ○ | ○ | ○ |
| ㋮ 危険性が大きいかまたは著しく環境を悪化させるおそれがある工場 | × | × | × | × | × | × | × | × | × | × | × | ○ | ○ |

※1 ㋞：10,000㎡超の店舗は、用途地域の指定のない区域（市街化調整区域を除く）内でも×となる。

※2 □→一定基準以下のものに限り建築可能。
△→当該用途に供する部分が2階以下かつ1,500㎡以下の場合に限り建築可能。
☆→当該用途に供する部分が3,000㎡以下の場合に限り建築可能。
▲→物品販売店舗、飲食店は建築できない。
◇→農作物の直売所、レストラン等は建築可能

※3 市町村は地区整備計画が定められている地区計画の区域内では、用途制限の強化または緩和ができる。

※4 ㋖㋚：ベッド数が多いものが「病院」、少ないものが「診療所」だ。

※5 ㋛㋜㋩：料亭等風俗営業店が「料理店」、食堂、喫茶店等が「飲食店」だ。

## 2 試験対策として覚えることは

用途規制の出題は、出ても1問。出題されない年もある。とすれば、最低限度のことを覚えるだけでいい。まずは、**レベル1**を覚え、余裕があれば**レベル2**まで押さえる（前ページの色アミ部分だ）。それ以上覚えるのは、他の分野を覚えた後でOKだ。

地域の特性を理解すれば覚えられるはずだ。

### ◘レベル1

次の①〜④は必ず覚えよう。

① 診療所、保育所、神社・寺院・教会は、すべての用途地域でOK。

R4-18-1

**幼保連携型認定こども園**（R1-18-2）は、保育所だ。

② 住宅系は 工専 ではダメ。 工専 では落ち着いて暮らすことができないからだ。

**老人ホーム**、**福祉ホーム**も住宅だ。念のため。

| | 一低専 | 二低専 | 田園 | 一中高 | 二中高 | 一住居 | 二住居 | 準住居 | 近商 | 商業 | 準工 | 工業 | 工専 |
|---|---|---|---|---|---|---|---|---|---|---|---|---|---|
| 住宅（共同住宅、下宿、老人ホーム） | ○ | ○ | ○ | ○ | ○ | ○ | ○ | ○ | ○ | ○ | ○ | ○ | × |

一定の要件を満たす店舗兼用住宅も 一低専 で建築可能だ（R1-18-1）。

③ 小、中、高は、 工業 工専 がダメ。危ないからだ。

| | 一低専 | 二低専 | 田園 | 一中高 | 二中高 | 一住居 | 二住居 | 準住居 | 近商 | 商業 | 準工 | 工業 | 工専 |
|---|---|---|---|---|---|---|---|---|---|---|---|---|---|
| 幼稚園、小学校、中学校、高等学校 | ○ | ○ | ○ | ○ | ○ | ○ | ○ | ○ | ○ | ○ | ○ | × | × |

④ 大学・病院は、 低専 田園 工業 工専 がダメ。住環境を守るため。また、 工業 工専 では学業や療養に専念できないため。

| | 一低専 | 二低専 | 田園 | 一中高 | 二中高 | 一住居 | 二住居 | 準住居 | 近商 | 商業 | 準工 | 工業 | 工専 |
|---|---|---|---|---|---|---|---|---|---|---|---|---|---|
| 大学（高等専門学校）、病院 | × | × | × | ○ | ○ | ○ | ○ | ○ | ○ | ○ | ○ | × | × |

### ◘レベル2

⑤ 店舗、飲食店は規模が大きくなると認められる範囲が狭くなる。

＊△：田園では地域で生産された農作物の販売店舗、農家レストランであれば150㎡を超えても500㎡以下なら建築可能だ。

用途地域の指定がない区域（無指定）であれば、用途規制を受けない。何でも建てられるのが原則だ（調整は除く）。しかし、10,000㎡超の店舗・飲食店は、無指定では建築できない。近商、商業、準工だけなのだ。

| | | 一低専 | 二低専 | 田園 | 一中高 | 二中高 | 一住居 | 二住居 | 準住居 | 近商 | 商業 | 準工 | 工業 | 工専 |
|---|---|---|---|---|---|---|---|---|---|---|---|---|---|---|
| 店舗・飲食店 | 150㎡以内（コンビニ等） | × | ○ | ○ | ○ | ○ | ○ | ○ | ○ | ○ | ○ | ○ | ○ | × |
| | 500㎡以内（スーパー等） | × | × | △* | ○ | ○ | ○ | ○ | ○ | ○ | ○ | ○ | ○ | × |
| | 500㎡超 | × | × | × | × | ○ | ○ | ○ | ○ | ○ | ○ | ○ | ○ | × |
| | 10,000㎡超の特定大型建築物 | × | × | × | × | × | × | × | × | ○ | ○ | ○ | × | × |

店舗や飲食店の規模が、小（150㎡以下）➡中（500㎡以下）➡大（500㎡超）と大きくなるにつれ、認められる地域も二低専から➡田園または一中高から➡二中高からと変わってくる。

10,000㎡超の大型店舗・飲食店（＝特定大規模建築物）は近商 商業 準工のみだ。

⑥　ボーリング場は、一住居からOK。でも工専はダメ。

| | 一低専 | 二低専 | 田園 | 一中高 | 二中高 | 一住居 | 二住居 | 準住居 | 近商 | 商業 | 準工 | 工業 | 工専 |
|---|---|---|---|---|---|---|---|---|---|---|---|---|---|
| ボーリング場、スケート場、水泳場 | × | × | × | × | × | ○ | ○ | ○ | ○ | ○ | ○ | ○ | × |

ボーリングは立つ位置（一住）が重要（～）。こう（工）投げる。

⑦　ホテル・旅館は 低専 田園 中高専 工業 工専 がダメ。住居専用地域の環境を守るため。また、工業 工専 では落ち着いて寝られないから。

H29-19-2

| | 一低専 | 二低専 | 田園 | 一中高 | 二中高 | 一住居 | 二住居 | 準住居 | 近商 | 商業 | 準工 | 工業 | 工専 |
|---|---|---|---|---|---|---|---|---|---|---|---|---|---|
| ホテル、旅館 | × | × | × | × | × | △* | ○ | ○ | ○ | ○ | ○ | × | × |

＊△：一定のものだけOK。

ホテルは一流（一住）。純子（準工）感激！

⑧　カラオケボックス・ダンスホールは 二住居 からOK。うるさいけど、カラオケやダンスが好きな住民もいるから。

| | 一低専 | 二低専 | 田園 | 一中高 | 二中高 | 一住居 | 二住居 | 準住居 | 近商 | 商業 | 準工 | 工業 | 工専 |
|---|---|---|---|---|---|---|---|---|---|---|---|---|---|
| カラオケボックス、ダンスホール | × | × | × | × | × | × | ○ | ○ | ○ | ○ | ○ | ○ | ○ |

カラオケ店は20歳から。
(二住~)

### ◘レベル3

⑨　娯楽施設

R6-18-1、
R2⑩-18-2

| | 準住居 | 近商 | 商業 | 準工 |
|---|---|---|---|---|
| (200㎡未満の)劇場・映画館・ナイトクラブ | ○ | ○ | ○ | ○ |
| (200㎡以上の)劇場・映画館・ナイトクラブ | × | ○ | ○ | ○ |
| キャバレー・料理店 | × | × | ○ | ○ |

料理店とは飲食だけでなく遊興も目的とするもの(ホステスさんがいる店など)。近商には建築できないことに注意しよう。

娯楽施設の建築は制限されている。キャバレー・料理店は規制が厳しく、商業、準工のみ(近商はダメ)。劇場・映画館・ナイトクラブであれば近商もOK。200㎡未満の小規模のものであれば準住居でも認められる。

ミニシアターは　順　々　に。
(200㎡未満)　(準住居~準工)

大シアター。金（きん）少々出せば順番変わる。
（200㎡以上）　（近商、商業、　準工）

⑩　営業用倉庫

| | 準住居 | 近商 | 商業 | 準工 | 工業 | 工専 |
|---|---|---|---|---|---|---|
| 営業用倉庫 | ○ | ○ | ○ | ○ | ○ | ○ |

商業でも工業でも倉庫は必要だ（だから近商～工専では当然、建築が認められる）。準住居でも倉庫が建築できることをしっかり覚えよう。

## 3 用途地域がまたがっている場合は

もし、建築物の敷地が２つ以上の用途地域にまたがっていた場合はどうなるのだろうか。たとえば、第一種低層住居専用地域と第一種住居地域にまたがる土地に、コンビニは建てられるのか？こういう場合は、敷地面積の過半が属する地域の規制が適用される。これも覚えておこう。

H30-19-2

第一種低層住居専用地域
（建物）
第一種住居地域
道　路

敷地の一部は「一低専」だが、建物には「一住居」の用途規制が適用される。

# ケース5 建築面積も制限される

**正誤を判定 ○ or ×**

建蔽率の限度が80%とされている防火地域内にある耐火建築物については、建蔽率による制限は適用されない。

できるだけ広く
したいんだよね
建蔽率があるからね
設計図

**解答** 建蔽率の原則が$\frac{8}{10}$となっている地域が防火地域内でそこに耐火建築物を建築する場合の建蔽率は$\frac{10}{10}$。つまり、建蔽率の制限は適用されなくなる。 ○

## 1 建蔽率

**建蔽率**とは、**敷地面積に対する建築面積の割合**のことだ。敷地をめいっぱい使って建築すると、防火上からも住環境という面からも好ましくない。

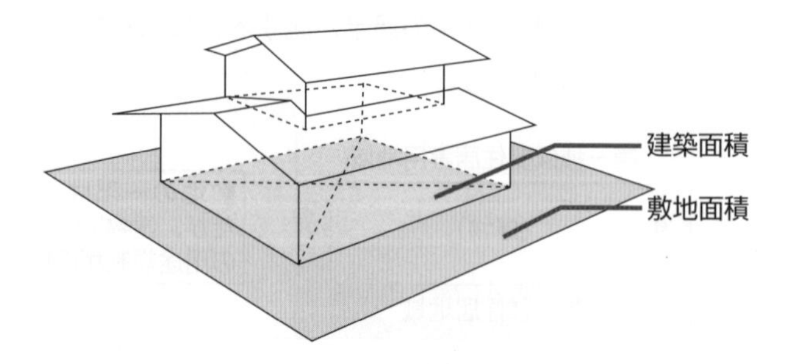
建築面積
敷地面積

$$\boxed{\text{建蔽率}} = \frac{\text{建築面積}}{\text{敷地面積}}$$

建蔽率は建築基準法で定められた数値（「地域別の建蔽率」表の「原則」）の中から、**都市計画で決定**される。

### ◇［参考］用途地域別の建蔽率

| 用途地域等 | | 原　則 | ㋐耐火建築物等 | ㋑特定行政庁指定の角地等 | ㋐かつ㋑ |
|---|---|---|---|---|---|
| ① | 第一種低層住居専用地域<br>第二種低層住居専用地域<br>田園住居地域<br>第一種中高層住居専用地域<br>第二種中高層住居専用地域<br>工業専用地域 | $\frac{3}{10}$、$\frac{4}{10}$、$\frac{5}{10}$、$\frac{6}{10}$のうちで都市計画で定める割合 | 原則＋$\frac{1}{10}$ | 原則＋$\frac{1}{10}$ | 原則＋$\frac{2}{10}$ |
| ② | 第一種住居地域<br>第二種住居地域<br>準住居地域<br>準工業地域 | $\frac{5}{10}$、$\frac{6}{10}$、$\frac{8}{10}$のうちで都市計画で定める割合 | 原則＋$\frac{1}{10}$<br>（防火地域で原則$\frac{8}{10}$の場合）<br>➡$\frac{10}{10}$ | 原則＋$\frac{1}{10}$ | 原則＋$\frac{2}{10}$ |
| ③ | 近隣商業地域 | $\frac{6}{10}$、$\frac{8}{10}$のうちで都市計画で定める割合 | 原則＋$\frac{1}{10}$<br>（防火地域で原則$\frac{8}{10}$の場合）<br>➡$\frac{10}{10}$ | 原則＋$\frac{1}{10}$ | 原則＋$\frac{2}{10}$ |
| ④ | 商業地域 | $\frac{8}{10}$ | 防火地域は$\frac{10}{10}$ | $\frac{9}{10}$ | $\frac{10}{10}$ |
| ⑤ | 工業地域 | $\frac{5}{10}$、$\frac{6}{10}$のうちで都市計画で定める割合 | 原則＋$\frac{1}{10}$ | 原則＋$\frac{1}{10}$ | 原則＋$\frac{2}{10}$ |
| ⑥ | 用途地域の指定のない区域 | $\frac{3}{10}$、$\frac{4}{10}$、$\frac{5}{10}$、$\frac{6}{10}$、$\frac{7}{10}$のうちで特定行政庁が定める割合* | 原則＋$\frac{1}{10}$ | 原則＋$\frac{1}{10}$ | 原則＋$\frac{2}{10}$ |

＊特定行政庁が都市計画審議会の議を経て定める。

上記の表そのものは、覚える必要はない。試験対策として覚えるべきものは、以下の４点だ。

① **商業地域の建蔽率の原則は$\frac{8}{10}$**。建築基準法で決まっているので、都市計画で決める必要はない。

防火地域、準防火地域では、火災の延焼防止が求められる。耐火建築物等にしてほしい地域なのだ。

② 防火地域、準防火地域内は、延焼防止機能の高い建築物（耐火建築物等、準耐火建築物等）であれば、建蔽率は＋$\frac{1}{10}$緩和される（左ページ表の㋐）。

| | 耐火建築物等 | 準耐火建築物等 |
|---|---|---|
| 防火地域 | ＋$\frac{1}{10}$緩和 | |
| 準防火地域 | ＋$\frac{1}{10}$緩和 | ＋$\frac{1}{10}$緩和 |

$\frac{9}{10}$ではないことに注意。

③ 建蔽率の原則が$\frac{8}{10}$となっている地域が**防火地域**でそこに**耐火建築物等**を建築する場合には、建蔽率は$\frac{10}{10}$となる。つまり建蔽率の制限は適用されなくなる。

④ **特定行政庁が指定した角地**であれば＋$\frac{1}{10}$緩和される。角地は火災の延焼の危険性が少ないからだ（左ページ表の㋑）。

## 発展　建蔽率の制限を受けないもの

①派出所（交番）、公共用歩廊（歩行者デッキ）、公衆便所等
②公園、広場、道路、川など内にある建築物で特定行政庁が安全上支障がないと認めて許可したもの

## 2 制限の異なる地域にまたがる場合

● 建物の敷地が、建蔽率の制限の異なる地域にまたがっている場合には、面積割合で**按分**する（加重平均）。

> 試験では「建築物の敷地が建蔽率に関する制限を受ける地域又は区域の2以上にわたる場合においては」という表現になる。

**事例**

**建蔽率が異なる地域にまたがる次の敷地において建築可能な面積・建蔽率はいくらか。**

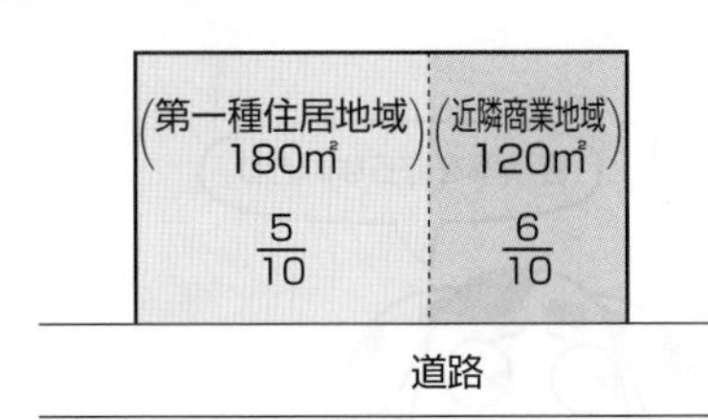


**解答**

● 一住居 の部分に建築可能な面積は、180㎡×$\frac{5}{10}$＝90㎡

● 近商 の部分に建築可能な面積は、120㎡×$\frac{6}{10}$＝72㎡

● 合計では、90＋72＝162㎡まで建築できる。

● 建蔽率は、$\frac{\text{建築面積}}{\text{敷地面積}}=\frac{162㎡}{300㎡}$＝54％

> 面積割合で按分しても同じ結果になる。
> $\frac{5}{10}\times\frac{180}{300}+\frac{6}{10}\times\frac{120}{300}$

# ケース6 延べ床面積も制限される

**正誤を判定 ○ or ×**

容積率を算定する上では、共同住宅の共用の廊下および階段部分は、当該共同住宅の延べ面積の３分の１を限度として、当該共同住宅の延べ床面積に算入しない。

そんなに狭いの…?
容積率を守らないとね。

**解答** **共同住宅の共用廊下、共用階段は延べ床面積には算入しない。**$\frac{1}{3}$までという限度はない。 **×**

## 1 容積率

容積率とは、**建物の敷地面積に対する延べ床面積の割合**をいう。容積率150%の地域に100㎡の土地があれば、各階50㎡の３階建てが建てられる。

### ◘容積率150%とは

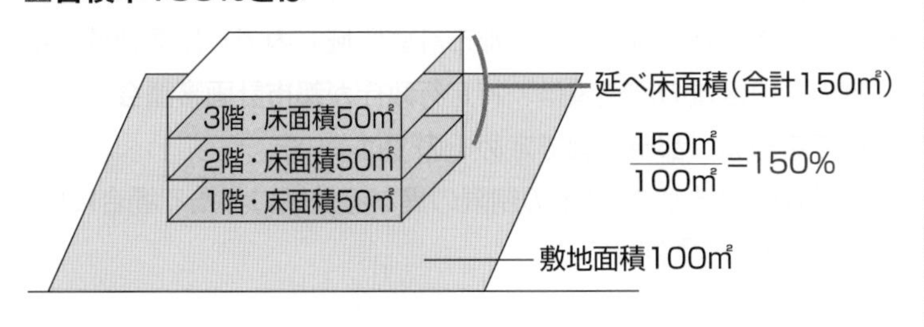


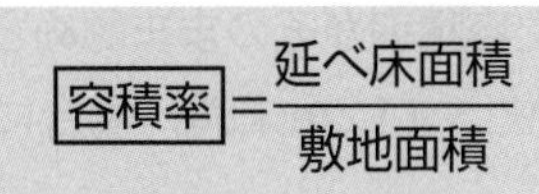


容積率も、建築基準法で定められた数値から地域の実情に合わせて、**都市計画等で決定**される。

この表も覚える必要はない。

### ◘[参考] 用途地域別の容積率

| | 用途地域 | 容積率 | 決定 |
|---|---|---|---|
| ① | 第一種低層住居専用地域<br>第二種低層住居専用地域<br>田園住居地域 | $\frac{5}{10}$、$\frac{6}{10}$、$\frac{8}{10}$、$\frac{10}{10}$、$\frac{15}{10}$、$\frac{20}{10}$ のいずれか | 都市計画 |
| ② | 第一種中高層住居専用地域<br>第二種中高層住居専用地域<br>第一種住居地域<br>第二種住居地域<br>準住居地域<br>近隣商業地域<br>準工業地域 | $\frac{10}{10}$、$\frac{15}{10}$、$\frac{20}{10}$、$\frac{30}{10}$、$\frac{40}{10}$、$\frac{50}{10}$ のいずれか | |
| ③ | 商業地域 | $\frac{20}{10}$、$\frac{30}{10}$、$\frac{40}{10}$、$\frac{50}{10}$、$\frac{60}{10}$、$\frac{70}{10}$、$\frac{80}{10}$、$\frac{90}{10}$、$\frac{100}{10}$、$\frac{110}{10}$、$\frac{120}{10}$、$\frac{130}{10}$ のいずれか | |
| ④ | 工業地域<br>工業専用地域 | $\frac{10}{10}$、$\frac{15}{10}$、$\frac{20}{10}$、$\frac{30}{10}$、$\frac{40}{10}$ のいずれか | |
| ⑤ | 用途地域の指定のない区域 | $\frac{5}{10}$、$\frac{8}{10}$、$\frac{10}{10}$、$\frac{20}{10}$、$\frac{30}{10}$、$\frac{40}{10}$ のいずれか | * |

*特定行政庁が都市計画審議会の議を経て定める。

試験対策として覚えるべき点は以下のものだ。

H29-19-1

- （「都市計画区域および準都市計画区域」内で）用途地域の指定のない区域の容積率は、特定行政庁が**都市計画審議会の議**を経て定める（都市計画で定めるのではない）。
- 建物の敷地が、容積率の制限の異なる地域にわたる場合には、按分する（**2**参照）。

## 2 前面道路の幅員による容積率の制限

法定乗数が緩和されることもある。（例：一中高域内では0.6になるなど）。しかし**試験対策**としては、住居系0.4、非住居系0.6を覚え、**住居系については例外もある**と思っておけばよい。

実は、都市計画で定められた容積率がそのまま認められるとは限らない。前面道路の幅員が狭い（12m未満）場合には、以下の計算式から容積率を出す。

**道路の幅員×法定乗数＝前面道路幅員による容積率**

法定乗数は用途地域が住居系なら**0.4**、非住居系なら**0.6**となる。

都市計画に定められた計画道路に接面する場合において、特定行政庁が許可した場合には、計画道路を前面道路とみなして容積率を計算する。

たとえば、前面道路の幅員が４mの場合、用途地域が 一住居（住居系）ならば４m×0.4＝1.6＝160%、 商業（非住居系）ならば４m×0.6＝2.4＝240%となる。この数値と都市計画で指定された容積率を比較して小さい方がその土地の容積率となる。仮に都市計画で容積率が300%と指定されていたとしても、住居系ならば160%しか認められないことになる。

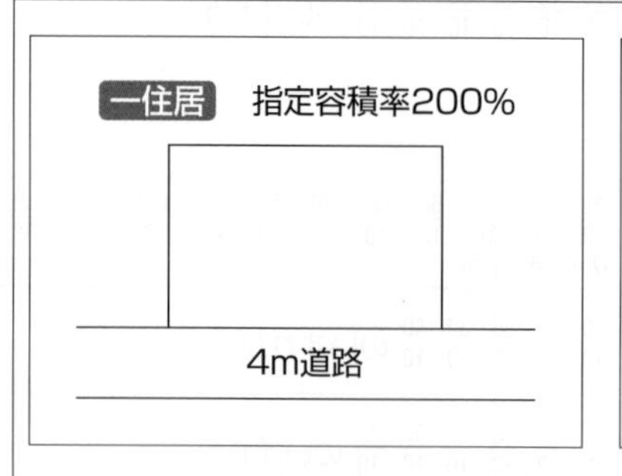


都市計画で指定された容積率は 200%　←①
前面道路幅員が4mなので
4×0.4=1.6=160%
←②

①と②を比べて小さい方（160%）がこの土地の容積率となる。

H29-19-4

角地のように複数の道路に面している場合には広い方の幅員を採用する。

さて、次の事例の敷地（300㎡）の容積率はいくらになるだろうか？

**事例**

**300㎡のうち180㎡は 一住居 に属し、都市計画で指定された容積率は$\frac{20}{10}$＝200%、120㎡は 近商 に属し、容積率は$\frac{30}{10}$＝300%となっている。この敷地の容積率はいくらか。**

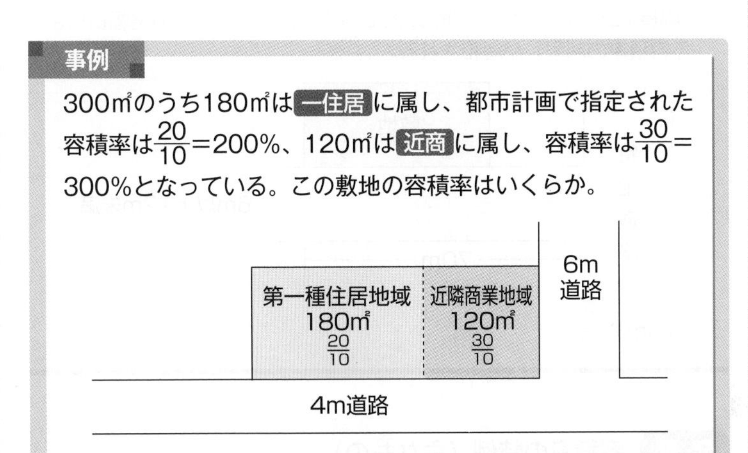


**解答**　まず、近隣商業地域の部分の容積率は前面道路幅員が6mであるため、これによる容積率と都市計画による容積率を比較する。

　6ｍ×0.6＝$\frac{36}{10}$＞$\frac{30}{10}$となり、都市計画で指定された容積率$\frac{30}{10}$が採用される。

　この120㎡に建築可能な床面積は、**120㎡×$\frac{30}{10}$＝360㎡**となる。

　次に、第一種住居地域の部分の容積率を計算する。前面道路幅員は6ｍだ（4ｍではない。300㎡の敷地の一部が第一種住居地域になっているだけで、敷地としては一体として角地になっている。広い方の6ｍを道路幅員と考えてよい）。

　6ｍ×0.4＝$\frac{24}{10}$＞$\frac{20}{10}$となり、こちらも都市計画で指定された容積率$\frac{20}{10}$が採用される。

　180㎡に建築可能な床面積は、**180㎡×$\frac{20}{10}$＝360㎡**となる。

　よって、**容積率**は次のようになる。

$$\text{容積率}=\frac{\text{延べ床面積}}{\text{敷地面積}}=\frac{360㎡+360㎡}{300㎡}=240\%$$

面積割合で按分しても同じだ（加重平均）。
$\frac{30}{10}\times\frac{120}{300}+\frac{20}{10}\times\frac{180}{300}$

緩和の細かい内容までは覚えなくてよい。

## 発展　特定道路から70m以内の場合

- 前面道路幅員が６ｍ以上かつ12m未満であり、かつ、特定道路（幅員15m以上）から70m以内にある場合には「前面道路幅員による容積率の制限」が緩和される。

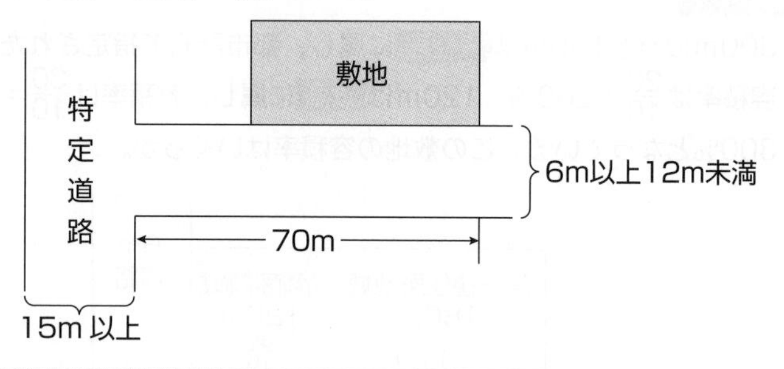


## 発展　容積率の特例（主なもの）

都市計画で指定された容積率よりも、緩和される場合もある。

- 敷地の周囲に広い空き地があり、特定行政庁が認めて許可した場合。
- 一定のものは容積率計算の基礎となる床面積に算入しない。
  ①　**地階で、その天井が地盤面から高さ１ｍ以下にあるものの住宅、老人ホーム、福祉ホーム等の用途に供する床面積**（住宅に利用されている部分の床面積の合計の$\frac{1}{3}$が限度）

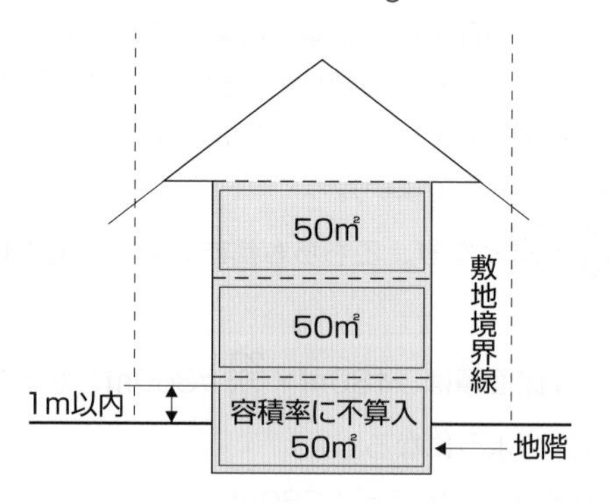

② 共同住宅（マンション）や老人ホーム、福祉ホーム等の共用廊下、共用階段、エレベーターの昇降路、機械室等

R2⑩-18-3

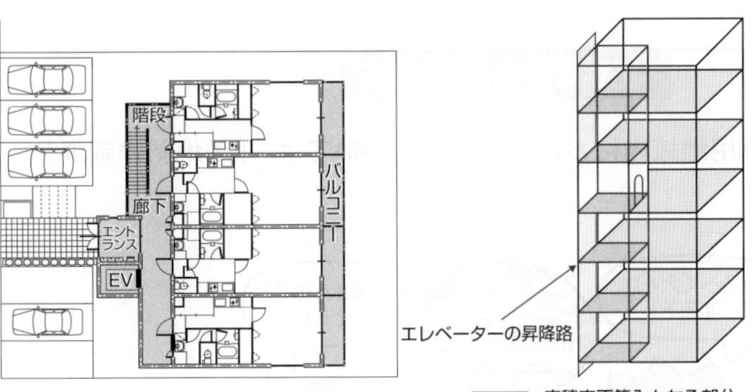


色アミの部分は、容積率算入の基礎となる床面積に算入しない。バルコニーはそもそも床面積にも入らない。

③ 宅配ボックスの設置部分

建築物の延べ床面積の$\frac{1}{100}$まで。

# ケース7 高さも制限される

**正誤を判定 ○ or ×**

第一種低層住居専用地域内における建築物については、「隣地斜線制限」が適用される。

なるべく大きな家にするぞ!
お隣さんのことも考えてね

**解答** **隣地斜線制限は第一種低層住居専用地域には適用がない。**もっと厳しい絶対的高さ制限（10mもしくは12m）があるから不要なのだ。 ×

太陽光、風力など、再生可能エネルギー源の利用のために屋根等に工事を行う場合には、制限が緩和される。

## 1 絶対的高さ制限

一低専 二低専 田園 においては、建物の高さは10mまたは12mが限度となる（どちらになるかは**都市計画**で決める）。ただし**特定行政庁が許可した場合**には、この限度を超えることができる。

### 発展 外壁の後退距離

一低専 二低専 田園 では、必要に応じて「**外壁の後退距離**」も制限される。外壁と敷地境界線との間を**1.5m**（または**1m**）以上離さなければならないのだ。

## 2 斜線制限

境界線上の一定の高さから斜線を引きその範囲内にしか建築を認めない。それが**斜線制限**だ。道路や隣地の日照を確保し、圧迫感を与えないためのルールだ。

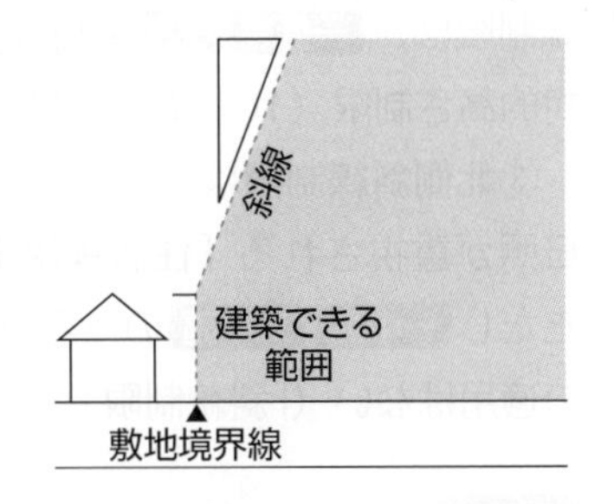
斜線
建築できる範囲
敷地境界線

斜線制限は３種類ある。どの斜線制限がどの地域で適用されるかを覚えておけばいい。「斜線制限」表の○が「適用あり」だ。

**◇斜線制限**

| | 一低専 二低専 田園 | 一中高 二中高 | その他の用途地域 | 用途地域指定がない区域 | 覚え方 |
|---|---|---|---|---|---|
| ①道路斜線制限 | ○ | ○ | ○ | ○ | どこでも適用される |
| ②隣地斜線制限 | × | ○ | ○ | ○ | 低層系には適用されない |
| ③北側斜線制限 | ○ | △ | × | × | 住居専用地域と田園で適用される |

①道路に日陰を作らないように建物の高さを制限するのが道路斜線制限だ。**道路斜線制限は、どの地域にもある。**

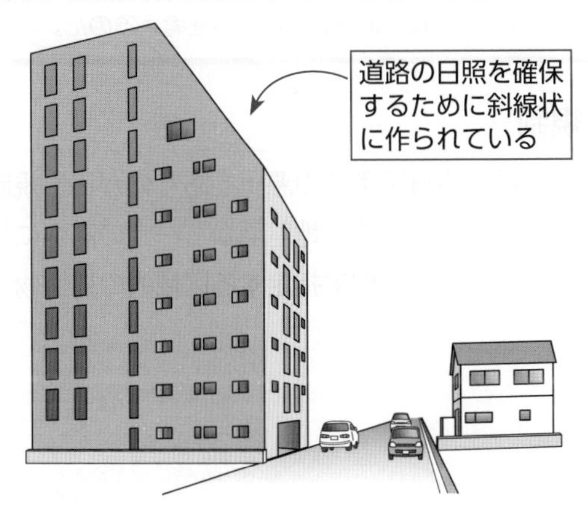
道路の日照を確保するために斜線状に作られている

②隣地に日陰を作らないようにするのが**隣地斜線制限**。隣地斜線制限は、一低専 二低専 田園には適用がない。より厳しい絶対的高さ制限（10mもしくは12m）があるから不要なのだ。

③**北側斜線制限**は、北側隣地の日照を確保するための制限だ。日照が重視される**「住居専用地域」と田園おいて適用**がある。ただし一中高 二中高のうち日影規制対象区域には北側斜線制限の適用はない（「斜線制限」表の△部分）。

### 発展 制限の異なる地域の高さ制限

建築物が2つ以上の地域にわたって存在する場合、斜線制限は、その地域に属する建築物の各部分ごとに、制限適用の有無を考える。下図の建物で、近商では、北側斜線制限は適用されないが、二中高では、適用がある。

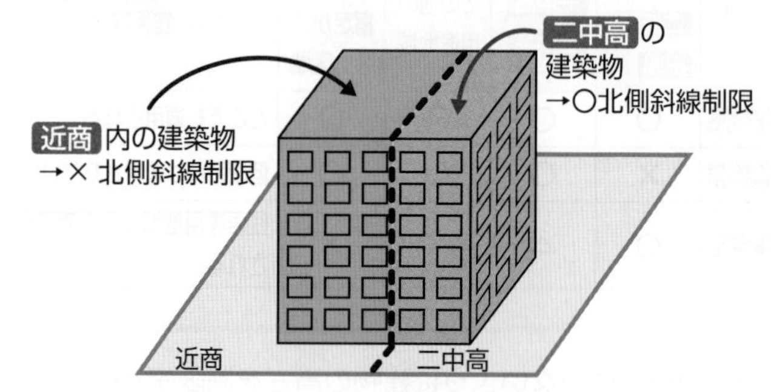


斜線制限の目的は道路や隣地の日照や通風を確保することにあるのだから、建築物の部分ごとに、制限適用の有無を考えるのだ。

## 3 日影規制

都市の過密化による日照条件の悪化を防ぐのが日影規制だ。中高層建築物の高さを制限して、地盤面から一定の高さに日影を生じさせないようにする。**条例で指定する区域**内の建築物について適用される。

## ◇日影規制の対象となる建物

| | 対象となる建物 |
|---|---|
| 一低専 二低専 田園 | ①軒の高さ７ｍ超、または、（地階を除く）３階以上の建物<br>地上3階以上<br>軒高7m を超える |
| 商業 工業 工専 | 適用なし |
| その他の用途地域 | ②高さ10m超の建物<br>高さ10m を超える |
| 無指定（用途地域の指定のない区域） | 条例で指定する建物（上記①、②のうちから地方公共団体が条例で指定する。） |

日影規制の対象となるのは、中高層建築物だ。

なお、商業地域、工業地域、工業専用地域では日影規制の適用はない。日照確保の必要性が低いからだ。次のようにして覚えよう。

| 商業 | 高 | 校 | に日影なし |
|---|---|---|---|
| 商業地域 | 工業地域 | 工業専用地域 | |

【例】第一種中高層住居専用地域

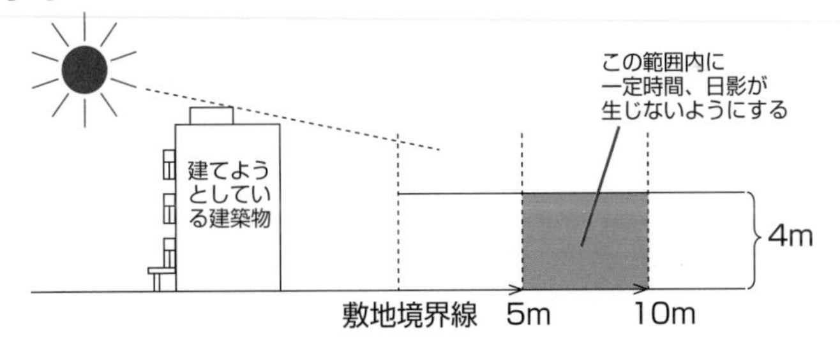


【参考】低層住居専用地域では１階の窓に日が入るように1.5mを基準にし、それ以外の地域では、２階の窓に日が入るように４mを基準にしている（1.5m、４mという数字は覚えなくてもよい）。

## ◇日影規制の適用除外と緩和

- 特定行政庁が周囲の環境を害するおそれがないと認めて許可したときは、日影規制は適用しない（建築審査会の同意が必要）。
- 敷地が道路、水面、線路敷等に接するなど一定の場合には日影規制は緩和される。

## 発 展　対象区域外でも…

日影規制の対象区域外にある建物でも、高さが10mを超え、冬至日において、対象区域内の土地に日影を生じさせるものは、日影規制が適用される。

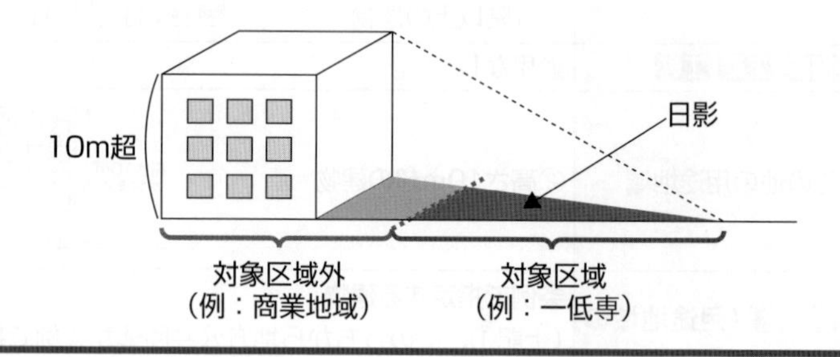

# 第3章 建築基準法

## ケース8 防火対策も万全に

**正誤を判定 ○ or ×**

防火地域又は準防火地域内にある建築物で、外壁が防火構造であるものについては、その外壁を隣地境界線に接して設けることができる。

耐火費用高いなぁ。
ちゃんとしないとだめだよぉ。

**解答** 「外壁を隣地境界線に接して設けること」を認めてもらうには、**耐火構造**でなければならない。防火構造ではダメだ。 **×**

### 1 防火地域・準防火地域とは

駅前や商店街、主要幹線道路沿いなど人や交通量が多い地域には、防火地域や準防火地域が指定される。

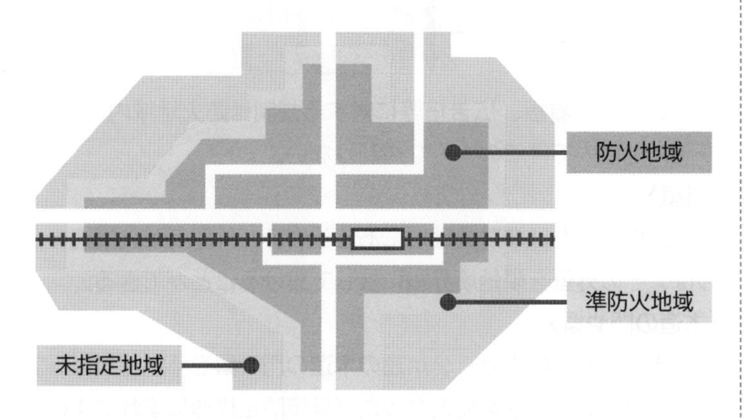

これらの地域では、火災に強い建築物（耐火建築物や準耐火建築物）でなければ建築が認められない。

耐火建築物とは火災にすごく強い建物だ。特定主要構造部が耐火構造等技術的基準に適合することが必要。特定主要構造部以外は耐火構造等でなくともよい。

## 2 防火地域・準防火地域内の建築物

防火地域・準防火地域内に建てる建築物は、火災に強いものでなければならない。

**① 外壁の開口部で延焼のおそれのある部分には、防火戸その他の防火設備を設ける。**
**② 壁、柱、床その他の建築物の部分及び防火設備は、防火地域及び準防火地域の別並びに建築物の規模に応じた技術的基準を満たすものとする。**

延焼のおそれのある部分とは、隣地境界線等から一定の範囲内にあるものをいう（数字を覚える必要はない。イメージがつかめればＯＫ）。

**〈防火地域内の看板、広告塔等に対する規制〉**

以下のものは不燃材料で造るか覆わなければならない。

① 屋上に設置するもの（高さにかかわらず）
② 高さ３ｍ超のもの

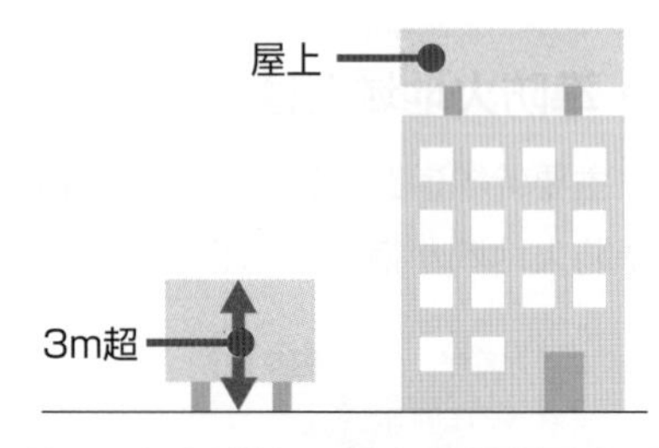


なお、この看板、広告塔等に対する規制は防火地域内のみだ。準防火地域内ではこのような規制はない。

**防火構造**ではダメだ。
R3⑩-17-3、
H28-18-1

**〈外壁〉**

防火地域または準防火地域にある建物で、外壁が**耐火構造**のものは、その**外壁を隣地境界線に接して設けることができる**。

**〈木造の門や塀〉**

近年の法改正により、**２ｍ超の木造の門や塀**を不燃材料以外でも、建築することが可能となった（延焼防止構造にすればよい）。

近年の法改正前は、２ｍ超の門や塀は「不燃材料で造るか覆う」必要があった。改正前のルールをヒッカケ問題として出題される可能性があるので要注意だ。

〈建築物が防火地域の内外にわたる場合〉

建築物が防火地域と準防火地域にまたがる場合には、**厳しい方**（防火地域）の規制が適用される。ただし、防火壁で区画すれば、その地域の制限になる。たとえば下図で（ロ）の部分は準防火地域の規制をうける。

R5-17-3

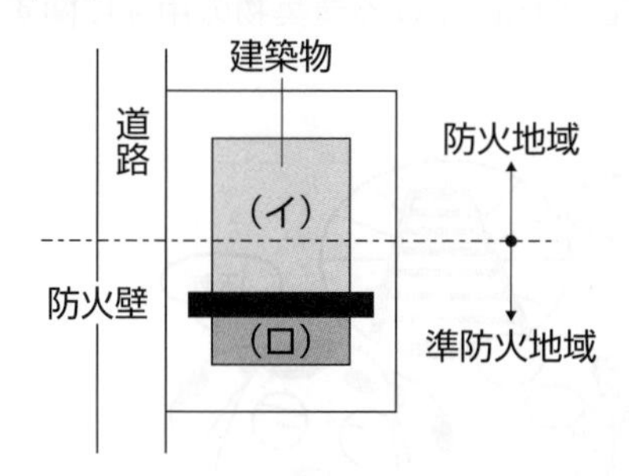


## 3 防火壁等

防火地域・準防火地域以外の区域であっても一定の規制を受けることがある。

以下の規定は単体規定なので都市計画区域の内外を問わず指定される。

- 延べ面積が1,000㎡超の建築物は、防火壁または防火床によって床面積が**1,000㎡以内**となるよう**区画分け**しなければならない。ただし、**耐火建築物、準耐火建築物はこの規定の適用はない。**

R2⑩-17-3、H28-18-4

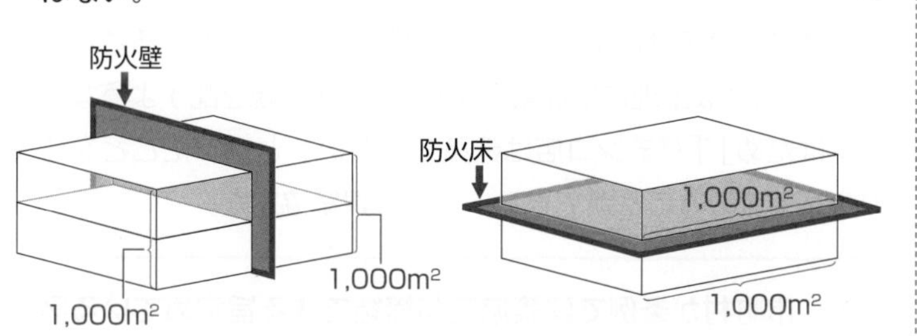


- 建築物の特定部分（防火壁・防火床によって有効に区画されている部分）が、一定の要件を満たす場合、特定部分と他の部分は別の建築物とみなされる。また、その特定部分は（準）耐火建築物とみなされる。

# ケース9 住民同士でルールを作れる

**正誤を判定 ○ or ×**

建築協定においては、建築協定区域内における建築物の用途に関する基準を定めることができない。

**解答** 建築物の敷地、位置、構造、用途、形態、意匠、設備に関する基準を定めることができる。 ×

## 1 建築協定とは

地域の環境を維持するため、住民同士でルールを作ることができる。「狭小な土地には建築を認めない」「景観を乱すようなデザインはだめ」「パチンコ店は建築できない」といったことを住民の合意で決めることができる。これが**建築協定**だ。

① 市町村が条例で建築協定が締結できる旨定めている区域に限る。
② 建築物の敷地、位置、構造、用途、形態、意匠、設備に関する基準を定めることができる。
③ 協定の締結には所有権者全員の合意が必要。借地権が設定されている土地は借地権者の合意があれば所有権者の合意は不要。

② これらの基準が、建物の借主の権限に関するものである場合には、建物の借主が土地の所有者等とみなされる。
③ 実際に土地を使うのは借地権者だからだ。
協定の締結等に関するルールも確認しておこう。

**① 協定の締結・変更は全員の合意、廃止は過半数の合意が必要。**
**② 所有者が1人の区域でも建築協定を定めることができる（一人協定）。**
**③ 協定は特定行政庁の認可を受ける必要がある。認可の公告のあった日以降、建築協定区域内の土地所有者、借地権者となったものにも効力が及ぶ。**

② 特定行政庁の認可も必要。

③ 一人協定は、認可の日から3年以内に、土地所有者等が2人以上になった時から効力が発生する（所有者が1人のうちは、効力が発生しない）。

# まとめ

## ◇単体規定

- 原則として、高さ20mを超える建物には避雷設備を設ける。
- 原則として、高さ31mを超える建物には非常用昇降機を設ける。
- アスベストは使用禁止。ホルムアルデヒド、クロルピリホスも技術的基準あり。
- 原則としてすべての居室に窓が必要。住宅の場合、採光のため床面積の$\frac{1}{7}$以上の窓を設ける（地階の居室は例外）。照明設備の設置により、「$\frac{1}{10}$以上」まで緩和可。

## ◇建築確認が必要な行為

| 建築物の種類 | 確認が必要な場所 | 行為 | | | |
|---|---|---|---|---|---|
| | | 新築 | 増改築・移転 | 大規模修繕・模様替え | 用途変更 |
| 200㎡超の特殊建築物 | 全国どこでも | ○ | △＊1 | ○ | ○ |
| 大規模建築物 | 全国どこでも | ○ | △＊1 | ○ | × |
| 一般建築物 | 都市計画区域等＊2の区域内 | ○ | △＊1 | × | × |

＊1　「△」＝10㎡以下であれば確認不要。ただし防火地域内または準防火地域内であれば10㎡以下でも確認がいる。

＊2　都市計画区域等とは、都市計画区域、準都市計画区域、都道府県が指定する区域、準景観地区のことだ。

## ◇一低専 二低専 田園での規制

| 絶対的高さ制限 | 「原則として」10mまたは12mまで | 必ず定める |
|---|---|---|
| 外壁の後退距離 | 外壁と敷地境界線の間は、最低でも1mまたは1.5m | 必要に応じて定める |
| 斜線制限 | 隣地斜線制限はない | |

### ◘建蔽率と容積率

- 商業地域の建蔽率は$\frac{8}{10}$
- 角地、(準)防火地域内の延焼防止性能の高い建築物は＋$\frac{1}{10}$
- 防火地域、準防火地域内は、延焼防止機能の高い建築物(耐火建築物等、準耐火建築物等)であれば、＋$\frac{1}{10}$。

<table>
<tr><th></th><th>耐火建築物等</th><th>準耐火建築物等</th></tr>
<tr><td>防火地域</td><td rowspan="2">＋$\frac{1}{10}$緩和</td><td></td></tr>
<tr><td>準防火地域</td><td>＋$\frac{1}{10}$緩和</td></tr>
</table>

＊　防火地域で建蔽率$\frac{8}{10}$であれば、耐火建築物等の建築により制限なしになる。

- 特定行政庁が指定した角地であれば＋$\frac{1}{10}$
- 用途地域の指定のない区域の建蔽率、容積率は、特定行政庁が都市計画審議会の議を経て定める。
- 容積率は、①都市計画で指定された容積率、②前面道路幅員による容積率のうちの小さい方

### ◘高さ制限

- 一低専 二低専 田園 の高さは10mか12mまで(そのかわり隣地斜線制限がない)。
- 道路斜線制限はすべての区域にある。
- 商業、工業、工専では日影規制の適用はない。

### ◘防火規制

- 防火地域内の看板や広告塔で、①屋上に設置するもの、②高さ3m超のものは、不燃材料で造るか覆う。
- 防火地域、準防火地域にある建物で、外壁が耐火構造のものは、その外壁を隣地境界に接して設けることができる。

## 確認テスト

問題　次の記述の正誤を判定してください。

1．鉄筋コンクリート造平屋建て、延べ面積が300㎡の建築物の建築をしようとする場合は、建築主事または指定確認検査機関の確認を受ける必要がある。

2．建築基準法第42条第２項の規定により道路の境界線とみなされる線と道との間の部分の敷地が私有地である場合は、敷地面積に算入される。

3．店舗の用途に供する建築物で当該用途に供する部分の床面積の合計が20,000㎡であるものは、準工業地域においては建築することができるが、工業地域においては建築することができない。

4．建築基準法第42条第２項の規定により道路とみなされた道は、実際は幅員が４ｍ未満で、あるが、建築物が当該道路に接道している場合には、建築基準法第52条第２項の規定による前面道路の幅員による容積率の制限を受ける。

5．建築基準法第56条の２第１項の規定による日影規制の対象区域は地方公共団体が条例で指定することとされているが、商業地域、工業地域及び工業専用地域においては、日影規制の対象区域として指定することができない。

6．建築物が防火地域及び準防火地域にわたる場合においては、その全部について準防火地域内の建築物に関する規定が適用される。

解答解説

1．○　木造以外であれば、建築面積が200㎡を超えれば（平屋建てでも）大規模建築物になる。したがって、建築にあたっては建築確認が必要となる。

2．×　「道路の境界線とみなされる線と道との間の部分」とはセットバックのことだ。この部分は道路として扱われるので、私有地であっても、敷地面積には算入できない。

3．○　10,000㎡を超える店舗、飲食店等（特定大規模建築物）が建築できるのは、近商 商業 準工だ。

4．○　「２項道路」であっても、前面道路幅員による容積率の制限を受ける。この場合、道路幅員は４ｍとなる（現況は幅員４ｍ未満だが、４ｍまで道路とみなすのだ）。住居系であれば４ｍ×0.4＝160％と都市計画で指定された容積率とを比較して小さい方が適用される。

5．○　商業 工業 工専では、日影規制の適用はない。

6．×　建築物が防火地域と準防火地域にまたがる場合には、厳しい方（＝防火地域）の規制が適用される。

# 第4章 国土利用計画法

## ケース1 ねらいは「地価上昇の抑制と土地の合理的利用」

**正誤を判定 ○ or ×**

（国土法の）事後届出においては、土地の所有権移転後における土地利用目的について届け出ることとされているが、土地の売買価額については届け出る必要はない。

届出によって地価高騰を
抑制するんだね。
クロネコ
イヌマル


**解答** **事後届出でも土地の売買価額**（権利移転の対価）**についての届出の義務**がある。ただし、対価について勧告されることはない。 ×

### 1 国土利用計画法（国土法）とは

**国土法**は、地価高騰の抑制と国土の合理的利用を目的とする法律だ。一定の土地取引について届出をさせることにより不合理な土地取引でないかをチェックする。

まず、地価の高騰が懸念される地域は**監視区域**や**注視区域**に指定して、契約前に知事に届け出ることを義務付けた（**事前届出**）。地価高騰を招くような高額な取引や、不合理な利用であれば知事は変更を**勧告**することができる。

一方、監視区域や注視区域に指定されていない区域（**無指定区域**）についても合理的利用かどうかを審査するため知事に届出を義務付けている。これは、取引後の届出でよい（事後届出）。

> 事前届出は知らなくても大丈夫。事後届出を中心に勉強しよう。

> **勧告**は「価格が高すぎるので見直したらどうですか」と勧めるだけのものだ。指示や命令と違い**拘束力はない**。第1章ケース5の地区計画でも出てきた。

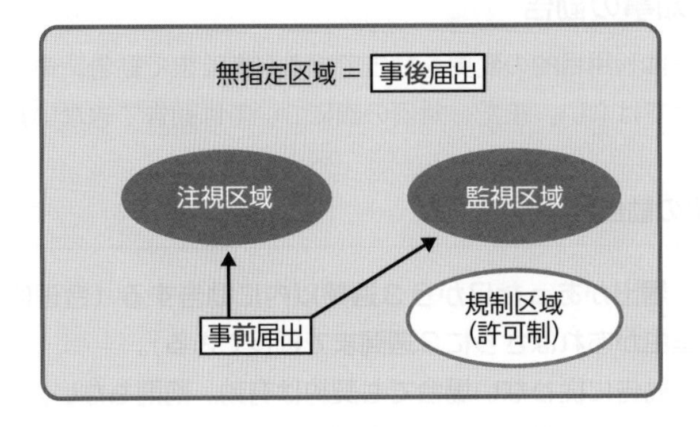


**規制区域**内では許可を受けなければ土地売買できない。ただし一度も指定されたことがなく、試験対策上は無視してよい。

## 2 事後届出

無指定区域では、契約締結後に届け出る。

**〈事後届出〉**

> ① **権利取得者は、契約日から２週間以内に市町村長経由で、知事に届け出る。**
> ② **届出内容は、当事者の氏名、対価の額、利用目的など。**
> ③ **知事は利用目的の変更を勧告できる。**

①。届け出るのは「権利取得者」。つまり買主などだ。届出をしないと罰則を課される（６か月以下の懲役または100万円以下の罰金）。

R6-22-3

②。無指定区域は、地価上昇の可能性が低い。だから知事が審査するのは、「利用目的」だけだ。しかし、「対価の額」も届け出る（高い価格での取引が続くようならば注視区域等に指定する）。

R4-22-2

## 3 知事の勧告

知事は利用目的の変更を勧告できる（あくまで勧告。命令できるわけではない。また、対価の額については勧告できない）。

R4-22-4

**〈知事の勧告〉**

**① 届出があった日から３週間以内に勧告する（合理的な理由があればさらに３週間まで延長できる）。**
**② 勧告に従わない場合でも契約は有効。罰則もない。**
**③ ただし、知事は氏名や勧告内容とともに勧告に従わなかったことを公表することができる。**

助言があるのは、事後届出＝無指定区域だけだ。

①。最長でも６週間以内には勧告か不勧告かが決まるということだ。また、知事等は、届出した者に対し、土地の利用目的について必要な**助言**をすることもできる。助言は勧告と異なり、従わなくても公表されることはない。

# 第4章　国土利用計画法

## ケース2　小さい面積なら届け出なくてもよい

**正誤を判定 ○ or ×**

宅建業者であるAとBが、市街化調整区域内の6,000㎡の土地について、Bを権利取得者とする売買契約を締結した場合には、Bは事後届出を行う必要はない。

ここなら届出は事後でOK。
無指定区域

**解答**　市街化調整区域内であれば、5,000㎡以上の土地を取引した場合には、権利取得者（買主）が事後届出をしなければならない。　×

### 1 届出対象面積

土地取引について届出が必要といっても、小さい土地の取引まで届け出る必要はない。届出が必要なのは、次の場合だ。

| 市街化区域 | 2,000㎡以上 |
|---|---|
| 市街化調整区域、非線引き区域 | 5,000㎡以上 |
| 都市計画区域外 | 10,000㎡以上 |

R6-22-1、2

国土法　市街化区域　2,000㎡　調整区域、非線引き区域　5,000㎡

**国道は、市街　に　整　備　5000キロ。**

① 面積は買主基準で考える

事後届出は権利取得者に届出義務がある。したがって面積については権利取得者を基準に考える。たとえば、次の事例で考えよう。

**事例**

市街化区域にあり、ツネキチ商事が有する3,000㎡の土地をイヌマル不動産（1,000㎡）とクロネコ不動産（2,000㎡）に分割して売却した場合、届出義務のあるものは誰か。

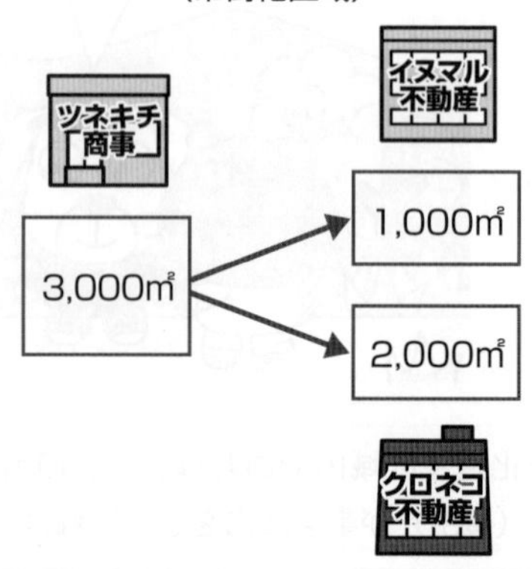


**解答**　2,000㎡を取得したクロネコ不動産には届出義務があるが、イヌマル不動産には届出義務がない。

## 発展 共有持分の売却

土地の共有持分を売却する場合には、持分相当の面積で判断する。
例：3,000㎡の土地をA、B、Cの3人で共有（持分は均等）。Aが持分を売るのであれば1,000㎡の売却と考える。

### ②　合計面積で考える

個々の取引は届出対象面積未満であっても、一体性があると判断される場合には全体の面積で判断する。

**一体性**は利用目的や物理的状況から判断される。ビルを建てる計画がある、隣り合った土地である、といった場合は一体性があると判断される。R1-22-3

たとえば、次の事例で考えよう。

**事例**

ツネキチ商事がビルを建築する目的で、イヌマル不動産から1,200㎡、クロネコ不動産から1,800㎡の土地をそれぞれ取得した場合（両土地は市街化区域にある）、ツネキチ商事に届出義務はあるか。

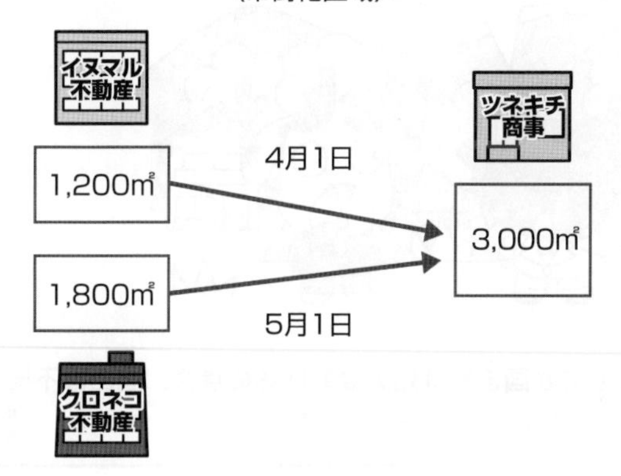


**解答**　個々の取引面積で考えると届出義務はないが、ビルを建築する目的という一体性のある取引なので、合計で3,000㎡の取引をしたことになり、ツネキチ商事には届出義務が生じる。

# 第4章 国土利用計画法

## ケース3 届出が必要な取引とは

**正誤を判定 ○ or ×**

甲県が所有する都市計画区域外に所在する面積12,000㎡の土地について、10,000㎡をイヌマル不動産に、2,000㎡をクロネコ不動産に売却する契約を、甲県がそれぞれと締結した場合、イヌマル不動産、クロネコ不動産のいずれも事後届出を行う必要はない。

贈与で手にいれるなら
届出は不要なんだよ。

**解答** **当事者の一方または双方が国または地方公共団体の場合、届出は不要だ。**
設問も甲県＝地方公共団体との取引なので届出は不要。 ○

### 1 届出が必要な土地取引とは

土地の取得は売買によるものだけではない。交換や贈与によることもある。交換は売買に類似した行為だから届出が必要だ。しかし、贈与は届出不要だ。土地の値上がりにつながるおそれがないからだ。

◘届出の「要・不要」の具体例

| 必　要 | 不　要 |
|---|---|
| ●売買（予約、条件付き売買も含む）<br>●交換（金銭の授受がなくても必要）<br>●地上権・賃借権の設定（権利金等の授受があるもの）<br>●共有持分の売却 | ●抵当権設定<br>●相続、贈与、時効取得<br>●法人の合併<br>●権利金等の授受がない地上権・賃借権の設定<br>●信託の引受け及び終了<br>●予約完結権を行使した時<br>●条件付き売買で条件が成就した時 |

R2⑩-22-1で予約契約の出題あり。

「銀行の融資がおりたら土地を買う」などが条件付売買の例だ。

土地を借りる場合でも権利金を支払うならば、届け出が必要な取引になる。

抵当権を設定しても国土法の届出は不要だ。また**相続、贈与、時効取得**も**届出不要**。いずれも地価の値上がりを招くことはないからだ。

R5-22-2、R2⑩-22-3

## 2 届出が不要な場合もある

土地の売買や交換を行ったとしても、国土法の届出が不要となる場合がある。次の４つを押さえておこう。

**①　当事者の一方または双方が国または地方公共団体の場合**
**②　民事調停法による調停の場合**
**③　農地法3条の許可を要する場合**
**④　滞納処分、強制執行、担保権の実行としての競売等による場合**

R5-22-1、R4-22-1、H30-15-2、H25-22-2

③「農地法3条」とは、農地のまま売買する場合のこと（第５章ケース**2**参照）。農地のまま売買するのであれば地価の値上がりの可能性が少ないので、国土法の届出は不要だ。

## 発展 事前届出とは

事前届出についても一通り解説しておく。

### ◇注視区域と監視区域

①注視区域

都道府県知事は、地価が相当な程度を超えて上昇するおそれがあると認められる区域について、**注視区域**に指定することができる。届出対象面積は**事後届出**と同様だ。

| 市街化区域 | 2,000㎡以上 |
|---|---|
| 市街化調整区域、非線引き区域 | 5,000㎡以上 |
| 都市計画区域外 | 10,000㎡以上 |

②監視区域

都道府県知事は、地価が急激に上昇するおそれがあると認められる区域について、**監視区域**に指定することができる。届出対象面積は**都道府県の規則**で定める（注視区域より小さい面積になる）。

### ◇事前届出

注視区域内や監視区域内で土地取引をするには、契約の**両当事者**（売買であれば売主と買主の両方）が**契約前**に知事への届出をする必要がある（**事前届出**）。届出がない場合でも契約は有効だが、６カ月以下の懲役または100万円以下の罰金を受けることがある。事後届出と同様だ。

R6-22-4で監視区域について出題されているが、消去法で解ける。

### ◇届出の内容と義務者

監視区域や注視区域は、地価上昇のおそれのある地域だ。だから、土地の利用目的とともに予定対価を審査する。事前届出なので取引の両当事者（売主、買主など）に届出義務がある。

一方、指定されていない区域（無指定区域）は、地価上昇の可能性は低い。だから土地の利用目的のみを審査する。届出義務があるのは、**権利取得者**（買主など）だ。

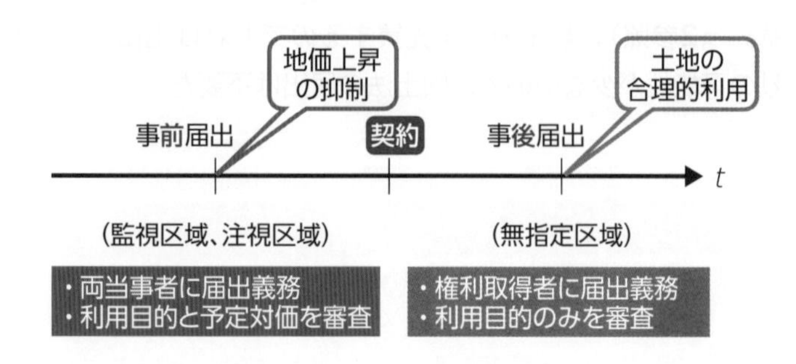

## ◇契約締結の時期

事前届出の場合、届出をしてから６週間は契約することができない。６週間を経過しても何も通知がなければ契約できる。また、６週間を経過する前に勧告・不勧告の通知があった場合も、契約できる。

６週間以内に契約した場合は、50万円以下の罰金に処せられる。ただし契約は有効だ。

## ◇知事の勧告

取引に問題があれば、知事は契約締結の中止、予定対価の引き下げ、利用目的の変更などを勧告できる。勧告に従わず契約した場合でも罰則はない。契約も有効だ。この場合、知事はその旨および勧告内容を公表することができる（事後届出と同様）。

また、勧告に従った場合、必要があれば知事が土地の処分のあっせん等をするのも、事後届出と同様だ。

事前届出の場合は、予定対価も勧告対象となる。

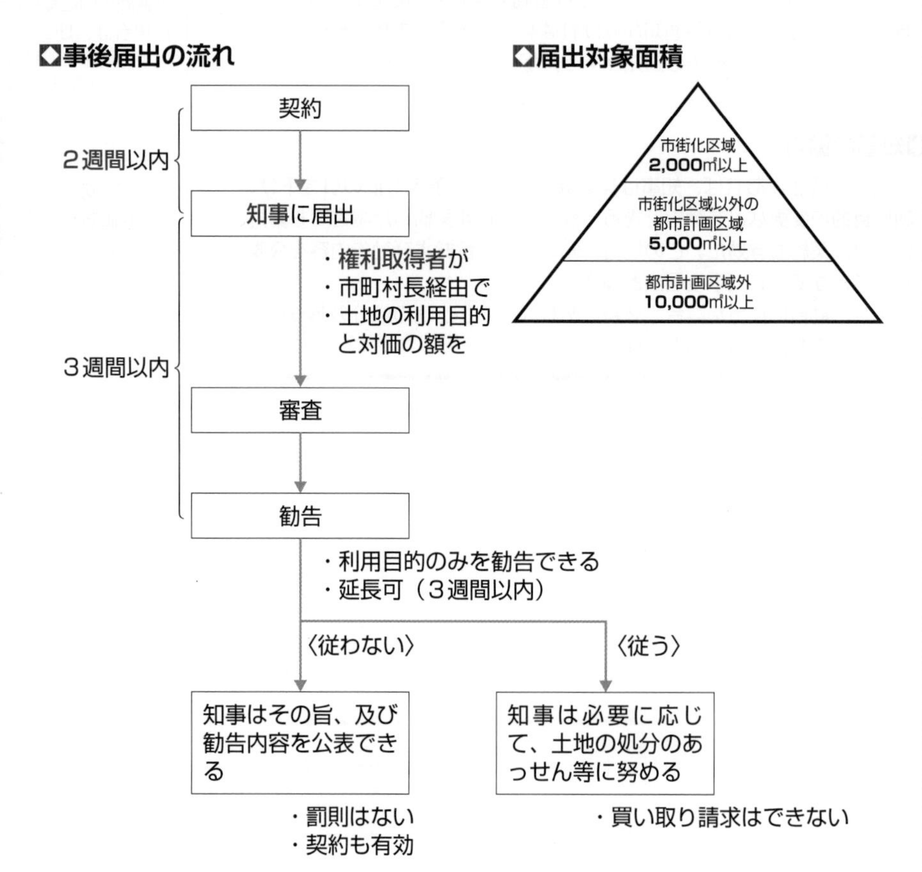


## ◇国土法の届出が不要のもの

① 当事者の一方または双方が国または地方公共団体の場合
② 民事調停法による調停の場合
③ 農地法3条の許可を要する場合
④ 滞納処分、強制執行、担保権の実行としての競売等による場合

MEMO

## 確認テスト

問題　次の記述の正誤を判定してください。

1．宅建業者Aが所有する市街化区域内の1,500㎡の土地について、宅建業者Bが購入する契約を締結した場合、Bは、その契約を締結した日から起算して2週間以内に事後届出を行わなければならない。

2．甲県が所有する都市計画区域内の土地（面積6,000㎡）を買い受けた者は、売買契約を締結した日から起算して2週間以内に、事後届出を行わなければならない。

3．事後届出に係る土地の利用目的について、甲県知事から勧告を受けた宅建業者が勧告に従わなかった場合、甲県知事は、その旨およびその勧告の内容を公表しなければならない。

4．Aが所有する市街化区域に所在する面積5,000㎡の一団の土地を分割して、1,500㎡をBに、3,500㎡をCに売却する契約をAがそれぞれB及びCと締結した場合、Bは事後届出を行う必要はないが、Cは事後届出を行う必要がある。

5．土地に関する賃借権の移転または設定をする契約を締結したときは、対価として権利金その他の一時金の授受がある場合以外は、事後届出をする必要はない。

6．土地売買等の契約による権利取得者が事後届出を行う場合において、当該土地に関する権利の移転の対価が金銭以外のものであるときは、当該権利取得者は、当該対価を、時価を基準として金銭に見積った額に換算して、届出書に記載しなければならない。

**解答解説**

1. ×　市街化区域内においては、2,000㎡以上の土地を取引した場合に届出が必要となる。
2. ×　契約当事者の一方または双方が国または地方公共団体の場合には、国土法の届出は不要だ。
3. ×　勧告に従わなかった場合、知事は氏名、勧告内容及び勧告に従わなかったことを公表「できる」。公表しなければならない、という義務が課せられているわけではない。
4. ○　事後届出の面積は買主基準で考える。市街化区域の場合2,000㎡以上は届出義務があるから、Bは事後届出を行う必要はないが、Cは事後届出を行う必要がある。
5. ○　無償の場合は対価性がないから届出不要だ。賃借権の移転・設定の対価としての一時金（権利金や礼金）がない以上、対価性がないと判断される（賃料を支払うのだから対価性がある、と誤解しないように）。
6. ○　事後届出の場合も「対価の額」が届出項目になっている（勧告の対象とはならない）。対価が金銭以外のものであるときは、時価を基準として金銭に見積もった額を記載する。

# 第5章　農地法

## ケース1　農地の売買には許可が必要だ

**正誤を判定 ○ or ×**

山林を開墾し現に水田として耕作している土地であっても、土地登記簿上の地目が山林である限り、農地法の適用を受ける農地にはあたらない。

**解答** 登記簿（登記記録）上の地目が山林であっても、今現在、**農地として利用**されているのであれば、**農地法の適用**を受ける。 ×

### 1 農地法の目的

農地法の目的は、①農業生産力の維持増進、②耕作者の地位の安定、の2つだ。

宅地化が進み農地が減少すると、食料自給率に影響が出る。そこで農地や採草放牧地を宅地化したり、売買したりするには許可が必要とされているのだ。

採草放牧地とは、牧草地のこと。家畜や飼料用の牧草を採る目的で使われる土地のことだ。

### 2 許可が必要な3つの行為

許可が必要な場合には、次の❶～❸の3つがある。

**◇農地法の許可が必要な行為**

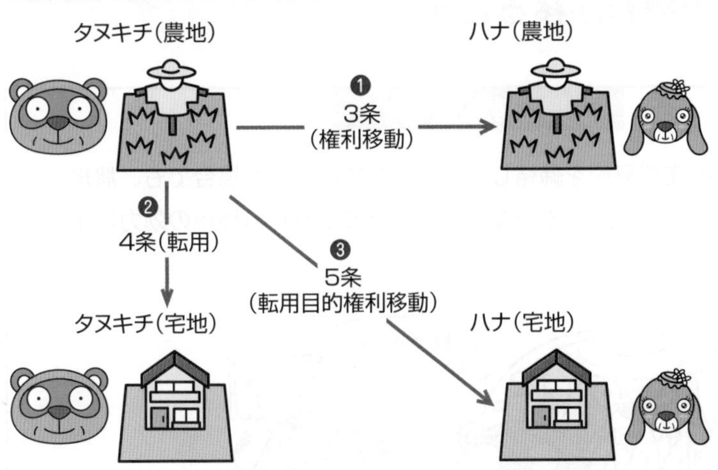


❶ まず、農地（や採草放牧地）を農地（や採草放牧地）のまま第三者に売買する場合だ。農地の所有者が変わると生産力が落ちるかもしれない。したがって、農地を農地のまま売買する場合にも許可が必要だ（農地法３条の許可）。

❷ 次に、所有者が農地を宅地に変える場合。農業生産力が落ちるので許可が必要になる（農地法４条の許可）。

❸ 最後に、所有者が変わって転用される場合。これももちろん許可が必要だ（農地法５条の許可）。

## 3 農地とは

農地とは、耕作の目的に供される土地のことだ。**休耕地も農地に含まれる**。また**登記記録上の地目は関係ない**。仮に、地目が山林でも現況が農地ならば、売買や転用の際には農地法上の許可が必要となる。

家庭菜園は農地ではない。

**地目**とは、不動産登記上の土地の用途のこと（パートⅢ第14章**ケース1**参照）。実際の土地の利用状況（現況）が登記された地目とは異なることもある。

# ケース2 農地の権利が移るとき

**正誤を判定 ○ or ×**

耕作目的で農地の売買契約を締結し、代金の支払いをした場合でも、農地法第３条第１項の許可を受けていなければ、その所有権の移転の効力は生じない。

**解答** 「**耕作目的で農地を売買する**」＝「**農地を農地のまま売買する**」場合も、**農地法３条の許可が必要**となる。許可を受けない契約は無効。代金の支払いをした場合でも、所有権の移転の効力は生じない。 ○

## 1 所有権移転には農業委員会の許可が必要

R2⑩-21-1

農地や**採草放牧地**の所有権を移転する場合には、**農業委員会の許可**が必要。許可を得ない契約は、**無効**となる。

## 2 賃借権の設定にも許可が必要

許可制にしている理由は、農業生産力が落ちないようにするためである。**所有者＝耕作者が変わるのであれば許可が必要**となる。

国土法の場合は競売による土地の取得であれば届出不要（第４章ケース3参照）。

**◆３条の許可必要か**

| 必要 | 売買、競売（抵当権の実行）、贈与、賃借権・使用貸借権の設定、質権設定、予約完結権の行使 |
|---|---|
| 不要 | 抵当権の設定、売買の予約、停止条件付売買契約 |

R6-21-1

売買だけでなく**贈与**や**競売**による所有権移転にも許可がいる。また**賃借権**や**使用借権**を設定する場合にも**許可が必要**となる。農地が貸し出され、耕作者が変わることで、生産力が落ちることも考えられるからだ。一方、農地に**抵当権をつける場合には許可不要**である（耕作者が変わらないから）。

R2⑩-21-4、H29-15-2

売買の「予約」の場合は、実際に所有権が移転したとき（予約完結権を行使したとき）までに許可が必要。予約の段階では許可不要だ（耕作者が変わらないから）。

## 3 ３条の許可が不要となる場合

以下の場合は、許可不要となる。

① **権利を取得する者が、国や都道府県である場合**
② **土地収用法による収用、民事調停法による農事調停による場合**
③ **遺産分割等により権利が移転される場合**

４条、５条と異なり市町村が含まれていない。

③遺産分割のほか、相続、包括遺贈、相続人に対する特定遺贈により権利が移転する場合、農地法３条の許可は不要であるが、**遅滞なく、農業委員会に届出**をしなければならない。誰が農地の所有者となったかを把握するためだ。

R2⑩-21-3

# ケース3 農地を転用するとき

**正誤を判定 ○ or ×**

市街化調整区域内の農地を宅地に転用する場合は、あらかじめ農業委員会へ届出をすれば、農地法第４条第１項の許可を受ける必要はない。

農地を農地以外の
ものにしたいんだね。
イヌマル
不動産


**解答** **市街化区域内であれば、あらかじめ農業委員会へ届出をすれば４条の許可は不要**となるが、設問は市街化調整区域内だ。市街化を抑制したい（第一次産業を保護したい）調整区域においてはこのような例外はない。 ×

> **採草放牧地**は、農地法４条の許可の対象外である。
> 採草放牧地を転用する際は許可も届出も不要だ。

## 1 転用は知事の許可

農地を転用する（農地以外のものにする）場合には、**都道府県知事等**の許可を受ける。許可を得ない転用に対しては**工事の中止**や**原状回復**が命ぜられる。罰則もある。

## 2 ４条の許可が不要な場合

以下の場合は、許可不要となる。

① 市街化区域内の農地で、あらかじめ農業委員会に届け出たもの
② 国や都道府県が転用する場合（知事と協議が必要なものもある）
③ 土地収用法により収用・使用した農地を転用する場合
④ 市町村が、道路や河川等の公共施設に転用する場合
⑤ ２ａ未満の農業用施設に転用する場合
⑥ 土地区画整理事業により道路・公園等の公共施設に供し、または転用する場合

「あらかじめ」というのだから転用前に届け出が必要なのだ（事前届出）。
R2⑩-21-2

①の市街化区域は農地を減らして市街化を進める地域なので、許可ではなく届出でよいとしているのである。

②の国や都道府県・指定市町村が転用する場合は、原則は許可不要となるが、内容によっては**知事との協議**が必要となる。

## 発展　国や都道府県が転用する場合の許可の要否

| | |
|---|---|
| 道路、農業用用排水施設等に転用する<br>（地域振興、農業振興に必要性が高いものへの転用） | 許可不要 |
| 学校・病院等に転用する | 国または都道府県と知事との協議が成立すれば、許可があったものとみなされる |

## ケース4 農地を転用し、所有者が変わるとき

**正誤を判定 ○ or ×**

都道府県知事は、農地法第5条の許可を要する転用について、その許可を受けずに転用を行った者に対して、原状回復を命ずることができる。

イヌマル
不動産
農地を宅地にするために売るんだね。


**解答** 5条の許可を受けずに転用を行った場合、知事は工事中止命令や原状回復その他の違反を是正するために必要な措置をとるように命ずることができる。

> 使用収益を目的とする権利の設定とは、①**所有権の移転**、②地上権設定・移転、③永小作権の設定・移転、④**賃借権の設定・移転**、⑤**使用貸借権の設定・移転**、⑥質権の設定・移転のことだ。

### 1 5条の場合も知事の許可

農地を農地以外のものに（採草放牧地を採草放牧地以外のものに）するために所有権を移転する場合や、使用収益を目的とする権利を設定する場合には、**都道府県知事等の許可**が必要だ。採草放牧地も対象となっていること以外は、4条の場合と同じだ。

許可を得ない転用に対しては**工事の中止**や**原状回復**が命じられる（4条と同じ）。

タヌキチ(農地)
❸
5条
(転用目的権利移動)
→ ハナ(宅地)

## 2 許可不要の場合

4条とほぼ同じである。

> ① **市街化区域内の農地で、あらかじめ農業委員会に届け出たもの**
> ② **国や都道府県が転用目的で権利取得する場合（知事との協議が必要なものもある）**
> ③ **土地収用法により収用・使用した農地を転用する場合**
> ④ **市町村が、道路や河川等の公共施設に転用する目的で権利取得する場合**

協議が必要なのは、学校、病院等に転用する場合だ（4条と同じ）。

## 3 市街化区域内の農地の転用について

4条、5条は市街化区域内の農地であれば、農業委員会へ届け出れば許可不要となるが、**3条にはこのような例外はない**。3条は農地を農地のまま譲渡・賃貸する場合に必要な許可であり、市街化に役立つわけではないからだ。

H29-15-1参照

## 4 一時転用も許可が必要

農地を一定期間だけ資材置き場として転用し、その後農地に戻す場合でも4条や5条の許可が必要になる（最終的に農地に戻るのだからいいだろう、という甘い考えは通らない）。

R3⑩-21-3

## 5 罰則

3条、4条、5条の許可を受けなかった場合、罰則も適用される（3年以下の懲役もしくは300万円以下の罰金。4条、5条の場合、法人は**1億円以下の罰金**）。

# ケース5 農地の賃借人は保護されている

**正誤を判定 ○ or ×**

農地の賃貸借について法第３条第１項の許可を得て農地の引渡しを受けても、土地登記簿に登記をしなかった場合、その後、その農地について所有権を取得した第三者に対抗することができない。

**解答** **農地の賃借権は引渡しにより対抗力を持つ**。だから貸主（農地所有者）が代わっても安心して耕作を続けることができる。 ×

## 1 引渡しで農地賃借権の対抗力が認められる

引渡しが対抗力を持つのは賃貸借。使用貸借の場合は引渡しでは対抗できない。R4-21-1

農地（や採草放牧地）の賃借人は、引渡しを受けていれば、その後農地を取得した第三者に農地の賃借権を主張することが認められている（農地の賃借権は、引渡しにより対抗力を持つ）。地主が代わっても安心して耕作を続けることができるわけだ。

## 2 解除には知事の許可がいる

R6-21-4
農地（や採草放牧地）の**賃貸借契約**（賃借権の設定）**には3条の許可**（農業委員会の許可が必要となる）。念のため。

農地（や採草放牧地）の賃貸借契約の解除、更新拒絶には、原則として知事の許可が必要となる。耕作者が変わるからだ。

## 3 存続期間は50年まで

農地（や採草放牧地）の賃貸借契約の存続期間は50年だ。民法の賃貸借契約と同じだ。

### 発展 農地所有適格法人

株式会社の場合、一定の要件を満たした「農地所有適格法人」と認められなければ、農地を所有することができない。

しかし、農地を借りるだけであれば、「農地所有適格法人」でなくともよい。また、非営利法人（学校・医療・社会福祉法人など）は、「農地所有適格法人」でなくても、その業務に必要な範囲内で農地の所有が認められる。

近年、企業の農業参入が進んでいることから、出題されている。

R5-21-4、
R4-21-2、
H30-22-3、
H28-22-2

| | 所有 | 賃貸 |
| --- | --- | --- |
| 農地所有適格法人 | ○ | ○ |
| 非営利法人 | ○ | ○ |
| その他の法人 | × | ○ |

## 4 農地賃借権の更新

R6-21-3

農地（や採草放牧地）の賃貸借について期間の定めがある場合、期間満了の１年前から６月前までの間に、相手方に対し更新しない旨の通知をしないと、従前の賃貸借と同一の条件で更新されたものとみなされる。

## ◇農地法3条・4条・5条の整理

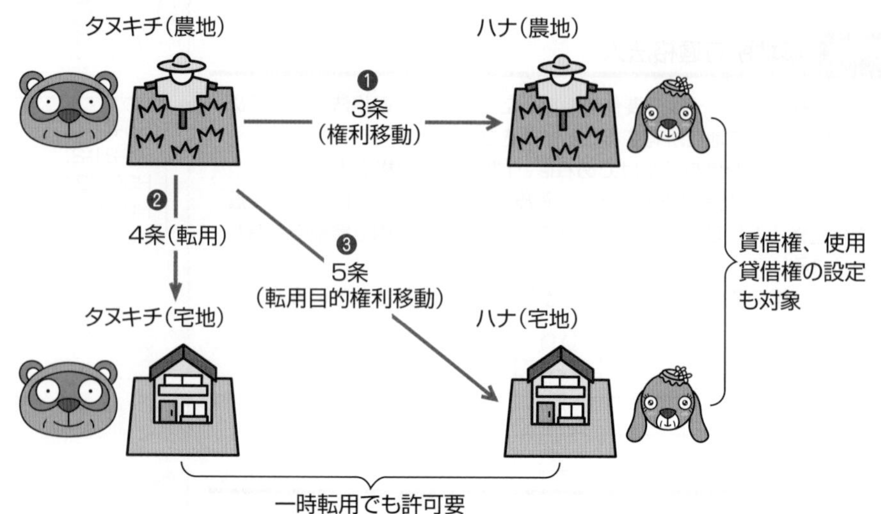


※3条、5条は農地と採草放牧地が対象。4条は農地のみが対象（採草放牧地を宅地に転用しても所有者が変わらないのであれば許可不要）。

<table>
<tr><th></th><th>3条</th><th>4条</th><th>5条</th></tr>
<tr><td>許可権者</td><td>農業委員会</td><td colspan="2">知事等</td></tr>
<tr><td rowspan="2">主な例外</td><td rowspan="2">● 国や都道府県が取得<br>● 遺産分割等</td><td colspan="2">● 市街化区域内の農地<br>● 国や都道府県が転用</td></tr>
<tr><td>● 2a未満の農業施設への転用</td><td></td></tr>
<tr><td>違反行為</td><td>無効</td><td colspan="2">工事中止、原状回復</td></tr>
<tr><td>罰則</td><td colspan="3">3年以下の懲役　または300万円以下の罰金</td></tr>
</table>

## ◇市街化区域の特例があるか

| | |
|---|---|
| 3条 | なし |
| 4条、5条 | あらかじめ農業委員会に届け出ていれば許可不要。 |

MEMO

# 確認テスト

問題　次の記述の正誤を判定してください。

1．遺産の分割により農地の所有権を取得する場合、農地法第３条の許可を得る必要はない。
2．農業者が自ら居住している住宅の改築に必要な資金を銀行から借りるため、自己所有の農地に抵当権を設定する場合、農地法第３条第１項の許可を受ける必要はない。
3．市街化区域内の農地について、耕作の目的に供するために競売により所有権を取得しようとする場合には、その買受人は法第３条第１項の許可を受ける必要はない。
4．農地の所有者がその土地に住宅を建設する場合で、その土地が市街化区域内にあるとき、必ず農地法第４条の許可を受けなければならない。
5．建設業者が、工事終了後農地に復元して返還する条件で、市街化調整区域内の農地を６カ月間資材置場として借り受けた場合、農地法第５条の許可を受ける必要はない。
6．市街化調整区域内の農地を宅地に転用する目的で所有権を取得する場合、あらかじめ農業委員会に届け出れば農地法第５条の許可を得る必要はない。
7．農地の賃貸借について法第３条第１項の許可を得て農地の引渡しを受けても、土地登記簿に登記をしなかった場合、その後、その農地について所有権を取得した第三者に対抗することができない。

解答解説

1．○　遺産分割により農地の所有権を取得する場合は許可不要。ただし、遅滞なく、農業委員会に届け出なければならない。遺産分割だけでなく、相続、包括遺贈、離婚・婚姻取消に伴う財産の分与に関する裁判・調停の場合も許可不要だ。

2．○　抵当権を設定しても、農地の所有者は引き続き農地を耕作できるので、農地法３条の許可は不要である。

3．×　競売であっても農地の権利移動だ。３条の許可が必要となる。

4．×　市街化区域内の農地であれば、あらかじめ農業委員会に届け出れば許可は不要である。

5．×　一定期間のみの転用であっても、許可が必要となる。

6．×　市街化区域内であれば、あらかじめ農業委員会へ届け出れば５条の許可は不要だが、市街化調整区域内の農地については５条の許可が必要となる。

7．×　農地の賃借権は引渡しにより対抗力を持つ。

# 第6章　土地区画整理法

## ケース1　土地区画整理事業とは

**正誤を判定 ○ or ×**

土地区画整理事業とは、宅地の利用の増進や公共施設の整備改善を図るため、都市計画区域内で行われる事業である。

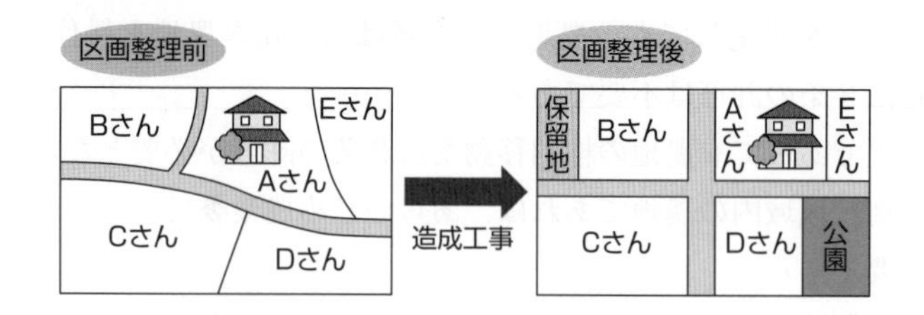


**解答** 土地区画整理事業は、道路の整備や公園、学校等の配置により良好な市街地を形成していくことを目的として、都市計画区域内で行われる事業である。

### 1 土地区画整理事業とは

H30-21-1

　土地区画整理事業とは、道路の整備や公共施設（公園、広場等）の配置により良好な市街地を形成していく事業のことだ。土地区画整理事業は、**都市計画区域内の土地**のみで行われる。

◇土地区画整理のイメージ図

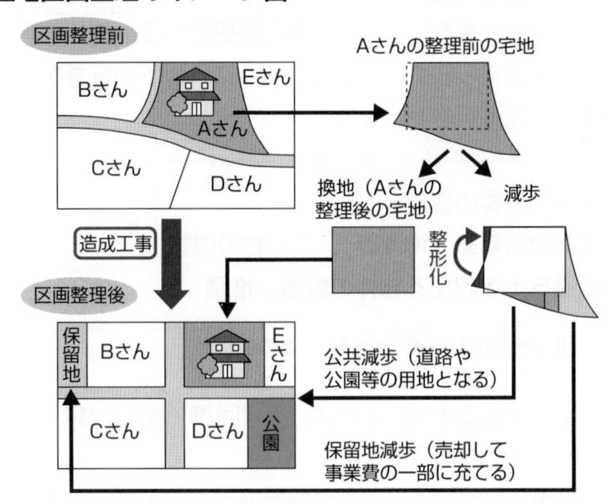


〈区画整理後は〉

- 道路は広くなり、公園もできる。
- 画地の形状も整然となる。
- 保留地は施行者のものになる。通常は売却して事業の経費に充てる。

〈土地区画整理事業の用語〉

- 減歩：所有者から土地の提供を受けること。提供された土地を道路の拡幅・新設や公園などの用地にあてる。
- 従前の宅地：土地区画整理前の土地のこと
- 換地：土地区画整理後の土地のこと
- 換地処分：従前の宅地に換えて、換地を交付すること。換地処分が行われれば、土地区画整理事業は終了だ。
- 保留地：所有者から提供する土地の一部を施行者が取得することもできる。これが保留地。保留地を売却して土地区画整理事業の費用に充てる。
- 清算金：換地による不衡平（アンバランス）を調整する。

## 2 建築行為等の制限

R4-20-1
「施行者の許可がいる」というヒッカケに注意。

**国土交通大臣が施行**する土地区画整理事業であれば、**国土交通大臣の許可**を受けなければならない。

土地区画整理事業を行う区域を**施行地区**という。施行地区では土地区画整理事業の邪魔にならないように、以下の行為を行うには、知事等の許可が必要となる。

① **土地の形質の変更** ＊
② **建築物の新築（増改築）、工作物の建設** ＊
③ **重量5ｔを超える物件の設置、堆積**

＊①、②は、事業施行の障害のおそれがある場合に限る

許可を受けずに工事をした場合、原状回復（物件の移転、除却）を命じられることもある。

また、知事等（又は大臣）が建築行為等を許可するときは、**施行者の意見**を聴かなければならない。

**◇土地区画整理事業の流れ**

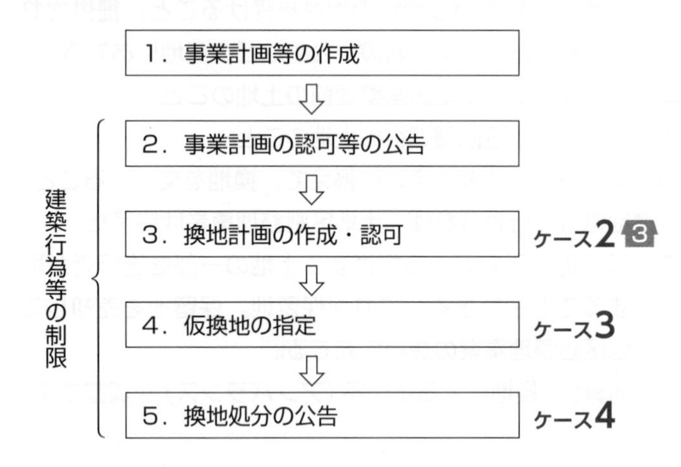


換地処分の公告日まで建築制限をうけることに注意だ。

## 第6章 土地区画整理法

## ケース2 土地区画整理事業は誰がやる？

**正誤を判定 ○ or ×**

組合施行の土地区画整理事業において、施行地区内の宅地について所有権を有する組合員から当該所有権の一部のみを承継した者は、当該組合の組合員とはならない。

組合施行の区画整理事業なんだって。


**解答** **組合施行**の場合、土地区画整理事業の施行地区内の宅地について**所有権または借地権を有する者**は、**すべて組合員**となる。組合員から宅地の一部を買った、譲り受けたという人も組合員となる。 **×**

### 1 誰が土地区画整理事業を行うのか

土地区画整理事業の施行者は、**民間施行**と**公的施行**とに大別される。

| | 施行できる場所 | 都市計画との関連 | 市街化調整区域でも施行できるか？ |
|---|---|---|---|
| **民間施行**<br>①個人施行<br>②区画整理組合<br>③区画整理会社 | 都市計画区域内ならどこでもできる | 都市計画事業として行うものもあればそうでないものもある | できる |
| **公的施行**<br>④大臣<br>⑤都道府県<br>⑥市町村<br>⑦都市再生機構<br>⑧地方住宅供給公社 | 施行区域内（市街地開発事業を行う区域）のみ | 必ず都市計画事業（市街地開発事業）として行う。 | できない<br>市街化と<br>非線引のみ |

公的施行の場合には、それぞれの事業ごとに土地区画整理審議会が設置される。市街化と非線引のみで行われることにも注意だ。

民間施行を行う場合には、事業計画を定め（市町村長を経由して）**知事の認可**を受けなければならない。

土地区画整理組合がよく出題される。以下の点を確認しておこう。

〈土地区画整理組合〉

問題文に「組合設立には所有者全員の同意が必要」とあれば誤りだ。

R3⑫-20-1、H29-21-4

- 宅地の所有者・借地権者が７人以上で組合を設立する。
- 組合設立には施行地区内の所有者・借地権者の３分の２以上の同意が必要
- 組合の設立、解散には知事の認可が必要。
- 組合の設立が認可されると、同意しなかった者も自動的に組合員となる。施行地区内の宅地の所有権者と借地権者はすべて組合員となるということだ。

## 2 権利の申告

土地区画整理事業を実施するにあたっては、施行地区内の宅地の権利関係をきちんと把握する必要がある。そこで、**「所有権以外の権利で未登記のものを有する者」は、書面をもって施行者に申告**しなければならない、とされている。

- 個人施行の場合は、この申告制度は適用されない。小規模の事業なので権利関係の把握が容易だからだ。
- 申告がない場合、施行者はその権利はないものとみなして、土地区画整理事業を進めることができる。

## 3 換地計画

土地区画整理事業ではまず、道路の拡幅、公共施設の設置、どの宅地を最終的にどの土地に割り当てるか（換地）、清算金、保留地といった「換地計画」を作る。

宅地の所有者の申出・同意により換地を定めないこともできる(換地不交付)。換地を定めなかった所有者には**清算金**が交付される。

換地を定めない宅地に借地権者等がいる場合には、施行者が借地権者等の同意を得る。

必要な手続のポイントは次のとおりだ。

**◇換地計画の作成に必要な手続き**

| | | 土地区画整理審議会の意見を聴く | 換地計画を公衆の縦覧に供する(2週間) | 知事の認可 |
|---|---|---|---|---|
| 民 | ①個人施行 | — | — | ○ |
| | ②土地区画整理組合 | — | ○ | ○ |
| | ③区画整理会社 | — | ○ | ○ |
| 公 | ④国土交通大臣 | ○ | ○ | — |
| | ⑤都道府県 | ○ | ○ | — |
| | ⑥市町村 | ○ | ○ | ○ |
| | ⑦都市再生機構 | ○ | ○ | ○ |
| | ⑧地方住宅供給公社 | ○ | ○ | ○ |

個人施行者以外の施行者は、換地計画を**2週間公衆の縦覧**に供さなければならない。利害関係者に意見書を提出する機会を与えるのだ。

### 発展　換地照応の原則

従前の宅地の位置、地積、利用状況、環境等に対応した換地が指定される(「換地照応(かんちしょうおう)の原則」)。

なお、公共施設の用に供している等、特別の宅地については、位置・地積等に「特別の考慮」を払い、換地を定めることができる。

# ケース3 まずは仮換地

**正誤を判定 ○ or ×**

土地区画整理事業の施行者は、換地処分を行う前において、換地計画に基づき換地処分を行うため必要がある場合においては、施行地区内の宅地について仮換地を指定することができる。

**解答** 最終目標である換地処分までは時間がかるため、仮換地として指定し、使用・収益を認めていく。 **○**

## 1 仮換地の指定

土地区画整理事業は大事業だ。最終的に換地処分が行われるのは20年も30年も先になる。そこで、換地処分が行われるまでの間、土地の権利者に使ってもらう土地を指定することができる。これが**仮換地**だ。

仮換地の指定は、従前の宅地の所有者と仮換地となるべき宅地の所有者に、①**仮換地の位置・地積**、②**仮換地指定の効力の発生日**を**通知**して行われる。

### ◘仮換地を指定するための条件

| | | |
|---|---|---|
| 民 | ①個人施行 | 従前の宅地および仮換地となるべき宅地の所有者等の同意を得る |
| | ②土地区画整理組合 | あらかじめ総会(部会、総代会)の同意を得る |
| | ③区画整理会社 | 所有者、借地権者の２／３以上の同意を得る |
| 公 | ④国土交通大臣 | 土地区画整理審議会の意見を聴く |
| | ⑤都道府県 | |
| | ⑥市町村 | |
| | ⑦都市再生機構 | |
| | ⑧地方住宅供給公社 | |

公的施行では仮換地の指定に際し、土地区画整理審議会の意見を聴く、ということを覚えておこう。

R5-20-4

## 2 仮換地の指定の効果

仮換地の指定の効果について、次の事例で考えよう。

**事例**

タヌキチの所有する土地（甲地）の仮換地が、乙地（ハナの所有地）に指定されるとどのような効果が生じるか。

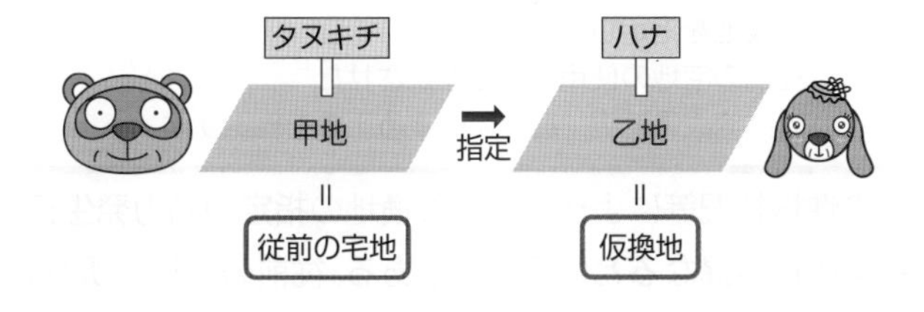


**解答**　まずタヌキチは自分が所有する甲地を使うことができなくなる。そこは道路の拡幅や公共施設の設置に使われるからだ。またハナは自分の所有する乙地を使うことができなくなる。乙地は甲地の仮換地として指定されたため、タヌキチが使うことになるからだ（ハナは乙地の仮換地にあたる別の土地を使用することになる）。

- **タヌキチは甲地(従前の土地)を使用・収益できなくなる。**
- **ハナは乙地を使用・収益できなくなる。**

● **タヌキチは乙地を使用・収益できる。**

タヌキチが仮換地を使用・収益できるとしても、換地処分の公告の日までは建築行為に許可が必要であることに変わりはない。

タヌキチは甲地を所有しながら乙地を使用・収益することになる。つまり、仮換地の指定により、所有権と使用収益権が分離するのだ。

| タヌキチが所有する土地 | 甲地 |
|---|---|
| タヌキチが使用収益する土地 | 乙地 |

タヌキチが所有するのはあくまで甲地（従前の宅地）だ。売却したり、抵当権を設定した場合、甲地が売却され、甲地に抵当権がつくことになる。

そして、この分離状態は、**仮換地指定効力発生の日から、換地処分公告の日まで続く**ことになる。

## 発展 仮換地の発展知識

R4-20-3

- 仮換地指定の結果、**使用又は収益する者のなくなった従前の宅地は施行者が管理**する。
- 仮換地の指定をした場合、必要があれば、施行者は**仮清算金を徴収**（または**交付**）することができる。
- 施行者は、必要がある場合は、**換地を定めない宅地の使用収益を停止**させることができる。
- 施行者は、次の場合、必要があれば、建築物の移転・除却ができる。
  - ① 仮換地を指定した
  - ② 従前の宅地の使用収益を停止させた
  - ③ 公共施設の変更・廃止に関する工事を施工する

H30-21-3

R6-20-4

工事の進捗状況等によっては、仮換地の**指定の効力発生日と使用収益開始日が異なるということもある**。従前の宅地の所有者は、使用収益開始日までは、仮換地も従前の宅地も使用収益ができない。

# 第6章 土地区画整理法

## ケース4 土地区画整理事業のゴールは「換地処分」

**正誤を判定 ○ or ×**

施行地区内の宅地について存する地役権は、行使する利益がなくなった場合を除き、換地処分に係る公告があった日の翌日以後においても、なお従前の宅地の上に存する。

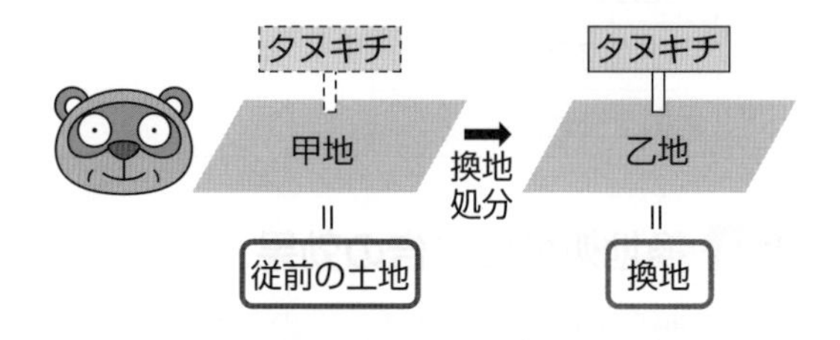


**解答** **行使する利益がなくなった地役権**は換地処分の公告があった日が終了したときに消滅するが、それ**以外のもの**（換地処分後も必要がある地役権）**は存続する。** ○

### 1 換地処分

土地区画整理事業の工事が終わると、**換地処分**が行われる。所有していた従前地の権利を失い、代わりに換地を割りあてられるのだ。**換地処分**は、施行者から**関係権利者への通知**により行われる。

「換地処分は公告により行う」というヒッカケに注意。公告ではない通知だ。

しかし関係権利者への通知だけでは、一般の人は換地処分があったことを知ることができない。そこで換地処分が行われると、周知のために知事または大臣が**公告**する。

R6-20-2

個人施行者、組合、区画整理会社、市町村または機構等は、換地処分をした場合においては、遅滞なく、その旨を**都道府県知事に届け出**なければならない。

◘換地処分の届出と公告

| 施行者 | | 届出 | 誰が公告するのか |
|---|---|---|---|
| 民 | ①個人施行 | 換地処分をした旨を、遅滞なく、都道府県知事に届け出る。 | 都道府県知事 |
| | ②土地区画整理組合 | | |
| | ③区画整理会社 | | |
| 公 | ④市町村 | | |
| | ⑤都市再生機構 | | |
| | ⑥地方住宅供給公社 | | |
| | ⑦都道府県 | — | |
| | ⑧国土交通大臣 | | 国土交通大臣 |

## 2 換地処分の公告の効果

消滅するものは、公告があった日になる。

換地処分公告の効果は、次のとおり。

| 公告があった日が終了したとき(24時) | ① 換地を定めなかった従前の宅地に関する権利は消滅する。<br>② 行使する利益がなくなった地役権は消滅する。 |
|---|---|

保留地や公共施設用地とするために、換地を定めない土地というのもある（もちろん代わりに金銭で補償を受ける。）。①の「**換地を定めなかった従前の宅地**」とは、それらの土地のことだ。換地がないのだから、当然従前の土地の所有者は、土地に対する権利を失う。

新たに生じる権利関係は公告の日の翌日になる。

④清算金の確定交付、徴収はこのタイミングだが、その前の段階でも仮清算金の交付・徴収ができる。
⑤R6-20-3

| 公告があった日の翌日 | ③ 換地は従前の宅地とみなされる。<br>④ 清算金が確定する。<br>⑤ 保留地を施行者が取得する。<br>⑥ 公共施設は原則として市町村の管理に属する。<br>⑦ 公共施設用地は、原則として公共施設を管理すべきものに帰属する。 |
|---|---|

③の「**換地は従前の宅地とみなされる**」について。所有していた甲地（従前の宅地）の仮換地が乙地に指定され（ここまでは**ケース3**で説明した）、乙地がそのまま換地となったとしよう。

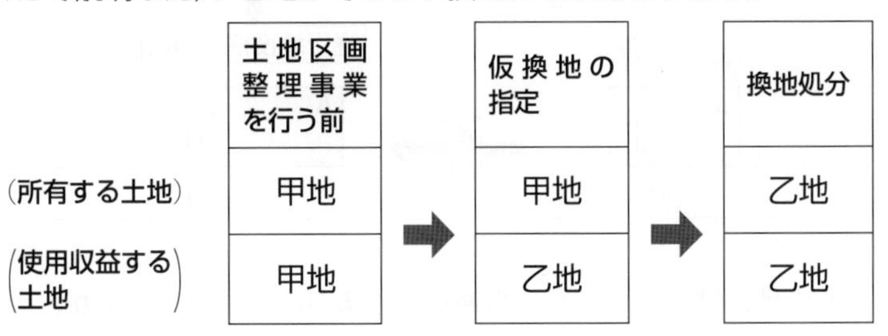


換地処分により、土地所有者は甲地（従前の宅地）の代わりに、乙地**（換地）の所有権を得る**ことになる。仮換地の指定により、土地の所有権は甲地、使用収益権は乙地、と分離していたものが、換地処分により、所有権も使用収益権も、乙地に統一されるのだ。

また、従前の宅地につけられていた抵当権も、換地に移行する。

⑥土地区画整理事業の施行により設置された公共施設（公園など）は、市町村の管理に属する。ただし、法律等で管理すべき者が別に定められている場合にはその者が管理する。

## 3 変動の登記について

換地処分の公告があった場合、**施行者**はその旨を直ちに管轄する登記所に通知する。また、区画整理事業により権利関係に変動が生じた場合には、遅滞なくその変動に係る登記の申請をする。これを**変動の登記**という。

R5-20-3

**換地処分の公告があった後**は、変動の登記がされるまでの間、原則として他の登記はできない。

R1-20-1では「仮換地の指定があった日後」というヒッカケが出題された。

## 4 地役権について

地役権とは、自分の土地に都合がいいように他人の土地を利用する権利のことだ。B地のために、A地を通行する権利を設定する「通行地役権」もその1つだ。

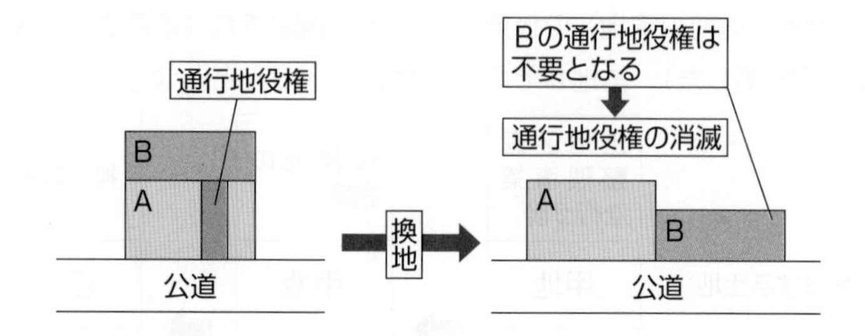


A土地にはB土地のための通行地役権が設定されていたが、土地区画整理事業により、Bの土地も公道に接するようになったため、通行地役権は不要となった。これを**行使する利益のなくなった地役権**という。行使する利益のなくなった地役権は消滅する。

## 5 保留地について

一定の目的のために換地として定めない土地、それが保留地だ。公的施行の場合は、保留地を定める要件が厳しく規定されている。「お役所」が、土地区画整理事業という名目で、私有地を取り上げることを防ぐためだ。

### ◘保留地を定める目的と要件

<table>
<tr><th colspan="2">施行者</th><th>保留地を定める目的として許されるもの</th><th>保留地を定める要件</th></tr>
<tr><td rowspan="3">民</td><td>①個人施行</td><td rowspan="3">●事業の費用にあてるため<br>●規準・規約・定款で定める目的のため<br>(どちらの目的でもいい)</td><td rowspan="3">なし</td></tr>
<tr><td>②土地区画整理組合</td></tr>
<tr><td>③区画整理会社</td></tr>
<tr><td rowspan="5">公</td><td>④国土交通大臣</td><td rowspan="5">「事業の費用にあてるため」のみ</td><td rowspan="5">●施行前後の宅地価額の総額につき、「施行後」−「施行前」の差額（つまり、施行による増加額分）の範囲内でのみ、保留地を定めることができる<br>●土地区画整理審議会の同意を得ていること</td></tr>
<tr><td>⑤都道府県</td></tr>
<tr><td>⑥市町村</td></tr>
<tr><td>⑦都市再生機構</td></tr>
<tr><td>⑧地方住宅供給公社</td></tr>
</table>

### ◇建築行為の制限

土地区画整理事業の邪魔にならないように、施行地区内で以下の行為を行うには、知事等の許可が必要となる。

| 許可が必要な行為 |
|---|
| ①　土地の形質の変更<br>②　建築物、工作物の新築、改築、増築<br>③　重量５ｔを超える物件の設置、堆積 |

| 施行者 | 許可権者 |
|---|---|
| 国土交通大臣「以外」 | 知事 |
| 国土交通大臣 | 大臣 |

### ◇仮換地

●　仮換地の指定により所有権と使用収益権が分離する。

例：甲地の仮換地が乙地に指定された。

| 所有権<br>（どの土地の権利を持っているのか） | 使用収益権<br>（どの土地を利用できるのか） |
|---|---|
| 甲地（従前の土地） | 乙地（仮換地） |

### ◇仮換地を指定するための条件

<table>
<tr><td rowspan="3">民</td><td>①個人施行</td><td>従前の宅地および仮換地の宅地の所有者等の同意を得る</td></tr>
<tr><td>②土地区画整理組合</td><td>あらかじめ総会（部会、総代会）の同意を得る</td></tr>
<tr><td>③区画整理会社</td><td>所有者、借地権者の2/3以上の同意を得る</td></tr>
<tr><td rowspan="5">公</td><td>④国土交通大臣</td><td rowspan="5">土地区画整理審議会の意見を聴く</td></tr>
<tr><td>⑤都道府県</td></tr>
<tr><td>⑥市町村</td></tr>
<tr><td>⑦都市再生機構</td></tr>
<tr><td>⑧地方住宅供給公社</td></tr>
</table>

### ◇換地処分の公告の効果

| | |
|---|---|
| 公告があった日が終了したとき（24時） | ①　換地を定めなかった従前の宅地に関する権利は消滅する。<br>②　行使する利益がなくなった地役権は消滅する。 |
| 公告があった日の翌日 | ③　換地は従前の宅地とみなされる。<br>④　清算金が確定する。<br>⑤　保留地を施行者が取得する。<br>⑥　公共施設は原則として市町村の管理に属する。<br>⑦　公共施設用地は、原則として公共施設を管理すべきものに帰属する。 |

### ◇保留地を定める目的と要件

| 施行者 | | 保留地を定める目的として許されるもの | 保留地を定める要件 |
|---|---|---|---|
| 民 | ①個人施行 | ●事業の費用に充てるため<br>●規準・規約・定款で定める目的のため<br>（どちらの目的でもいい） | なし |
| | ②土地区画整理組合 | | |
| | ③区画整理会社 | | |
| 公 | ④国土交通大臣 | 「事業の費用に充てるため」のみ | ●施行前後の宅地価額の総額につき、「施行後」－「施行前」の差額（つまり、施行による増加額分）の範囲内でのみ、保留地を定めることができる<br>●土地区画整理審議会の同意を得ていること |
| | ⑤都道府県 | | |
| | ⑥市町村 | | |
| | ⑦都市再生機構 | | |
| | ⑧地方住宅供給公社 | | |

# 確認テスト

問題　次の記述の正誤を判定してください。

1．土地区画整理事業とは、公共施設の整備改善及び宅地の利用の増進を図るため、土地区画整理法で定めるところに従って行われる、都市計画区域内及び都市計画区域外の土地の区画形質の変更に関する事業をいう。

2．土地区画整理組合が施行する土地区画整理事業は、市街化調整区域内において施行されることはない。

3．地方公共団体施行の場合、施行者は、縦覧に供すべき換地計画を作成しようとするときは、土地区画整理審議会の意見を聴かなければならない。

4．施行地区内の宅地について土地区画整理組合の組合員の有する所有権の全部又は一部を承継した者がある場合においては、その組合員がその所有権の全部又は一部について組合に対して有する権利義務は、その承継した者に移転する。

5．組合施行の土地区画整理事業において、定款に特別の定めがある場合には、換地計画において、保留地の取得を希望する宅建業者に当該保留地に係る所有権が帰属するよう定めることができる。

6．換地処分は、施行者が換地計画において定められた関係事項を公告して行うものとする。

7．換地処分の公告があった場合においては、換地計画において定められた換地は、その公告があった日の翌日から従前の宅地とみなされるため、従前の宅地について存した抵当権は、換地の上に存続する。

解答解説

1．× 土地区画整理事業は都市計画区域内の土地のみで行われる。「及び都市計画区域外の土地」となっているので誤り。

2．× 民間施行（ケース2参照）の場合であれば、市街化調整区域内で施行されることもある。

3．○ 公的施行（国土交通大臣・都道府県・市町村・都市再生機構・地方住宅供給公社の施行）の場合、施行者は、換地計画を作成しようとする場合は、土地区画整理審議会の意見を聴かなければならない。

4．○ 区画整理組合の組合員が所有する土地を購入した者は、組合員の権利義務を引き継ぐ。仮換地が指定されれば従うし、賦課金を課せられれば支払わなければならない。

5．× 保留地は、換地処分の公告があった日の翌日において、必ず施行者が取得する（施行者が処分し、費用に充てる）。宅建業者ではない。

6．× 換地処分は関係権利者への通知により行われる。

7．○ 換地処分の公告があった日の翌日から換地は従前の宅地とみなされる。従前の宅地に付いていた抵当権は、換地に移ることになる。

# 第7章 盛土規制法・その他の法律

## ケース1 盛土規制とは

**正誤を判定 ○ or ×**

宅地造成等工事規制区域は、宅地造成等に関する工事について規制を行う必要がある場合に都道府県知事が指定するものであって、都市計画区域内にのみ指定される。

**解答** 宅造規制区域は、市街地だけでなく、市街地となろうとする区域にも指定される。つまり都市計画区域外にも指定できる。盛土等の崩落による災害は、都市計画区域外でも起こりうるからだ。 ×

### 1 規制区域の指定と許可制

山林などの傾斜面を平たんにするために、盛土・切土工事が行われる。その際、しっかりした工事を行わないと、崖崩れや土砂の流出による事故が起きる。そのため盛土等の崩落により被害を及ぼしうるエリアは「**宅地造成等工事規制区域**」「**特定盛土等規制区域**」に指定する。規制区域内で一定規模以上の盛土・切土工事を行う場合には、あらかじめ**知事の許可**が必要となる。

| | |
|---|---|
| 宅地造成等工事規制区域<br>(宅造等規制区域) | 宅地造成等に伴い災害が生ずるおそれが大きい市街地(または市街地となろうとする)区域 |
| 特定盛土等規制区域<br>(特盛規制区域) | 宅造等規制区域以外の区域で、特定盛土等又は土石の堆積が行われた場合には、これに伴う災害により居住者等に危害を生ずるおそれが特に大きいと認められる区域 |

## 2 用語の定義

盛土規制法で使われる用語について確認しておこう。

| | |
|---|---|
| 宅地 | 以下に該当しないものが宅地だ。<br>● 農地等(農地、採草放牧地、森林)<br>● 公共施設用地(道路、公園、河川等) |
| 宅地造成 | 宅地以外の土地を宅地にするために行う盛土などで一定規模以上のもの |
| 特定盛土等 | 宅地又は農地等において行う盛土などで、災害を発生させるおそれが大きい一定規模以上のもの。公共施設用地で行う盛土等は含まれない。 |
| 土砂の堆積 | 宅地又は農地等において行う土石の堆積で一定規模以上のもの(一定期間経過後に除却するものに限る) |
| 宅地造成等 | 宅地造成、特定盛土、土砂の堆積の3つをまとめて宅地造成等という。宅地造成等規制区域内では一定規模以上の工事は許可が必要となる。 |
| 工事主 | 宅地造成、特定盛土等若しくは土石の堆積に関する工事の「注文者」または「自らその工事を行う者」。許可を受ける必要があるのはこの工事主だ。 |
| 工事施行者 | 宅地造成、特定盛土等若しくは土石の堆積に関する工事の「請負人」または「自らその工事を行う者」 |

国または地方公共団体が管理する学校、運動場、墓地は、公共施設用地になる。

宅地造成以外でも許可が必要となることに注意。

## 3 許可が必要な工事

宅地造成や特定盛土等にあたる「一定規模以上のもの」とは、以下のものをいう。これらの行為を行う場合、**工事主**は工事に着手する前に**知事の許可**を受けなければならない。

崖とは、地表面（図で斜めになった部分）が水平面に対し30度以上の角度を生じるものと思っておこう。

**〈土地の形質変更（盛土・切土）〉**

<table>
<tr><th rowspan="2">工事内容</th><th colspan="2">許可が必要となるもの</th></tr>
<tr><th>宅造等規制区域</th><th>特盛規制区域</th></tr>
<tr><td>① 盛土で崖を生じる 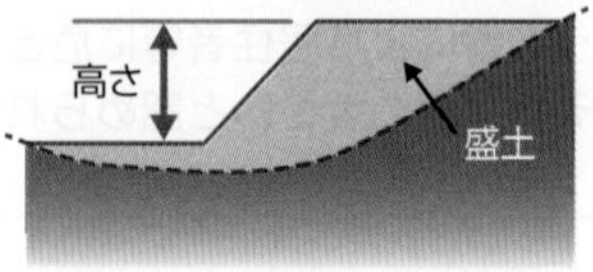</td><td>盛土１m超</td><td>盛土２m超</td></tr>
<tr><td>② 切土で崖を生じる 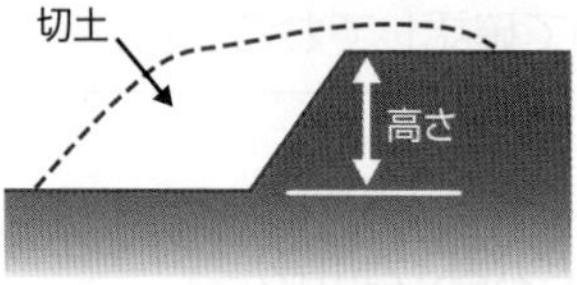</td><td rowspan="3">２m超</td><td rowspan="3">５m超</td></tr>
<tr><td>③ 盛土と切土を同時に行い崖を生じる（①、②を除く） 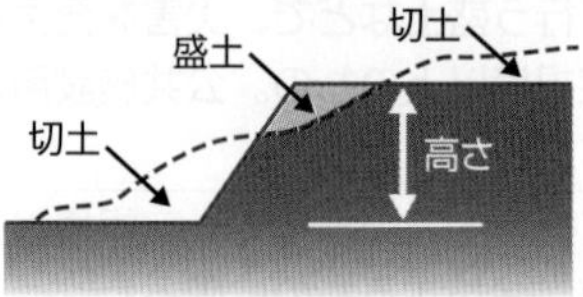</td></tr>
<tr><td>④ 盛土で（崖は生じないが）一定以上の高さになる（①、③を除く） 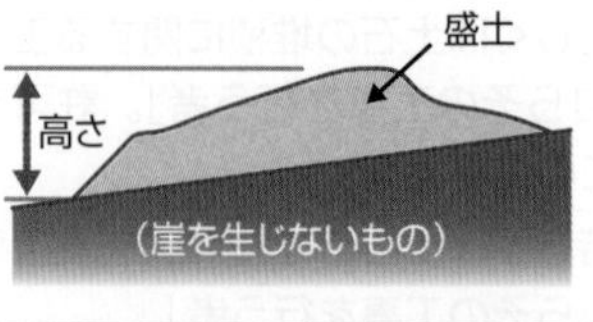<br>（崖を生じないもの）</td></tr>
<tr><td>⑤ 盛土または切土の面積が一定以上 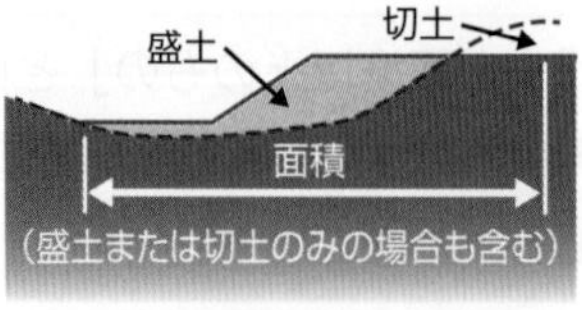<br>（盛土または切土のみの場合も含む）</td><td>500㎡超</td><td>3,000㎡超</td></tr>
</table>

〈一時的な土石の堆積〉

土石のストックヤードにおける仮置きなどが対象となる。なお、都道府県の条例により、規制対象規模が異なることがある。

| 工事内容 | 許可が必要となるもの | |
|---|---|---|
| | 宅造等規制区域 | 特盛規制区域 |
| 最大時に堆積する高さが一定以上であり、かつ面積が一定以上<br>高さ<br>面積 | 高さ２m超<br>かつ<br>面積300㎡超 | 高さ５m超<br>かつ<br>面積1,500㎡超 |
| 最大時の堆積面積が一定以上<br>面積 | 面積500㎡超 | 面積3,000㎡超 |

一時的な土石の堆積。最終的には土石を除却し知事の確認をうける。

〈許可が必要なのは、宅地造成「等」〉

宅造等規制区域内で許可が必要となるのは、宅地造成に限らない。特定盛土等や土砂の堆積も合わせた「宅地造成等」について許可が必要となる。

例えば、宅地を宅地以外の土地にするために１m超の崖を生じる盛土工事を行うとする。これは宅地造成ではない（宅地を宅地以外のものにしているから）。しかし特定盛土等にあたる（宅地で１m超の崖を生じる盛土を行っているから）。この盛土工事は知事の許可が必要となる。

**「宅地造成等＝宅地造成＋特定盛土＋土砂の堆積」**だ。しっかり覚えよう。

特盛規制区域内では、規模の大きい「特定盛土等」や「土石の堆積」が許可が必要となる（２m超の崖を生じる盛土等）。

特盛規制区域内で許可が必要となる工事（２m超の盛土、５m超の切土など）を行う場合には、中間検査を受ける（宅造等規制区域内であってもこの規模の工事を行う場合には中間検査を受ける）。

# ケース2 区域の指定

**正誤を判定 ○ or ×**

土地の占有者又は所有者は、都道府県知事又はその命じた者若しくは委任した者が、宅地造成等工事規制区域の指定のために当該土地に立ち入って測量又は調査を行う場合、正当な理由がない限り、立入りを拒み、又は妨げてはならない。

**解答** 知事は、基礎調査のため、測量又は調査の必要がある場合は、他人の占有する土地に立ち入ることができる。土地の占有者は、正当な理由がない限り、立ち入りを拒んだり、妨げることはできない。 ○

## 1 基本方針及び基礎調査

盛土規制法は国交省と農水省の共管法だ。省令も（国土交通省令ではなく）「主務省令」という。

**〈基本方針と基礎調査〉**

主務大臣（国土交通大臣、農林水産大臣）は、宅地造成、特定盛土等又は土石の堆積に伴う災害の防止に関する**基本方針**を定める（定めた場合は、遅滞なく公表する）。

都道府県等は、基本方針に基づき、おおむね**5年ごと**に必要な基礎調査を行う。**基礎調査**の結果は、関係市町村長に通知されるとともに、公表される。

〈基礎調査のための土地の立入り等〉

以下の事項を確認しておこう。

R6-19-1

- **知事等は、基礎調査のために、必要な限度で他人の土地に立ち入ることができる（命じた者、委任した者を立ち入らせることができる）。土地の占有者は正当な理由がなければ立入りを拒めない。**
- **立入り調査することを３日前までに、土地の占有者に通知する。建築物・工作物に立ち入るときはその占有者にも通知する。**
- **日出前、日没後は、土地の占有者の承諾があった場合を除き、立入り調査はできない。**
- **都道府県は、土地の立入り等に伴う損失を補償しなければならない。**

## 2 規制区域の指定

基本方針に基づき、かつ、基礎調査の結果を踏まえ、知事は宅造等規制区域、特盛規制区域を指摘することができる。

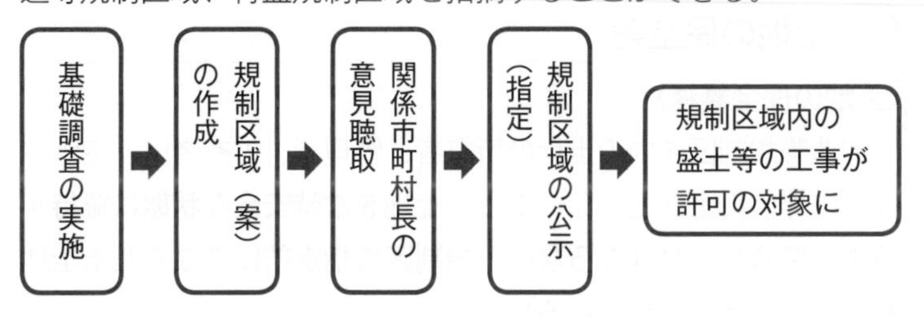


以前は「必要に応じて（市町村長の）意見を聴く」であったものが「意見を聴かなければならない」に改正された。

公示により、区域の指定の効力が生じる。

- **規制区域を指定するときは、関係市町村長の意見を聴かなければならない。**
- **知事は、規制区域を指定するときは、規制区域を公示するとともに、その旨を関係市町村長に通知しなければならない。**
- **市町村長は、災害が生ずるおそれが大きいため規制区域の指定をする必要があると認めるときは、その旨を知**

事に申し出ることができる。

## 3 無許可工事の防止

無許可の盛土等を防ぐために、規制対象の工事には一定の措置が求められる。

◆規制対象の工事への施策

- 都道府県等が許可地の一覧を公表
- 工事主が工事現場に標識を掲示
- 工事主が周辺住民に事前告知

〈行政処分、罰則〉

無許可で工事を行った場合には、工事主、請負人に対して、工事の施工停止や災害防止措置を命じることができる。また罰則もある。懲役3年以下または1,000万円以下の罰金だ。法人に対しては3億円以下の罰金（法人重科）。

## 4 土地の保全等

〈土地の保全義務〉

特盛規制区域内でも、土地の保全義務がある。知事は勧告できるし、改善命令も出せる。

宅造等規制区域内の土地の所有者、管理者、占有者は、宅地造成等に伴う災害が生じないよう、土地を**常時安全な状態に維持**するよう努めなければならない。規制区域指定前に造成された土地も同様だ（保全義務がある）。

R6-19-2

知事は、土地の所有者、管理者、占有者、工事主又は工事施行者に対し、擁壁等の設置など宅地造成等に伴う災害の防止のため必要な措置をとることを**勧告**することができる。

〈改善命令〉

規制区域内の土地が、災害防止のために必要な措置がとられておらず、放置すると危険、ということも考えられる。このような場合、知事は、土地又は擁壁等の所有者、管理者、占有者に対して、相当の猶予期限を付けて、擁壁等の設置や土石の除却を命ずることができる。

## 5 監督処分

不正な手段で許可を受けたり、許可に付した条件に違反した場合には**許可は取り消される**。当たり前の話だ。それだけではなく、**工事の停止**、**土地の使用禁止（制限）**、**災害防止措置**が命じられる。

- **知事は工事主等に対し、工事の施行の停止を命じ、または相当の猶予期限をつけて、災害防止措置（擁壁の設置など）を命じることができる。**
- **緊急の必要により弁明の機会の付与を行うことができないときは、違反が明らかな場合に限り、弁明の機会の付与を行わないで工事の停止を命じることができる。**
- **知事は土地の使用者等に対し、土地の使用の禁止（または制限）、または相当の猶予期限をつけて、災害防止措置（擁壁の設置など）を命じることができる。**
- **完了検査を受けていない場合なども土地の使用が禁じられる。**
- **以下の場合には、知事は自ら災害防止措置を講ずることができる（費用は、工事主または所有者の負担）。**
  - **i 工事主、所有者が災害防止措置を講じない。**
  - **ii 工事主、所有者の所在が確知できない。**
  - **iii 緊急に災害防止措置を講ずる必要がある。**

## 6 立入検査、報告の徴取

知事は、その職員に、土地に立ち入り宅地造成等に関する工事の状況を検査させることができる。また、土地の所有者・管理者・占有者に対して、工事の状況について報告を求めることができる。特盛規制区域内も同様。

# 第7章 盛土規制法・その他の法律

## ケース3 許可以外にも規制はある

**正誤を判定 ○ or ×**

宅地造成等工事規制区域の指定の際、当該宅地造成等工事規制区域内において行われている宅地造成等に関する工事の工事主は、その指定があった日から21日以内に当該工事について都道府県知事の許可を受けなければならない。

**解答** 宅造規制区域指定の際、既に宅地造成工事を行っているのであれば、工事主は、指定があった日から21日以内に知事に届け出る。許可を受けるのではない。
×

### 1 許可申請から工事完了までの流れ

①許可申請前 → ②許可 → ③工事 → ④工事完了

①許可申請前

申請にあたっては、土地の所有者等の全員の同意が必要だ。また周辺住民へ事前周知を行う。

②許可

許可基準に適合すれば、許可される。知事は許可した場合は許可証を交付し、不許可の場合は文書で通知する。

許可基準は以下の通りである。

- **災害防止のための技術基準に適合し、必要な措置が講じられている。**
- **工事主が必要な資力・信用を有する**
- **工事施行者が必要な能力を有する**
- **土地の所有者等の全員の同意を得ている**

以下の工事については、一定の有資格者が設計しなければならない。

- **高さ5m超の擁壁の設置**
- **1,500㎡超の盛土・切土における排水施設の設置**

また、許可に関して以下のことも確認しておこう。

- **許可された場合、許可証が交付される。不許可の場合は文書で通知される。**
- **知事は許可に際し、災害を防止するために、必要な条件を付けることができる。**
- **許可された場合、知事は、「工事主の氏名（または名称）」「工事が行われる土地の所在地」「その他主務省令で定める事項」を公表し、関係市町村長に通知しなければならない。**
- **許可を受けた者が工事計画を変更する場合には再度許可を受ける。ただし軽微な変更であれば、届出でよい。**

許可証の交付を受けた後でなければ工事はできない。

軽微な変更とは、工事主・設計者・工事施行者の氏名や住所の変更、工事着手日・完了年月日の変更だ。

③工事

工事主には以下の義務が課せられる。

- **標識の掲示。工事現場の見やすい場所に、許可を受けている旨を表示する。**
- **定期報告。工事の施工状況について3か月ごとに報告**

する。

④工事完了

工事が完了した日から4日以内に完了検査を受ける。

## 2 許可の特例

**〈みなし許可〉**

国または都道府県（指定都市、中核都市）が宅造等規制区域内において行う宅地造成等に関する工事については、これらのものと知事との協議が成立することをもって、許可があったものとみなされる。特盛規制区域内についても同様。

**〈許可の特例〉**

宅造等規制区域、特盛規制区域の指定後に、都市計画法第29条の許可（開発許可）を受けたときは、宅地造成等・特定盛土等に関する許可があったものとみなされる。

## 3 届出

**〈宅造等規制区域内における届出〉**

次の①～③の行為については、知事への届出が必要となる。

| | |
|---|---|
| ①　宅造等規制区域に指定された際に、区域内で宅地造成工事を行っている工事主 | 指定後21日以内に届出 |
| ②　宅造等規制区域内において、「擁壁等に関する工事」「その他政令で定める工事（高さ2m超の擁壁・排水施設・地滑り抑止杭の除却工事）」を行う場合 | 工事着手14日前までに届出 |
| ③　宅造等規制区域内において、公共施設用地を宅地または農地に転用する場合（許可を受けた場合を除く） | 転用後14日以内に届出 |

①の場合、都道府県知事は、工事主の氏名、工事が施行される土地の所在地等を公表するとともに、関係市町村長に通知する。

**〈特盛区域内における届出〉**

特定盛土等規制区域内で、特定盛土等、又は土石の堆積に関する工事を行う場合には、工事主は、**工事に着手する30日前まで**に知事に**届け出**なければならない。

例えば盛土で１m超２m以下のがけを生じる場合だ。特盛区域では許可不要だが、届出が必要になる。

宅造等工事規制区域内で許可が必要となる工事のことだ。R6-19-4

## 4 造成宅地防災区域

宅造等規制区域の区域外であっても、宅地造成にともなう災害が発生するおそれがある区域もある。

造成宅地防災区域も、指定や解除にあたっては関係市町村長の意見を聴く必要がある。

**知事は、基礎調査の結果をふまえ、宅地造成または特定盛土等（宅地において行うものに限る）に伴う災害で、相当数の居住者等に危害を生ずるものの発生のおそれが大きい区域を、造成宅地防災区域として指定できる。**

指定の事由がなくなったと認められるときは、指定は解除される。

造成宅地防災区域のポイントを確認しておこう。

- **宅造等規制区域内には指定できないが、特盛規制区域内には指定することができる。**
- **造成宅地の所有者、管理者、占有者（以下、所有者等）は、擁壁の設置など災害防止措置を講ずるよう努めなければならない。必要があれば知事は勧告できる。**
- **知事は、造成宅地または擁壁の所有者等に対し、必要な工事を命ずることができる（改善命令）。**

# ケース4 ほかにもいろいろな法律がある

**正誤を判定 ○ or ×**

森林法によれば、保安林において立木を伐採しようとする者は、一定の場合を除き、都道府県知事の許可を受けなければならない。

**解答** 基本パターンの**「許可」とくれば知事**、だ。保安林において立木を伐採するには、知事の許可が必要なのだ。 **○**

「その他の法律」は細かい法律がたくさんあって、まともに向き合うのは試験対策上、非効率だ。よく出題される「○○法によれば、△△という行為をするためには、××の許可が必要である」という選択肢の正誤を判断できることをめざそう。

## 1 「許可」とくれば知事

> 例によって政令指定都市など**大きな市は**、市長が許可権者であることが多いので**知事**「等」と表記しているが、試験対策としては、「許可権者は知事が多い」と思っておけばいい。

「××の許可が必要」という場合、**「知事等の許可」というのが多い**。たとえば『急傾斜地の崩壊による災害の防止に関する法律によれば、傾斜度が30度以上である土地を急傾斜地といい、急傾斜地崩壊危険区域内において、土石の集積を行おうとする者は、原則として都道府県知事の許可を受けなければならない』(←これは正しい文章)、というように出題される。法律はたくさんあるが、**許可権者のほとんどは知事**だ。試験対策としては**知事以外**

が**許可権者**であるものを覚えておけばよい。

### ◆知事以外が許可権者の法律

| | |
|---|---|
| 大臣クラス | 自然公園法（国立公園）：環境大臣<br>文化財保護法：文化庁長官 |
| 市町村長 | 生産緑地法 |
| 管理者 | 道路法、河川法、海岸法、港湾法、津波防災法（津波防護施設） |

国立公園に関する行為の許可権者は環境大臣だが、国定公園であれば知事が許可権者となる。

正式名称は「津波防災地域づくりに関する法律」。H29-22-1で出題された。

たとえば「**道路法**によれば、道路の区域が決定された後道路の供用が開始されるまでの間に、当該区域内において、工作物の新築を行おうとする者は、**道路管理者の許可**を受けなければならない。」というように出題される。

## 2 「届出」とくれば市町村長

法律によっては「××への届出が必要」という場合もある。この場合、「市町村長への届出」というのが多い。試験対策としては逆に、**届出先が知事**であるものを覚えておけばよい。

### ◆届出先が知事のもの

| | |
|---|---|
| 知　事 | 公有地の拡大の推進に関する法律、土壌汚染対策法（形質変更時要届出区域）、都市緑地法（緑地保全地域内） |

重要土地等調査法では、届出先が内閣総理大臣になる。

試験では、たとえば「**土壌汚染対策法**によれば、形質変更時要届出区域が指定された際に、区域内において既に土地の形質の変更に着手している者は、その指定の日から起算して14日以内に、**都道府県知事にその旨を届け出**なければならない」というように出題される。細かい内容は一切無視して、「土壌汚染対策法＝知事への届出」ということだけを覚えておこう。そして、上記の法律以外では、「届出」とくれば「市町村長」だ。

# まとめ

## ◇規制区域

| | |
|---|---|
| 宅地造成等工事規制区域<br>（宅造等規制区域） | ● 市街地または市街地となろうとする土地・集落の区域に指定される。<br>● 「宅地造成」だけでなく、「特定盛土等」「土石の堆積」も規制する。 |
| 特定盛土等規制区域<br>（特盛規制区域） | ● 宅造等規制区域外に指定される。<br>● 特定盛土、土石の堆積が行われた場合、これに伴う災害により市街地等の居住者に危害を生ずるおそれが特に大きいと認められる区域に指定される。 |
| 造成宅地防災区域 | ● 宅造等規制区域外に指定される。<br>● 特盛規制区域内には指定できる。<br>● 崩落等の危険のある既存の宅地造成や特定盛土等（宅地において行うものに限定）を行った区域。 |

## ◇許可、届出等が必要な行為

| 区域 | 行為 | 届出 | 許可 | 中間検査 | 定期報告 | 完了検査 |
|---|---|---|---|---|---|---|
| 宅造等規制区域内 | 切土・盛土 | X | A | B | B | A |
| | 土砂の堆積 | | C | | D | C |
| 特盛規制区域内 | 切土・盛土 | A | B | B | B | B |
| | 土砂の堆積 | C | D | | D | D |

A：盛土で１ｍ超の崖、切土で２ｍ超の崖、盛土・切土で２ｍ超の崖、高さ２ｍ超の盛土、盛土または切土の面積が500㎡超

B：盛土で２ｍ超の崖、切土で５ｍ超の崖、盛土・切土で５ｍ超の崖、高さ５ｍ超の盛土、盛土または切土の面積が3,000㎡超

C：堆積の高さ２ｍ超かつ300㎡超、堆積の面積500㎡超

D：堆積の高さ５ｍ超かつ1,500㎡超、堆積の面積3,000㎡超

X：宅造等規制区域指定時に既に工事中（指定後21日以内）、擁壁工事や排水施設等の除却（着手14日前まで）、公共施設用地の転用（転用後14日以内）

表の意味するところは以下の２点。

①許可が必要な工事（A～D）を行ったならば完了検査を受ける。

②大規模な工事（B、D）では、中間検査や定期報告が必要になる。

### ◇その他の法律

● 基本パターン：「許可」とくれば知事。「届出」とくれば市町村長。

**例外 知事以外が許可権者の法律**

| | |
|---|---|
| 大臣クラス | 自然公園法（国立公園）：環境大臣<br>文化財保護法：文化庁長官 |
| 市町村長 | 生産緑地法 |
| 管理者 | 道路法、河川法、海岸法、港湾法、津波防災法（津波防護施設） |

# 確認テスト

**問題** 次の記述の正誤を判定してください。

1. 宅地造成等工事規制区域は、宅地にのみ指定され、森林や農地に指定されることはない。
2. 盛土規制法でも、盛土・切土が制限されるのは、宅地造成を行う場合にかぎられており、農地を造成するための盛土・切土は規制の対象外となっている。
3. 盛土規制法では、土地の形質変更に該当しない単なる土捨て行為や一時的な堆積も知事の許可が必要となる場合もある。
4. 宅地造成等工事規制区域内で盛土を行ったとしても、高さ1ｍを超える崖を生ぜず、かつ、盛土の面積が500㎡以下であれば、知事の許可は不要である。
5. 許可申請にあたっては、土地の所有者等の2/3以上の同意が必要となる。
6. 許可にあたっては、災害防止のための安全基準に適合するか否かだけでなく、工事主の資力や信用、工事施工者の能力も審査される。
7. 許可基準や定期報告の頻度・内容、中間検査の対象項目などは、地域の実情に応じて条例で強化や上乗せができる。

**解答解説**

1. × 危険な盛土等が発生しうる森林や農地、平地部の土地も含め、広く指定できる。
2. × 特定盛土等にあたる。一定規模以上は規制対象。
3. ○ 土地の形質の変更には該当しない「単なる土捨て行為や一時的な堆積」も規制対象に加えられた。
4. × 宅造規制区域内で、盛土で高さが2ｍを超える場合には、（1ｍ超の崖を生じなくても）知事の許可が必要となる。
5. × 土地の所有者等の全員の同意が必要。
6. ○ 「工事主が必要な資力・信用を有する」「工事施行者が必要な能力を有する」も許可基準だ。
7. ○ 知事は許可基準等を強化することができる。

M E M O

# テキスト編・さくいん

第２分冊

# 本書に登場する キャラクター紹介

## キャラクター紹介

彼らを中心にストーリーが展開していきます。下線があるのは宅建試験の重要用語です。

**◆宅建業者（とその家族）**

ハッピー：宅建業者**イヌマル不動産**の新入社員。宅建士の資格取得を目指している。

ホワイト：ハッピーの父。マンションを購入するが、売主ネズキチ不動産が倒産したり、自宅の土地の一部が取得時効によりツネキチに取られそうになるなどトラブルが続く。

ハナ：ハッピーの祖母。賃貸マンション経営をしている。

ツネキチ：宅建業者**ツネキチ商事**を経営している。モンキーと組んでタヌキチの土地をだまし取ろうとする（詐欺）などちょっとずるいところがあるが、根は悪いやつではない。

ネズキチ：ネズキチ不動産を経営していたが倒産させてしまう。その後、故郷の青森県に帰り、再起を図る。しかし、ゴンに殴られる（不法行為）など不幸が続く。

チュー太：ネズキチの長男。未成年だが年齢を偽ってバイクを購入しようとする。

チュー坊：ネズキチの次男。努力家の中学生。宅建試験に合格し、父が潰したネズキチ不動産を再興しようとする。

◆お客様

タヌキチ：大地主タヌマ家の資産を管理している。

タヌ爺：タヌキチの父。タヌマ家の当主だが愛人騒動を起こす。

タヌ婆：タヌキチの母。成年被後見人だが、土地の売買をしようとする。

タヌ三郎：タヌキチの弟。父タヌ爺の土地を勝手に売却する無権代理事件を起こす。

ペリ子：自宅を購入するが抵当権が抹消できず、様々なトラブルに巻き込まれる。

ライ太、キリ男、コア太郎：土地を買ったり、建物を借りたり、ビルを建てようとしたり…。要は宅建業者のお客様たちです。

◆その他登場人物

ムサシ：クロネコ不動産を経営。宅建士。ハッピーにアドバイスをしてくれる。

モンキー：悪徳不動産業者モンキー不動産の社長。業務停止処分を無視して営業し、免許取り消しとなる。

チッチ：モンキー不動産の監査役だったが、悪人ではない。モンキー不動産の免許取り消し後、保証協会を活用して宅建業を開業する。

ゴン：ツネキチの友人。傷害罪で服役していた過去がある。

その他、**イヌマル社長**、**ポン子**などいろいろ出てきます。

# 本書に登場する キャラクター紹介

## 相関図

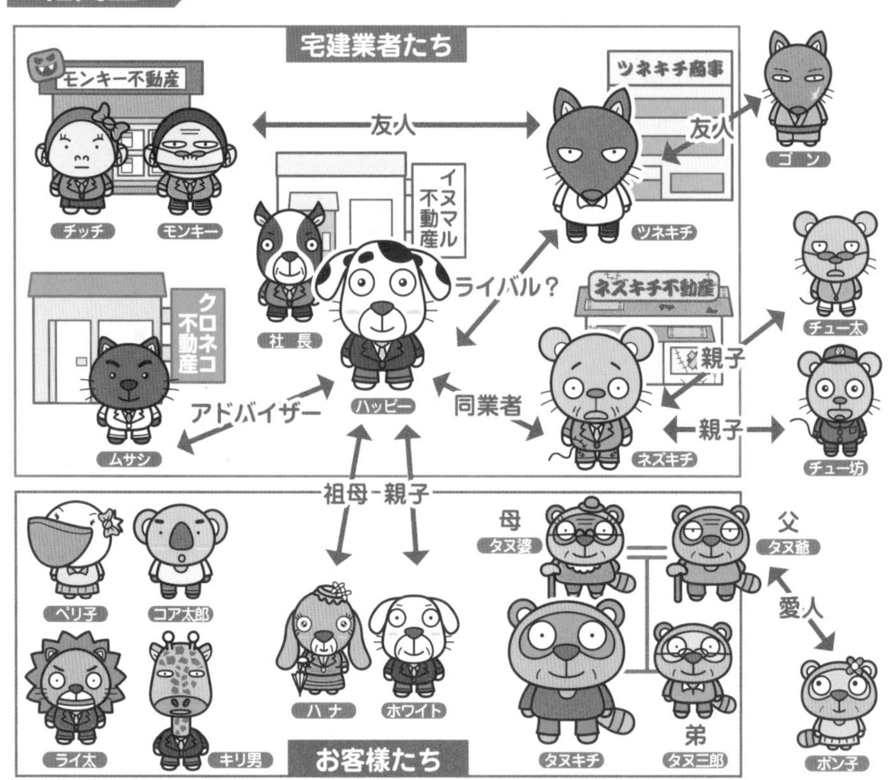

## バラして使える 4分冊 の使いかた

本書は、分野別にテキスト4分冊で構成されています。
各分冊は、それぞれ以下の要領で取り外してお使いください。

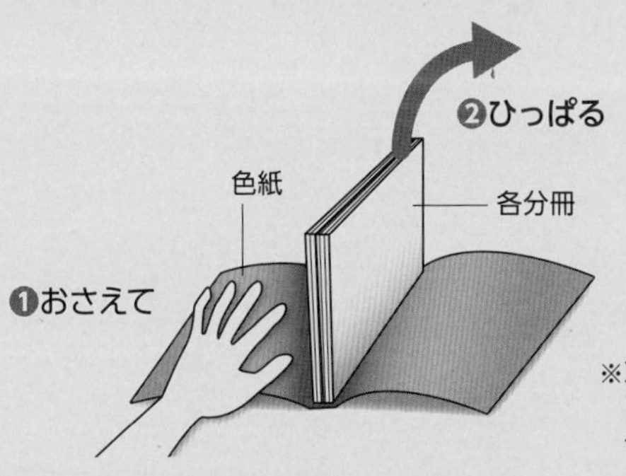


※取り外しの際の損傷につきましては、交換いたしかねます。予めご了承ください。

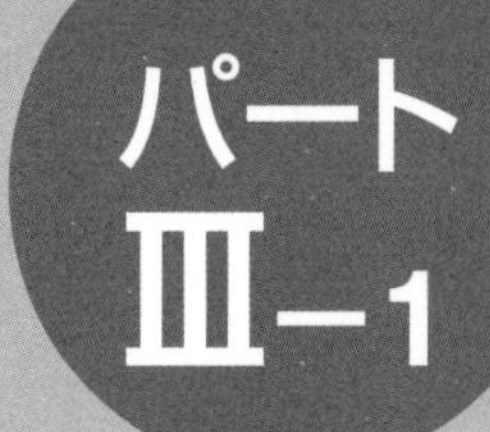


# 権利関係
## （前半）

ツネキチ

民法から10問、借地借家法から２問、区分所有法・不動産登記法から各１問、計14問出題される。範囲が広く難しい内容も多いので、学習範囲を絞り込むことが必要だ。

民法は、大きく「総則」（１章～４章)、「物権」（５章、６章)、「債権」（７章～11章)、「相続・親族」（12章）に分かれる。総則を理解しないと他の分野も理解できないのでしっかりやろう。相続もそれほど難しくない。物権・債権は基本的事項に絞って勉強することが効率的だ。また借地借家法（８章）は、２問出題されるので外せない。区分所有法も、宅建業法の重要事項説明を理解するためにも必要になるので、しっかり学習しよう。

# パート Ⅲ－1 権利関係（前半）

## 目　次

## 参考 権利関係の体系

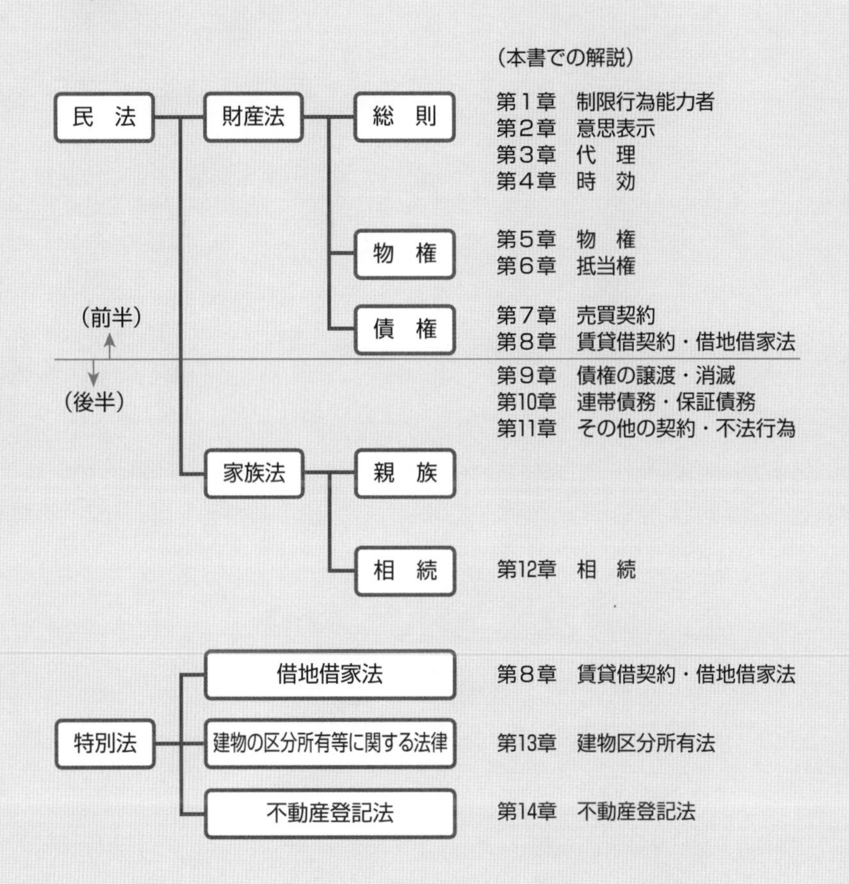


近年の出題傾向では、賃貸借・借地借家法（８章）から２問、相続（12章）、建物区分所有法（13章）、不動産登記法（14章）から各１問出題されることは決まっている。権利関係14問のうち、５問は出題範囲が決まっているのだ。この他に「判決文問題」が１問出題される。残り８問が民法の幅広い分野から出題されることになる。

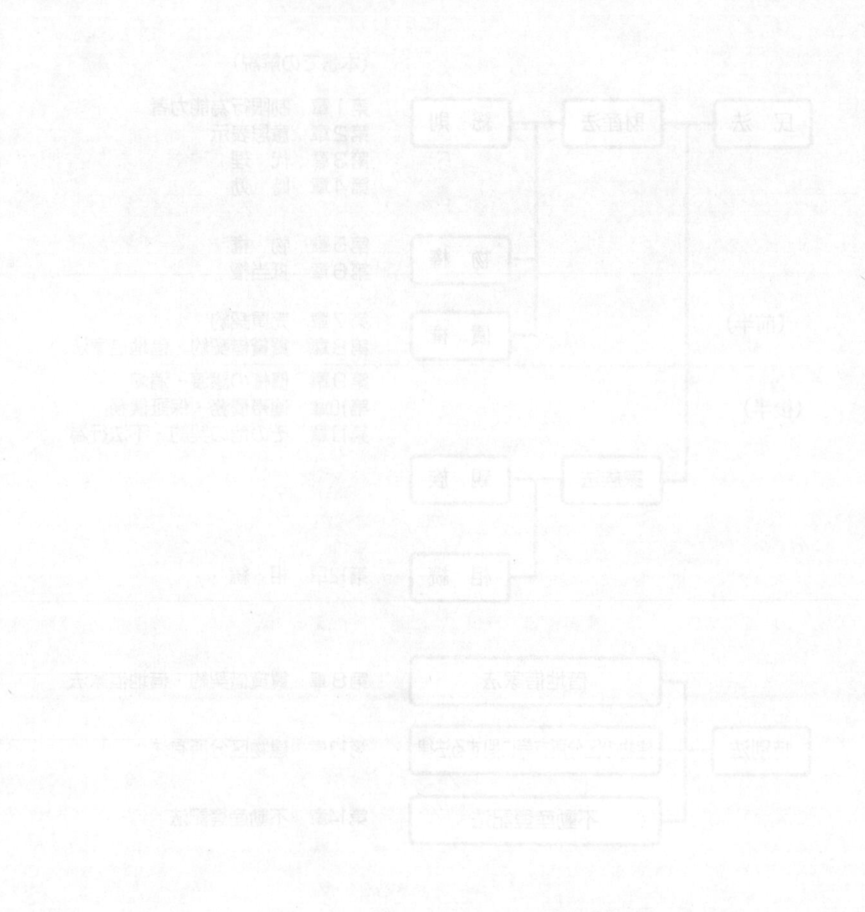

# 第1章　制限行為能力者

## ケース1　契約が成立すると何が起きるのか

**正誤を判定 ○ or ×**

5月1日にタヌキチが「自分が持っている土地を1,000万円で売るので買わないか」とツネキチに言った。5月2日にツネキチが「買うよ」と言った。5月5日にイヌマル不動産に頼んで契約書を作成してもらい、タヌキチ、ツネキチが署名捺印した。契約が成立するのは5月5日である。

**解答** **契約は当事者の意思が一致すれば成立**する。タヌキチの申込みに対し、ツネキチが承諾した5月2日に契約は成立する。　**×**

### 1 当事者の意思が一致すれば契約は成立する

契約とは法律上の約束のことだ。物を買う（売る）には売買契約、借りる（貸す）には賃貸借契約を結ぶ。**契約は当事者の意思が一致すれば成立**する。当事者とは売買契約であれば売主と買主のことだ。賃貸借契約であれば貸主、借主が当事者だ。

契約の当事者以外のことを**第三者**とよぶ。

売買契約や賃貸借契約であれば、**書面の作成など不要**だ。契約書は後でもめることがないよう契約内容を書面化しておくものであって、売買契約の成立には関係ない。一方、書面にしないと有効にならない契約もある。

定期建物賃貸借（8章）、保証契約（10章）などがその例だ。

契約の内容を示してその締結を申し入れる意思表示を契約の**申込み**という。タヌキチが「自分の持っている土地を1,000万円

申込みや承諾のことを**意思表示**という。意思表示は相手方に**到達**した時から効力を生じる。

で売るので買わないか」というのは、契約の申込みだ。それに対しツネキチが「買うよ」と言うのは**承諾**だ。申込みと承諾という当事者の意思が一致すれば、契約は成立する。

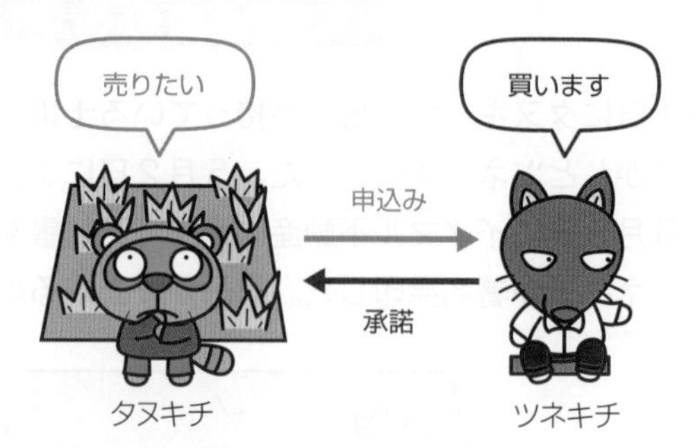


## 2 契約が成立すると何が起きるのか？

契約が成立すると権利と義務が発生する。売主は代金をもらう権利を得る。同時に土地を引き渡す義務が発生する。買主は土地を引き渡してもらう権利を得る代わりに、代金を支払う義務を負う。

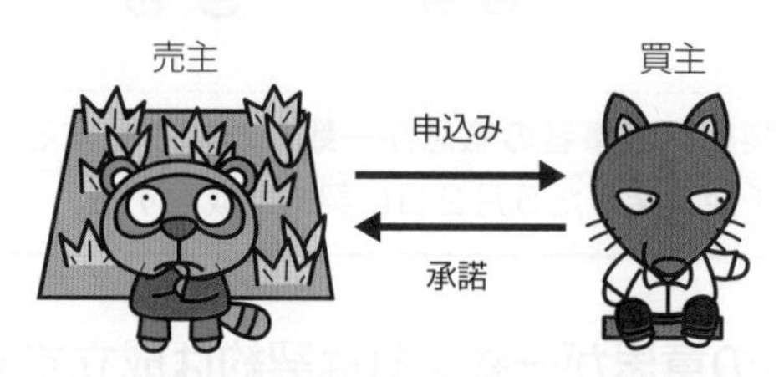


契約が成立すると権利、義務が発生する

| 売主 | 買主 |
| --- | --- |
| 土地を引き渡す義務 | 土地を引き渡してもらう権利 |
| 代金をもらう権利 | 代金を支払う義務 |

契約によって生じた権利のことを**債権**といい、義務のことを**債務**という。債権を持っている人のことを**債権者**、債務を負っている人のことを**債務者**という。売買契約では、売主は債権者（お金をもらう権利がある）であると同時に債務者（土地を引き渡す義務がある）でもある。買主も債権者でもあり、債務者でもある。

債務を実行すること（売主が土地を引き渡す、買主が代金を支払う）を**債務を履行する**、という。債務を履行しない（義務を果たさない、約束を守らない）ことを**債務不履行**という。

難しい言葉が次々と出てきたが、勉強しているうちに慣れる。気楽に行こう。

# 第1章 制限行為能力者

## ケース2 「約束は守れ！」が原則。でも……

**正誤を判定 ○ or ×**

チュー坊（15歳）は宅建業を始めようと事務所を借りる契約をした。しかしよく考えてみると、賃料をきちんと支払えるあてはない。それでも契約した以上、チュー坊は家賃を支払わなければならない。

〈未成年者〉

**解答** チュー坊は未成年者だ。判断能力が不十分であり保護してあげる必要がある。**法定代理人（通常は親）の同意を得ないで行った事務所の賃貸借契約は取り消すことができる。** ×

### 1 契約を守らなくても許される人がいる

マンションの売買契約を結んだのであれば、売主にはきちんとマンションを引き渡す義務（債務）があり、買主には代金を支払う義務（債務）がある。債務はきちんと履行しなければならない。「約束は守れ！」が原則だ。

ところが、未成年者や加齢や病気で判断能力が衰えた人は契約をしても、**後で取り消すことが認められている**。契約を守らなくてもいいとされているのだ。

この契約を守らなくてもいい人（判断能力の弱い人）のことを**制限行為能力者**という。制限行為能力者には**未成年者、成年被後見人、被保佐人、被補助人**の４つがある。

成年被後見人が守られる方だ。「被」は被害者の被で、何かされる、という意味。成年（大人）なのに、後見されているから成年「被」後見人だ。

## 2 どうやって保護するのか

制限行為能力者を保護する方法は2つ。

まず、①**サポートする人（保護者）を付けた**。未成年者には法定代理人（通常は親）、成年被後見人には成年後見人という保護者をつけて、制限行為能力者に代わって契約できるようにした。

また、②**制限行為能力者が単独で契約した場合には取り消すことができる**とした。不利な契約をしても取り消す（約束を守らない）ことを認めてあげたのだ。

## 3 単独では契約できない

取り消すことができる、ということは1人では通常の契約は結べない（取り消される可能性のある不安定な契約しか結べない）ということを意味する。つまり契約など法律行為をする能力が制限されている。だから**制限行為能力者**と呼ばれる。

## 4 取り消されるまでは有効だ

なお、取り消すことができる、というのは取り消さなくてもいい、ということだ。制限行為能力者が行った行為でも、損ではない行為もあるからだ。「取り消すことができる契約」も、**取消という行為があるまでは有効**なのだ。取り消すことのできる契約を保護者が追認（契約の事後承諾）すれば、その契約は確定的に有効になる（もう取り消されることはない）。一方、取り消されれば、契約は初めからなかったこと（無効）になる。

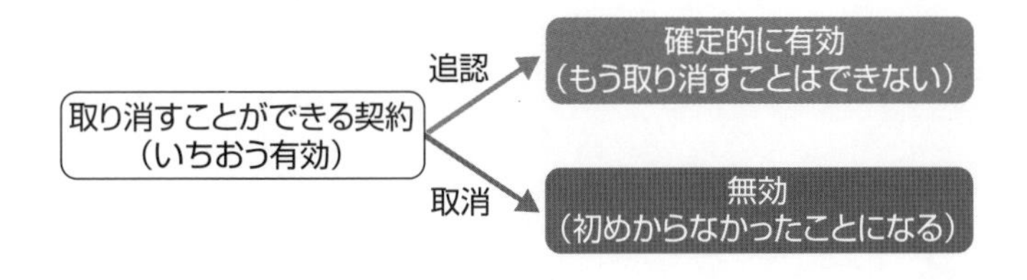


取消により契約が初めからなかったことになる以上、買主は引渡しを受けたマンションを返還するし、売主は代金を返すことになる。

## 5 取り消すことができる契約と無効な契約は違う

取り消すことができる契約とは別に、そもそも**無効な契約**というものもある。これは**最初から効果がない**契約だ（取消という行為は不要）。後で勉強する虚偽表示や、**公序良俗に反する契約**は、**無効**な契約にあたる。申込、承諾といった意思表示をした際に**意思能力がなかった**ときも、その契約は**無効**となる。

R6-1-2

意思能力とは、自分の行為の性質を判断することのできる精神能力のこと。幼児や精神障害者、泥酔者などには意思能力はないとされる。**ケース7**の発展で解説する。

# ケース3 未成年者は保護される

**正誤を判定 ○ or ×**

不動産の営業を許可された未成年者が、その営業のための土地を仕入れる売買契約を有効に締結するには、法定代理人の同意が必要である。

**解答** **営業を許可された未成年者は、その営業に関しては、**成年者と同一の行為能力を有する。契約を締結するにあたって、**法定代理人の同意は不要だ。** ×

## 1 法定代理人の代理権と取消権

制限行為能力者のうち、まずは未成年者について見ていこう。

**未成年者**とは18歳未満の人のことだ。通常は親（親権者）が保護者になる。親権者や未成年後見人は未成年者に代わって（代理して）法律行為ができる（代理権）。このように、親権者には代理権があるため、法定代理人とも呼ばれる。

未成年者は判断能力が未熟だから、**法定代理人の同意を得ないで契約した場合には、取り消すことができる。**未成年者本人が「やっぱり止めた」と取り消してもいいし、法定代理人が「息子が馬鹿な契約をしたけど取り消します」と取り消してもいい（取消権）。

R5-8-1

## 2 法定代理人の同意権と追認権

未成年者がした契約でも取り消せない場合がある。①法定代理人の同意を得て契約したのであれば、取り消せない（**同意権**）。②同意を得ていない契約であっても、法定代理人が追認した場合には、その契約はもう取り消せなくなる（**追認権**）。

## 3 法定代理人の同意なしでもできる行為

一方、未成年者であっても例外的に単独でできる、つまり、法定代理人の同意を得なくてもできる行為がある。

R3⑩-5-3

**① 単に権利を得たり、義務を免れたりする行為**
**② 法定代理人が処分を許した財産の処分行為**
**③ 法定代理人から営業の許可を受けた未成年者が、その営業に関して行う行為**

①は、たとえば贈与を受ける、借金をまけてもらう、といったことだ。未成年者が損をする行為ではないので法定代理人の同意は不要だ。

②は親からもらったお小遣いを使うという場合だ。

③の**営業許可**がわかりにくいかもしれない。たとえば15歳の中学生に、親が宅建業に関する営業の許可を与えると、この中学生は未成年でありながら、**宅建業に関しては成年扱いされる**。この中学生は宅建業に関して結んだ契約は取り消すことができなくなる。

# 第1章 制限行為能力者

## ケース4 判断能力がない成年者も保護される

**正誤を判定 ○ or ×**

成年被後見人であるタヌ婆が行った法律行為は、取り消すことができる。ただし、日用品の購入その他日常生活に関する行為については、この限りではない。

〈成年被後見人〉

**解答** 成年被後見人の行為は、日用品の購入等以外はすべて取り消せる。 

### 1 成年被後見人

**成年被後見人**とは、病気や加齢によって判断能力をなくしてしまった人だ。成年後見人が保護者となり、代わりに契約したり（代理）、成年被後見人がした契約を取り消したり、追認したりする。

> 判断能力のことを試験では「**事理を弁識する能力**」と言う。仮に、法律行為の時点で事理弁識能力があったとしても、成年被後見人であるならば取り消すことができる。

成年被後見人は判断能力がほとんどないので、大部分の行為を取り消すことができる。たとえ成年後見人が同意した行為であっても取り消すことができる。また、単に権利を得たり義務を免れたりする行為でも取り消すことができる。

### 2 日常生活に関する行為は取り消せない

成年被後見人の行為でも、日用品の購入など日常生活に関する行為は取り消せない。日用品の売買まで取消を認めると、成年被後見人がパンを買おうと思っても、パン屋が取消をおそれてパンを売ってくれない、ということになってしまい、かえって成年被後見人にとって不都合だからだ。

## 3 被保佐人、被補助人

被保佐人は成年被後見人より、少しだけ判断能力がある人くらいだと思っておこう。判断能力が弱いので、**「重大な法律行為」**をする場合には**保佐人の同意**または**裁判所の許可**が必要となる。

**「重大な法律行為」**というのは、借金をする、保証人となる、財産の贈与、相続、不動産の売買、建物の建築の依頼、長期の不動産賃貸借契約を結ぶ、などのことである。**被保佐人が、他の制限行為能力者**の**法定代理人**となって「重大な法律行為」をする場合にも保佐人の同意が必要となる。

法定代理については第3章で学ぶ。

被補助人は被保佐人よりも、さらに判断能力がある。とはいえ、一般の人と比べて判断能力が劣るので、**「重大な法律行為」**のうち**裁判所が指定したもの**については、補助人の同意または裁判所の許可が必要となる。

**被保佐人や被補助人は、同意や許可を受けずに行った行為を取り消すことができる。**

## 4 家庭裁判所の審判

判断能力の弱い者は、配偶者、親族等の請求により、家庭裁判所の**審判**を受けて成年被後見人、被保佐人、被補助人になる。被補助人の場合、本人以外の者の請求により審判を受ける場合、**本人の同意**が必要となる。

## 5 居住用の建物の売却等

成年後見人が、成年被後見人が**居住している建物やその敷地**を売却する場合には、**家庭裁判所の許可**を得なければならない（賃貸、抵当権設定についても家裁の許可が必要）。

過去問では成年被後見人の場合が出題されているが、被保佐人、被補助人の場合も同様だ。

## 6 比べてみよう

成年だが、保護される3つのケースについて比較してみよう。

### ◇制限行為能力者の保護の仕組み

<table>
<tr><th>制限行為能力者の種類</th><th>保護者の同意が必要な行為</th><th>同意を得ない場合</th><th>取り消すことができない行為</th></tr>
<tr><td>成年被後見人</td><td colspan="2">同意を得た行為でも取り消すことができる。</td><td>日用品の購入などの日常行為（自己決定権の尊重）</td></tr>
<tr><td>被保佐人</td><td>重大な行為*については保佐人の同意または裁判所の許可が必要</td><td rowspan="2">取り消すことができる。</td><td rowspan="2">「保佐人、補助人の同意が必要とされる行為」以外の行為<br>（もちろん、「日用品の購入」などは取消すことはできない）</td></tr>
<tr><td>被補助人</td><td>重大な行為*のうち、裁判所が指定した行為については、補助人の同意または裁判所の許可が必要</td></tr>
</table>

*「**重大な行為**」＝借金、訴訟、財産の贈与、相続、贈与、不動産の売買、建物の建築、長期の不動産賃貸借など。他の制限行為能力者の**法定代理人**となって「重大な法律行為」をする場合にも保佐人の同意が必要

### 発展　事理弁識能力

成年後見人とは病気や加齢で判断能力を失った人、という理解でよい（過去問はそれで解ける）。しかし民法の条文では「精神上の障害により事理弁識能力を欠く状況にある者」という表現になる（民法第7条）。いちおう条文の表現も確認しておこう。

| 制限行為能力者 | 事理弁識能力を欠く状況にある者 |
|---|---|
| 被保佐人 | 事理を弁識する能力が著しく不十分である者 |
| 被補助人 | 事理を弁識する能力が不十分である者 |

# 第1章 制限行為能力者

## ケース5 制限行為能力者と取引したら泣き寝入り？

**正誤を判定 ○ or ×**

成年被後見人であるタヌ婆がクロネコ不動産と土地の売買契約を結んだ。クロネコ不動産は、（成年後見人である）タヌキチに対し、1カ月以内にタヌ婆の行為を追認するか否かを確答すべきことを催告することができ、その期間内にタヌキチが確答しなかった場合には、タヌキチは、タヌ婆の行為を取り消したものとみなされる。

〈成年被後見人〉

**解答** 成年後見人（タヌキチ）が期間内に確答しなかった場合には、（タヌ婆の契約を）追認したものとみなされる。 **×**

### 1 制限行為能力者の相手方の保護

制限行為能力者を保護するために行為の取消が認められているが、無制限に取消を認められるのでは、相手方は安心して経済活動ができない。そこで、制限行為能力者と取引した相手方を守る規定も用意されている。①催告権、②法定追認、③詐術を用いたときは取り消せない、④取消権の消滅時効の４つである。

### 2 相手方の催告権

成年被後見人が土地を売ったとする。この場合、売主は成年被後見人だから、契約を取り消すことができる。そのため、買主には不安が残る（土地が手に入るのかどうかはっきりしない）。そこで、買主は売主の保護者である成年後見人に対し、「契約を取り消すのか追認するのか、来月末までに決めてくれ」と**催告**することができる。

**催告**には**1カ月**以上の期間が必要だ。「今日中に決めろ」などという催告は認められない。

成年後見人が追認すれば、契約は有効になる（もう取消できない）。取り消せば、契約は最初からなかったことになる。

## 3 確答がない場合の効果

催告に対し確答しないとどうなるのか。表で確認しよう。

| 行為した人 | 催告の相手方 | 確答がない場合の効果 |
|---|---|---|
| 未成年者 | 法定代理人 | 追認したことになる |
| 成年被後見人 | 成年後見人 | |
| 被保佐人（被補助人） | 保佐人（補助人） | |
| | 被保佐人（被補助人） | 取り消したことになる |

**被保佐人**（**被補助人**）に対しては、「**期限内に保護者の追認を得てくれ**」という催告をする。

期限内に**確答の発信がない場合**には、**追認したことになる**。ただし、**被保佐人や被補助人に催告した場合**には、**確答がない場合、取り消したことになる**。

未成年者や成年被後見人に催告しても効力を生じない（催告したことにならない）。

制限行為能力者が取引した以上、保護者には催告に答える義務があると言ってよいだろう。にもかかわらず確答しないのであれば、相手方に有利になるように追認したと考えるのだ。一方、被保佐人や被補助人は判断能力が弱いので、期限内に確答できないことも考えられる。それでも、追認扱いするのはかわいそうなので、取消し扱いとする。

# ケース6 取消しができなくなることもある

**正誤を判定 ○ or ×**

チュー太（未成年者）がネズキチ（法定代理人）の同意を得ないでした契約は、チュー太が成年者であると相手方に信じさせるために詐術を用いた時であっても、取り消すことができる。

**解答** **制限行為能力者**が行為能力者であると相手方に信じさせるために**詐術を用いた場合には、保護されない**。チュー太は契約を取り消すことができない。

## 1 詐術を用いたときは取消できない

ケース3で見たように、未成年者の契約は取り消すことができる。では、未成年者であることを相手方が知らないで契約した場合にはどうなるのか。それでも未成年者は契約を取り消すことができる。**相手方が善意であっても取消が認められる**。

ここで**善意**とはある事実について知らないということだ。知っていれば**悪意**だ。

> 詐術について、未成年者を例に説明しているが、他の制限行為能力者の場合も同様だ。

では、未成年者が自分は成年である、と嘘をついた場合はどうなるのだろうか。タバコでもふかしながら「年!?　22っスよ！

契約の取消なんかしないっスから安心してください」などと言った場合だ。おまけに年齢を偽造した免許証のコピーでも見せていたりする。

さすがに、この場合の未成年者は守られない。**詐術（嘘をつくこと）を用いた場合には、取消権がなくなる**のだ。

ただし、制限行為能力者が詐術を用いたとしても、**相手方が悪意**である（未成年であると知っている）場合には、**取消権は消滅しない**。取消権の消滅は、騙された相手方を保護するための規定で、詐術を用いた制限行為能力者を制裁するための規定ではない。相手方が騙されていないのであれば、制限行為能力者の取消権を消滅させる必要はない。

なお、制限行為能力者であることを単に黙秘していただけであれば、詐術とはいえない。

## 2 法定追認

取消権がなくなるのは、詐術だけではない。たとえば法定代理人がバイク屋に「未成年者が買ったバイクを早く納品してくれ」と言ったとする（債務の履行の請求という）。これは、法定代理人が未成年者の行為を追認したと同じことだ。つまり、「契約を追認します」とはっきり言わなくても、追認したものとして扱われる。これを**法定追認**という。法定追認があれば、もう取り消すことはできない。

法定追認となるのは、①債務の全部または一部の履行、②履行の請求、③取得した権利の一部または全部の譲渡、などだ。

## 3 取消権の消滅時効

権利は一定期間行使しないでいると、**時効により消滅**する。制限行為能力者の取消権も権利の一種だから、以下の期間が経過すると消滅する。

時効については、第4章で詳しく学ぶ。

| |
|---|
| ①　**追認できるときから５年を経過** |
| ②　**行為のときから20年を経過** |

①**追認できるとき**、というのは、「保護者（法定代理人など）が契約の締結を知った時」または「行為能力者となった時」のことをいう。

行為能力者となった時とは「未成年者が成人したり、後見開始等の審判の取消しを受けた時」のことだ。

つまり、自分で判断できるようになってから５年を経過した場合には、もはや取消権は行使できない。

次の表で確認しておこう。

未成年者、成年被後見人を例に説明しているが、被保佐人、被補助人も同様だ。

| 未成年者 | 成年被後見人 |
|---|---|
| 16歳　契約した。<br>18歳　単独で追認できる。<br>23歳　単独で追認できるようになってから５年を経過したので取消できない。 | 20歳　病気で成年被後見人になった。<br>25歳　契約した。<br>45歳　（契約後20年を経過したので、これ以降は取消できない）<br>50歳　完治。成年被後見人の審判が取り消された。<br>➡単独で追認できる。しかし契約後20年を経過したので、もはや取消はできない。 |

このように、未成年者は、23歳になるまで、契約の取消ができる。「未成年者は18歳になったら取消ができなくなる」などと問題文にあれば、それは誤りである。

催告には１カ月以上の期間が必要。

**〈相手方の催告権〉**

一方、相手方は、成年者となった本人に対し催告できる。本人が23歳になるまでの５年間、不安定な状態に置かれるというわけではない。催告に対し、**確答がなければ追認**したことになる。

**〈詐欺や錯誤でも〉**

この取消権の消滅時効は第２章で学ぶ詐欺・強迫・錯誤による取消しにも適用がある。①詐欺等の状態から脱した時から５年、②行為の時から20年、経過すると取消しはできなくなる。

# 第1章 制限行為能力者

## ケース7 第三者の立場はどうなる？

**正誤を判定 ○ or ×**

成年被後見人であるタヌ婆から土地を買ったツネキチ商事は、契約を取り消される前にイヌマル不動産に転売した。イヌマル不動産が善意であれば、タヌ婆は土地の返還請求は認められない。

**解答** イヌマル不動産は取消前の第三者だ。タヌ婆はツネキチ商事との契約を取り消して、イヌマル不動産に土地の返還を求めることができる。 ×

### 1 第三者への転売

制限行為能力者から土地を買ったのならば、保護すべき弱い相手と取引してしまったのだから契約を取り消されても文句は言えない（ここまではすでに学習した）。

では、買主がこの土地を第三者に転売した場合でも、売主（制限行為能力者）は契約を取り消して、土地を返せと言えるのだろうか。

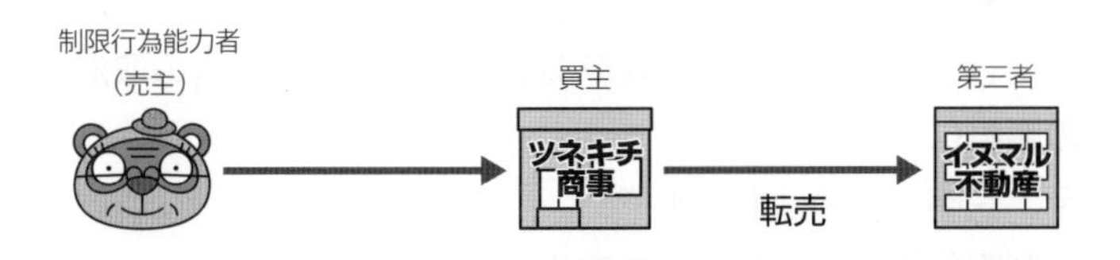

買主と違って、第三者にはなんの落ち度もない（第三者は制限行為能力者と取引したわけではない）。

この場合にも土地の返還を認めてしまっては、第三者がかわいそうである。しかし、土地が返還されなければ制限行為能力者が保護されない。どうすればいいのだろう？

## 2 第三者が悪意の場合

まず、第三者が、問題の土地は制限行為能力者から買ったものが転売されたのだ、と知っていた場合を考えよう。こういうケースを「第三者は**悪意**である」という。

**悪意**とは意地悪という意味ではなく、「事情を知っている」という意味の法律用語だ。

第三者が悪意なのであれば、保護する必要はないだろう。制限行為能力者を守ってやった方がいい。第三者は「契約の取消があるかもしれないな」ということを十分予想できたはずだからである。

制限行為能力者の取消しを認める＝土地を制限行為能力者に返す、これが道理にかなっている。

## 3 第三者が善意の場合

では、第三者が「問題の土地は制限行為能力者から買ったものが転売されたのだ」ということを知らなかった場合はどうなるのか。「第三者が**善意**」の場合だ。この場合には、制限行為能力者であることを理由に契約を取り消されては、第三者にとっては寝耳に水、ということになる。

**善意**とは親切という意味ではなく、「事情を知らない」という意味の法律用語だ。

だがそれでも、制限行為能力者は契約を取り消せる（土地を返せと言える）というのが法律の規定である。第三者にはかわいそうだが、それだけ制限行為能力者の保護を徹底しているのだ。

## 4 取消前の第三者

ただし、ここで注意が必要である。制限行為能力者の**取消と転売の順番**についてである。

今、説明したのはあくまで、

① 制限行為能力者が土地を売る。

② 買主が土地を第三者に転売する。

③ 制限行為能力者が、土地売買**契約を取り消す**。

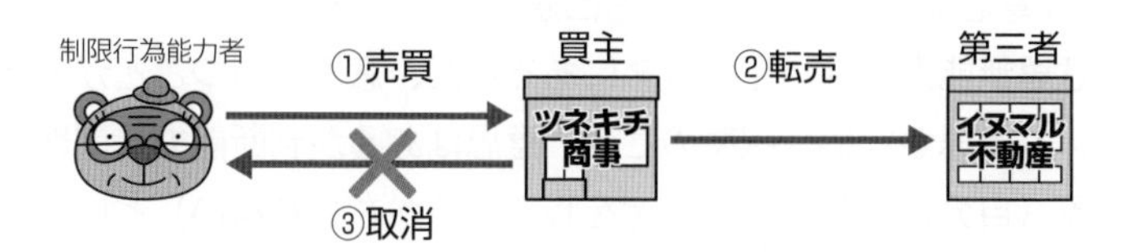


という順序の場合である。制限行為能力者が取り消す**前に**第三者に転売されている。このときの第三者を「**取消前の第三者**」という。この「取消前の第三者」に対しては、制限行為能力者は土地を自分に返還するように主張できる。これを「制限行為能力者の取消は、取消前の第三者に**対抗できる**」という。

**対抗する**、とは「権利を主張できる」という意味の法律用語だ。

## 5 取消後の第三者

もしこれが、制限行為能力者が買主との取引を取り消した**後に**、第三者に転売したとなると話は違ってくる。

① 制限行為能力者が買主に土地を売る。

② 制限行為能力者が、土地売買**契約を取り消す**。

③ 買主が土地を第三者に転売する。

契約は取り消されたのだから（土地は制限行為能力者に戻るから）、転売などできないのではと思うかもしれないが、そうではない。売買契約を結ぶことはできる。
詳しくは「第５章 物権」で見ていく。

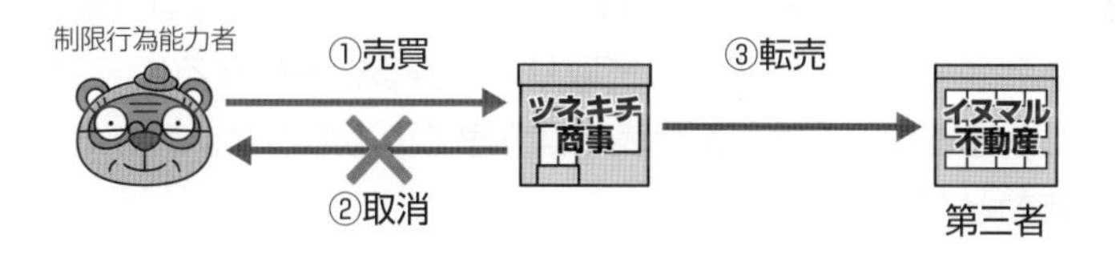


となった場合には、制限行為能力者に土地が戻ってくるとは言い切れない。

このケースでは、制限行為能力者が取り消した**後に**第三者に転売されている。こういう順番であれば、第三者を「**取消後の第三者**」という。

この場合、土地は誰のものになるのだろうか。結論だけいうと、**登記がある方が土地を手にできる**ことになる。取消後の第三者に対しては、「登記を備えていないと取消を対抗できない」のだ。

**登記**については第14章参照。今の段階では、ある不動産が誰のものかということを示す台帳のようなもの、と思っておこう。

## 6 意思無能力

宅建試験では制限行為能力者を中心に学習していくことになるが、「意思無能力」についても出題されている。

R6-1-1、
R3⑩-5-4

**意思無能力**とは、泥酔状態にあるなど、意思を持つことができない（意思がない）状態のこと。意思はあるが判断能力に問題がある（自分に不利な意思決定をしているかもしれない）という制限行為能力とは異なり、意思そのものがない。

| 制限行為能力 | 意思はあるが、判断能力に問題がある。 | 取り消しできる |
|---|---|---|
| 意思無能力 | 意思そのものがない。 | 無効 |

意思がないのであれば、その行為は無効となる。つまり最初から効力を生じない。制限行為能力者の場合は正しい判断ではないかもしれないが、意思はある。したがってそれを尊重し、取り消されるまではいちおう有効として扱っていく。間違った判断とわかれば取り消せばいい。つまり「取消できる行為」となる。

**意思があるかないかで「無効な行為」か「取消できる行為」かに分かれる**。これは第２章で学習する意思表示でも同様だ。

詐欺や強迫は、騙されたり、脅かされたりしてはいるものの一応意思はある。したがって「取り消し得る行為」となる（錯誤も当事者が主張するものなので取り消し得る行為になる）。これに対し、心裡留保、通謀虚偽表示は意思そのものがない。したがって無効となる。

## 発展　権利能力について

権利能力というのもある。権利能力とは、権利義務の主体となることのできる能力（資格）のことだ。**自然人**（普通の人のこと）と**法人**（会社など）に権利能力が認められている。権利能力がなければ、売買契約の当事者になれないし、不動産など財物の所有者にもなれない（サルはバナナを所有できない）。

胎児はまだ生まれていないのだから人ではない。したがって権利能力がないのが原則だ。しかし３つの例外がある。

① **相続**に関して胎児は生まれたものとみなされる。

② 胎児も**遺贈**の対象となる。

③ **不法行為**を理由とする損害賠償請求ができる（法定代理人が行う）。

相続、遺贈は第12章で、不法行為は第11章で学ぶ。

# まとめ

## ◇制限行為能力者の保護の仕組み

<table>
<tr><th>制限行為能力者の種類</th><th>保護者の同意が必要な行為</th><th>同意を得ない場合</th><th>取り消すことができない行為</th></tr>
<tr><td>①未成年者</td><td>契約など法律行為を行うには法定代理人の同意が必要</td><td>取り消すことができる。</td><td>①単に権利を得る・義務を免れる行為<br>②法定代理人が許した財産の処分<br>③営業の許可を得た営業行為</td></tr>
<tr><td>②成年被後見人</td><td colspan="2">同意を得た行為でも取り消すことができる。</td><td>日用品の購入などの日常行為（自己決定権の尊重）</td></tr>
<tr><td>③被保佐人</td><td>重大な行為*については保佐人の同意または裁判所の許可が必要</td><td rowspan="2">取り消すことができる。</td><td rowspan="2">「保佐人、補助人の同意が必要とされる行為」以外の行為<br>（もちろん、「日用品の購入」などは取消すことはできない）</td></tr>
<tr><td>④被補助人</td><td>重大な行為*のうち、裁判所が指定した行為については、補助人の同意または裁判所の許可が必要</td></tr>
</table>

*「**重大な行為**」＝借金、訴訟、財産の贈与、相続、贈与、不動産の売買、建物の建築、長期の不動産賃貸借など。他の制限行為能力者の**法定代理人**となって「重大な法律行為」をする場合にも保佐人の同意が必要

## ◇保護者の権限

<table>
<tr><th rowspan="2">制限行為能力者</th><th rowspan="2">保護者</th><th colspan="4">保護者の権限</th></tr>
<tr><th>代理権</th><th>取消権</th><th>同意権</th><th>追認権</th></tr>
<tr><td>未成年者</td><td>法定代理人</td><td>○</td><td>○</td><td>○</td><td>○</td></tr>
<tr><td>成年被後見人</td><td>成年後見人</td><td>○</td><td>○</td><td>×</td><td>○</td></tr>
<tr><td>被保佐人</td><td>保佐人</td><td>△</td><td>○</td><td>○</td><td>○</td></tr>
<tr><td>被補助人</td><td>補助人</td><td>△</td><td>△</td><td>△</td><td>△</td></tr>
</table>

△は裁判所の審判を受けた行為のみ可能。

### ◇（制限行為能力者の）相手方の保護のしくみ

① 相手方の催告権
② 法定追認
③ 詐術を用いたときは取消できない
④ 消滅時効

### ◇取消と第三者

制限行為能力者の取消は、取消前の善意の第三者にも対抗できる。

# 確認テスト

**問題** 次の記述の正誤を判定してください。

1．成年被後見人が第三者との間で建物の贈与を受ける契約をした場合には、成年後見人は、当該法律行為を取り消すことができない。

2．成年後見人が、成年被後見人に代わって、成年被後見人が居住している建物を売却する際、後見監督人がいる場合には、後見監督人の許可があれば足り、家庭裁判所の許可は不要である。

3．被保佐人が保佐人の事前の同意を得て土地を売却する意思表示を行った場合、保佐人は、当該意思表示を取り消すことができる。

4．被保佐人が、不動産を売却する場合には、保佐人の同意が必要であるが、贈与の申し出を拒絶する場合には、保佐人の同意は不要である。

5．被補助人が、補助人の同意を得なければならない行為について、同意を得ていないにもかかわらず、詐術を用いて相手方に補助人の同意を得たと信じさせていたときは、被補助人は当該行為を取り消すことができない。

6．買主が意思無能力状態であった場合、買主は売主との間で締結した売買契約を取り消せば、当該契約を無効にできる。

**解答解説**

1．×　成年被後見人の行った行為は、（日常生活に関すること以外は）取り消すことができる。

2．×　成年被後見人が現に居住する建物を売却するには、裁判所の許可が必要だ。

3．×　土地の売買は重大な行為だから、被保佐人が保佐人の同意を得ないで、契約した場合には取り消すことができる行為となる。しかし、本問では、「保佐人の事前の同意」を得ているため取り消すことはできない。

4．×　不動産の贈与の申し出を拒絶するのも、重大な法律行為だ（被保佐人は、多額な利益を失うことになりかねない）。贈与の申し出を拒絶するには保佐人の同意が必要である。

5．○　詐術を用いた（＝嘘をついて騙した）ときには、取り消しはできない。

6．×　意思無能力者が行った契約は、初めから無効である。取り消すことで無効になるのではない。

# 第2章 意思表示

## ケース1 騙され、脅かされ……

**正誤を判定 ○ or ×**

タヌキチがモンキーに騙されて、ツネキチ商事との間で土地の売買契約を締結した場合、モンキーの詐欺をツネキチ商事が知っているか否かにかかわらず、タヌキチは売買契約を取り消すことができない。

**解答** 第三者（モンキー）の詐欺により、タヌキチ・ツネキチ商事間の売買契約が締結されている。この場合、ツネキチ商事が悪意（モンキーの詐欺を知っている）または有過失ならば、ツネキチ商事を保護する必要はない。タヌキチは契約を取り消すことができる。「知っているか否かにかかわらず、…取り消すことができない」というのは誤りだ。 **×**

### 1 詐欺や強迫による意思表示は取り消すことができる

契約が成立したならばそれを守る。これが民法の原則だ。しかし、騙されたり（詐欺）、脅かされたり（強迫）して契約を結んだのだとすれば、真意（本心）では契約したくなかったはずだ。そんな場合にまで契約を守れ、というのは無理な話だ。だから**詐欺や強迫による意思表示は取り消すことができる**。もし買主が売主を騙して土地の売買契約を締結したのなら、その契約は取り消すことができる。つまり、売主は土地を返してもらえるのだ。

## 2 問題は第三者との関係だ

買主が土地を第三者に転売した場合は、どう考えたらよいだろうか。もし第三者が**悪意**であれば、つまり買主（転売の売主）が騙したり、脅したりして土地を手に入れたことを知っているのなら、守ってあげる必要はない。売主の取消を認めてあげた方がよい。つまり土地は売主に返ってくる。

第三者が詐欺・強迫を知らなくても、**注意すれば知ることができた**（知らないことに過失がある）というのなら、悪意（知っていた）と同様に扱う。つまり第三者が**善意・有過失**であっても、売主は土地を返してくれ、と言える。

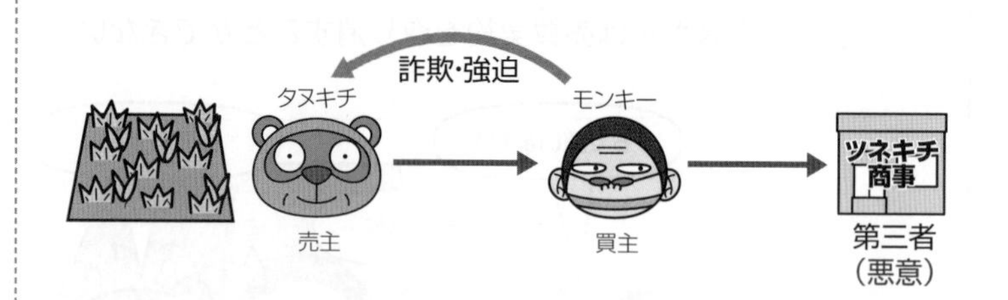


## 3 第三者が善意無過失だったら、どうなる？

問題は、第三者が**善意無過失**だった場合だ。第三者は詐欺の事実を知らずに土地を買っている。知らないことに過失もない。通常の商行為をしただけで何も悪くないのである。詐欺や強迫の被害者である売主を守る必要はあるが、第三者に迷惑をかけるのはよろしくない。では、どうするのか？　この点、民法は、詐欺と強迫で異なる扱いをしている。

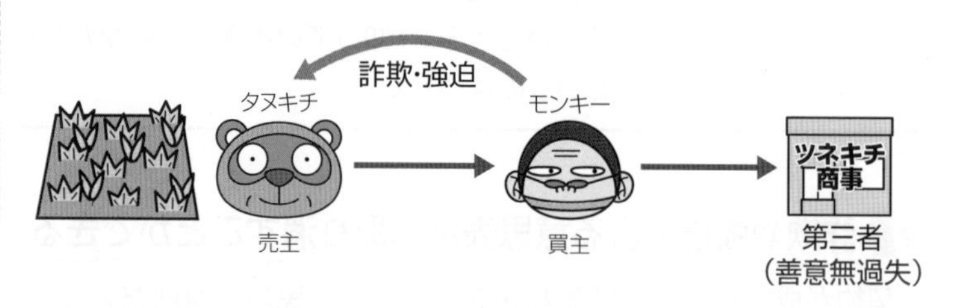


まず、**詐欺の場合は**、売主は善意無過失の第三者に対しては**土地を返せとは言えない**。騙された売主にもある程度落ち度があると考えて、善意無過失の第三者を保護する（売主は注意すればだまされなかったかもしれない）。

一方、**強迫の場合には、第三者が善意無過失であっても、売主は土地を返してくれ、と言える**。売主にはまったく落ち度がないからだ（売主は脅かされているので防ぎようがない）。第三者には可哀想だが、売主を保護すると考えるのだ。
まとめると、以下のようになる。

**〈売主は善意無過失の第三者に対抗できるか〉**

| | | | |
|---|---|---|---|
| ① | **詐欺による取消し** | ➡ | **対抗できない** |
| ② | **強迫による取消し** | ➡ | **対抗できる** |

ただし、これは転売後に売主が取り消した場合だ（取消前の第三者）。売主の取消後に転売された場合（取消後の第三者）は、対抗問題になる（第５章参照）。

上記の「①詐欺による取消は、……対抗できない」というのは、あくまで善意無過失の第三者に対抗できない（＝契約を取り消したのだから土地を返せ、とは主張できない）という意味だ。詐欺を働いた買主に対しては、第三者に転売されていようが、取消を主張できる。もっとも土地は第三者のものになってしまうから、売主は、買主に対し損害賠償請求することになる。

## 4 第三者による詐欺

当事者ではない第三者が詐欺を行う、ということもある（「正誤を判定○or×」もその例。第三者モンキーが売主タヌキチをだましている）。この場合も、相手方（「正誤を判定○or×」では買主のツネキチ）が**悪意または有過失**であれば、売主は契約を取り消すことができる。

第2章 意思表示

# ケース2 あぁ勘違い！

正誤を判定 ○ or ×

タヌキチがイヌマル不動産に対し、土地の売却の意思表示をしたが、その意思表示は錯誤によるものであった。意思表示者であるタヌキチに重い過失があるときは、取消しを主張することができない。

解答 重過失がある以上、表意者タヌキチは錯誤による取消しを主張できない。

## 1 重要な勘違いがあれば取り消すことができる

民法の条文では「その錯誤が**法律行為の目的及び取引上の社会通念に照らして重要**なものであるときは、取り消すことができる」としている。

**錯誤**とは勘違いのことだ。錯誤による契約は取り消すことができる。ただし、取消しが認められるためには、契約の締結を左右するような**重要な部分についての勘違い**でなければならない。ささいな勘違いでは契約の取消しは認められないのだ。

また、表意者（勘違いの意思表示をした人）に**重大な過失（＝重過失）がある場合にも、取消しは認められない**。これが原則。

とはいえ、相手方にも落ち度がある場合には、表意者に重過失があっても取消しが認められる。次の①～③がそれだ。

**例外 〈表意者に重過失があっても、取消しができる場合〉**

① **相手方が表意者に錯誤があることを知っていたとき（悪意）**

② **相手方が表意者に錯誤があることを重大な過失により知らなかったとき（善意重過失）**

③ **相手方が表意者と同一の錯誤に陥っていたとき（双方錯誤）**

## 2 表示の錯誤

錯誤には、「**表示の錯誤**」と「**動機の錯誤**」とがある。たとえば、B地を売却しようと思っていたのにA地の売買契約をしてしまったとか、代金が100万円だと思って契約したが実は100万ドルだった、というのが「表示の錯誤」である。「A地の売却」「100万ドルで購入」という意思「表示」をしているが、それは勘違いによるもので、本心は「B地の売却」「100万円での購入」だ。つまり表示された意思と、本当の意思が異なっている。これが表示の錯誤だ。

条文では「意思表示に対応する意思を欠く錯誤」

**◘表示の錯誤の例**

| 〈表示された意思〉 | | 〈本来の意思〉 |
|---|---|---|
| A地の売却 | ⇔ | B地の売却 |
| 100万ドルで購入 | ⇔ | 100万円で購入 |

## 3 動機の錯誤（事実錯誤）

条文では「表意者が法律行為の基礎とした事情についてのその認識が真実に反する錯誤」

表示の錯誤に対し、**動機の錯誤**と呼ばれるものがある。たとえば、「近くに新駅ができるから値上がりするだろうと思って土地を購入したが、実は新駅ができる計画などなかった」とか、「スマホを紛失したと思って新しいスマホを購入したが、実はなくしてはいなかった」、というのが動機の錯誤だ。「購入する」という意思表示の前提について、勘違いしているのである。

動機の表示は、**黙示的**なものであってもよい。はっきりと口に出して言わなくても相手方に伝わればいいのだ。

条文では「その事情が法律行為の基礎とされていることが表示されていたときに限り（取消しできる)」となる。

**動機の錯誤は、相手方に動機が示されている場合にのみ取消しを主張できる。**

## 4 錯誤取消しと第三者

対抗できないのは「取消し前の第三者」だ。
取消し後の第三者については、第5章で学ぶ。

錯誤による取消しは**善意無過失の第三者には対抗することができない**。詐欺の場合と同様だ。

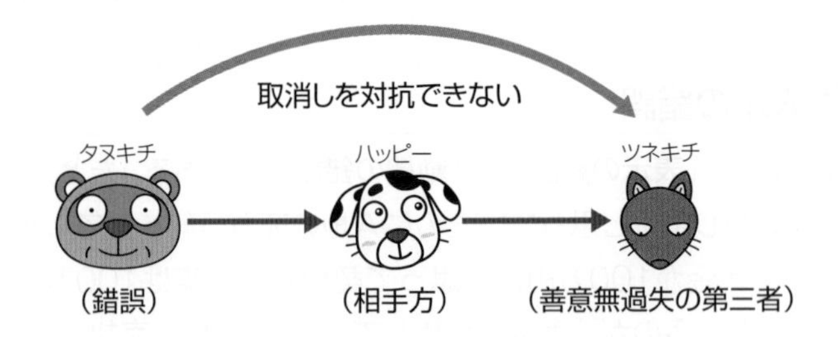

# ケース3 でっちあげは無効だ

**正誤を判定 ○ or ×**

モンキーはツネキチに土地を売る契約をした。この契約がモンキーとツネキチで示し合わせた架空のものであったとしても、モンキーの契約の動機が債権者からの差押えを逃れるためであることをツネキチが知っていた場合には、この売買契約は有効に成立する。

**解答** モンキーとツネキチの間の契約は虚偽表示だ。**虚偽表示による契約は当事者間では無効**となる。 ×

## 1 虚偽表示は無効だ

相手方と示し合わせて架空の契約をすることを**虚偽表示**という。虚偽表示は**当事者間では無効**だ。上記の例では、売主モンキーにも買主ツネキチにも、売買契約の意思などないからだ。

「**通謀虚偽表示**」と言うこともある。

## 2 善意の第三者には対抗できない

しかし、虚偽表示の無効は**善意の第三者には対抗できない**。買主がこの土地を、善意の（＝虚偽表示であることを知らない）第三者に売却した場合、事情を知らずに土地を買った第三者に迷惑をかけるのは、道理に合わない。売主は第三者に土地を返してくれ、とは言えないのだ。

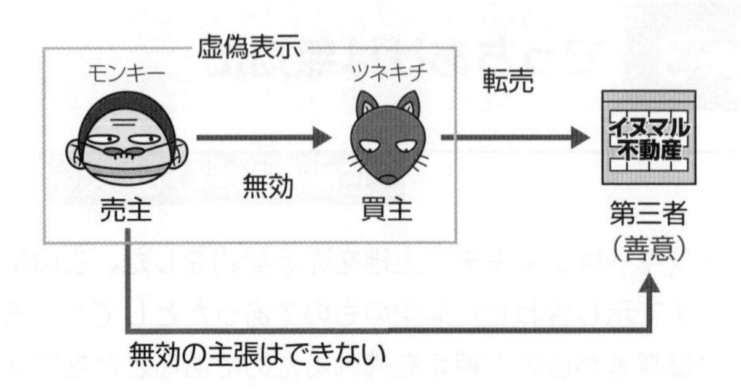


本試験でよく出るヒッカケだ。

第三者は善意であればよい。登記がなくても過失があっても「転売は有効だ」と主張できる。

## 3 第三者が悪意でも…

もし第三者が悪意であれば、売主は土地を返してくれ、と言える。売主に土地を売る意思がなく、そのことを第三者も知っていたからだ。

では、悪意の第三者がさらに、善意の者に転売した場合はどうなるのだろう。この場合、売主は転売先に土地を返してくれ、とは言えない。善意の転売先に迷惑をかけるわけにはいかないからだ。

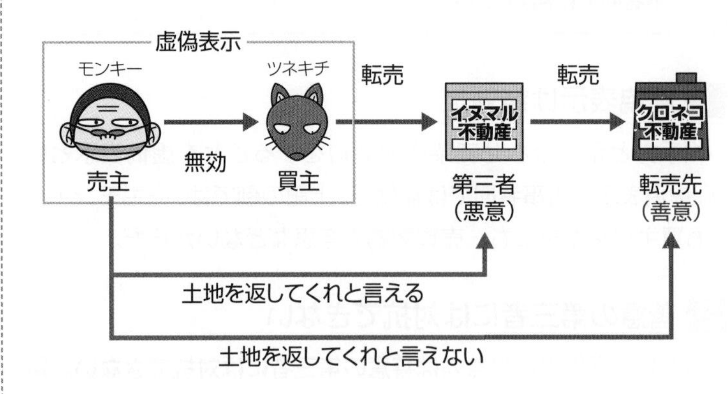

逆に、第三者は善意だったが、転売先が悪意だった場合はどうだろう？　売主は土地を返してくれ、と言えるのだろうか。

この場合も売主は転売先に土地を返してくれ、とは言えない。売主への土地の返還を認めると、第三者と転売先の売買契約もなかったことになってしまう。これは善意の第三者に迷惑をかけることになる。

つまり、１人でも善意の者が登場すれば、売主は虚偽表示による無効を主張できないのだ。

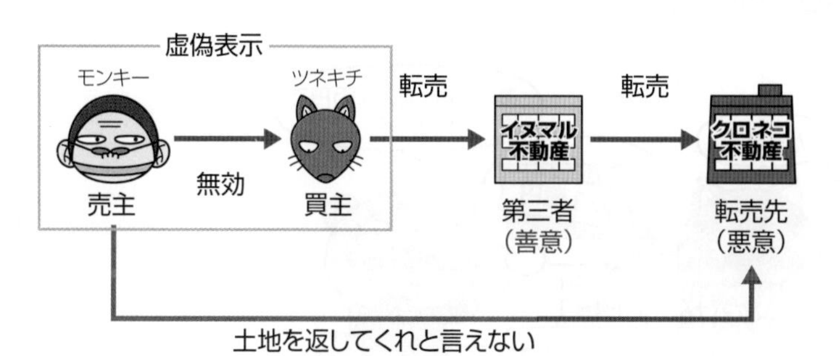


## 4 売主が第三者に売却した場合は？

（買主ではなく）売主が第三者に土地を売却した場合、土地は第三者のものになる。虚偽表示の相手方である買主は無権利者だ。それに対し第三者は、きちんとした売買契約により譲渡を受けた権利者だからだ。第三者が買主に土地の権利を主張するのに、登記も不要だ。

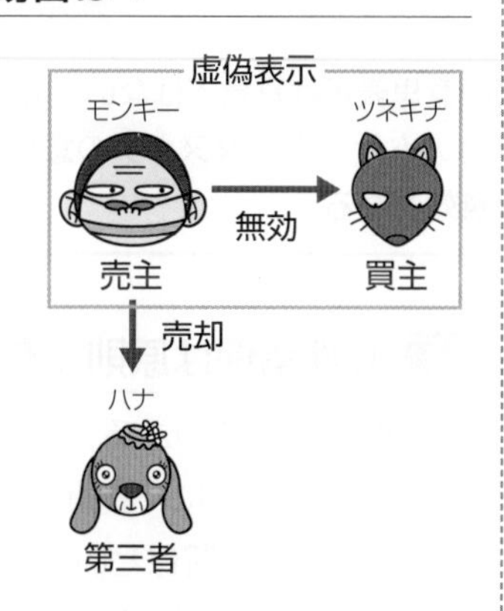

## ケース4 冗談ではすまされない

**正誤を判定 ○ or ×**

タヌキチはムサシに対し、「A地を1,000万円で売却する」という意思表示を行ったが、当該意思表示は真意ではなく、ムサシもそのことを知っていた。この場合、ムサシが「A地を1,000万円で購入する」という意思表示をすれば、売買契約は有効に成立する。

**解答** タヌキチの意思表示は真意ではない（心裡留保）。心裡留保は原則として有効だが、相手方のムサシが、タヌキチの**意思表示は真意ではないことを知っていた場合には無効**となる。 **×**

### 1 心裡留保は原則、有効だ

1億円の価値のある土地を冗談で「1,000万円で売ってあげる」というように「真意でないことを知りながら意思表示をすること」を**心裡留保**という。

**心裡留保は原則有効**だ。上記の例では、タヌキチの話を信じたムサシが1,000万円支払えば、タヌキチは土地を渡さなければならない。タヌキチは損をするが、真意でない意思表示をしたのが悪いのだから仕方がない。

## 2 相手方が悪意、または、善意有過失であれば無効

しかし、相手方（ムサシ）が、表意者（タヌキチ）の意思表示は真意ではないと知っていたのであれば保護する必要はない。つまり**相手方が悪意の場合は無効**となる。また、相手方が善意であったとしても、**過失がある場合**にはやはり**無効**となる。1,000万円で売るというのは真意ではない、ということを容易に**知ることができた**のに知らなかった（過失があった）という場合まで、保護する必要はないのだ。

| 相手方 | | 心裡留保は有効か？ |
|---|---|---|
| 悪意 | | 無効 |
| 善意 | 有過失 | 無効 |
| | 無過失 | 有効 |

## 3 無効は善意の第三者には対抗できない

なお、相手方が悪意または善意有過失で心裡留保が無効となったとしても**善意の第三者には対抗できない**。

第三者に無過失までは要求されない。

たとえばムサシが、「タヌキチから土地を買ったから9,000万円で転売してあげますよ」と善意の第三者に持ちかけた場合だ。第三者はまさか、ムサシとタヌキチの取引が心裡留保で無効になるとは考えないだろう。第三者に迷惑をかけるわけにはいかないから、タヌキチは第三者に対しては心裡留保による無効を対抗できない。つまり土地を返してくれ、とは言えないのだ。

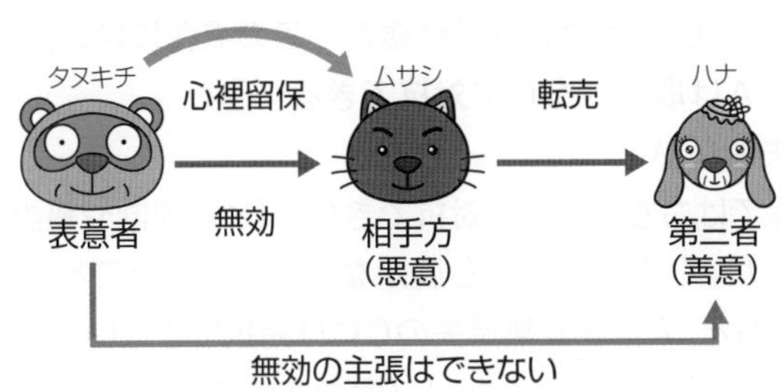

### ◆取消し・無効と第三者

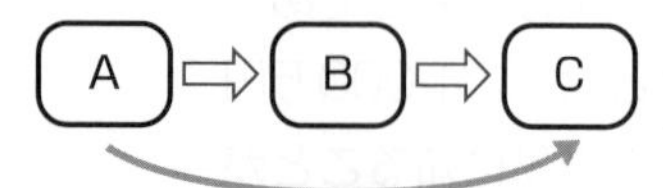


ＡＢ間の意思表示が、取り消されたり、無効であった場合に、第三者Cに対しても取消しや無効を主張できるのか？

○は第三者に対抗できる

| | 効果 | Cの状態 | | |
|---|---|---|---|---|
| | | ①悪意 | ②善意有過失 | ③善意無過失 |
| 詐欺 | 取消し | ○ | ○ | × |
| 強迫 | | ○ | ○ | ○ |
| 錯誤 | | ○ | ○ | × |
| 虚偽表示 | 無効 | ○ | × | × |
| 心裡留保※ | | ○ | × | × |

※心裡留保はＢが悪意または善意有過失の場合

① Ｃは悪意

ＣがＡＢ間に詐欺などがあったことを知っているのであれば、Ｃを保護する必要はない。Ａは取消しや無効をＣに対抗できる（○）。

② Ｃは善意だが過失あり

虚偽表示や心裡留保では、真実でない意思表示をＡが故意に行っている。Ａの落ち度は大きい。だからＣは善意でさえあれば（＝過失があっても）、自分の権利を主張できる。逆に言えばＡは善意のＣには対抗できない（×）。

詐欺や錯誤では、Ａは故意ではないものの、「騙された」「勘違いした」とように落ち度が少しある。一方、Ｃの方にも落ち度が少しある（知らないことに過失がある）。いわば引き分け状態だ。この場合には、元の権利者Ａの勝ちとする。Ａは取消しをＣに対抗できる（○）。

③ Ｃは善意であり過失もない

虚偽表示や心裡留保ではもちろんＣに対抗できない（×）。詐欺や錯誤は、Ａに少し落ち度があるが、Ｃの方には落ち度がない（知らないことに過失がない）。これはＣの勝ちだ。Ａは善意無過失のＣには対抗できない（×）。

ところが、強迫はＡに落ち度が全くない（脅かされているのだから防ぎようがない）。Ｃにも落ち度はない。両方に落ち度がなくこれも引き分け状態だ。元の権利者Ａの勝ちだ。Ａは取消しをＣに対抗できる（○）。

MEMO

# 確認テスト

問題　次の記述の正誤を判定してください。

1．詐欺によってされた契約は、無効である。

2．AがA所有の甲土地をBに売却した。AがBの詐欺を理由に甲土地の売却の意思表示を取り消しても、取消しより前にBが甲土地をDに売却し、Dが所有権移転登記を備えた場合には、DがBの詐欺の事実を知っていたか否かにかかわらず、AはDに対して甲土地の所有権を主張することができない。

3．強迫によってされた契約の取消は、善意無過失の第三者に対抗することができる。

4．AのBに対する甲土地の売買契約においてAに錯誤があった場合、Aが取消しを主張する意思がなくても、BがAの意思表示を取り消すことができる。

5．Aは錯誤によって、所有する甲土地をBに売却し、Bは甲土地をCに転売した。その後、Aは錯誤を理由にAB間の売買契約を取り消した。CがAの錯誤について善意だが過失があったときは、AはCに甲土地の引き渡しを求めることができる。

6．Aが、債権者の差押えを免れるため、Bと通謀して、A所有地をBに仮装譲渡する契約をした。Cが、AB間の契約の事情につき善意無過失で、Bからこの土地の譲渡を受けた場合は、所有権移転登記を受けていないときでも、Cは、Aに対して、その所有権を主張することができる。

7．Aは甲土地を「1,000万円で売却する」という意思表示を行ったが当該意思表示はAの真意ではなく、Bもその旨を知っていた。この場合、Bが「1,000万円で購入する」という意思表示をすれば、AB間の売買契約は有効に成立する。

**解答解説**

1．×　「取消しできる」のであり、無効ではない（取り消すまではいちおうは有効）。

2．×　Dは取消し前の第三者。DがBの詐欺を知っている（悪意である）ならば、Aは、取消しをDに対抗できる（＝Dに対して甲土地の所有権を主張できる）。一方、Dが善意かつ無過失ならばAは対抗できない。「DがBの詐欺の事実を知っていたか否かにかかわらず、…所有権を主張することができない」というのは誤り。

3．○　強迫の場合は善意無過失の第三者に対抗できる（詐欺はできない）。

4．×　錯誤によって取り消すことができるのは、表意者（またはその代理人、承継人）だけだ。表意者を保護する制度だからだ。詐欺、強迫の場合も同様だ。

5．○　錯誤取消しは、善意無過失の第三者には対抗できない。つまり第三者が悪意だったり、善意有過失の場合には、錯誤取消しを対抗できる。本肢のCは錯誤について善意だが過失があるので、AはCに取消しを主張し甲土地の引き渡しを求めることができる。

6．○　虚偽表示の無効は、善意の第三者Cに対抗できない。つまりCは所有権を主張することができる。Cが所有権の移転登記を受けていなくても、だ。

7．×　心裡留保は、相手方が悪意または有過失であれば無効。Aの真意ではないことをBは知っていた（悪意）ので、売買契約は無効となる。

# 第3章 代　理

## ケース1 なんでも自分でやる必要はない

**正誤を判定 ○ or ×**

クロネコ不動産がタヌ爺の代理人タヌキチとの間で、タヌ爺所有の甲地の売買契約を締結する場合に、タヌキチがタヌ爺の代理人であることをクロネコ不動産に告げていなくても、クロネコ不動産がその旨を知っていれば、当該売買契約によりクロネコ不動産は甲地を取得することができる。

ワシの代わりに
土地を売ってきておくれ。
わかりました！

**解答** 顕名をせずに行った代理行為の効果は、代理人（タヌキチ）に帰属するのが原則であるが、相手方（クロネコ不動産）が代理であることを知っている場合には、効果は本人（タヌ爺）に帰属する。つまりタヌ爺・クロネコ不動産間で売買契約が成立し、クロネコ不動産は甲地を取得することができる。 **○**

### 1 代理とは

**代理**とは、他人（代理人）の行った行為の**効果を本人に帰属させる**ことだ。代理人と相手方との間で意思が一致すれば、売買契約が成立する。ただし、その効果（契約に伴う債権、債務）は本人と相手方に帰属することになる。本人が目的物を受け渡す義務（債務）を負い、代金を受け取る権利（債権）を得るのだ。

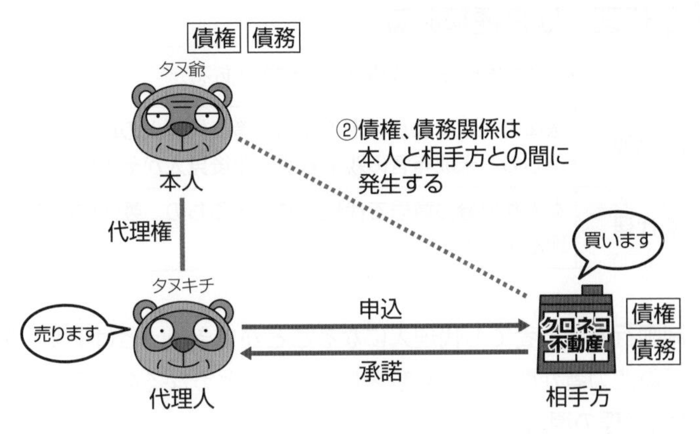


## 2 代理行為の要件

代理行為が有効に成立するためには、次の３つの条件を満たす必要がある。

> ① **代理人に代理権があること。**
> ② **相手方に「自分は代理人である」と示すこと（顕名）。**
> ③ **代理権の範囲内で代理行為を行うこと。**

顕名がなくとも、相手方が代理行為であることを知っている場合（悪意）や、知らないことに過失がある場合（善意有過失）には、有効な代理行為となる。つまり、本人に効果が帰属する。

②の**顕名**を行わないと効果は代理人に帰属することになる。もしタヌキチがタヌ爺の代理人と名乗らずに「土地を売る」と言えば、相手方はタヌキチが売主だと思うのが普通だからだ。

③の**代理権の範囲**についてだが、代理権の具体的内容が決まっていない場合もある。権限の定めがない代理人は**保存行為、利用行為、改良行為**の３つの行為ができる。

| | |
|---|---|
| **保存行為** | 現状を維持する行為。<br>例：建物の修繕をする。 |
| **利用行為** | 利用して利益を上げる行為。<br>例：建物を賃貸して賃料を得る。 |
| **改良行為** | 価値を上げる行為。<br>例：建物の床をフローリングにする。 |

## 3 代理には２種類ある

夫婦は「日常家事に関する行為」については相互に代理権を持つ。その方が夫婦の共同生活を維持していくうえで便利だからだ（H29-1-4参照）。これも法定代理の一つだ。

代理には**法定代理**と**任意代理**の２種類がある。

| | |
|---|---|
| 法定代理 | 法律の規定により特定の立場の者に代理人の地位を与えるもの。未成年者の親権者や成年後見人がその例だ。 |
| 任意代理 | 本人が自分の意思で代理権を与えるもの。委任による代理ともいう。 |

**制限行為能力者でも代理人になることができる。**とはいえ、制限行為能力者が間違った判断をした場合はどうなるのだろうか。

**〈任意代理の場合〉**

まず、制限行為者が**任意代理人**の場合、代理人が制限行為能力者であることを理由に**代理行為を取り消すことはできない。**

仮に代理人（＝制限行為能力者）が、損するような契約を結んだとしても、代理の効果は本人に帰属するから、代理人である制限行為能力者は困らない。一方、本人は、制限行為能力者であることを承知の上で代理人に選んだのだから、不利な事態も受け入れざるを得ない。

**〈法定代理の場合〉**

これに対し、制限行為能力者が**他の制限行為能力者の法定代理人**となっている場合には、**法定代理人として行った行為を取り消すことができる。**たとえば、妻＝成年被後見人、夫＝法定代理人である場合に、夫自身も認知症を発症し被保佐人となる、という事態も想定できる。このような場合、夫が（保佐人の同意を得ずに）行った代理行為の取消しを認めないと、本人である妻に不利となるおそれも出てくるからだ。

### ◘制限行為能力者の代理行為

| | |
|---|---|
| （制限行為能力者が）任意代理人になった | 制限行為能力者であることを理由に代理行為を取り消すことはできない。 |
| （制限行為能力者が）他の制限行為能力者の法定代理人になった | 法定代理人として行った行為を取り消すことができる。 |

## 4 自己契約、双方代理は無権代理

代理人が、売却を依頼された土地を自分のものにしたいと思ったとする。しかし代理人が、買主になることはできない。代理人自身が契約の相手方となる**自己契約は無権代理人がした行為**とみなされるのだ。

本人は自己契約・双方代理を事後的に追認することができるし、相手方は本人に対し確答を求めることができる。

売主、買主の両方の代理人となる**双方代理も同様だ**。また、代理人と本人の利益が相反する行為（**利益相反行為**）も無権代理行為とみなされる。

無権代理とは、代理権がないのに勝手に代理行為をすることだ。本人が追認しない限り効果を生じない。**ケース3**で詳しく解説する。

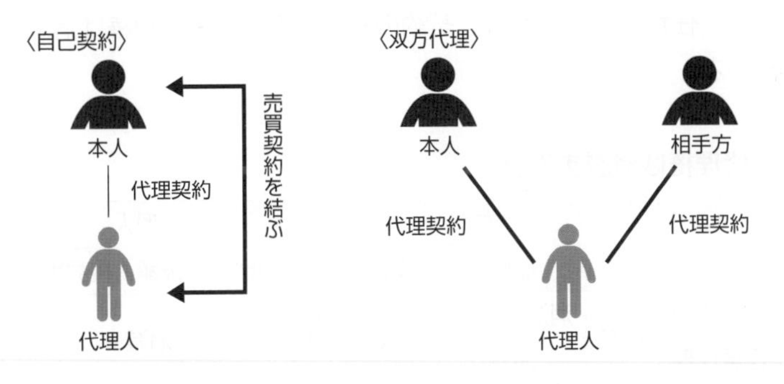


ただし、以下の場合は自己契約や双方代理も有効な代理行為になる。

① **本人があらかじめ許諾した行為**
② **債務の履行**

H30-2-3

「所有権の移転登記について、司法書士が売主・買主双方の代理をする」というのが②の例だ。

## 5 代理人が騙された場合、本人は取り消しができるのか

契約する際、詐欺、強迫、錯誤、心裡留保、虚偽表示があったか、善意だったか悪意だったかということは、**代理人を基準に判断**する。実際に契約するのは代理人だからだ。**取消権は本人**にある。代理人が騙されたのなら、本人が騙されたのではないとして

（代理人が善意でも）本人が悪意ならば代理人の善意を主張することはできない。本人に過失があった場合も同様。

も、本人が詐欺を理由に契約を取り消すことができる。契約の効果は本人に帰属するからだ。

## 6 代理権の消滅

以下の場合には、**代理権が消滅**する。

① **本人の死亡**。代理は本人を保護する制度だから、本人の死亡により消滅する。

② 代理人が「死亡」「破産」「後見開始」のどれが起きても代理権は消滅する（そんな人が代理人では不安だ）。

③ 任意代理であれば、契約の解除によっても代理権は消滅する。

### ◇代理権は消滅するか

<table>
<tr><th rowspan="2"></th><th colspan="3">本人</th><th colspan="3">代理人</th></tr>
<tr><th>死亡</th><th>破産</th><th>後見開始</th><th>死亡</th><th>破産</th><th>後見開始</th></tr>
<tr><td>法定代理</td><td rowspan="2">消滅</td><td>消滅しない</td><td rowspan="2">消滅しない</td><td colspan="3" rowspan="2">消滅</td></tr>
<tr><td>任意代理</td><td>消滅</td></tr>
</table>

- 本人が破産した場合、**任意代理では代理権が消滅**する（これを覚える）
- 本人が「後見開始」となっても代理権は消滅しない（そういう場合にこそ代理人が必要になる）。

## 発展　制限行為能力者と代理権

「3 代理には2種類ある」の中で、「制限行為能力者でも代理人なることができる」と説明したのに、上の表では「代理人が後見開始した場合には、代理権が消滅する」となっていることに疑問を持つ人もいるかもしれない。

確かに、制限行為能力者でも代理人になれる。成年被後見人でも代理人になれるのだ。代理を依頼した本人がそのことを「納得」しているのであれば、なんの問題もない。しかし、「健常者だと思っていた代理人が事故や病気で成年被後見人になってしまった」というのは、話が別だ。

本人は「正常な判断能力のある健常者だと思って代理人に選んだのに、判断能力を失った」という場合は、代理人が成年被後見人であることに、本人が「納得」していないのである。したがって代理人が後見開始した場合には、代理権は消滅する。

## 発展　代理権の濫用

R3⑫-5-1、
R2⑫-2-1

代理人が自己または第三者の利益を図る目的で代理権を行使することを「代理権の濫用」という。代理権の濫用があっても、代理行為は有効だ。これが原則。そんなやつを代理人に選んだ本人に責任があるからだ。ただし、相手方が代理人の背信行為を知り、または知ることができたときは、その行為は無権代理行為とみなされる。悪意や有過失の相手方よりも、被害者である本人を守るのだ。

# ケース2 復代理人は、代理人の代理人ではない

**正誤を判定 ○ or ×**

タヌキチは、急病などやむを得ない事情があっても、タヌ爺の承諾がなければ、ハッピーをさらに代理人として選任し、タヌ爺の代理をさせることはできない。

タヌ爺の代理を頼まれていたんだけど…。代わりに土地、売ってきてくれない？
痛い

**解答** 任意代理人であるタヌキチは、「やむを得ない事情があれば」復代理人を選任できる。 **×**

## 1 復代理

代理人がさらに代理人を選任することを**復代理**という。復代理は以下の点がポイントだ。

> ① **復代理人は本人の代理人である。**
> **（代理人の代理人、ではない）**
> ② **復代理人を選任しても、代理人は代理権を失わない。**
> ③ **復代理人の代理権の範囲　≦　代理人の代理権の範囲**
> ④ **代理人の代理権が消滅すれば、復代理人の代理権も消滅する。**

①。復代理人Cは、「私はAの代理人です」と名乗る（顕名）。Bの代理人ではない。また契約が成立すれば、本人と相手方の間に債権債務関係が発生する。

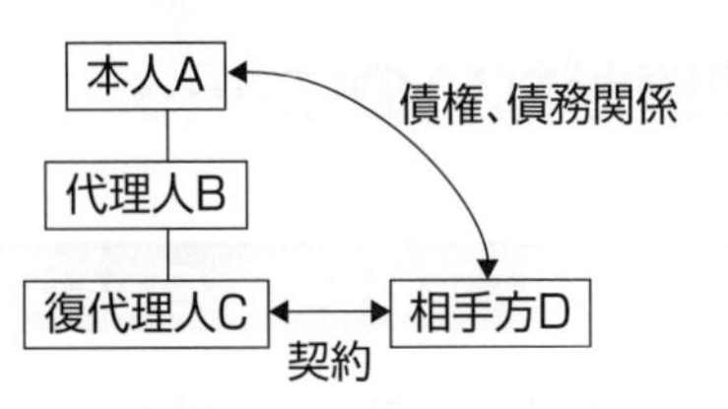


## 2 復代理人の選任

復代理人は自由に選任できるわけではない（本人が知らないところで、復代理人を選任されても困る）。また、復代理人が本人に損害を与えた場合、選任した代理人が責任を負う。

どういう場合に復代理人を選任できるのか、責任を負う範囲はどこまでなのかをまとめたのが、以下の表だ。

| | 復代理人を選任できるか |
|---|---|
| 法定代理人 | 自己の責任でいつでも自由に選任できる |
| 任意代理人 | ①本人の許諾（承諾）を受けたとき<br>②やむを得ない事由のあるとき |

法定代理人は復代理人の行為について責任を負う。ただし、やむを得ない事由で復代理人を選任したときは、選任・監督責任のみを負う。

**選任・監督責任**とは、通常なら選任しないような間抜けな人間を復代理人に選んだ、復代理人がヘマをして本人に損害を与えた、という場合に代理人が責任を負うということだ。

# ケース3 代理権がないのに……

正誤を判定 ○ or ×

タヌ三郎が権限もないのにタヌ爺の代理人と称して、タヌ爺所有の土地をツネキチに売る契約を結んだ。ツネキチはタヌ爺（本人）に対して相当の期間を定めて、その期間内に追認するか否かを催告することができ、タヌ爺が期間内に確答をしない場合には、追認とみなされ、本件売買契約は有効となる。

**解答** **本人が確答しない場合は、追認拒絶**となる。したがって売買契約は無効となる。 ×

## 1 無権代理とは

代理権のない者が代理人のふりをして代理行為を行うことを無権代理という。無権代理は本人が追認しない限り、（本人に対しては）効力を生じない。これが原則である。勝手に土地を売られても、本人が責任を負う必要はない。

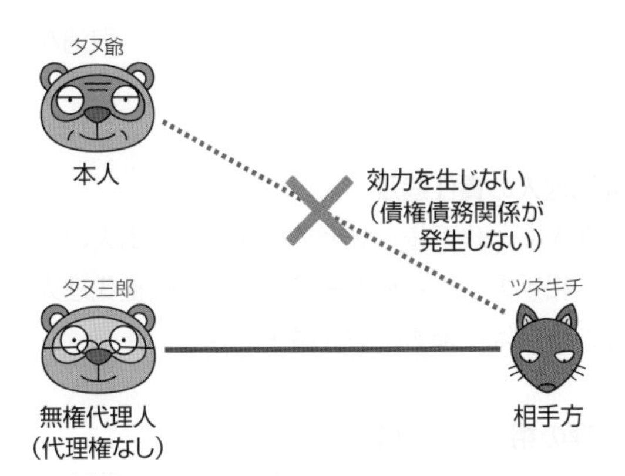


本人は**追認**することもできる。無権代理人が勝手にやった行為でも、本人に有利な契約であることも考えられるからだ。この場合、**契約の時点にさかのぼって有効**となる。

追認は相手方にするのが原則だが、無権代理人に追認した場合でも、相手方が追認の事実を知れば有効となる。

本人が追認した時点から有効になるのではない。

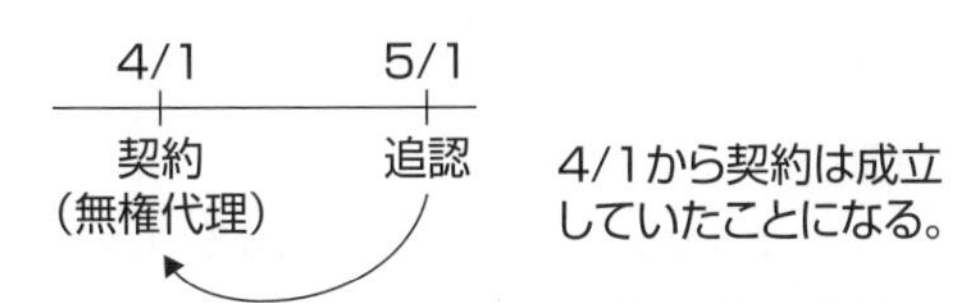


本人が**追認拒絶すれば、契約は確定的に無効**となる。

## 2 相手方の保護

無権代理人と契約した相手方はどのような対応をとることができるのだろうか。

① **催告**

相手方は本人に対し、相当の期限を定めて、追認するか拒絶するか確答するよう**催告**できる。**期限内に確答がない場合は追認拒絶**（契約は無効）となる。催告は相手方が悪意の場合（無権代理であることを知っていた場合）**にもできる**。

制限行為能力者の保護者の場合は、期限内に確答しないと、追認として扱われたが（第１章**ケース5**参照）、無権代理は確答がない場合は無効となる。

② **取消**

相手方は本人が追認する前であれば、契約を取り消すことができる。ただし、これは相手方が善意の場合だけだ。もともと無権代理であることを知っていた（悪意）のなら、取消など認める必要はない。

### ③　無権代理人の責任追及

無権代理人が、代理権を証明できず、かつ本人の追認も得られない場合、相手方が善意無過失であれば、無権代理人に対し、**債務の履行**、または、**損害賠償**を請求できる。

**債務の履行**とは、無権代理人が本人から土地を買い取って、相手方に売れ、つまり契約を守れ、ということだ。

### ◘無権代理の相手方の対応

| 相手方の手段 | 相手方の主観 | | |
|---|---|---|---|
| | 悪意 | 善意（有過失） | 善意（無過失） |
| ①催告 | ○ | ○ | ○ |
| ②取消 | × | ○ | ○ |
| ③履行または損害賠償の請求 | × | △ | ○ |
| ④表見代理の主張 | × | × | ○ |

注：下段に行くほど、責任追及としては厳しい手段となる。したがって相手方の要件も厳しくなる。

④表見代理についてはケース4参照。

③の欄で善意（有過失）のところは△となっていることに注意だ。無権代理であることを、相手方が過失により知らなかったときは、無権代理に責任追及することができない。×が原則なのだ。しかし、**無権代理人が無権代理であることを知っていた場合には、相手方は有過失でも責任追及できる。**

ただし、無権代理人が制限行為能力者である場合には、責任を追及できない（制限行為能力者なので仕方がない）。

### ④　表見代理の主張

表見代理が成立する場合（＝本人にも責任がある場合）、相手方は本人に契約の履行を求めてもいいし（④表見代理の主張）、無権代理人の責任を追及してもいい（③履行または損害賠償の請求）。③と④の好きな方を選択すればいいのだ。

## 3 無権代理と相続

相続により、無権代理人と本人が同一人になってしまった場合に、どのように扱うのかという問題だ。

タヌ三郎が、父親であるタヌ爺の土地を勝手にツネキチに売ったとする（1億円の土地を、遊ぶ金ほしさに100万円で、ツネキチに売る、という契約をしたとしよう）。タヌ三郎は無権代理人だ。

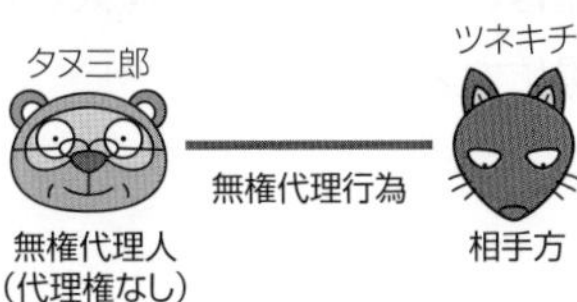


### ①　本人が死亡して無権代理人が単独相続した場合

本人（タヌ爺）が死亡し、無権代理人（タヌ三郎）が相続した場合を考える（他に相続人はいない）。無権代理人は、「本人としての立場（＝無権代理の被害者的立場）」を相続する。

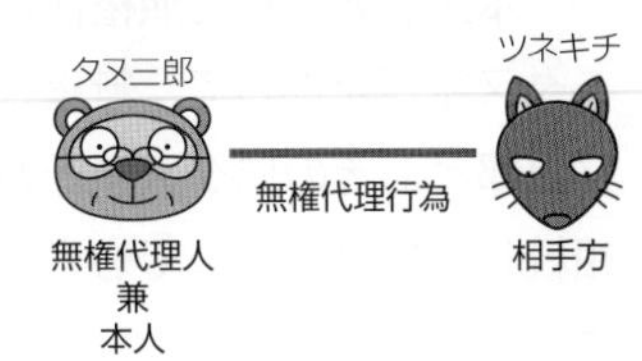


このとき、タヌ三郎は、本人の立場から無権代理行為の追認拒絶ができるのか？　さすがにそれは認められない。自分で無権代理行為を起こしておいて、相続した後、「1億円の土地だからね。100万円では売れませんよ」と相手方に言うのは、あまりにも身勝手な話だ。無権代理行為は有効になる。

身勝手で正義に反する行いを試験では「信義則上許されない」という表現をする。

### 発展　追認拒絶した後の相続

本人が生前に無権代理の追認を拒絶していた場合には、無権代理人が本人を相続しても無権代理行為は有効にはならない。無権代理人は、「追認拒絶した本人」の立場を相続するからだ。

### ②　無権代理人が死亡して本人が相続した場合

①とは逆に無権代理人であるタヌ三郎が死亡し、本人（タヌ爺）が相続した場合を考えよう。タヌ爺は、本人兼無権代理人という立場になる。

この場合には、タヌ爺が本人としての立場で無権代理行為の追認を拒絶することも認められる。タヌ爺はいわば無権代理の被害者的立場だからだ。

もっとも、タヌ爺は無権代理人としての立場もあわせ持つ。相手方が無権代理について善意無過失だった場合、無権代理人に「履行または損害賠償の請求」ができる。つまり、タヌ爺は土地を渡したくないのならば、損害賠償に応じることになる。

タヌ爺は何も悪いことをしていないのにいい迷惑だ。そうした事態を避けるために相続放棄という制度がある。詳しくは第12章相続で勉強する。

### ③　本人が死亡して無権代理人が共同相続した場合

タヌ爺が死亡して、無権代理タヌ三郎と、その兄タヌキチが共同相続した場合についても考えてみよう。

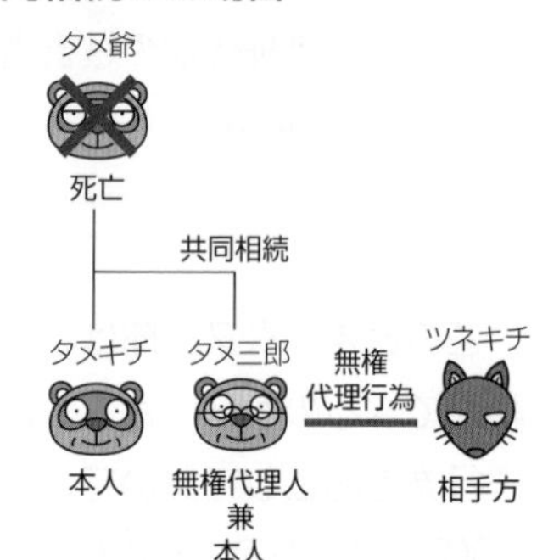


無権代理行為を追認するには、共同相続人全員が共同して行う必要がある。つまりタヌキチも追認に同意しないと契約は有効にはならない。

# 第3章 代 理

## ケース4 代理権はないのだが……

**正誤を判定 ○ or ×**

ハナが所有する賃貸マンションについて、ツネキチに賃料の徴収の代理をさせていたところ、ツネキチが無断でハナの代理人としてキリ男に売却した。ハナが追認しない場合でも、キリ男がツネキチに代理権があると信じ、そう信じることについて正当な理由があるとき、キリ男は、直接ハナに対して所有権移転登記の請求をすることができる。

**解答** ツネキチの売却行為は、代理権限を超えている。本来は無権代理で、ハナが追認しない限り、契約は無効のはずである。しかし「キリ男がツネキチに代理権があると信じ、そう信じることについて正当な理由があるとき」は**表見代理が成立**する。

**契約は**（ハナの追認がなくても）**有効**となり、キリ男は所有権移転登記の請求をすることができる。

○

### 1 ツネキチとキリ男との売買契約は有効なのか？

上の「事例」では、キリ男は、ツネキチが代理人として行った売買契約が有効である、と主張している。所有者ハナにしてみれば「そんな馬鹿な」だろう。ツネキチの行為は代理権の範囲を超えており、無権代理だからだ。

ところが**表見代理**という規定があり、買主（キリ男）の主張が認められる場合もあるのだ。

## 2 表見代理とは

印鑑を盗まれ、委任状を偽造されたといった場合には、本人に帰責性がないので、表見代理は成立しない。

**表見代理**とは、本当は完全な代理権がない場合でも、相手方からすると代理権があるように見え、そのことについて**本人にも責任がある場合には、有効な代理行為として扱う**というものだ。

表見代理には、次の３つのパターンがある。

| ①代理権授与の表示による表見代理 | 実際には代理権を与えてはいないのに、代理権を与えたように見える状態を本人が作りだした。 |
|---|---|
| ②代理権の権限外の表見代理 | 代理人が本人から与えられた代理権の範囲を超えて法律行為を行った。 |
| ③代理権消滅後の表見代理 | 代理権がすでに消滅しているにもかかわらず代理行為を行った。 |

上記①～③に該当した場合、**相手方が善意無過失**であれば代理行為は有効となり本人に効果が帰属する。

問題文に「代理権があると信じ、そう信じることに正当な理由がある」とあれば善意無過失ということだ。

## 3 表見代理の具体例

表見代理の３つのパターンについて、具体的に見ていこう。

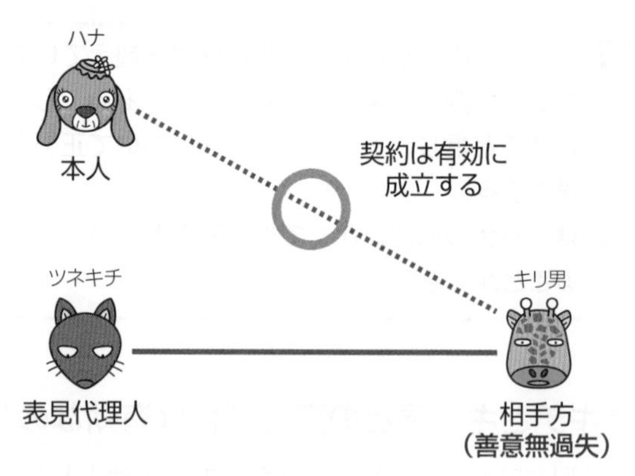


**①　代理権の授与の表示**

本人が、将来代理行為を頼もうと思って、白紙委任状を渡していた場合などだ。代理権の内容や期間が決まったら記載しようと空欄（白紙）にしておいたものを、勝手に書き込んで代理行為をしたという場合だ。それを見た相手方は、完全な代理権があると信じるだろう。白紙委任状を交付した本人にも一定の責任があると考えて、無権代理行為を有効にするのだ。

**② 代理権の権限外**

建物の賃貸をする代理権しか与えていないのに売却までしてしまった、抵当権設定の代理権しか与えていないのに売却までしてしまった、というケースである。もちろん悪いのは代理人だが、そんな奴を代理人にした本人にも責任があると考えて、やはり無権代理行為を有効にしていく。

**③ 代理権消滅後**

代理契約が解除されたにもかかわらず、代理行為が続けられていた、という場合だ。代理人が破産したのに、代理行為を続けたというのはこれにあたる。

## まとめ

### ◆代理が成立する要件

① 代理人に代理権があること。
② 相手方に「自分は代理人である」と示すこと（顕名）。
③ 代理権の範囲内で代理行為を行うこと。

### ◆無権代理の相手方の対応

| 相手方が取れる手段 | 相手方の主観（代理権がないことを知っているかどうか） | | |
|---|---|---|---|
| | 悪意 | 善意（有過失） | 善意（無過失） |
| ①催告する | ○ | ○ | ○ |
| ②取消しする | × | ○ | ○ |
| ③（無権代理人に対して）履行または損害賠償を請求する | × | △ | ○ |
| ④（本人に対して）表見代理を主張する | × | × | ○ |

### ◆表見代理の3つのパターン

| | |
|---|---|
| ①代理権授与の表示による表見代理 | 実際には代理権を与えてはいないのに、代理権を与えたように見える状態を本人が作りだした。 |
| ②代理権の権限外の表見代理 | 代理人が本人から与えられた代理権の範囲を超えて法律行為を行った。 |
| ③代理権消滅後の表見代理 | 代理権がすでに消滅しているにもかかわらず代理行為を行った。 |

上記①～③が重なりあうこともある。たとえば賃貸の代理権を与えられている者が、その代理権消滅後に、不動産の売買契約をした、という場合だ（表の②と③の両方にあたる）。この場合、相手方が「代理権の消滅について善意無過失」であり、同時に、「代理権の範囲外であることにも善意無過失」であれば表見代理が成立する。

MEMO

# 確認テスト

問題　次の記述の正誤を判定してください。

1．AがA所有の甲土地の売却に関する代理権をBに与えた。Bが売主Aの代理人であると同時に買主Dの代理人としてAD間で売買契約を締結しても、あらかじめ、A及びDの承諾を受けていれば、この売買契約は有効である。

2．Aが所有する甲土地の売却に関する代理権をBに与えた。Aが死亡した後であっても、BがAの死亡の事実を知らず、かつ、知らないことにつき過失がない場合には、BはAの代理人として有効に甲土地を売却することができる。

3．代理人は、行為能力者であることを要しないが、代理人が後見開始の審判を受けたときは、代理権が消滅する。

4．Aは不動産の売却を妻の父であるBに委任し、売却に関する代理権をBに付与した。Bは、やむを得ない事由があるときは、Aの許諾を得なくとも、復代理人を選任することができる。

5．AはBの代理人として、B所有の甲土地をCに売り渡す売買契約をCと締結した。しかし、Aは甲土地を売り渡す代理権は有していなかった。BがCに対し、Aは甲土地の売却に関する代理人であると表示していた場合、Aに甲土地を売り渡す具体的な代理権はないことをCが過失により知らなかったときは、BC間の本件売買契約は有効となる。

6．AはBの代理人として、B所有の甲土地をCに売り渡す売買契約をCと締結した。しかし、Aは甲土地を売り渡す代理権は有していなかった。Bが本件売買契約を追認しない間は、Cはこの契約を取り消すことができる。ただし、Cが契約の時において、Aに甲土地を売り渡す代理権がないことを知っていた場合は取り消せない。

解答解説

1．○　双方代理は無権代理行為とみなされる。しかし、売主・買主の双方があらかじめ承諾しているのであれば有効な代理行為となり、契約の効果は両当事者に帰属する。

2．×　本人（A）の死亡により代理権は消滅する。

3．○　制限行為能力者でも代理人になれる。また、代理人が成年被後見人になったのであれば代理権消滅事由に該当する。

4．○　BはAの任意代理人だ。任意代理（委任による代理）の場合、①本人の許諾（承諾）を受けたとき、②やむを得ない事由のあるときには代理人は復代理人を選任できる。

5．×　相手方Cが善意無過失であれば、「代理権授与表示による表見代理」となる。しかし、本問ではCに過失があるので、表見代理は成立しない。

6．○　無権代理で相手方の取消が認められるのは善意の場合だ。Cはもともと無権代理であることを知っていたのだから、今さら取消を認める必要はない。悪意のCにできるのは本人に対する催告だけだ。

# 第4章 時　効

## ケース1 他人のものはオレのもの!?

**正誤を判定 ○ or ×**

ハナが平穏・公然・善意・無過失に所有の意思をもって８年間占有し、ホワイトがハナから土地の譲渡を受けて２年間占有した場合、当該土地の真の所有者はハナではなかったとホワイトが知っていたとしても、ホワイトは10年の取得時効を主張できる。

**解答** ハナは善意無過失でタヌキチの土地を占有している（自分の土地であると思い込んでいたのだ）。**占有開始時点で善意無過失**であれば、**10年間**で取得時効が完成する。ホワイトは取得時効を援用し、土地の権利を取得できる。 **○**

### 1 取得時効と消滅時効

**時効**とは継続した事実状態を尊重し、真実の権利関係にかかわらず、事実状態を合法的なものと認めていく制度だ。時効には取得時効と消滅時効の２つがある。

① 取得時効

**一定期間、他人の物を所有の意思を持って占有し続ければ、自分の物になる(本来の所有者が返せと言えなくなる)。**

例：他人の土地を長い間、自分の物として使っていると自分の土地になる。

② 消滅時効

**一定期間、権利を行使しないでいると、その権利は消滅する。**

例：長い間借金を返さないでいると、返さなくてもよいということになる。

「**占有**」とは、「その物を自分の支配下においている状態」のことだ。

①の「所有の意思を持って」とは自分の所有物として利用する、という意味だ。賃貸には所有の意思がないので、土地を借りているのであれば、何年占有したとしても自分のものにはならない。

また時効は、単に期間が経過しただけでは成立しない。**援用**といって、時効の利益を受けようとする者が**時効の完成を主張**することが必要だ。

時効により権利を得たり、借金が消滅したりすることを潔くない行為だと考える人も中にはいる。そういう人に対して時効を強制するのはよくないので、**時効は援用が条件**となっている。

### 発展 間接占有、取得時効の対象

必ずしも自分が占有（直接占有）していなくても取得時効は認められる。たとえば建物を貸して賃借人に占有させるのもＯＫだ（**間接占有**）。

取得時効の対象は所有権だけではない。**地上権、地役権、賃借権**など他の財産権についても、自分の権利として使っていれば取得時効の対象となる。

## 2 取得時効の要件

まずは**取得時効**だ。どのくらいの期間、占有すれば自分のものになるのだろうか。他人の土地であることを知っていた(悪意)か、知らなかった(善意)かで期間が異なっている。

① 「悪意」または「有過失」の場合は20年。20年間、所有の意思を持って、平穏かつ公然と他人の物を占有した者は、その物の所有権を取得する。

② 「善意かつ無過失」の場合は10年。その占有を始めたとき、その物が自分の物であると過失なく信じたのであれば（＝善意無過失）、10年間の占有で所有権を取得する。

**占有を開始したときに善意無過失**であれば、10年でよい。途中で「あっ、これは他人の物だ」と気がついたとしても、20年にはならない。

## 3 時効を援用すると起算日にさかのぼる

時効の効果は**起算日にさかのぼる**。2011年10月１日から善意無過失で占有し、2021年10月１日に時効が完成し、援用した場合、2011年10月１日から所有者だったことになる。時効とは「2011年10月１日から土地を占有していた」という**事実状態を尊重**するものだからだ。

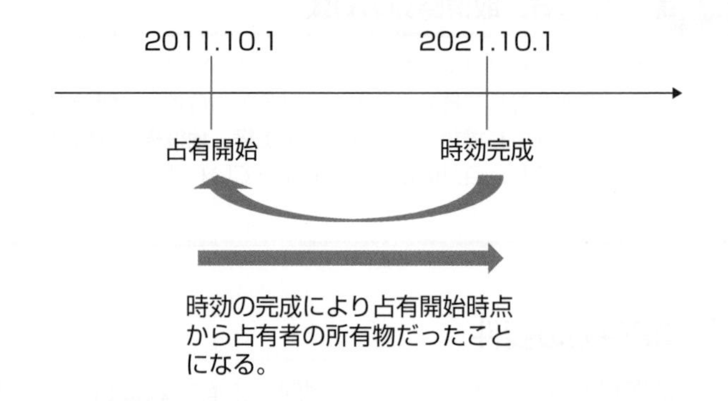


## 4 占有の承継

占有は、同一人物が継続しなくてもいい。例えばハナが善意無過失で８年間占有し、その後、ホワイトが２年間占有すれば、合計10年間占有したことになり時効取得できる。ちなみにホワイトは悪意だった（他人の物だと知っていた）としても問題ない。占有開始時点でハナが善意無過失であれば、途中で他人のものと気がついてもよいのと同じことだ。

このように、占有期間は引き継ぐことができる（**占有の承継**）。以下の事例で、引き継いだ者が何年占有すれば時効取得できるか確認しよう。

直接自分が占有し続けなくてもよい。事例1でハナが8年目からタヌキチに土地を貸したとしても、10年目にハナは土地の所有権を得る。自分の土地として他人に貸しているのだから、所有の意思があるとされ取得時効が認められる。

**事例1**

ハナが善意無過失で８年間占有し、ホワイトも善意であった。

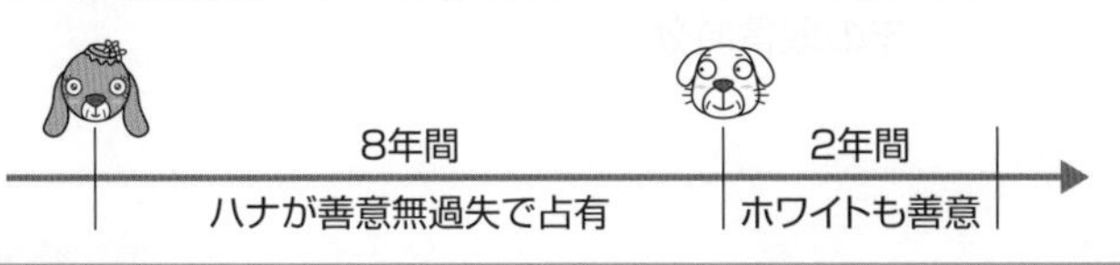


**解説1**　この場合、ホワイトは２年間占有すればよい（10年の取得時効）。

**事例2**

ハナが善意無過失で８年間占有し、ホワイトは悪意であった。

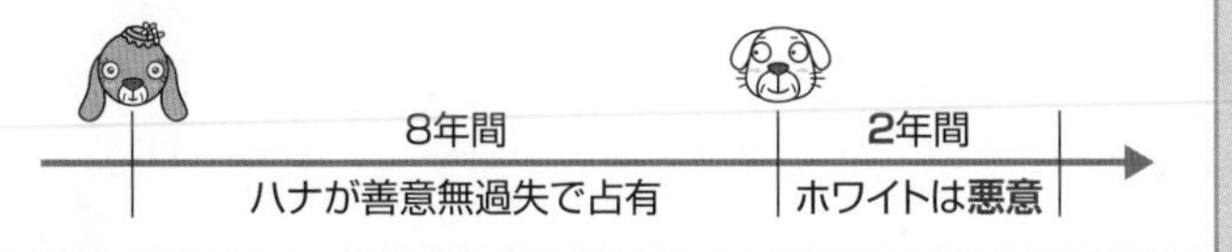


**解説2**　この場合もホワイトは２年間占有すればよい（占有開始時点で善意無過失だから）。

**事例3**

ハナが悪意（または有過失）で８年間占有し、ホワイトは善意無過失で占有を開始した。

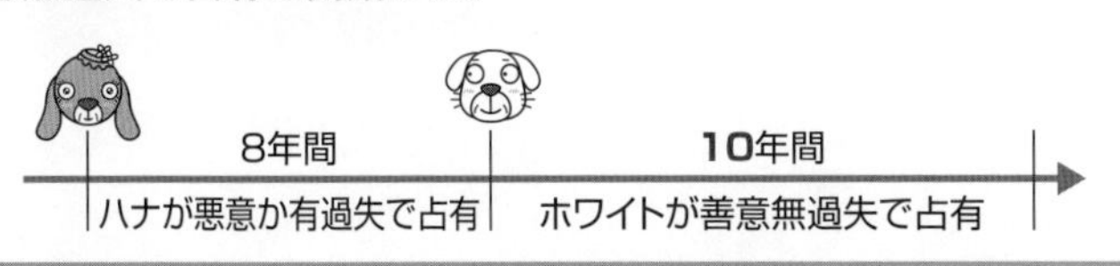


**解説3**　ホワイトは10年間占有すればよい（12年ではない。ハナの占有を引き継がず、ホワイトの占有期間だけで考える）。

**事例4**

ハナが悪意（または有過失）で８年間占有し、ホワイトも悪意（または有過失）で占有を開始した。

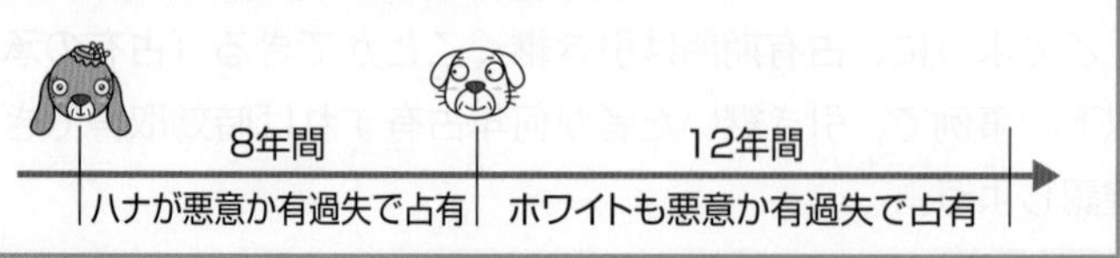


**解説4**

ホワイトは12年間占有すれば取得時効できる（20年の取得時効）。

# ケース2 取得時効と登記

**正誤を判定 ○ or ×**

ツネキチがホワイトの取得時効完成前にタヌキチから土地を買い受けた場合には、ホワイトは、登記がなくても、時効による当該土地の所有権の取得をツネキチに対抗することができる。

**解答** ツネキチは**時効完成前**の第三者だ。時効取得者ホワイトは**登記がなくてもツネキチに対抗できる**（自分の土地だと主張できる）。 ○

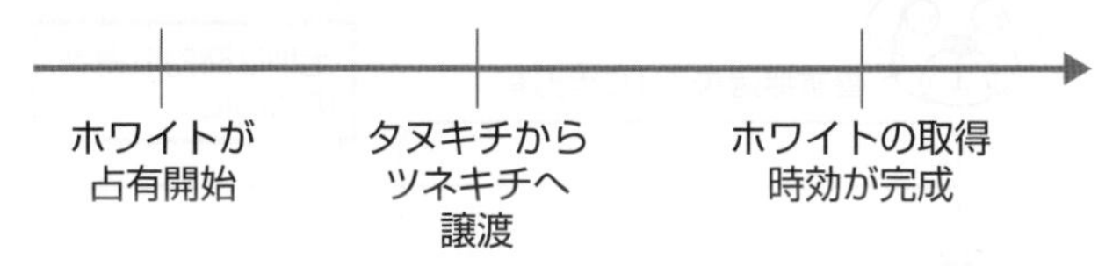


## 1 時効取得と登記

**登記**とは「不動産の所有者を示す台帳のようなもの」と思っておこう。通常は登記されていないと自分のものだと権利を主張できない。

しかし、時効取得した人は当然登記を備えていない。時効取得と登記の関係をみておこう。

**登記**については第14章参照。

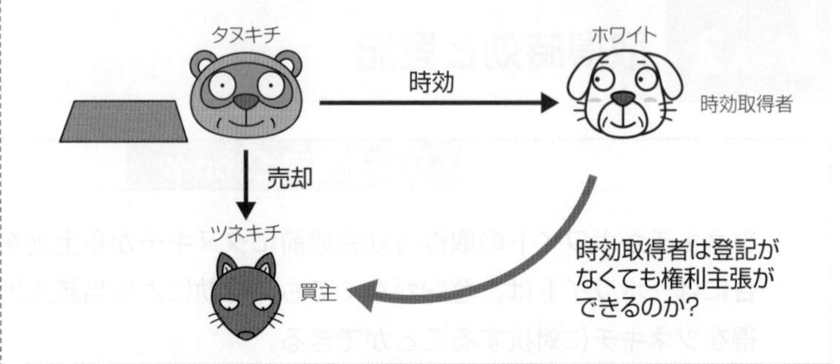


**①　時効取得した者は、登記なしに元の所有者に対抗できる。**
**②　時効完成前に第三者に売却された場合、時効取得した者はその第三者に登記なしに対抗できる。**
**③　時効完成後に第三者に売却された場合、時効取得した者は登記がなければその第三者に対抗できない。**

①は、当然だ。タヌキチの土地（登記はタヌキチになっている）をホワイトが時効取得した以上、ホワイトはタヌキチに対し、（登記がなくても）自分の土地だと主張できる。

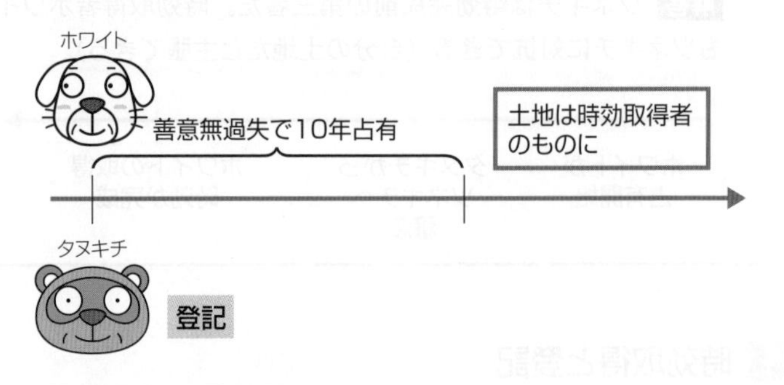


②時効完成前にタヌキチから第三者に売却されても、ホワイトが「他人」の土地を一定期間所有の意思を持って占有していたことに変わりはない。第三者＝タヌキチ＝所有者、と考えて①と同様、ホワイトは登記なしに権利を主張できる。

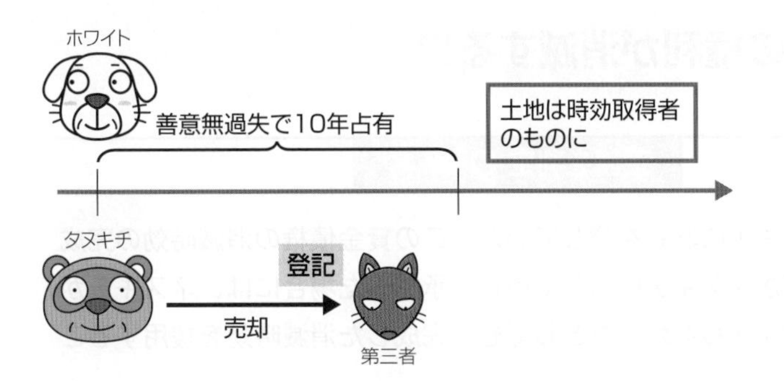


R5-6-ア、
R4-10-4

③は時効完成後に、第三者に売却された場合だ。二重譲渡と同じように考えて、登記を先に備えた方が勝つ。

二重譲渡については第5章参照。

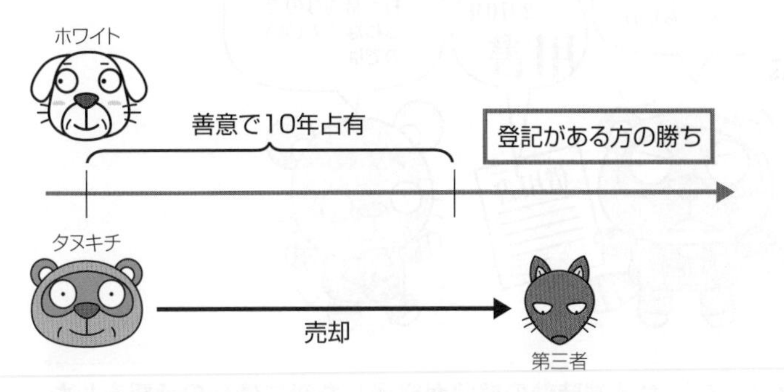


ホワイトは、時効期間が経過したら援用し、自分名義に登記を移してしまえばよい。それをせずに第三者に登記を移されてしまったら、ホワイトの負けだ。

## 発展　時効完成前に取得し、完成後に登記したら…

②で第三者が「時効完成前に土地を取得したが、時効完成後に移転登記した」という場合には、土地は第三者のものになるのか、時効取得者のものとなるのか。この場合も、時効取得者は登記なくして第三者に対抗できる。

時効取得者と第三者が対抗関係になる（＝登記で勝負を決める関係になる）かどうは、**第三者が土地を取得した時期**による。第三者が土地を時効完成前に取得（②）すれば、時効取得者の勝ち。時効完成後に取得（③）すれば対抗関係になる。第三者が登記した時期で、対抗関係になるか否かが決まるわけではない。

# ケース3 オレの権利が消滅する!?

**正誤を判定 ○ or ×**

タヌキチはネズキチにお金を貸していた。この貸金債権の消滅時効の完成後に、ネズキチがタヌキチに対して債務を承認した場合には、ネズキチが時効完成の事実を知らなかったとしても、完成した消滅時効を援用することはできない。

先週「払う」って
言ったじゃないか!
2010年
用書
借用書
よく考えたら
もう時効なので
払わなくていい
のでは……
オド
オド

**解答** **債務者（ネズキチ）が消滅時効の期間が経過した後に債務の承認をした場合には、消滅時効の援用はできない。**たとえネズキチが時効期間の経過を知らなかった（善意）としてもだ。 ○

## 1 消滅時効の期間

債権は、次の①または②の期間が経過すれば、時効によって消滅する。

> 消滅時効の場合も、期間経過だけでなく、権利者の援用が必要だ。

**① 債権者が権利行使できることを知った時から５年＜主観的起算点＞**

**② 権利行使できる時から10年＜客観的起算点＞**
**（人の生命・身体侵害による損害賠償請求の場合は20年）**

借金の返済期限が到来していることを債権者が知っているのに５年間放置すれば、もはや返済してくれとは言えなくなる。期限が到来したことを債権者が知らなくても、10年経過すれば、やはり権利を失う（人の生命又は身体の侵害による損害賠償請求権は20年）。

**「知ったときから5年。できる時から10年。生命・身体は20年」**というのを何回も唱えて覚えよう。

債権以外の財産権、たとえば地上権、地役権、抵当権などは権利を行使することができる時から20年間行使しないときは時効で消滅する。また、所有権は消滅時効にはかからない。

**◘消滅時効の期間のまとめ**

| | 主観的起算点から | 客観的起算点から |
|---|---|---|
| 通常の債権 | 5年 | 10年 |
| 人の生命又は身体の侵害による損害賠償請求権 | | 20年 |
| 地上権、地役権、抵当権 | （なし） | 20年 |
| 所有権 | 消滅時効にはかからない | |

## 発展　確定判決から10年

消滅時効の期間が3年、5年と定められているものでも、その権利が裁判で争われ、確定判決（や和解、調停など）によって確定した場合には、消滅時効の期間は確定の時から10年となる。裁判まで起こしたのだから10年間は権利を認めるのだ。

## 発展　特殊な消滅時効

**■取消権の消滅時効**（第1章ケース6参照）

| | 追認できるときから | 行為のときから |
|---|---|---|
| 取消権の消滅時効 | 5年 | 20年 |

**■不法行為による損害賠償責任の消滅時効**（第11章ケース2で学ぶ）

| | 損害の発生及び加害者を知ったときから | 不法行為のときから |
|---|---|---|
| 通常の不法行為 | 3年 | 20年 |
| 人の生命・身体の侵害による損害賠償 | 5年 | |

## 2 消滅時効はいつからスタートするのか？

「権利を行使することができる時」から10年で時効消滅すると言っても、具体的にはいつからなのか。返済期限の定め方により**消滅時効の起算点**が変わってくる。

**◇消滅時効の起算点**

| 期限の定め等 | 期限の定めの例（借金をいつまでに返すのか） | 権利を行使できるとき（消滅時効の起算点） |
|---|---|---|
| 確定期限があるとき | 3月31日までに返してくれ | 期限が到来したとき（3月31日から） |
| 不確定期限のあるとき | 父親が死んだら返してくれ | 期限が到来したとき（父親が死んだときから） |
| 期限の定めがないとき | 返すのはいつでもいいよ | 債権が成立したとき（契約した時点から直ちに時効が進行する） |

### 発展 停止条件付き債権

停止条件付き債権の場合は、条件が成就したときが権利を行使できるときになる（停止条件については、パートⅠ第７章ケース2を参照）。

（ちょっと細かい知識になるが）返還時期を定めないでお金を貸した時は、「債権成立時から相当の期間が経過したとき」が消滅時効の客観的起算点になる。お金を貸した場合に、貸した瞬間に返してもらう権利が生じる、というのは現実的ではないからだ。

3時効の援用・放棄、4時効の完成猶予と更新は取得時効、消滅時効に共通するルールだ。

## 3 時効の援用・放棄

さて、時効の利益を受けるには「時効の援用」が必要だった。援用するかしないかは援用権者の自由だ。時効という手段で利益を得ることを潔しとしない人は援用しなければよい。これを**時効の放棄**という。

なお、**時効の利益はあらかじめ放棄することはできない**。これを認めると、債権者が優位な立場を利用して債務者に無理やり放棄させるおそれがあるからだ。

〈時効の援用権者〉

また、**時効の援用ができるのは、「時効によって直接利益を受ける者」とその承継人**だ。消滅時効の場合には、債務者本人だけでなく、保証人、連帯保証人、物上保証人、抵当不動産の第三取得者も時効を援用することができる。債務が時効により消滅すれば、保証人が債務を弁済する義務を免れるからだ。

承継人とは、相続、合併等で権利を引き継ぐ人のことだ。また連帯保証人、物上保証人、など難しい言葉が並ぶがこれらは第6章、第10章で学ぶ。今の時点では気にしなくていい。
R2⑫-5-1、
R2⑩-7-2、
H30-4-1、3

**発展 時効の援用は相対効**

債務者本人は時効を放棄したが、保証人は援用したという場合、債権はどうなるのか？債務者本人に対しては請求できるが、保証人には請求できなくなる。時効の意思表示は相対効なのだ（援用した者との関係のみで時効が成立する）。当事者の意思を尊重するためだ。

## 4 時効の完成猶予と更新

債権者としては、時効により権利が消滅するのは困るので、権利をきちんと主張し続けていく必要がある。債権者が**権利主張したと**評価できる場合には、一定期間時効が完成しない（**時効の完成猶予**）。その後、**権利が確定すると**時効期間がゼロリセットされる（**時効の更新**）。

R2⑫-5-1、
H30-4-1

時効の完成猶予・更新が認められる事由について確認しておこう。

〈1．裁判上の請求等による時効完成猶予〉

**① 裁判上の請求（訴えの提起）**
**② 支払督促の申立て**
**③ 和解（民事訴訟法）および調停の申立て（民事調停法・家事事件手続法）**
**④ 破産手続参加または更生手続参加**

上記①～④があった場合、それが終了するまでの間、時効は完成しない。①裁判上の請求、とあるように、「借金を返せ」とい

敗訴しても、また訴えを取り下げた場合や、却下（門前払い）となった場合でも、**6か月**経過するまでは時効は完成しない。
R2⑫-5-2

う裁判を起こせば、**訴訟終了後6か月の間は時効は完成しない**。裁判の結果、（「借金を払え」というように）**権利が確定**すると、時効が**更新**される（今までの時効期間は0リセットされ、また新たに時効期間が始まる）。

### 〈2．催告による時効完成の猶予〉

時効の完成を猶予されるには、裁判を起こせばいいのだが、訴訟の準備には時間がかかる（その間に時効が完成してしまうかもしれない）。そこで、「**催告をすれば6か月間は、時効は完成しない**（猶予される）」とされている。つまり内容証明郵便などで請求書を送付すれば時効の完成を止めることができるのだ（口頭による催告でもOK）。なお、この6か月の期間中に**再度催告しても、期間が延長されることはない**。

### 発展 〈3．協議を行う旨の合意による時効完成の猶予〉

口頭での合意では、時効の完成は猶予されない。いつ合意したかが不明確だからだ。
書面だけでなく電磁的記録もOKだ。

**協議を行う旨の合意を書面**でしたときは時効の完成が猶予される。

では、時効はいつまで猶予されるのか。これは「合意があったときから**1年**」だ。債権者・債務者で**1年より短い協議期間**を定めたときは、その期間が経過するまで猶予される。当事者の一方が協議の打ち切りを書面で通知したときは、通知から6か月経過まで時効は完成しない。**協議を行う旨の合意も**催告同様、**更新の効果を持たない完成猶予事由**だ。時効の進行をとりあえず止める、といった効果しかない。時効を更新するには、裁判等で認めてもらうことが必要だ。

承認とは「自分は債務を負っている」と認めることだ。口頭による承認もOK。利息を払う、債務の一部を弁済する、返済の約束をするなどが承認にあたる。
H30-4-4

### 〈4．承認による時効の更新〉

債務者が債務の存在を承認すれば、時効は**更新**される。**時効が完成していても、債務者が支払うことを約束してしまうと、もはや時効を援用することはできない**。時効が完成したにもかかわらず債務を承認するということは、時効の利益を放棄したと債権者は期待するからだ。なお、債務者が時効の完成を知らなかった場合も同じだ。「知っていれば時効を援用したのに」という主張は認められない。

**承認**は、それ自体が時効の**更新事由**だ。「裁判上の請求」のように時効の完成猶予→時効の更新という２段階をふむのではない。

**◇時効の完成猶予・更新のまとめ**

| | 時効の完成猶予<br>（時効の進行期間がストップ） | 時効の更新<br>（ゼロリセット） |
|---|---|---|
| 1．裁判上の請求 | 訴訟終了後６か月間は完成猶予<br>※敗訴、取下げ、却下でも６か月間は完成猶予 | 確定判決で権利確定（勝訴）<br>➡更新 |
| 2．催告 | 催告したときから６か月間完成猶予<br>※再度催告しても期間の延長はない | |
| 3．協議をする旨の合意 | 合意から１年間完成猶予（より短い期間も可）<br>※書面による合意が必要 | |
| 4．承認 | | 承認があれば更新<br>※時効期間経過後でも承認すれば、援用できない |

## ◇取得時効の期間

- 善意無過失であれば10年、悪意または有過失の場合には20年。

| | 有過失 | 無過失 |
|---|---|---|
| 善意 | 20年 | 10年 |
| 悪意 | | |

- 占有は承継できる。

**事例**

ハナが悪意（または有過失）で８年間占有し、ホワイトは善意無過失で占有を開始した。

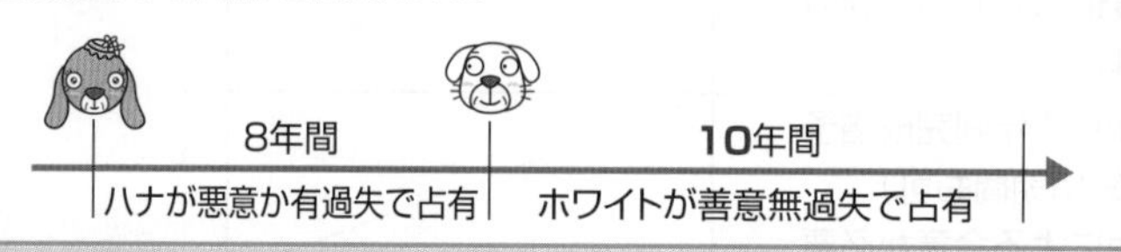


**解説**　ホワイトは10年間占有すればよい（12年ではない。ハナの占有を引き継がず、ホワイトの占有期間だけで考える）。

## ◇消滅時効の期間

| | 主観的起算点 | 客観的起算点 |
|---|---|---|
| 通常の債権 | 5年 | 10年 |
| 人の生命又は身体の侵害による損害賠償請求権 | | 20年 |
| 地上権、地役権、抵当権 | （なし） | 20年 |
| 所有権 | 消滅時効にはかからない | |

- 知ったときから５年。できる時から10年。生命・身体は20年。

## ◇時効の援用と放棄

- 時効を援用すると効果は起算日にさかのぼる。
- 時効の利益の放棄は、時効完成前にすることはできない。

◇時効の完成猶予・更新のまとめ

| | 時効の完成猶予<br>（時効の進行期間がストップ） | 時効の更新<br>（ゼロリセット） |
|---|---|---|
| 1．裁判上の請求 | 訴訟終了後6か月間は完成猶予<br>※敗訴、取下げ、却下でも6か月間は完成猶予 | 確定判決で権利確定（勝訴）<br>➡更新 |
| 2．催告 | 催告したときから6か月間完成猶予<br>※再度催告しても期間の延長はない | |
| 3．協議をする旨の合意 | 合意から1年間完成猶予<br>（より短い期間も可）<br>※書面による合意が必要 | |
| 4．承認 | | 承認があれば更新<br>※時効期間経過後でも承認すれば、援用できない |

# 確認テスト

問題　次の記述の正誤を判定してください。

1．A所有の土地の占有者がAからB、BからCと移った。Bが所有の意思をもって5年間占有し、CがBから土地の譲渡を受けて平穏・公然に5年間占有した場合、Cが占有の開始時に善意・無過失であれば、Bの占有に瑕疵があるかどうかにかかわらず、Cは10年の取得時効を主張できる。

2．A所有の土地の占有者がAからB、BからCと移った。Cが期間を定めずBから土地を借りて利用していた場合、Cの占有が20年を超えれば、Cは20年の取得時効を主張することができる。

3．債権は、債権者が権利を行使することができることを知ってから10年間行使しないと時効によって消滅する。

4．AがBに対して有する売買代金債権の支払いを求めて訴えを提起したときは、消滅時効は更新される。

5．当事者が権利についての協議を行う旨を書面で合意したときは、時効は更新される。

6．AのDに対する債権について、Dが消滅時効の完成後にAに対して債務を承認した場合には、Dが時効完成の事実を知らなかったとしても、Dは完成した消滅時効を援用することはできない。

解答解説

1．×　Bの占有が悪意（Aの土地だと知っていた）または有過失（知らないことに過失があった）の場合には、ＢＣの占有期間が10年では時効取得できない。ケース1「4　占有の承継」の事例3と同じだ。したがって、「Bの占有に瑕疵があるかどうかにかかわらず…取得時効を主張できる」と言っている本肢は誤りだ（Bの占有に瑕疵がある、とはBに過失があるということ）。

2．×　取得時効が成立するためには所有の意思を持った占有が必要である。Cは土地を借りているのであり所有の意思はない。Cは取得時効を主張することができない。

3．×　債権者が権利を行使することができることを知ってから「5年間」行使しない消滅時効が成立する（10年間ではない）。10年間は、客観的起算点（権利を行使できるとき）からの期間だ。

4．×　訴えの提起（裁判上の請求）により時効の完成が猶予される。その後、裁判で権利が確定すると時効は更新される（訴えの提起だけで時効が更新されるのではない）。

5．×　協議を行う旨の合意が書面でなされたときは、時効の完成が猶予される。時効が更新されるのではない。

6．○　時効完成後に債務の承認をした場合、消滅時効を援用することはできない。たとえ債務者が時効完成を知らなかったとしても、だ。相手方（債権者）は、債務者が時効の利益を放棄したと期待するからだ。

# 第5章　物　権

## ケース1　登記がなければ権利を主張できない

**正誤を判定 ○ or ×**

ツネキチは、自己所有の甲地をタヌキチに売却し引き渡したが、タヌキチはまだ所有権移転登記を行っていない。ハナが、ツネキチとタヌキチの売買の事実を知らずに甲地を買い受け、所有権移転登記を得た場合、ハナは、タヌキチに対して甲地の所有権を主張することができる。

**解答** 不動産の買主が所有権を主張するためには登記が必要だ。**二重売買は先に登記した方が勝つ**。ハナが登記しているので土地の所有権はハナのものだ。

### 1 物権と債権

**地上権**とは、他人の土地を利用する権利だ。宅建試験においては、借地権の1つだと考えておけばいい。借地権については第8章で学ぶ。抵当権については第6章で解説する。

民法では財産に対する権利を**物権**と**債権**とに分けている。

**物権**とは**物に対する権利**のことだ。所有権や地上権、抵当権などがその例である。物権は誰に対しても主張できる。ツネキチが所有している土地であれば、ツネキチは誰に対しても「ここは俺の土地だ。勝手に使うな」と言える。

一方、**債権**は**特定の人に対して特定の行為を要求する権利**だ。売買契約の代金請求権などがその例である。ツネキチがタヌキチに土地を売ったのであれば、代金はタヌキチにしか請求できない。特定の人（タヌキチ）に特定の行為（代金の支払い）を要求する権利が債権なのだ。

## 2 物権変動

物権が新たに設定されたり移転したりすることを**物権変動**という。ツネキチが土地をタヌキチに売ったり（所有権の移転)、土地を担保にお金を借りたり（抵当権の設定）するのがその例だ。**不動産の物権変動は、原則として登記をしなければ第三者に対抗することができない**。**対抗する**、とは主張するという意味の法律用語だ。土地を買ったとしても、登記をしなければ「これは自分の土地だ」とは、第三者（売主以外の人）には主張できないのだ。

登記がなければ対抗できないのは、あくまで第三者に対してだ。**契約の当事者間では登記は不要**（買主は登記がなくても売主に所有権を主張できる)。売買契約をした以上、あたり前のことだ。

## 3 二重譲渡

ツネキチが自分の所有する甲地について、10月1日にタヌキチと売買契約を結び、10月10日にハナとも売買契約を結んだ場合、この2つの契約は両方とも有効に成立する（約束するのは自由だからだ)。そのため、タヌキチもハナも買主だ。ツネキチに対し、約束を守れ（土地をよこせ）と主張できる。

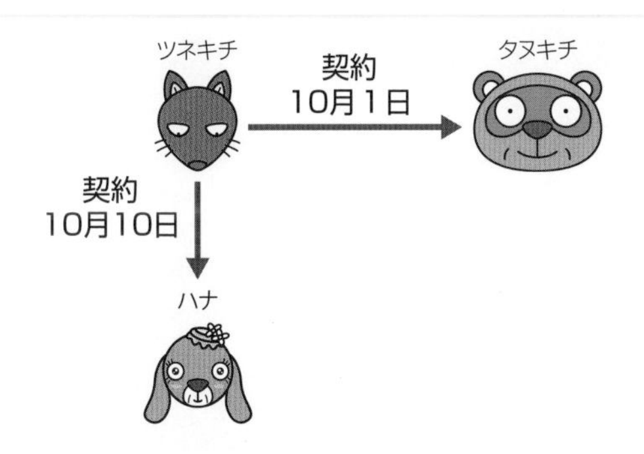


しかし、土地は1つしかない。では、土地は誰のものになるのか。先に契約したタヌキチのものになるのか、というとそうではない。先に**登記をした者が所有者**になる。所有権の移転（物権変動）を第三者に主張するには、登記が必要だからだ。

登記をするとは、登記記録に所有者として自分の名前を記載させるという意味だ。「**登記を備える**」「**登記を具備する**」ということもある。他人名義で登記されていた不動産を自分の名義の登記にかえることを「**登記を移転する**」「**移転登記を備える**」などという。

## 4 悪意であっても登記で決まる

ツネキチとタヌキチの間で売買があったことについてハナが知らなかった場合（善意の場合）は、タヌキチはもちろんハナも悪くない。そのため、登記を先にした者が権利を得るというのは、公平な解決策といえるだろう。

それだけでなく、ハナがタヌキチとツネキチの売買契約について知っていた場合（悪意の場合）でも、ハナが先に登記をすれば、タヌキチに所有権を主張できる。後から買った人が**悪意であっても登記で決まる**のだ。

# ケース2 登記がなければ対抗できない第三者

**正誤を判定 ○ or ×**

取得時効の完成により土地の所有権を適法に取得したホワイトは、登記しなければ、時効完成後にその土地を取得して所有権移転登記を経た第三者ツネキチに、所有権を対抗できない。

**解答** ツネキチは**時効完成後の第三者**である。ホワイトが**所有権を主張するためには登記が必要**である。一方ツネキチも登記がなければホワイトに所有権を主張できない。登記を得た方が所有権を主張できるのだ。 **○**

## 1 登記がなければ対抗できない第三者

誰に所有権があるのか問題になるのは、二重譲渡だけではない。以下の者に対しては、登記がなければ所有権を主張することができない。

① **取消後の第三者**
② **時効完成後の第三者**
③ **解除前後の第三者**
④ **賃借人**
⑤ **法定相続分を超える相続**

⑤。法定相続分については第12章で学ぶ。

## 2 取消後の第三者は二重譲渡に似ている

制限行為能力者と第三者の関係で、取消**後**の第三者との関係では、登記がある方が土地を手にできる、という説明をしたのを覚えているだろうか（第１章ケース7参照）。

① 制限行為能力者が土地を売る。
② 保護者が、土地売買契約を取り消す。
③ 買主が土地を第三者に転売する。

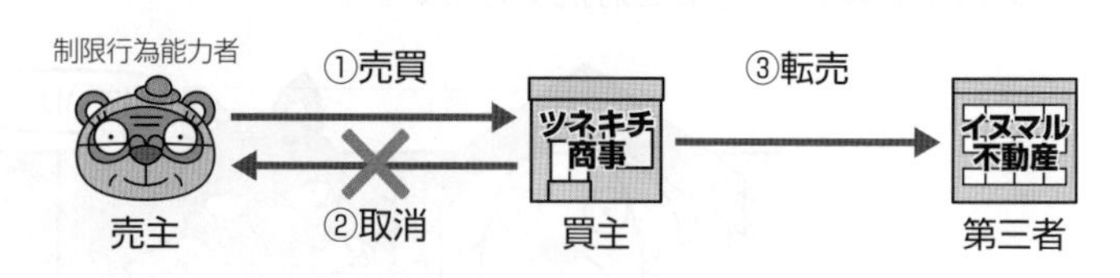


この場合、土地が制限行為能力者に戻ってくるのか、第三者のものになるのかは、どちらが先に登記をするかで決まる。買主には、売買を理由に転売先の第三者に土地を渡す義務があり、取消を理由に制限行為能力者に土地を返す義務もある。買主を起点に二重譲渡と同じような関係にあると考えていくのだ。

詐欺や強迫による取消の場合も同様だ（第２章ケース1参照）。

「**○○後の第三者に対しては登記がなければ対抗できない**」と覚えておけばよい。

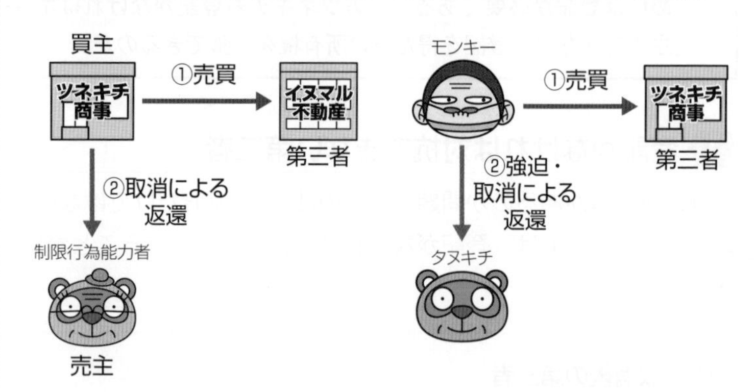

## 3 時効完成後の第三者も二重譲渡に似ている

時効取得後に所有者が変わった場合、時効取得した者は登記がなければ新所有者に対抗できない（第４章ケース2参照）。

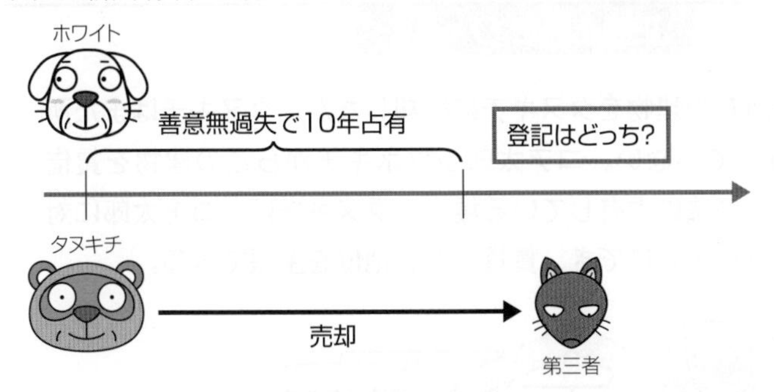


ホワイトは時効取得により土地を手に入れる権利がある。一方、ツネキチも買主として土地を手に入れる権利がある。この場合も二重譲渡と同じように考えて、登記を先にした方が土地を手に入れることができるのだ。

タヌキチを起点としてみれば二重譲渡と同じ関係にある。

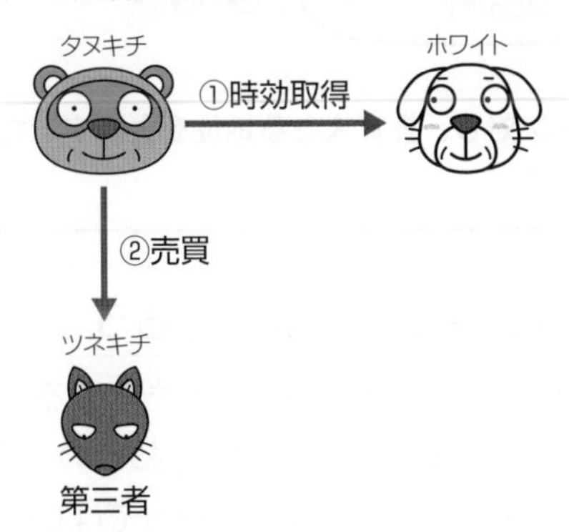

# ケース3 家賃は誰に支払えばいいのだろう？

**正誤を判定 ○ or ×**

ツネキチは、自己所有の建物をタヌキチに売却したが、タヌキチはまだ所有権移転登記を行っていない。コア太郎がツネキチからこの建物を賃借し、引渡しを受けて適法に占有している場合、タヌキチは、コア太郎に対し、この建物の所有権を対抗でき、賃貸人たる地位を主張できる。

家賃いただきに
あがりました。
家賃
回収
大家さんはツネキチじゃ
なかったっけ?

**解答** 新所有者タヌキチが賃借人に対し、**賃貸人たる地位を主張**するためには、所有権移転**登記**を受ける必要がある。 **×**

## 1 家賃は誰に支払えばいいのだろう

A所有のマンションが、Bに売却されたとする。Aからこのマンションを借りていたCは、誰に家賃を払うのだろうか。当然、Bにと思うかもしれないが、ちょっと待ってほしい。まだB名義で登記されていないのである。

もしマンションがXにも売られ（二重譲渡だ）、Xが登記を取得すると、所有者はXということになる。CがBに家賃を支払った後で、Xから「本当の所有者は私ですから家賃を払ってください」と言われても困る。

そこで新所有者Bが家賃をもらうためには、登記を備えなければならないとされている。賃借人Cに対し、**賃貸人たる地位を主張**するためには、新所有者Bは、建物の**所有権移転登記**を受ける必要があるのだ。

売買契約により、賃貸人たる地位は譲受人（新所有者B）に移転する。登記は関係ない。賃借人に対して賃料を請求する資格として登記が必要だ、という話しだ。

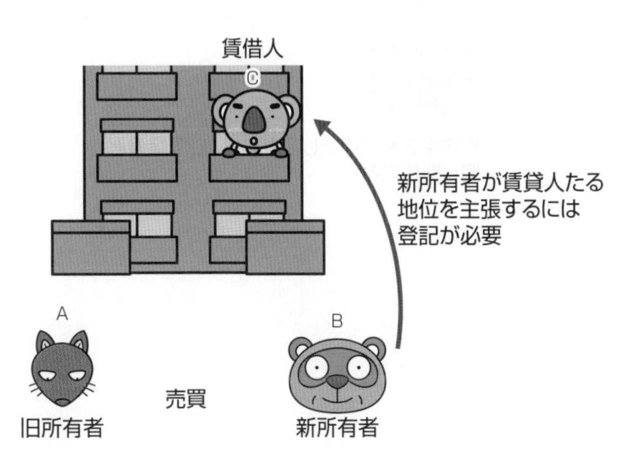


## 2 解除の場合は、解除前・後ともに登記が必要

土地の売買契約を結んでも、相手方が期日までに代金を支払わないといった約束違反（債務不履行）があると、契約を解除することもある。

契約が解除されたにもかかわらず、相手方が第三者に転売した場合、土地は解除者に返還されるのか、第三者のものになるのか。

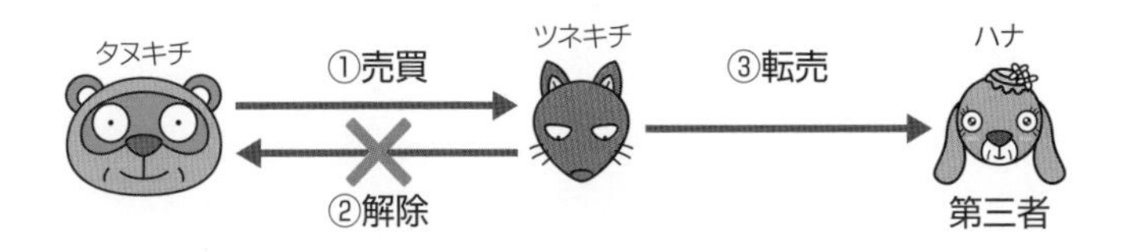


このような解除の場合も、二重譲渡と同様に考えていく。注意すべきは、**解除前の第三者に対しても登記がなければ対抗できない**ということだ。「取消し」と異なり、解除「後」はもちろん、解除「前」であっても、登記がある方が勝つ、ということだ。

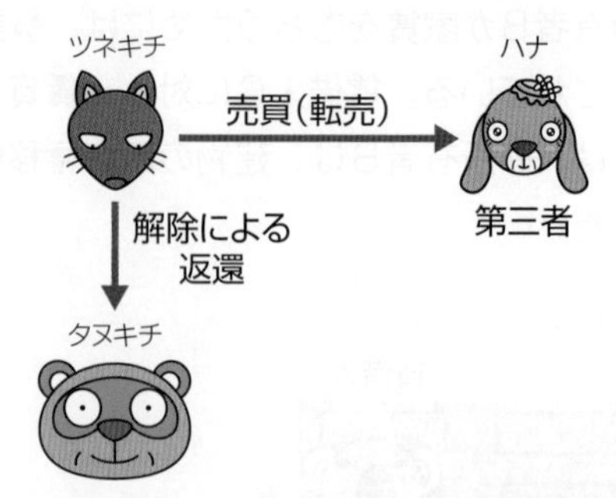


ツネキチを起点としてみれば、二重譲渡と同じ関係にある。

# ケース4 登記がなくても対抗できる場合がある

**正誤を判定 ○ or ×**

ツネキチは、自己所有の甲地をネズキチに売却し引き渡したが、ネズキチはまだ所有権移転登記を行っていない。そこでモンキーは、ネズキチを欺き著しく高く売りつける目的で、ネズキチが所有権移転登記を行っていないことに乗じて、ツネキチから甲地を買い受け所有権移転登記を得た場合、モンキーはネズキチに対して甲地の所有権を主張することができない。

**解答** モンキーは「欺き著しく高く売りつける目的」で甲地を買った背信的悪意者だ。ネズキチは登記がなくても、モンキーに対抗することができる。 ○

## 1 無権利者には登記がなくても対抗できる

登記が自分名義になっていなくても、自分の不動産だ、と権利主張できる場合がある。

「登記がなくても対抗できる第三者」という。

たとえば、Aの土地にBが勝手に家を建てているといった場合、Bは無権利者だ。Aは登記がなくてもBに出て行けと言える。

以下の者も無権利者だ。

- 他人の登記識別情報を盗み出して自己名義に登記した者
- 無権利者から不動産を買い受けた者

## 2 背信的悪意者にも登記がなくても対抗できる

二重譲渡の場合、登記を得た方が権利を得る（ケース1参照）。しかし、これはあくまで普通の二重売買の場合だ。「正誤を判定○or×」のモンキーのように、第１譲受人を「欺き著しく高く売りつける目的」で甲地を買った者まで保護する必要はない。このように第１譲受人を困らせる目的だけで、二重売買した者を背信的悪意者という。このような行為は通常の経済活動を逸脱した行為だと法律は考えている。したがって、登記があったとしても保護しない。

背信的悪意者に対しては、登記がなくても権利を主張できるのだ。

> どういう行為が背信的悪意者にあたるのか、ということは考えなくていい（そういう問題は出題されない）。
> H28-3-3、
> H26-6-4
> 以上２問が背信的悪意者の出題だ。

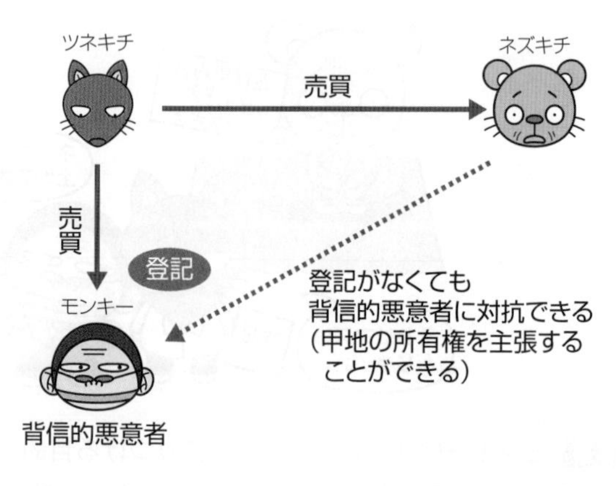


## 3 相続人

Aが、所有する土地をBに売ったとする。もしBに登記を移転する前にAが死に、相続したCが「土地を渡したくない」と言ったらどうなるのだろうか。

相続により土地の登記は相続人Cに移るが、相続人CはAの権利義務を一切引き継ぐため、Aが結んだ契約は守らなければならない。

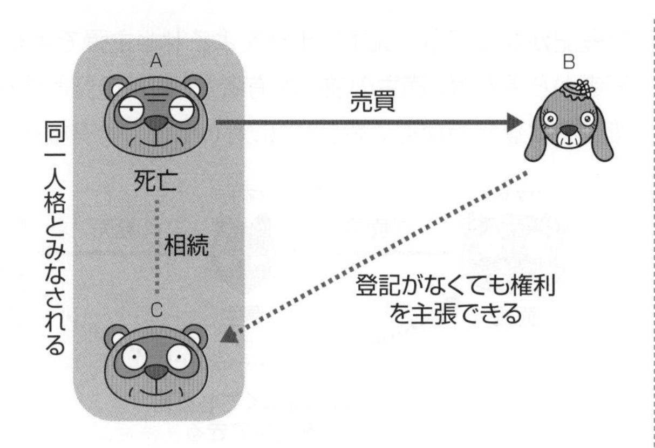


そのため、買主Bは登記がなくても、相続人Cに土地をよこせ、と主張できる。買主と相続人とは対抗関係にはないのだ。

ところが、上記でさらに相続人から第三者Dへの譲渡があった場合には話がちがってくる。被相続人と相続人を同一人物と考えれば、二重譲渡と同じだ。

買主と第三者、先に登記を得た方が権利を主張できる。

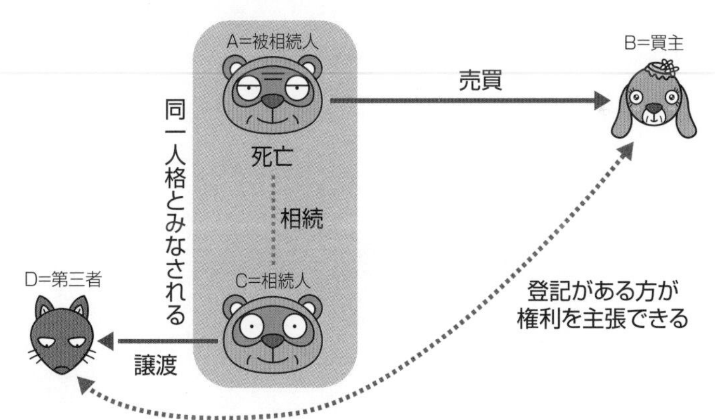


## 4 売主の前の所有者

土地が売買された場合、買主は売主に対して登記がなくても土地をよこせと主張できる（買主は売買の当事者だ。第三者ではない）。

この土地が買主から第三者に転売された場合も同様だ。第三者は登記がなくても、売主に土地をよこせと主張できる。売主は第三者から見れば、売主の前の所有者だ。直接の契約関係はないが、第三者は登記がなくても、売主に対し土地の所有権を主張できる。

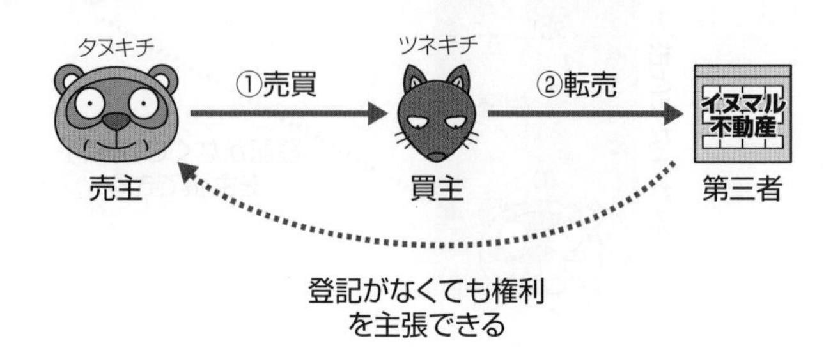

# 第5章 物　権

## ケース5 共　有

**正誤を判定 ○ or ×**

ハッピー、ホワイト、ハナが共有している農地（持分は各$\frac{1}{3}$）がある。この場合、ハッピーとホワイトが合意すれば、ハナの同意はなくとも、宅地に変更することができる。

ハッピー・ホワイト
ハナの共有地
ハナさんの
了解を得な
くていいの？

**解答** 農地を宅地にするのは、共有物の変更にあたる。共有者全員の同意が必要だ。ハナの同意がなければ変更することはできない。 **×**

### 1 共有とは

共有とは、１つの物を２人以上で**共同所有**することだ。別荘を３人で共同所有するというのがその例だ。各共有者の共有物に対する所有権割合を（共有）**持分**という。持分は均等とは限らない。３人で別荘を所有している場合に、購入費の半分を払った人の持分は$\frac{1}{2}$、残りの２人は$\frac{1}{4}$ずつということもある。

> 合意がない場合や、持分が不明の場合には相等しい(＝均等)と推定される。

持分も財産の一つだ。各共有者は自分の持分を売却したり、持分に抵当権を付けたりすることができる。

> あくまで自分の**持分の処分**だ。共有物全体の処分については、このあと説明するように全員の同意が必要となる。

**各共有者は、共有物の全部について**、その持分に応じた使用ができる。

もっとも（別段の合意がある場合を除き）、自己の持分を超える使用の対価を他の共有者に対して償還する義務を負う。また善良な管理者の注意をもって共有物を使用しなければならない。

## 2 共有物の保存、利用、処分

共有者が共有物を第三者に賃貸したり、売却したりする場合に、他の共有者の同意が必要かどうかが試験で問われることがある。

R6-3-1

R6-3-3

| | 具体例 | 同意要件 |
|---|---|---|
| ①変更（軽微以外） | ●農地を宅地に変更する<br>●建物の増築をする<br>●長期間の賃貸借を設定する | **全員の同意が必要** |
| ②軽微変更 | ●形状または効用の著しい変更を伴わない変更<br>例：「砂利道をアスファルト舗装する」「建物の外壁や屋上防水等の大規模修繕工事」 | **持分の価格の過半数の**同意が必要。<br>軽微変更や管理により**特別の影響**をうける共有者がいるならば、その者の承諾が必要。 |
| ③管理 | ●共有物を短期間、賃貸する（建物は３年以内。山林は10年以内、その他の土地は５年以内）<br>●共有物の管理者の選任・解任 | |
| ④保存 | ●日常的な修繕（例：雨漏りを修理する）<br>●妨害排除請求（例：不法占拠者を追い出す） | 各共有者が**単独**でできる |

借地借家法については第８章で学ぶ。

変更行為については、軽微変更（②）とそうでないもの（①）とで分けて考える。軽微変更とは、形状または効用の著しい変更を伴わない変更だ。これならば、過半数の同意で良い。なお、借地借家法の適用のある賃借権の設定は、（契約の更新が考えられるため）共有者全員の同意が必要となる。

決定事項に違反して職務を行った場合、共有者に対しては無効だが、善意の第三者には無効を対抗することができない（例：共有物の使用者が決まっているのに、管理者が善意の第三者に賃貸した場合、第三者が使用できる）。

③。共有物の管理を円滑に進めるために**管理者**を置くことができる。共有者が共有物の管理に関する事項を決定した場合には、管理者はそれに従って職務を行う。

## 3 共有者の所在が不明の場合など

所在不明の共有者がいるため共有不動産の有効活用ができないという事態がおこりうる（全員の同意、過半数の同意が得られないなど）。そこで近年の法改正で**所在不明者を除いた共有者で変更、軽微変更・管理ができる**規定が設けられた。

> **① 所在等が不明の共有者がいる**
> **② 管理に関し賛否を明らかにしない共有者がいる**
> **➡所在不明（賛否不明）の共有者を除いた過半数で管理に関する事項を決定できる（裁判で認めてもらう）。**

- 所在等不明共有者が共有持分を失うことになる行為（抵当権の設定等）は、利用不可
- 所在等不明共有者の持分が、所在等不明共有者以外の共有者の持分を超えている場合や、複数の共有者が所在不明の場合であっても、利用可能。
- 裁判所は、所在不明の共有者の持分を、他の共有者に取得させることもできる。

### 発展 共有物に関する負担等

- 各共有者は、持分に応じて共有物に関する負担を負う（例：管理費の支払いなど）。
- 共有者の一人が１年以内に負担を履行しない（例：管理費を支払わない）場合には、他の共有者は、償金を支払ってその者の持分を取得することができる。
- 共有者の一人が共有物について他の共有者に対して有する債権は、その特定承継人に対しても行使することができる。

## 4 共有物の分割

共有とは、ある意味不自然な状態だ（「共有は紛争の母」という名言？ もある）。そこで共有物の分割についてもルールが定められている。

裁判所は、共有物の分割の裁判において、当事者に対して、金銭の支払、物の引渡し、登記義務の履行その他を命ずることができる。

**① 共有者はいつでも共有物の分割を請求できる（分割請求の自由）**

**② 分割方法について協議がまとまらないときは裁判所に分割を請求できる。**

**③ 裁判所は以下の方法により分割を命じることができる。**

| 現物分割 | 共有物を持分割合により物理的に分割する方法 |
|---|---|
| 賠償分割 | 共有物を共有者の一人（又は複数）の所有にし、共有物を取得した者が他の共有者に代償金を支払う方法 |
| 代金分割 | 共有物を競売により第三者に売却し、売却代金を共有持分割合に応じて共有者で分ける方法 |

**④ 共有物の分割を禁止する特約も有効（最長５年間。更新可）**

③。近年の法改正により賠償分割の規定が明文化された。競売分割は、現物分割や賠償分割ができない（または分割によって価格が著しく下がる）ときに行われる最終手段だ。

## 5 持分の放棄

H29-3-4

共有者の一人が持分を放棄した場合、その持分は他の共有者のものとなる。３人の共有者のうち一人が持分を放棄すれば、残り二人の持分は$\frac{1}{2}$ずつとなる。共有者の一人が相続人なくして死亡した場合も同様だ。

# 第5章 物　権

## ケース6 相隣関係

正誤を判定 ○ or ×

タヌキチとツネキチの土地の境界に境界標を設置する場合、その設置工事の費用は、土地の広さに応じて分担しなければならない。

**解答** 境界標の設置及び保存の費用は、折半する。土地の広さに応じて分担するのは、測量費用だ。 ×

民法には、隣地とのトラブルを調整するための規定が設けられている。相隣関係と呼ばれる規定だ。主なものを確認しておこう。

### 1 隣地使用権

以下の目的のために、必要な範囲内で隣地を使用することができる（住家への立ち入りについては居住者の承諾が必要）。

R5-2-1

① **障壁、建物、工作物の築造、収去、修繕**
② **境界標の調査、境界に関する測量**
③ **境界を越えた枝の切除**

隣地の使用はできるが、日時、場所、方法は、損害が最も少ないものでなければならない。また、隣地の所有者（使用者）が損害を受けたときは、その償金を請求することができる。

昨今、土地所有者が不明のための土地の有効利用が阻害されることも多い。所有者不明の場合には、使用開始し、所有者が判明した後に通知すればよい。

**発展** 隣地所有者（使用者）への通知

隣地を使用する者は、あらかじめ、その目的、日時、場所及び方法を隣地の所有者（使用者）に通知しなければならない。ただし、**あらかじめ通知することが困難なときは、使用を開始した後、遅滞なく、通知すればよい。**

## 2 公道に至るための他の土地の通行権

R5-2-4

公道に通じない土地の所有者は、その土地を囲んでいる他の土地を通行することができる。ただし、通行の場所及び方法は、通行権者のために必要、かつ、他の土地のために**損害が最も少ないもの**を選ばなければならない。

通行権者は、必要があるときは、通路を開設することができる。またその通行する他の土地の損害に対して**償金**を支払わなければならない。

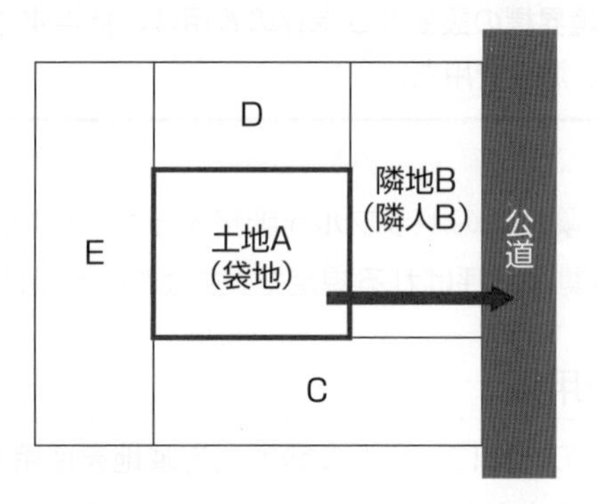


R2⑩-1-1

**発展** 分割により生じた場合

土地の分割（または一部譲渡）により、土地Aのような「公道に通じない土地」が生じた場合は、話しが異なる。土地Aの所有者は、分割した残りの土地のみを通行できる（上の図で、もしAとCの分割によってA地が生じたのなら、C地のみを通行できる、ということ）。償金を支払う必要もない。自分で土地を分割しておいて、分割とは無関係な他人の土地を通らせてくれというのは認められない、ということだ。

## 3 ライフライン設備の設置・使用権

他の土地に設備を設置したり、他人が所有する設備を使用しなければ、電気、ガス又は水道水の供給（**継続的給付**）を受けることができない土地もある。その場合は、継続的給付を受けるため必要な範囲内で、他人の土地に設備を設置したり、他人が所有する設備を使用することができる。

ライフライン設備の設置・使用のためには、以下のルールを守らなければならない。

> **① 損害が最も少ない場所・方法にする**
> **② あらかじめ、その目的、場所、方法を他の土地・設備の使用者に通知しなければならない。**
> **③ 他人の土地に設備を設置したことにより損害が生じた場合には、償金を支払う。他人の所有する設備を使用する場合には修繕・維持費用を負担する。**

## 4 竹木の枝の切除及び根の切取り

根が越境してきたときは自分で切ってもよいが、枝が越境した場合にはその竹木の所有者に切ってもらう。これが原則だ。

〈原則〉

竹木が数人の共有に属するときは、各共有者は、その枝を切り取ることができる。

> **① 隣地の竹木の枝が境界線を越えるときは、その竹木の所有者に、その枝を切除させることができる。**
> **② 隣地の竹木の根が境界線を越えるときは、その根を切り取ることができる。**

以下に該当する場合には、枝も自分で切ってしまってかまわない。

〈例外〉

R5-2-2

> **① 枝を切除するよう催告したが、竹木の所有者が相当の期間内に切除しないとき**
> **② 竹木の所有者が所在不明のとき**
> **③ 急迫の事情があるとき**

## 5 境界線付近の建築の制限

隣人どうしのトラブルを避けるため、境界線付近の建築についてルールが定められている。

**① 建物を築造するには、境界線から50cm以上の距離を保たなければならない。**

**② 境界線から１m未満の距離において他人の宅地を見通すことのできる窓や縁側・ベランダを設ける場合は、目隠しを付けなければならない。**

**③ 土地の所有者は、隣地所有者と共同の費用（折半）で境界標を設けることができる。**

**④ 境界標を設けるための測量費は、土地の広さに応じて分担する。**

### 発展 所有者不明（管理不全）の土地・建物

- 所有者不明の土地・建物について、裁判所は利害関係人の請求により「所有者不明土地管理命令」「所有者不明建物管理命令」をすることができる。この場合、「所有者不明土地（建物）管理人」が選任され、土地（建物）の管理、処分を行う。
- 所有者による土地・建物の管理が不適当であることによって、他人の権利が侵害される場合は、裁判所は利害関係人の請求により「管理不全土地管理命令」「管理不全建物管理命令」をすることができる。この場合、「管理不全土地（建物）管理人」が選任され、土地（建物）の管理、処分を行う。
- 区分所有建物（マンション）」の専有部分、共用部分については、「所有者不明（管理不全）建物管理命令」は適用されない。

### ◇不動産の物権変動

原則として登記をしなければ第三者に対抗することができない。ただし、無権利者や背信的悪意者に対しては登記がなくても対抗できる。

| 登記がなければ対抗できない第三者 | 登記がなくても対抗できる第三者 |
|---|---|
| ●（通常の）二重譲渡人<br>●解除前の第三者<br>●（取消・時効完成・解除）後の第三者<br>●賃借人 | ●無権利者、不法占拠者、不法行為者<br>●背信的悪意者<br>●相続人<br>●売主の前の所有者 |

### ◇共有物の利用、保有、処分

| | |
|---|---|
| ①変更（軽微以外） | 全員の同意 |
| ②軽微変更 | 持分の過半数の同意<br>（特別の影響をうける者の承諾要） |
| ③管理 | |
| ④保持 | 単独でできる |

### ◇枝及び根の切りとり

| | |
|---|---|
| 隣地の竹木の枝が越境 | 〈原則〉<br>竹木の所有者に切除させる<br>〈例外〉<br>竹木の所有者が切除しない、所在不明、ならば自分で切除してもよい |
| 隣地の竹木の根が越境 | 自分で切除してよい |

MEMO

# 確認テスト

**問題** 次の記述の正誤を判定してください。

1．AがA所有の甲土地をBに売却した。Aが甲土地をBに売却する前にCにも売却していた場合、Cは所有権移転登記を備えていなくても、Bに対して甲土地の所有権を主張することができる。

2．取得時効の完成により乙不動産の所有権を適法に取得した者は、その旨を登記しなければ、時効完成後に乙不動産を旧所有者から取得して所有権移転登記を経た第三者に所有権を対抗できない。

3．Aは、自己所有の甲地をBに売却し引き渡したが、Bはまだ所有権移転登記を行っていない。AとFが、通謀して甲地をAからFに仮装譲渡し、所有権移転登記を得た場合、Bは登記がなくとも、Fに対して甲地の所有権を主張することができる。

4．Aは、自己所有の甲地をBに売却し、代金を受領して引渡しを終えたが、AからBに対する所有権移転登記はまだ行われていない。Aの死亡によりCが単独相続し、甲地について相続を原因とするAからCへの所有権移転登記がなされた後、CがDに対して甲地を売却しその旨の所有権移転登記がなされた場合、Bは、自らへの登記をしていないので、甲地の所有権をDに対抗できない。

5．Aは、自己所有の建物をBに売却したが、Bはまだ所有権移転登記を行っていない。Aはこの建物をFから買い受け、FからAに対する所有権移転登記がまだ行われていない場合、Bは、Fに対し、この建物の所有権を対抗できる。

6．Aは、自己所有の建物をBに売却したが、Bはまだ、所有権移転登記を行っていない。Cが何らの権原なくこの建物を不法占有している場合、Bは、Cに対し、この建物の所有権を対抗でき、明渡しを請求できる。

7．甲土地が他の土地に囲まれて公道に通じない場合、甲土地の所有者Aは、公道に出るために甲土地を囲んでいる他の土地を自由に選んで通行できる。

8．Aの隣地の竹木の枝が境界線を越えるときは、竹木所有者の所在が不明なときはAはその枝を切ることができる。

9．異なる慣習がある場合を除き、境界線から1m未満の距離において他人の宅地を見通すことができる窓を設ける者は、目隠しを付けなければならない。

解答解説

1．×　典型的な二重譲渡。Ｃは登記を備えなければ、ＡＣ間の取引に関し第三者であるＢに所有権を主張することはできない。

2．○　時効完成「後」の第三者には対しては、登記がなければ対抗できない。

3．○　ＡＦ間の売買は虚偽表示（第２章**ケース3**参照）で無効だ。つまりＦは無権利者だ。無権利者に対しては、登記がなくても対抗することができる。有効な売買契約の買主であるＢは無権利者Ｆに対しては、登記がなくても甲地の所有権を主張することができる。

4．○　相続人ＣはＡの一切の権利義務を引き継ぐから、一体と考えてよい。ＡＣからＢとＤへの二重譲渡が行われたと同じことだから、登記のある方が権利を主張できる。Ｂは登記をしていないので、Ｄに対しては権利を主張できない。

5．○　Ｆ→Ａ→Ｂと売買されており、Ｂから見て、Ｆは第三者ではない。前の前の所有者だ。対抗関係にはないから、登記がなくても権利を主張できる。

6．○　Ｂは未だ登記を移転していないとはいえ、有効な売買により権利を取得している。それに対し、Ｃは不法占拠者であり正当な権原を有していない。ＢはＣに対して登記なくして明渡しを請求できる。

7．×　公道に至るための他の土地の通行権だ。通行の場所及び方法は、通行権者のために必要、かつ、他の土地のために損害が最も少ないものを選ばなければならない。他の土地を自由に選んで通行できるのではない。

8．○　所有者が不明ならば、越境した枝を切ってもよい。

9．○　境界線から１ｍ未満の距離において他人の宅地を見通すことのできる窓や縁側・ベランダを設ける場合は、目隠しを付けなければならない。

# 第6章 抵当権

## ケース1 お金を借りるには担保が必要だ

**正誤を判定 ○ or ×**

ペリ子は、ＴＡＣ銀行からの借入金債務を担保するために、所有する住宅に第１順位の抵当権を設定し、登記した。その後この住宅に、第２順位の抵当権が設定され、登記された。ＴＡＣ銀行は、ペリ子の借入金債務の不履行による遅延損害金については、一定の場合を除き、利息等と通算し、最大限、最後の２年分しか、抵当権の優先弁済権を主張することができない。

抵当権？
それは何!?
TAC銀行
第一抵当
TAC銀行

**解答** 第２順位の抵当権が設定されているため、利息や損害賠償金については最大２年分までしか優先弁済を受けることができない。 ○

### 1 抵当権とは

担保としては、抵当権を設定する以外に保証人をとるという方法もある（保証については第10章参照）。

ペリ子が戸建住宅を買うために、銀行からお金を借りたとする。いわゆる住宅ローンだ。銀行としては、お金を確実に返してもらうために担保がほしい。そこでペリ子が買った住宅に**抵当権**を付ける。抵当権とは、債務者が債務を弁済しない場合に、抵当権の目的物を**競売**（けいばい）にかけ、売却代金から**被担保債権**を回収する制度だ。

つまり、ペリ子が住宅ローンを返せなくなったら、ＴＡＣ銀行はペリ子の買った戸建住宅を競売にかけ、売却代金から貸したお金を回収するのだ。

抵当権は物権の一つなので、第三者に対抗する（自分は抵当権をもっている）と主張するには登記が必要だ（抵当権を登記する）。

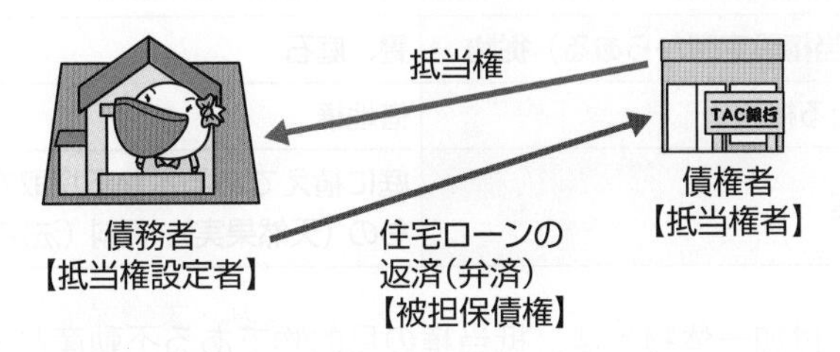


抵当権により担保されている債権を**被担保債権**という。ペリ子の住宅ローンのことだ（TAC銀行からみれば債権になる）。

## 2 占有は移らない

抵当権を設定しても、ペリ子は自宅に住み続けることができる。土地に抵当権を設定した場合も所有者は土地を自由に使える。建物を建てることもOKだ。売却することもできる。**抵当権を設定しても目的物を自由に使えるのだ**（抵当権は**占有を移さない**担保物権だ）。

## 3 抵当権の及ぶ範囲

ペリ子が住宅ローンを返済しないと、銀行はペリ子の家を競売にかける。戸建住宅の建物のみに抵当権を設定した場合、土地も競売できるのだろうか？　そうではない。**土地と建物**はそれぞれ**独立した不動産**であるから、建物のみに設定した抵当権の効力は土地には及ばない（土地を競売することはできない）。逆に土地のみに設定した抵当権の効力は建物には及ばない。

では、建物に抵当権を設定した場合、建物の中にあるテレビや冷蔵庫、畳も一緒に売ってしまえるのだろうか。

抵当権はその効力の及ぶ範囲が決まっている。

### ◆抵当権の及ぶ範囲

| | |
|---|---|
| ①付加一体物 | 雨戸、壁紙、増築部分 |
| ②(抵当権設定時からある) 従物 | 畳、庭石 |
| ③従たる権利 | 借地権 |
| ④果実 | 庭に植えてある木から採取できるもの (天然果実)、賃料 (法定果実) |

①の**付加一体物**とは、抵当権の目的物である不動産と一体となった物だ。一体なので、当然、抵当物と一緒に競売できる。

②の**従物**とは、畳など不動産と合わせて使われるものだが、取り外し可能な物のことだ。**抵当権設定当時に存在した従物**であれば、抵当権の効力が及ぶ (不動産と一緒に競売にかけていい)。

③の**従たる権利**にも抵当権が及ぶ。たとえばペリ子の家が借地に建っていた場合、土地を借りる権利である借地権も一緒に競売にかけられる。落札した人は建物だけでなく、借地権も手にしないと家に住むことができないからだ。

借地権(土地賃借権)にも抵当権は及ぶ。つまり競売により、土地賃借権も競落人に移るが、これには賃貸人の同意が必要となる (賃借権の譲渡にあたるため 第8章参照)。

④**果実**にも抵当権が及ぶ。もちろんこれは、**債務不履行があった場合**だ。抵当権は占有が移らない。つまり自宅に抵当権を設定しても、自宅を自由に使用収益できる。自宅を賃貸した場合の賃料(法定果実) や、庭に植えてある木から採れる柿や栗などは所有者 (抵当権設定者) のものだ。しかし、債務不履行があった場合には、不履行後に生じた果実(収益)にも抵当権がおよぶ(債権回収できる)。

## 4 2番抵当、3番抵当もある

1つの抵当物に2つ以上の抵当権が設定されることもある。

ペリ子はタヌキチから1,000万円を借りようとしたが、担保となる自宅には、TAC銀行がすでに2,000万円の1番抵当を設定している。しかし、ペリ子の家の時価が5,000万円だとしたら、仮に競売になっても3,000万円残る。ペリ子の自宅にはまだ担保価値があるわけだ。そこでタヌキチは、ペリ子の自宅に2番抵当を設定して担保にすることができる。

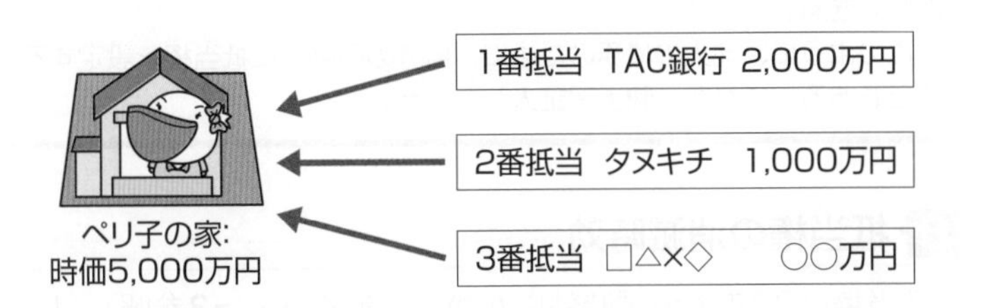


**抵当権の順位は登記された順番**になる。競売になり、家が5,000万円で売れた場合には、まず１番抵当権者のＴＡＣ銀行が2,000万円を回収し、残った額から２番抵当権者、３番抵当権者という順で回収していくことになる。

抵当権の順位は各抵当権者の合意により変更することができる。

## 5 回収できる利息は２年分まで

抵当権によって担保されるのは元本だけではない。**利息も担保される**。ペリ子が住宅ローンを返済しない場合、ＴＡＣ銀行は元本の2,000万円だけでなく利息も競売により回収できる。ただし、**利息については最後の２年分**についてのみ、優先弁済を受けることができる。

抵当権を設定すると元本と利率が登記簿に記載される。利息を最大2年分までに制限することで、登記簿から担保価値を判断できるようにした。

これは後順位の抵当権者を保護するための規定だ。後順位の抵当権者がいなければ、利息は２年分に制限されない。

### 発展 物上保証人

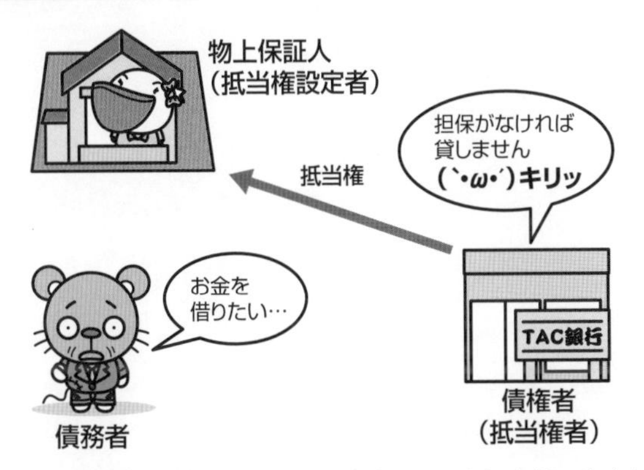


ネズキチが借金をしたいが担保がない、としよう。かわいそうに思ったペリ子が自宅を抵当に入れてネズキチの借金の担保にする、というこ

ともできる。
　このように、他人の債務のために、自分の不動産に抵当権を設定することもある。これを「**物上保証人**」という。

## 6 抵当権の消滅時効

　抵当権は20年で消滅時効にかかる（第４章ケース3参照）。しかし、債務者や物上保証人（抵当権設定者）は、**担保する債権の時効と同時でなければ、抵当権の消滅時効を主張できない**。債務者等は、被担保債権（たとえば住宅ローン）を弁済する義務を負っている。債権が存在するのに、それを担保する抵当権の消滅時効を主張することは認められないのだ。

# 第6章 抵当権

## ケース2 抵当権の４つの性質

**正誤を判定 ○ or ×**

抵当権者（ＴＡＣ銀行）は、抵当権を設定している建物（ペリ子の家）が火災により焼失した場合、当該建物に火災保険が付されていれば、火災保険金に物上代位することができる。

抵当物が燃えちゃうと
回収できなくなるな
TAC銀行

**解答** 火災保険金は抵当物（ペリ子の家）が形を変えたものだ。ＴＡＣ銀行は、火災保険金に物上代位することができる。ただし、**保険金が支払われる前に差し押さえる**必要がある。 ○

### 1 抵当権の４つの性質

抵当権の４つの性質を理解しておく必要がある。

① **付従性**
抵当権は、被担保債権が成立しなければ、成立しない。

② **随伴性**
被担保債権が譲渡されると、抵当権も一緒に移転する。

③ **不可分性**
全額が弁済されない限り、抵当権を目的物全部の上に行使できる。

④　**物上代位性**
　**抵当権は、目的物の価値変形物に対してもその効力が及ぶ。**

①　**付従性**（抵当権と被担保債権は「くっついている」）
　まず、**抵当権は、被担保債権が成立しなければ、成立しない。**被担保債権が弁済や時効により消滅すれば抵当権も消滅する。これが**付従性**だ。**債権なければ担保なし**、なのだ。

債権譲渡については第9章で学ぶ。

②　**随伴性**（抵当権と被担保債権は「一緒に動く」）
　被担保債権が、第三者に譲渡されることもある。ＴＡＣ銀行の債権（住宅ローンを返済してもらう権利）がＴＡＣ商事に譲渡された場合、抵当権者もＴＡＣ商事になる。これが**随伴性**と呼ばれる性質だ。

③　**不可分性**（抵当権は「分けられない」）
　ペリ子はＴＡＣ銀行から2,000万円借りた。1,980万円まで返済したがそれ以上返せなくなったとする。この場合、債権は99%まで返済し残り１%になったのだから抵当権も１%になり、抵当権を設定している建物の１%の部分しか競売できない…ということにはならない。債権が１円でも残っている以上、ＴＡＣ銀行はペリ子の家**全体を競売にかけることができる。**これが**不可分性**だ。

## 2 物上代位性（④）

　ペリ子の自宅（抵当権の目的物）が火事で焼失したとする。抵当権の目的物がなくなったのだから抵当権も消滅し、ＴＡＣ銀行は担保がなくなってしまう。一方、ペリ子には火災保険金がおりる。それでは不公平だ。そこで火災保険金は抵当物が形を変えたものだと考えて、ＴＡＣ銀行が**火災保険金を差し押さえて債権の回収を図ること**が認められている。これが**物上代位**だ。

差押えにより、保険金はＴＡＣ銀行に支払われることになる。

　なお、物上代位をするためには、ペリ子に保険金が**支払われる前に差し押さえる**必要がある。いったんペリ子に支払われてしまうと、物上代位はできない。

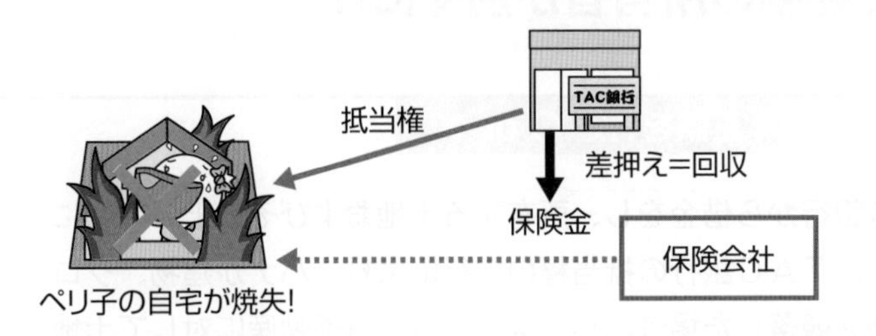


物上代位は保険金だけの話ではない。債務不履行があった場合には、**賃料**にも物上代位できる。

賃料を差し押さえて、債権回収することができるのだ。

抵当権を設定しても、占有は移らない。ペリ子は住宅を自由に使えたことを思い出そう。住宅を貸して家賃を得ることもできる。その賃料を差し押さえるのだ。

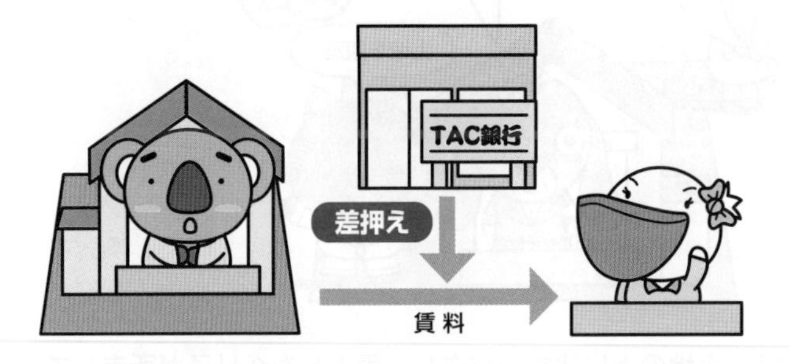

# ケース3 土地と建物の所有者が別々に!?

**正誤を判定 ○ or ×**

ペリ子は、ＴＡＣ銀行から借金をし、所有する土地およびその上の建物に抵当権を設定した。ＴＡＣ銀行の抵当権の実行により、ハナが建物、クロネコ不動産が土地を競落した場合、ハナは、クロネコ不動産に対して土地の明渡しを請求することはできない。

**解答** 抵当権設定当時、土地の上に建物が存在し、両方ともペリ子が所有していたが、競売の結果、土地と建物の所有者が別々になった。この場合は**法定地上権が成立**する。ハナは**法定地上権付きの建物を取得するだけで土地の明け渡しは請求**できない（土地をよこせとまでは言えない）。 **○**

## 1 競売によって土地と建物の所有者が別々になることも

土地と建物は別々の不動産だ。土地だけの売買や建物だけの売買もできるし、土地だけに抵当権をつけるということもできる。

もし、ペリ子の戸建住宅の土地だけに付けられた抵当権が実行され、ツネキチがこの土地を競落した場合、土地の所有者はツネキチになる。建物所有者はペリ子だ。この場合ツネキチは、「俺の土地だから建物を壊して出て行け」とペリ子に主張できるだろうか。これはおかしい。ペリ子は建物には抵当権を付けておらず、その権利は守られるべきだからだ。

## 2 法定地上権

そこで、建物の所有者であるペリ子の土地の利用権（地上権）を認めることにした。これを**法定地上権**という。ツネキチは土地の所有者ではあるが自分では利用することはできず、適正な地代をもらうだけだ。ツネキチは、土地の上に建物が建っていることを知ったうえで競落しているはずだから（現地に行けば建物があるのは一目瞭然だ）、ペリ子の法定地上権が認められても、仕方がないだろう。

地上権とは他人の土地を利用する権利のこと。借地権の一つだ（借地権の正確な定義については、第8章**ケース4**で学ぶ）。

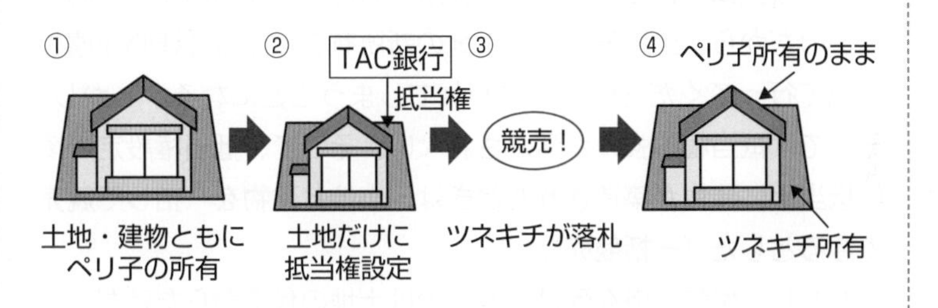


## 3 法定地上権が成立するための条件

とはいえ、競売であれば必ず法定地上権が成立するというわけではない。たとえば更地に抵当権を設定し、その後、建物を建てたという場合には法定地上権は成立しない。抵当権者は、更地で競売できると考えて担保評価をしており、抵当権設定後に建物が建てられ、法定地上権が認められては担保価値が下がってしまう。これは公平ではない。

更地で競売できるということは、競落した人は自分で自由にその土地を使えるわけだから、法定地上権が成立する場合よりも高く売れる（＝担保価値が高い）。これに対し、法定地上権が成立する（建物が存在する）土地を競落しても、地代がもらえるだけだ。

法定地上権が成立するのは、次の条件を満たした場合だ。

> ① **抵当権設定当時、土地の上に建物が存在した。**
> ② **抵当権設定当時、同一人が土地と建物の両方を所有していた。**
> ③ **抵当権の実行により、土地と建物の所有者が別々になった。**

①について。建物が実在すれば**登記の有無は関係ない**。所有者名義の登記がなくても、建物を実質的に所有しているのならば法

H30-6-1

定地上権は成立する。

②について。抵当権**設定時**に同一の所有者であればよい。**設定後**、建物だけが売買されるなど、土地と建物の所有者が異なったとしても、法定地上権は成立する。

## 4 一括競売

更地に抵当権が設定され、その後に建物が築造された場合には、法定地上権は成立しない（3①の要件を満たさない）。もし土地だけが競売にかけられると、建物所有者は土地を利用する権利がないのだから、土地競落人（土地の新所有者）から「建物を壊して出て行ってください」と言われてしまうことになる。しかし、それでは抵当権の強みが活かされない。そこで、抵当権設定の後に抵当地に建物が築造されたときは、**土地と建物を一括して競売**できるとした（一括競売）。

ただし、優先弁済を受けられるのは土地の代金からだけだ。

# 第6章 抵当権

## ケース4 抵当権をなくしてから買いたい

**正誤を判定 ○ or ×**

抵当不動産の第三取得者であるタヌキチは、抵当権の実行としての競売による差押えの効力が発生した後でも、売却の許可の決定が確定するまでは、抵当権消滅請求をすることができる。

**解答** **抵当権消滅請求は、競売による差押えの効力が発生する前**に行わなければならない。 **×**

### 1 抵当不動産の第三取得者

抵当権設定者は、抵当権者の同意を得ることなく、抵当不動産を第三者に売却することができる。抵当不動産を購入した者を**抵当不動産の第三取得者**という。

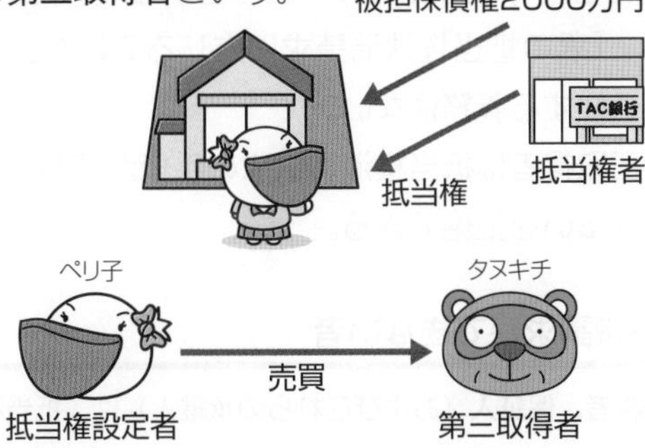

しかし、ローンが返済されずに抵当権が実行されると、第三取得者は不動産の所有権を失ってしまう。そこで、第三取得者を保護するため、**抵当権消滅請求**という規定が設けられている。第三取得者が抵当権者に対し、「お金を払うから、抵当権をなくしてくれ」と請求することができるのだ。

## 2 抵当権消滅請求

抵当権消滅請求のポイントは次の３点だ。

**①　抵当不動産の第三取得者は、一定の代価を支払うことにより抵当権を消滅させるよう抵当権者に請求することができる（書面を送付する）。**
**②　抵当権消滅請求は、競売による差押えの効力が発生する前に行わなければならない。**
**③　抵当権者が抵当権消滅を回避するには、消滅請求の書面の送付を受けた後、２カ月以内に抵当権を実行して競売の申立てをしなければならない。**

2,000万円の抵当権をつけている住宅が売却されたとする。第三取得者は、「1,500万円支払うから抵当権を抹消してくれ」と抵当権者に請求することができる(①)。そして、抵当権者が1,500万円で納得すれば抵当権は抹消される。一方、「1,500万円では安すぎる、競売にかけた方がもっと高く売れる（1,500万円以上回収できる）はずだ」と考えれば、書面を受け取った後、２カ月以内に抵当権を実行して競売の申立てをする（③）。この際、第三取得者に、「君の抵当権抹消請求に応じる気はない。競売にかけるよ」と通知する義務はない。

また、第三取得者は抵当権消滅請求の手続が終わるまでは、売主への代金支払いを拒絶できる。

### 発展　消滅請求ができない者

R4-4-4

**主たる債務者、保証人**（およびこれらの承継人）は、抵当不動産を買い受けても、**抵当権消滅請求をすることができない**。保証人などは本来債務の全額を弁済すべき立場にあるからだ。抵当不動産を購入した者が保証人だった場合、「債務の一部を払うので抵当権を消滅させて下さい」と要求するのは認められない。

### 発展 代価弁済

抵当権消滅請求とは逆に、抵当権者の方から、抵当権抹消の代わりに代金を要求する制度が**代価弁済**だ。抵当権者が第三取得者に「2,000万円を売主ではなく私に支払ってくれれば抵当権を抹消するよ」と持ちかけるのだ。

R4-4-1。なお、複数の抵当権がついている場合、代価弁済は第三取得者にとってあまりメリットがない（第一抵当権者からの要求に応じて弁済すると第一抵当権は消滅するが、第二抵当権は残るから）。したがって実務でも利用されることが少ない。試験対策としても抵当権消滅請求の方が重要だ。

## 3 抵当権の処分

抵当権も財産の一つだから、他人に譲渡したり、担保として提供したりできる。抵当権の処分と呼ばれるものだ。抵当権の処分には以下の４つがある。

① **転抵当**
② **抵当権の譲渡・放棄**
③ **抵当権の順位の譲渡・放棄**
④ **抵当権の順位の変更**

①の**転抵当**とは、抵当権を他の債権の担保とすることをいう。「原抵当権（元の抵当権のこと）の被担保債権額を超えないこと」「転抵当権の弁済期が原抵当権の弁済期以前であること」といった条件がある。

②の**抵当権の譲渡・放棄**は、一般債権者に対して行う。③の**抵当権の順位の譲渡・放棄**は、抵当権者どうしで行う。抵当権が譲渡された場合には、譲渡された者が優先的に弁済を受ける。放棄の場合には、債権額で案分する。具体例でみてみよう。

R5-10

具体例：2,500万円の担保価値がある土地に、一番抵当権者Ａ（債権額1,000万円）、二番抵当権者Ｂ（債権額1,500万円）、三番抵当権者Ｃ（債権額3,000万円）がいる。

ケース１）譲渡・放棄がない場合の配当額（弁済を受けられる額）

A：1,000万円、B：1,500万円、C：0円

これが基本の配当額。抵当権の順位の譲渡、放棄があると配当額がどう変わるのかを以下で説明する。

Aの「優先弁済枠」がCに譲渡される。一番抵当権者という地位が譲渡されるわけではない。

ケース2）AがCに抵当権の順位を**譲渡**した場合

→**Cが優先的に弁済**を受ける。無関係のBには迷惑かけないようにAがもらえるはずだった1,000万円についてCが優先的に弁済を受けることになる（Bは1500万円のまま）。

A：0円、B：1,500万円、C：1,000万円

ケース3）AがCに対し抵当権の順位を**放棄**した場合

→本来Aが受け取る1,000万円をAとCとで分ける（債権額による案分）。債権額はA：1,000万円、C：3,000万円でA：C＝1：3。Aの配当額1,000万円をこの比率で分ける。Bは1,500万円のまま。」

A：250万円、B：1,500万円、C：750万円

| 抵当権者 | | 債権額 | ケース1（通常の配当） | ケース2（AがCに順位を譲渡） | ケース3（AがCに順位を放棄） |
|---|---|---|---|---|---|
| 一番抵当権者 | A | 1,000万円 | **1,000万円** | **0円** | **250万円** |
| 二番抵当権者 | B | 1,500万円 | 1,500万円 | 1,500万円 | 1,500万円 |
| 三番抵当権者 | C | 3,000万円 | **0円** | **1,000万円** | **750万円** |
| | | | 2,500万円 | 2,500万円 | 2,500万円 |

**④抵当権の順位の変更**

Aが一番抵当、Bが二番抵当、Cが三番抵当だったものを、Bが一番、Cが二番、Aが三番というように入れ替えることをいう（関係者全員の合意が必要）。

# ケース5 何度も抵当権を設定するのは面倒だ

**正誤を判定 ○ or ×**

ＴＡＣ銀行がツネキチの所有不動産に対し抵当権を設定する場合には、被担保債権を特定しなければならないが、根抵当権を設定する場合には、あらゆる範囲の不特定の債権を極度額の限度で被担保債権とすることができる。

**解答** 根抵当権とは、「一定の範囲に属する」不特定の債権を極度額の限度において担保するものだ。あらゆる範囲の不特定の債権を被担保債権とすること（**包括根抵当権**）は認められていない。 **×**

## 1 根抵当権とは

根抵当権とは、「一定の範囲の」「不特定の債権を」「極度額の枠内で」担保するために設定する抵当権のことだ。

たとえば、ツネキチがTAC銀行から事業資金として1,000万円借りたとする。商売がうまくいったのでいったん600万円返す。しかし次の仕入れのためにまた400万円借りる。もう少しお金が必要になったのでもう200万円借りる。利益が出たので500万円返す。事業とはこのようにお金の貸し借りを繰り返すことが多い。そのたびに抵当権の設定・抹消を登記するのは面倒だし費用もかかる。

そこで、増減変動する債権を継続して担保する制度が作られた。それが根抵当権だ。「2,000万円までは担保する」というように限度額（**極度額**）を決めておき、事業資金の借入という「一定の範囲」の債権が担保されるのだ。

根抵当権では極度額の範囲内であれば、利息も全て担保される。通常の抵当権のように**「最後の２年分」という制限がない**のだ。

元本と利息の合計額が極度額を超えてしまうと、２年分すら支払われないということも起こりうる。

また、根抵当権によって担保される債権は**特定の継続的な法律関係によって生じた債権**でなければならない。「あらゆる債権をこの根抵当権で担保する」という**包括根抵当権は禁止**されている。

## 2 元本の確定

**〈元本の確定とは〉**

元本の確定とは、**根抵当権で担保される債権を確定すること**だ。根抵当権では、債権の発生・消滅が繰り返されるが、債権者（根抵当権者）が優先弁済を受けるためには、元本を確定する必要がある。極度額が2,000万円でも元本が1,500万円に確定すれば、債務者は1,500万円（とその利息等）を弁済すれば、根抵当権を消滅させることができる。

元本確定前に根抵当権の（順位の）譲渡・放棄はできない。

元本確定後は、通常の抵当権と同じになる（元本確定後に発生した債権は根抵当権では担保されなくなる。）。

**〈元本の確定請求〉**

当事者間で元本確定期日を定めた場合は、その日に元本が確定する。この期日は、根抵当権の約定をした日から**5年以内**でなければならない。あまり先だと当事者にとって不便だからだ。いったん定めた元本確定期日を変更することも可能だ。

元本確定期日が決められていない場合には、当事者からの請求により、元本を確定できる。

### ◘請求による元本確定

| 根抵当権者からの確定請求 | 根抵当権者はいつでも、元本の確定を請求できる。 |
|---|---|
| （根抵当権）設定者からの確定請求 | 根抵当権設定者は、根抵当権設定後３年を経過すると、元本の確定を請求できる。 |

## 3 元本確定前は、付従性・随伴性がない

通常の抵当権は、被担保債権が弁済により消滅すれば抵当権も消滅する（付従性）。しかし、根抵当権は違う。途中で被担保債権額がゼロとなっても根抵当権は消滅しない。**根抵当権には付従性がない**のだ。

また根抵当権の被担保債権は複数ある（正誤を判定○or×のイラストで、ツネキチが複数回融資を受けていることに着目）。この被担保債権の一つを誰かに譲渡しても、根抵当権は新しい債権者には移転しない。つまり**根抵当権には随伴性がない**のだ。

しかし、根抵当権も元本が確定すれば通常の抵当権と同じになる。つまり、付従性も随伴性も生じる。**元本確定前の根抵当権は、付従性・随伴性がない**。このことはしっかり押さえておこう。

## 4 極度額の変更

ツネキチの事業が大きくなると融資を受ける額も大きくなる。限度額が2,000万円では足りないという事態も考えられる。その場合には極度額の変更もできる。しかし、極度額を大きくすると後順位抵当権者や第三取得者が不利益を被る（反対に極度額を小さくすると転抵当権者が不利益になる）。そのため、**極度額の変更には、利害関係人**（後順位抵当権者、第三取得者、転抵当権者）**の承諾が必要**となる。

### 発展　設定者の極度額減額請求権

元本の確定により、被担保債権の額が決定する。このとき、極度額の方が被担保債権の額より大きいと、設定者に不利だ（抵当不動産の担保価値を十分に活かしきれない）。

そこで、**根抵当権設定者の極度額減額請求権**が認められている。根抵当権設定者は、極度額を「現に存する債権額＋以降２年間に生ずる利息・債務不履行による損害賠償金額」まで減ずるよう請求することができる。

## 5 根抵当権のまとめ

以下の５点を押さえておけば、試験はまず大丈夫。意味が分からない点があれば本文をもう一度読み直そう。

**①　包括根抵当権は禁止**
**②　利子が２年分とは限らない（極度額まで）**
**③　元本確定の請求←抵当権者からはいつでも／設定者からは３年経過後**
**④（元本確定前は）付従性、随伴性がない**
**⑤　極度額の変更は、利害関係者の承諾が必要**

# 第6章 抵当権

## ケース6 賃貸借と抵当権（競売）

**正誤を判定 ○ or ×**

ペリ子はＴＡＣ銀行に対して自己所有の甲建物に令和４年４月１日に抵当権を設定し、ＴＡＣ銀行は同日付でその旨の登記をした。ペリ子は、令和４年７月１日に甲建物をコア太郎に期間２年の約定で賃貸し、同日付で引き渡した。コア太郎の賃借権は抵当権に対抗できる。

抵当権付借家
競売されたら、出て行かなきゃいけないのかなぁ？
借主


**解答** **抵当権設定の後**にコア太郎とペリ子の**賃貸借契約が締結**されている。したがって、**抵当権に対抗することはできない**。コア太郎は、競売の買受けのときから６カ月以内に建物を明け渡さなければならない。 **×**

### 1 賃貸借の対抗力

賃貸住宅に住んでいれば（引渡しを受けていれば）、**賃借権は対抗力を持つ**。貸主以外の者にも建物賃借権を主張できる（対抗できる）のだ。

「引渡しを受けていれば対抗力を持つ」については、第８章ケース１参照。

では、対抗力があれば、競売になっても賃借人は出ていかなくてもいいかというと、そうとは限らない。抵当権と、賃貸借契約のどちらが早いかで、勝負が決まる。

### 2 抵当権に対抗できる賃借権

対抗力のある賃貸借契約が設定された後に、抵当権が設定されたのであれば、賃貸借契約が優先される。つまり、競売にかけられて所有者が替わっても、賃借人は家から出て行かなくてもいい。抵当権者も賃貸借契約があることを承知で、抵当権を設定しているから、不都合はない。

**事例1**

①建物賃貸借契約が結ばれ、賃借人が家の引渡しを受ける（賃借権が対抗力を持つ）。
②賃貸住宅に抵当権が設定、登記される。
③賃貸人が債務不履行を起こし、抵当権が実行される（賃借人の住む家が競売にかけられる）。

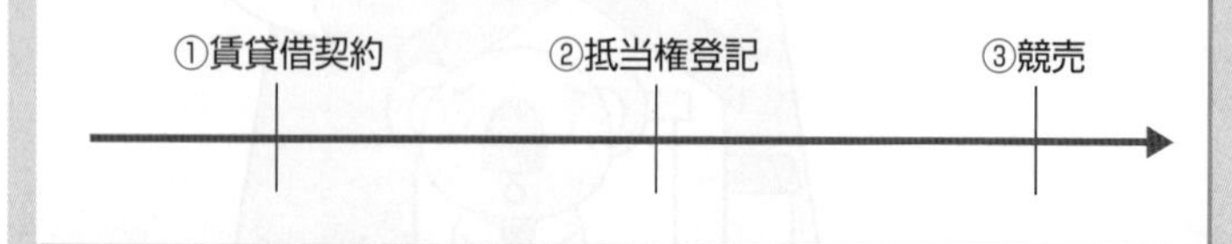


**解説1**　賃借人は建物の引渡しを受けているので、賃借権は対抗力を持つ（賃貸人以外に対しても、建物賃借権を主張できる）。また賃借権設定の方が抵当権登記よりも早い。したがって競売（抵当権の実行）により家の所有権を得た第三者に対しても、賃借人は賃借権を主張できる（賃借人は家を出て行かなくてもいい）。

賃貸借契約が先のときは、競売になっても出て行かなくてもいいのだ。

> 実は、抵当権設定後の賃貸借であっても、「抵当権者の同意の登記がある場合」には対抗力がある。とはいえ細かい話しなので例外規定がある、とだけ頭の片隅にいれておけばいい（全く無視しても、まず大丈夫だろう）。

## 3 抵当権に対抗できない賃借権

ところが、賃貸借契約の前に、抵当権が登記されているのであれば抵当権が優先される。もし競売にかけられた場合、賃借人は家から出て行かなければならない。もっとも建物賃貸借の場合、直ちに出て行けというのは酷なので、買受人が買い受けたときから**6カ月間**の猶予期間がある。

> R4-4-2

この**猶予制度**は**建物賃貸借のみ**にある。土地の賃貸借（借地）の場合には猶予制度はない。また、建物の場合も、明渡猶予期間中に1カ月分以上の使用料の不払いがあると、出て行かなければならなくなる。

**事例2**

①住宅に抵当権が設定、登記される。
②抵当権のついた住宅について賃貸借契約が結ばれる。賃借人が住宅の引渡しを受ける（賃借権が対抗力を持つ）。
③賃貸人が債務不履行を起こし、抵当権が実行される。（賃借人の住む家が競売にかけられる）。

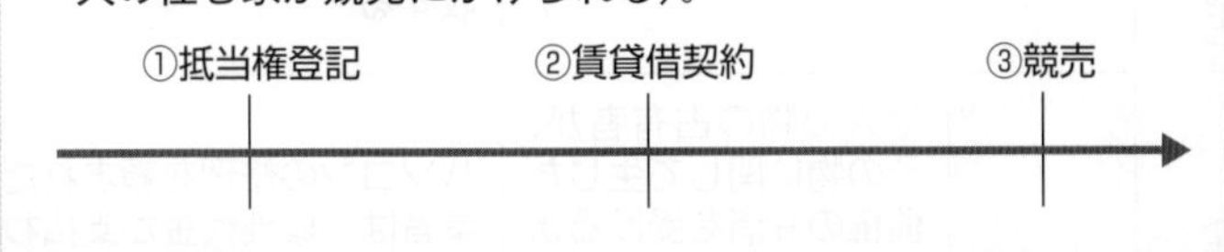


**解説2**　建物の引渡しを受けているので、建物賃借権は対抗力を持つ。しかし、抵当権登記の後に賃貸借契約が結ばれているので、抵当権の方が優先される。したがって競売により家の所有権を得た第三者が、家を明け渡せ、というのであれば、出て行かなければならない（ただし6カ月間の猶予期間がある）。

抵当権が先のときは、競売になったら出て行かなければならないのだ。だから、賃貸借契約の重要事項説明でも「登記された権利の種類・内容」が説明される。

## 発展　抵当権以外の担保物権

債務者の財産がなくなり、借金を返せない、代金や賃料を支払えないとなった場合には、すべての債権者は、その債権額に応じて債務者の総財産から平等に弁済を受けられる、というのが原則だ（「**債権者平等の原則**」）。債権の発生原因やいつ債権が発生したかは、関係ない。

しかしこれでは、安心してお金を貸せない。「債務超過」になった場合には貸金の回収が困難になるからだ。そこで一定の条件のもとで、特定の債権者が優先的に弁済を受けることを認めている。これが**担保物権**という制度だ。

宅建試験で出題頻度が高いのは抵当権だが、たまに抵当権以外の担保物権が出題されることもある。抵当権の勉強がひととおり終わったという人は、担保物権全般についてざっと見てみよう。

ただし、出題確率は低い。民法が苦手な人は、まずは抵当権だけをしっかり固めることが先だろう。

抵当権は不動産についてのみ成立するが、これら3つの担保物権は不動産にも動産にも成立する。

### ◇抵当権以外の担保物権

| | 担保物権の種類 | 内容 | イメージ |
|---|---|---|---|
| 約定担保物権（当事者の合意で設定） | 質権 | 担保として受け取った物を債権者が占有し、優先的に弁済を受ける権利 | 質屋さんに時計を預け、お金を借りる（時計の占有は債権者である質屋さんに移る）。期限内に返済されなければ、質屋は時計を売って債権（貸したお金）を回収する |
| 法定担保物権（法律上当然に発生） | 留置権 | 他人の物の占有者が、その物に関して生じた債権の弁済を受けるまで、その物を留置しておける権利（物上代位は認められない） | パソコンの修理を頼まれた業者は、修理代金が支払われるまで、修理済みのパソコンの引渡しを拒むことができる |
| | 先取特権 | 債務者の財産について、他の債権者に先立って弁済を受ける権利 | 賃貸マンションの賃料不払いがあった場合、貸主は賃借人の動産から優先的に弁済を受ける権利がある |

抵当権の場合、自宅に抵当権が設定されても、そのまま自宅を使用することができる（抵当権者に占有が移転しない）。ところが質権や留置権の場合には、対象物を使用できなくなる（質権者や留置権者に占有が移転する）のが、大きな特徴だ。

抵当権、質権、先取特権は、優先的弁済効力を有するので物上代位が認められる。これに対し留置権には留置的効力しか認められていない。したがって物上代位も認められない。

# まとめ

## ◇抵当権の及ぶ範囲

| | |
|---|---|
| ①付加一体物 | 抵当権の目的物である不動産と一体となった物（雨戸や壁紙など） |
| ②（抵当権設定時からある）従物 | 不動産と合わせて使われるものだが取り外し可能な物（畳、庭石）<br>➡抵当権設定当時に存在したものであれば、抵当権の効力が及ぶ |
| ③従たる権利 | 従物の考え方は「権利」にも適用される（借地権など） |

## ◇抵当権の性質

| | |
|---|---|
| ①付従性 | 抵当権は、被担保債権が成立しなければ、成立しない。 |
| ②随伴性 | 被担保債権が譲渡されると、抵当権も一緒に移転する。 |
| ③不可分性 | 全額が弁済されない限り、抵当権を目的物全部の上に行使できる。 |
| ④物上代位性 | 抵当権は、目的物の価値変形物に対してもその効力が及ぶ（保険金、賃料など）。ただし、差押えが必要。 |

## ◇法定地上権の成立要件

① 抵当権設定当時、土地の上に建物が存在した。
② 抵当権設定当時、同一人が土地と建物の両方を所有していた。
③ 抵当権の実行により、土地と建物の所有者が別々になった。

### ◇抵当権消滅請求と代価弁済

- **抵当権消滅請求**：抵当不動産の第三取得者から、債権者に対し抵当権の消滅を請求するもの（競売による差押えの効力が発生する前に行う）。
- **代価弁済**：抵当権者の方から、抵当不動産の第三取得者に対し、抵当権を抹消する代わりに代金を要求するもの。

### ◇根抵当権のまとめ

**① 包括根抵当権は禁止**
**② 利子が２年分とは限らない（極度額まで）**
**③ 元本確定の請求←抵当権者からはいつでも／設定者からは３年経過後**
**④ （元本確定前は）付従性、随伴性がない**
**⑤ 極度額の変更は、利害関係者の承諾が必要**

### ◇賃借権と競売

- 賃借権が優先するのか、競落人が優先するのかは、賃借権と抵当権とがどちらが先に設定されたかによる。
- 抵当権に対抗できない賃借権であっても建物であれば、６カ月間の猶予期間がある。

## 確認テスト

問題　次の記述の正誤を判定してください。

1．AはBから借金をし、その担保として自己所有の土地および建物に抵当権を設定し、その旨の登記をした。Aが債務の一部を弁済しても、全額が弁済されるまでは目的物の全部に抵当権が及ぶ。

2．AはBから借金をし、その担保として自己所有の土地および建物に抵当権を設定し、その旨の登記をした。Aがこの建物をCに賃貸するには、Bの承諾が必要だ。

3．AはBから借金をし、その担保として自己所有の土地および建物に抵当権を設定し、その旨の登記をした。抵当権が実行され、Dが土地を、Eが建物を競落した場合、土地所有者であるDは、Eに対して土地の明渡しを請求することができる。

4．AはBから借金をし、その担保として自己所有の土地および建物に抵当権を設定し、その旨の登記をした。Aからこの土地建物を買い受けたFは、一定の代価を支払うことにより抵当権を消滅させるよう、Bに請求することができる。

5．AはBから2,000万円を借り入れて土地とその上の建物を購入し、Bを抵当権者として当該土地及び建物に2,000万円を被担保債権とする抵当権を設定し、登記した。Bの抵当権設定登記後にAがDに対して当該建物を賃貸し、当該建物をDが使用している状態で抵当権が実行され当該建物が競売された場合、Dは競落人に対して直ちに当該建物を明け渡す必要はない。

6．根抵当権設定者は、元本の確定後であっても、その根抵当権の極度額を、減額することを請求することはできない。

解答解説

1．○　そのとおり。抵当権の不可分性だ。

2．×　抵当権を設定しても、Aは目的物を自由に使える。Cに賃貸するのも自由だ。Bの承諾は不要だ。

3．×　法定地上権が成立する。Dは明渡しを請求することができない。

4．○　Fは、抵当権消滅請求をすることができる。

5．○　抵当権設定登記後に建物を賃貸しているから、賃借権よりも抵当権が優先される。建物が競売されたのであれば、借家人Dは家を明け渡さなければならない。ただし6カ月間の猶予期間がある。ただちに明け渡す必要はない。

6．×　元本確定後であれば、根抵当権設定者は、根抵当権の限度額を、現に存する債務の額と以後2年間に生ずべき利息等を加えた額に減額することを請求できる。被担保債権の額が極度額に満たないのであれば、根抵当権設定者が残りの担保価値を利用できた方がよいからだ。

# 第7章 売買契約

## ケース1 約束は守らなければならない

**正誤を判定 ○ or ×**

イヌマル不動産が所有する宅地建物を、モンキーに売却する契約が結ばれ、買主モンキーはイヌマル不動産に手付を交付した。売主（イヌマル不動産）が契約を解除する場合、手付の倍額を買主（モンキー）に提供しなくても、契約を手付により解除する旨の通知が買主（モンキー）に到達すれば、解除の効果が発生する。

**解答** **手付倍返しは、「現実に提供」することが必要だ。**手付を倍返しします、と通知するだけではダメだ。 ×

### 1 契約の成立と効力

契約は、申込みに対して、相手方が承諾したときに成立する。口頭の申込み、承諾でもよい。法令で定められた例外的な場合を除いては、書面を作成しなくても契約は成立する。

保証契約、一般定期借地権契約、定期建物賃貸借契約などは**書面**で契約しなければ効力を生じない。

公序良俗に反するものを契約内容としても無効となる。

### 2 同時履行の抗弁権

住宅の売買契約が成立すると、売主、買主の双方に義務（債務）が生じる。売主には住宅を引き渡す義務があり、買主には代金を支払う義務がある。どちらにも義務があるということは、相手が義務を果たさない場合は、自分も義務を果たさなくてよいということになる。これを**同時履行の抗弁権**という。買主が期日までに代金を支払わないならば、売主は同時履行の抗弁権を主張して、住宅の引渡しを拒むことができる。

## 3 売買契約とは（売主・買主の義務）

売主がある財産権を買主に移転することを約束し、買主がそれに対して代金を支払うことを約束することによって、効力が生じるのが**売買契約**だ。売買契約の成立により売主・買主それぞれに義務が発生する。

**●売主の義務**

売主は、売買の目的である財産権を買主に移転させる義務を負う。不動産であれば、買主に移転登記しなければならないし、不法占拠がいれば追い出さなければならない。

**●買主の義務**

買主の義務は代金を支払うことだ。この際、「手付（金）」の授受がなされることもある。宅建業法でも説明したが、もう一度、手付のルールについて確認しておこう。

買主は、目的物を受領する義務もある。

〈手付のルール〉

**①　買主は手付を放棄すれば契約を解除できる（手付放棄）。**
**②　売主は手付の倍額を返還すれば契約を解除できる（手付倍返し）。**
**③　相手方が履行に着手した後は、手付放棄も手付倍返しもできない。**

②の手付倍返しについては、「**現実に提供**」することが必要だ。「後で倍額返すから契約解除ね」と口頭で言うだけではダメなのだ。③の履行の着手は「客観的に外部から認識し得るような形」で履行している必要がある。

## 4 他人物売買

「他人の物を売る」という契約（**他人物売買**）も有効だ。たとえばXの所有する土地を、Aが売主となってBに売る、という契約を結ぶことも可能なのだ。他人物売買では売主は、その権利を取得して買主に移転する義務を負う。Aは所有者Xから土地を買い取って、買主Bに渡さなければならない。約束は守れ（契約も守れ）だから当然のことだ。

**一部他人物売買**ということもある。150㎡の土地売買契約で30㎡は売主以外が所有しているというのがその例だ。売主は30㎡を取得して150㎡にして引き渡さなければならない。

# 第7章　売買契約

## ケース2　契約がキャンセルされることもある

**正誤を判定 ○ or ×**

イヌマル不動産（売主）が、モンキー（買主）の代金不払を理由として売買契約を解除した場合には、売買契約はさかのぼって消滅する。

お金を払ってくれないから、契約を解除します!!
家を引き渡せ！


**解答** 解除されると、契約は初めからなかったものとなる。　○

### 1 契約の解除

契約が成立した後で、やっぱりやめたというのは許されない。これが原則だ（約束は守れ！）。しかし、債務不履行や解約手付など一定の理由があれば、契約を解除することができる。

〈解除のポイント〉

① 解除は、解除権者の一方的な意思表示によって行われる（相手方の承諾は不要）。
② いったん解除の意思表示をしたら、それを撤回することはできない。
③ 当事者が複数いる場合には、解除は全員から（または全員に対して）行わなければならない。

共同で住宅を買う、共有している住宅を売るなどが③の例だ。

## 2 解除と催告

履行が可能なのに債務者が履行しない(例:土地を引き渡さない、代金を支払わない)場合には、債権者は契約を解除することできる。

とはいえ、債務不履行があったからといっていきなり解除はできない。**まず履行の催告**をするのが原則だ。

**〈原則〉**

> **相当の期間を定めて履行を催告し、その期間内に履行がなければ契約の解除ができる。**

**〈例外〉**

R6-4-2

> **以下の場合には、催告なしで解除ができる。**
> **① 債務の全部の履行が不能**
> **② 債務者が履行を拒絶する意思を明確に表示した**
> **③ 履行されても契約の目的が達成できない**

## 3 解除に関する注意点

解除に関し注意すべき点が3つある。

> **① 債務の不履行が軽微であるときは、解除はできない。**
> **② 解除に債務者の帰責性は不要(債務者が悪くなくても債権者は解除できる)。**
> **③ 債権者に帰責性がある場合には解除はできない。**

①。債務不履行があっても、ささいなことであれば解除まではできない。②。「帰責性がある」とは、責任があるという意味。「責めに帰すべき事由がある」という表現をすることもある。たとえば、自然災害が原因で、契約で定められた日に家を引き渡せない、という場合でも解除できる。しかし損害賠償請求はできない。解

除には債務者の帰責性は不要だが、損害賠償を求める場合には、債務者の帰責性が必要となる。下の表で確認しよう。

### ◘債務者の帰責性の要否

| 債権者（＝債務不履行された方）の行為 | 債務者（＝債務不履行した方）の帰責性 |
|---|---|
| 契約を解除したい | 不要 |
| 損害賠償請求したい | 必要 |

## 4 解除の効果

解除されると、契約は**初めからなかった**ものとなる。売主は代金に**利息**をつけて返還するし、買主は買った不動産を返却する。引渡しから解除までの間に、買主が目的物により利益を得ていたのであれば、その利益も返還する。つまり、**原状回復義務**があるのだ。

解除した場合でも、損害が発生したのであれば、損害賠償の請求もできる。

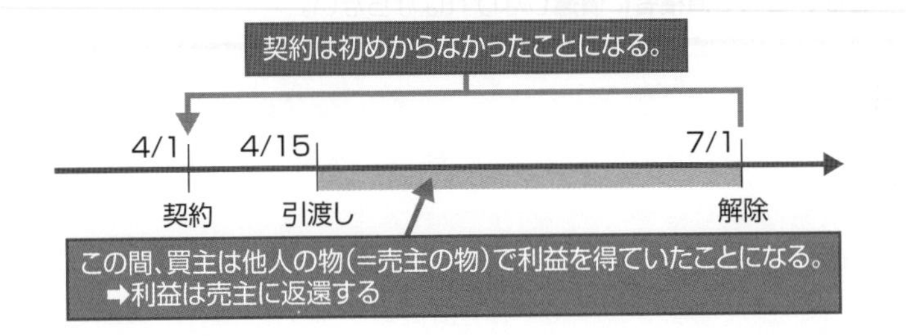
契約は初めからなかったことになる。
4/1
4/15
7/1
契約
引渡し
解除
この間、買主は他人の物(=売主の物)で利益を得ていたことになる。
➡利益は売主に返還する

## 5 解除と第三者

原状回復義務により、売主に不動産が返却されるといっても、すでに買主が第三者に転売している場合もある。この場合、不動産が第三者のものになるのか、売主に返還されるのかは、登記によって決まる（第５章参照）。

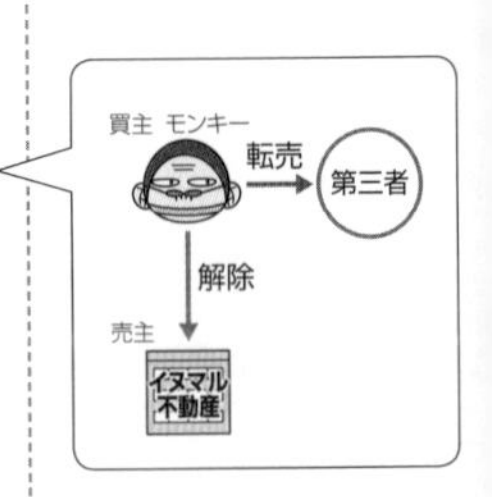
買主 モンキー
転売
第三者
解除
売主
イヌマル不動産

## 発展 危険負担

危険負担とは、債務が履行不能になった場合、債務者と債権者、どちらがその負担（＝履行不能により生じた損害の負担）を負うのか、という話しである。

〈双方に責任がない場合〉

たとえば建物の売買契約で、落雷により建物が滅失したとする（つまり当事者双方に責任がない）。

この場合、買主（債権者）は売買代金の**支払いを拒絶できる**。つまり、双方に責任がない場合は**債務者が危険を負担**するのだ。

売買契約に関し危険負担の問題が出てきたら、売主＝債務者、買主＝債権者だ。

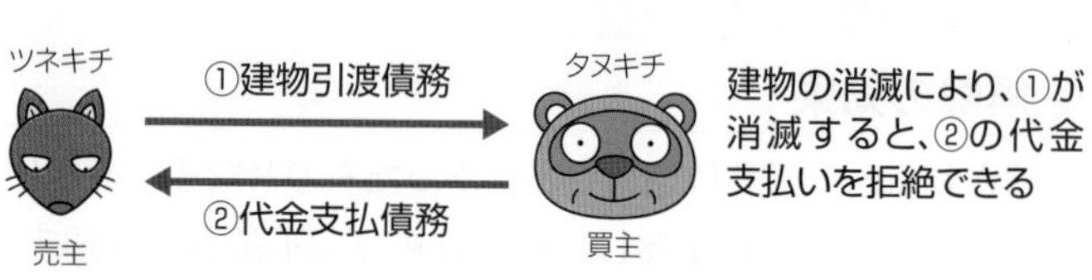


〈買主＝債権者に責任がある場合〉

債権者の責めに帰すべき事由によって債務が履行できなくなった場合には、どうなるのか。たとえば、買主が購入した建物を見に行った際に車をぶつけて全壊させた、といった場合だ。この場合は、代金の**支払いを拒むことはできない**。つまり債権者が危険を負担する。

もっとも、**債務者は、自己の債務を免れたことによって利益を得たときは、これを債権者に償還**しなければならない。

売主（＝債務者）が、建物の滅失により保険金をもらった（＝利益を得た）のであれば、保険金を買主（＝債権者）に渡しなさいということだ。

# 第7章 売買契約

## ケース3 売主の契約不適合責任

**正誤を判定 ○ or ×**

タヌキチが、ハナからハナ所有の土地付中古建物を買い受けて引渡しを受けたが、建物の主要な構造部分に欠陥があった。タヌキチが、この欠陥の存在を知って契約を締結した場合、タヌキチは欠陥の修補や、代金の減額を請求することはできない。

**解答** **目的物の品質が契約内容に適合しないのであれば**、買主は**追完請求ができる**。もっとも欠陥があることを前提にして契約した場合には、契約不適合とはならず、追完請求はできないが、この問題文だけでは、欠陥があることを前提とした契約とは言い切れない。「欠陥の修補や、代金の減額を請求することはできない」と言い切っている本肢は誤りだ。 ×

### 1 契約不適合責任とは

売主には、**契約内容に適合する物を給付する義務**がある。建物を引き渡したが、雨漏りする欠陥住宅だったというのでは、買主は困る。

もし、売買の目的物が契約の内容に適合しないのなら、買主は売主に対し責任追及できる（**契約不適合責任**）。具体的には以下の4つだ。

契約不適合とは、つまりは売買の目的物の**種類、品質、数量、権利**が契約内容と一致しないことだ。

(1) **追完請求**
(2) **代金減額請求**
(3) **契約の解除**
(4) **損害賠償請求**

もっとも、雨漏りする欠陥住宅であっても、雨漏りを前提に安値で売買した、というのであれば売主の責任を問うことはできない。雨漏りするという建物の瑕疵（欠陥）が問題なのではなく、**契約内容に適合したものを給付したがどうか**が問題なのだ。

以下、契約不適合責任の具体的内容を解説していく。

契約不適合について、**買主に善意無過失は要求されない。**買主が過失で契約不適合（雨漏りや数量不足）を見逃したとしても、追完請求できる（過失相殺されることはありうる）。買主が契約不適合を認識していても（悪意）、契約内容によっては、売主が修補して引き渡す義務があると考えられる場合もある。近年の法改正で変更になったところだ。

## 2 (1)追完請求権

**追完請求**とは、「追」加的な行為を要求して、履行を「完」全なものにするよう求めることだ。

追完請求として、買主は以下①～③の追完方法を選択できる。

R3⑩-7-1、3

**〈買主の追完請求権〉**

① **目的物の修補**
② **代替物の引渡し**
③ **不足分の引渡し**

たとえば購入した建物が雨漏りする欠陥住宅だったといった場合には、買主は追完請求として、建物の**修補**を請求できる（①）。同規模同額で販売している隣の建物をよこせと言うことも可能だ（（②）**代替物の引渡し**）。100㎡の土地を売買する契約をしたが、実は90㎡しかなかった（数量不足）というのなら、**不足分の引渡し**を請求できる（③）。

## 発展　追完請求権に関する注意点

① 売主は、買主が請求した方法と異なる方法による追完もできる（買主に不相当な負担をかけないことが条件）。
② 契約不適合の責任が買主にあるのなら、追完請求はできない。

## 3 (2)代金減額請求権

買主が相当の期間を定めて、**催告**したにもかかわらず、売主が履行の追完をしないときは、買主は**代金の減額**を請求できる。**代金減額請求の前に、履行の追完の催告が必要**なのだ。しかし、催告なしに直ちに代金減額を請求できる場合もある。

**〈追完請求の催告なしに代金減額請求できる場合〉**

① **履行の追完が不能**
② **債務者が履行を拒絶する意思を明確に表示した**
③ **履行されても契約の目的が達成できない**

ケース2で学んだ「無催告解除ができる場合」と同じと考えてよい。催告しても無意味なら、いきなり代金減額請求できる。

代金減額請求は不適合に関し売主に帰責性がなくてもできる。

## 4 (3)解除と(4)損害賠償請求

追完されない契約不適合が軽微でなく、買主に帰責性がないのならば、契約の解除ができる（解除の前には、履行の催告が必要）。

また、**追完請求、契約の解除と合わせて損害賠償請求もできる。** 履行の追完がされても、契約で合意した時期よりも履行が遅れた場合などは、損害賠償請求もできるのだ。ただし、**売主に帰責性がない場合には損害賠償請求はできない。**

損害賠償請求については、第9章ケース1で学ぶ。

## 5 権利の不適合

売買の目的物の種類、品質、数量だけでなく、買主に移転した**権利が契約内容に不適合**であった場合にも、売主に責任追及できる。

| 権利不適合の状態 | 買主ができること |
|---|---|
| ①権利が契約内容に適合しない。<br>例：売買の目的物の上に借地権や抵当権がついていた。 | 追完請求（抵当権の抹消など）、代金減額請求、解除、損害賠償請求 |
| ②権利の一部が他人に属する<br>例：150㎡の土地を売る契約をしたが、20㎡は他人の土地だった。 | |
| ③権利の全部が他人に属する<br>例：売買契約した土地の全部が、他人のものであった。 | そもそも履行されていない。契約不適合責任ではなく、債務不履行となる。<br>→解除、損害賠償請求 |

②や③の場合も、権利を取得できないおそれがあるときは、その危険の程度に応じて代金の全部または一部の支払いを拒むことができる（売主が担保を提供したときは、支払拒絶はできない）。

①。契約内容に適合しない抵当権がついている不動産を、買主が費用を支出して所有権を保存したときは、売主に対し**費用の償還請求**ができる。また、買主が抵当権消滅請求をするならば、手続きが終わるまで**代金の支払いを拒む**ことができる。

## 6 担保責任の期間の制限

契約不適合が種類または品質に関するものであるときは、買主が**不適合を知った時から1年以内に売主に通知しないときは、権利を失う**（追完請求、代金減額請求、損害賠償請求、契約の解除ができなくなる）。

ただし、**売主が引渡しの時にその不適合を知っていた場合や、重大な過失により知らなかった場合には**（1年経過しても）**買主は権利を失わない**。契約不適合責任を追及できる。不誠実な売主を保護する必要はないからだ。

### 発展 1年間の期間制限は「種類・品質」のみ

種類または品質に関する不適合は、「引渡しの時点で生じていたもの(＝契約不適合)」なのか、買主の使用や時の経過により生じた不適合」なのかがわかりにくい。期間が経過すればするほど、どちらなのかわからなくなる。そこで種類・品質に関しては、１年間という期間制限を設けたのだ。数量や権利についてはこのような期間制限はない。

| 不適合 | １年の期間制限 | 消滅時効 |
| --- | --- | --- |
| 種類 | あり | 適用あり |
| 品質 | | |
| 数量 | なし | |
| 権利 | | |

なお、消滅時効の適用もある。不適合を知ってから５年経過すると売主への責任追及はできなくなる。

## 7 担保責任を負わない旨の特約

売主が担保責任を負わないというの特約も有効だ。これも売主が契約不適合を知りながら告げなかった場合や重大な過失により知らなかった場合には担保責任を免れることはできない。

**◇解　除**

● 解除に相手方の承諾は不要。

● いったん解除の意思表示をしたら、それを撤回することはできない。

● 共有物の売買など、当事者が複数いる場合には、解除は全員から（または全員に対して）行わなければならない。

● 解除したならば原状回復義務。

● 第三者との関係は登記で決まる。

**◇契約不適合責任**

● 「引き渡された目的物が種類、品質、数量、権利に関して契約の内容に適合しないものであるとき」には、売主は契約不適合責任を負う。

● 契約不適合であれば、買主は売主に対し履行の追完請求ができる。

(1) **追完請求**
(2) **代金減額請求**
(3) **契約の解除**
(4) **損害賠償請求**

● 「種類・品質」の契約不適合は、「知った時から１年以内に通知」が必要(売主が悪意または重過失の場合は除く)。

● 担保責任を負わない旨の特約も有効（売主が悪意または重過失の場合は無効)。

MEMO

## 確認テスト

**問題** 次の記述の正誤を判定してください。

1．買主が売買代金を支払わない場合、売主は催告をしなければ契約を解除することができない。

2．債務不履行を理由に契約を解除する場合には、債務不履行が債務者の責めに帰すべき事由によるものでなければならない。

3．Ａを売主、Ｂを買主として甲土地の売買契約を締結した。ＢがＡに解約手付を交付している場合、Ａが契約の履行に着手していない場合であっても、Ｂが自ら履行に着手していれば、Ｂは手付を放棄して売買契約を解除することができない。

4．購入した土地の一部が第三者が所有する土地であり、契約締結時に買主がそのことを知っていたとしても、売主が第三者から取得して買主に移転することができないときは、買主は売主に対して代金減額請求をすることができる。

5．Ａを売主、Ｂを買主として甲土地の売買契約を締結した。Ａ所有の甲土地にＡが気付かなかった欠陥があり、その欠陥については、Ｂも欠陥であることに気付いておらず、かつ、気付かなかったことにつき過失がないような場合には、Ａは契約不適合責任を負う必要はない。

6．建物売主が担保責任を負わない旨の特約は無効である。

解答解説

1．×　無催告解除ができる場合がある（債務者が履行を拒絶する意思を明確に表示した場合など）。

2．×「債務者の責めに帰すべき事由による」とは、債務者の責任である＝債務者に帰責性がある、ということ。債務者に帰責性がなくても債務不履行があれば、債権者は契約を解除できる（解除の目的は債務者に制裁を課すことではないから）。

3．×　相手方が履行に着手していなければ、手付放棄（または倍返し）により契約を解約できる。自分が履行に着手しているかどうかは関係ない。

4．○　一部他人物売買。他人物の部分が移転できない以上、代金減額請求ができる。

5．×　売主、買主が気付いていない欠陥でも、契約不適合責任の対象となる。

6．×　売主が担保責任を負わない旨の特約も有効だ。ただし、売主が契約不適合を知っていた場合などは（特約があっても）担保責任を免れることはできない。

# 第8章 賃貸借契約・借地借家法

## ケース1 賃貸借にもルールがある

**正誤を判定 〇 or ×**

コア太郎はハナからマンションを借りていて、敷金10万円をハナに預けている。マンションの賃貸借契約終了の際には、賃貸人（ハナ）の敷金返還債務と賃借人（コア太郎）の建物明渡債務は同時履行の関係に立つ。

敷金を返して!!
建物を返すのが先じゃないの…。

**解答** **賃貸物を返還した後に敷金が返還**される。賃借人（コア太郎）の建物明渡債務が先。同時履行の関係ではない。 **×**

> 無償で物を借りる契約を**使用貸借契約**という。賃貸借契約と比べて借主の権利が弱い。

### 1 賃貸借契約とは

賃料を支払い、物を借りる契約が**賃貸借契約**だ。貸す人を**賃貸人**、借りる人を**賃借人**という。

賃貸借契約は民法に規定があるが、土地や建物を借りる場合、**借地借家法により借主の権利が強化**されている。

まずは基本となる民法の規定から学習していこう。

> 借地借家法の適用を受ける場合は借地契約の期間は30年以上としなければならない（最短期間が定められている）（**ケース4**参照）。

### 2 賃貸借の存続期間

民法では賃貸借の契約期間は**50年まで**としている。契約期間を50年より長い期間とした場合には、50年に短縮される。賃貸借契約は更新することができるが、更新後の期間も50年までだ。

また契約**期間を定めない賃貸借契約**も有効だ。

## 3 賃貸借の終了と解約の申し入れ

### ①期間の定めのある賃貸借の場合

**契約期間の満了**を持って契約が終了する。たとえば「1月間、車を貸す」「家庭菜園を行うために1年間、土地を借りる」と言った場合、1月間、1年間という期間の満了で契約終了となる。この契約期間中は、賃貸人はその物を貸さなければならないし、賃借人は借りて賃料を支払わなければならない。中途解約条項を定めていない場合には、途中解約はできないのが原則だ（もちろん、賃貸人・賃借人が合意すれば解約はできる）。

契約期間満了したのだが、賃借人が賃借物の使用を継続し、賃貸人がこれを知りながら異議を述べなかったとする。この場合、賃貸人、賃借人とも契約の継続を望んでいると考えられる。そのため、契約は、**更新**されたものと推定される（黙示の更新。「**期間の定めのない契約**」となる）。

> たとえば、期間2年で契約→2年経過後も使用継続→期間の定めのない契約として更新、ということだ。

### ②期間の定めのない賃貸借の場合

期間の定めのない賃貸借の場合、当事者（賃貸人、賃借人）は**いつでも解約の申し入れ**をすることができる。そして申し入れの日から、**土地は1年後、建物は3カ月後**に契約終了となる。

> 「建物は3か月後」は、借地借家法の適用を受ける建物については、修正される。**賃貸人**からの解約申し入れのときは**6か月後**に終了する。試験対策としてはそちらの方が重要。「**ケース7 2** 借家権の存続期間と更新」で解説する。

### ③目的物の滅失による終了

賃貸借契約は目的物の**滅失**によっても終了する。目的物が（賃借人の責任によらずに）一部滅失した場合は、賃料は、その割合により減額される。残存する部分のみでは契約の目的を達成できないのなら、賃貸借契約の解除もできる。賃借人に帰責性があっても解除可能だ。

## 4 賃貸人の義務、賃借人の義務

賃貸借契約を結ぶと、賃貸人、賃借人ともに義務（債務）を負うことになる。

〈賃貸人の義務〉

> ① **目的物を使用させる。**
> ② **目的物を修繕する。**
> ③ **費用の償還に応じる。**

②。賃貸人は、きちんとした状態で貸す義務がある。たとえば、貸家が雨漏りするのであれば直すのは賃貸人の責任だ。賃借人は賃貸人の修繕を拒むことはできない。

ただし、賃借人が建物をこわしたなど、賃借人に責任がある場合には、賃貸人は修繕義務を負わない。

③は賃借人が立て替えた修繕費等を返還する義務を負う、ということだ。**必要費**については賃借人は**直ちに**、**全額**、請求できる。**有益費**であれば**契約終了時**に、**支出額または増価額**のいずれかを賃借人に支払う義務がある（賃貸人が選択できる）。

必要費や有益費の償還請求を放棄する特約も有効だ。

| 必要費 | 維持・保存に必要な費用（例：トイレの修理） | 直ちに償還請求 |
|---|---|---|
| 有益費 | 改良など価値を高める費用（例：壁紙を張り替えた） | 契約終了時に支出額または増価額を償還 |

〈賃借人の義務〉

> ① **賃料支払義務**
> ② **用法遵守義務**
> ③ **目的物返還義務**

実務では「前払い」が多いがこれは特約をつけているから可能なのだ。

①民法では「毎月末日に当月分の賃料を支払う」と定めている。つまり「後払い」だ。ただし、特約で前払いにすることもできる（「前月末日までに支払う」など）。

③に関して、賃借人は返還する際に、借りたときの状態にして返す**原状回復義務**がある。賃借中に損傷させたのであれば、原状（元の状態）に戻す（＝損傷を回復させる）義務があるのだ。た

だし、以下の場合は、費用は賃貸人の負担だ。

ア） **通常の使用・収益によって生じた自然損耗、経年劣化**

イ） 賃借人の責めに帰することができない事由による損傷

R2⑩-4-1,2。暴利でなく、借主が明確に合意しているならば、自然損耗を借主負担とする特約も有効となる。

**発展 損害賠償請求権・費用償還請求権の期間の制限**

① 用法違反により生じた損害の賠償及び借主が支出した費用の償還は、貸主が返還を受けた時から1年以内に請求しなければならない。

② 用法違反により生じた損害賠償請求権は、貸主が返還を受けた時から1年を経過するまでは、時効は完成しない。

## 5 敷 金

敷金とは、「賃借人が賃貸人に負担する一切の債務を担保するための金銭」のことだ。契約締結に際し、賃貸人は敷金を預かっておくというのが普通だ。万一、賃料未払いなどがあれば敷金を充当することで、取り損ないを防ぐのだ。

**賃借人から、敷金を債務の弁済に充てることを請求することはできない。**「今月の家賃は、敷金から差し引いておいてください」と言うのは認められないのだ。

R2⑩-4-4

**〈敷金の返還〉**

債務不履行がなければ敷金は返還される。問題は返還される時期だ。

**〈敷金が返還される時期〉**

R4-12-4

① **賃貸借が終了し、かつ、賃貸物の返還を受けたとき。**

② **賃借人が適法に賃借権を譲り渡したとき。**

注意すべきは、賃貸物を**返還した後に敷金が返還**される、という点だ。敷金返還よりも賃貸物返還が先なのだ。

②は賃借権の譲渡と呼ばれるものだ。賃借人が変わるのであれば敷金は返還される。詳細は**ケース3**で解説する。

R2⑩-4-3
たとえば建物を借りているときに、「敷金を返してくれるまでは、出ていきません」というのは認められない（目的物返還と敷金返還は同時履行の関係にはない）。

# ケース2 賃貸人が替わったら土地は返すのか？

**正誤を判定 ○ or ×**

ホワイトはタヌキチから土地を借りた。ホワイトの土地賃借権の登記がなくても、この土地の上に自己所有の登記を行った建物を有していれば、タヌキチが土地をツネキチに売却しても、ホワイトはツネキチに対して土地賃借権を対抗できる。

タヌキチさんから
借りたのに…。
私がこの土地を使うので、
建物を壊して出て行って下さい
新しく賃貸人になった

**解答** 土地賃借権が登記されていなくても、賃借している土地上にある自己所有の建物を登記しておけば、土地賃借権は対抗力を持つ。 ○

## 1 大家さんが替わったら

賃貸しているマンションが売却された場合（所有者が変わった場合）、賃借人はマンションに住み続けることができるのだろうか。

「そんなの住めるに決まっている、大家さんが勝手に売ったのだから」と思うかもしれないが、そう簡単な話ではない。マンションの賃貸借契約は元の所有者と結んだのだ。マンションを貸してくれ、とは元の所有者にしか主張できないのが原則だ。賃借人の建物賃借権が**対抗力**を持つ場合にのみ、賃借人は住み続けることができるということになる。

「賃借権が対抗力を持つ」とは、誰に対しても賃借権を主張できる状態にあるという意味だ。

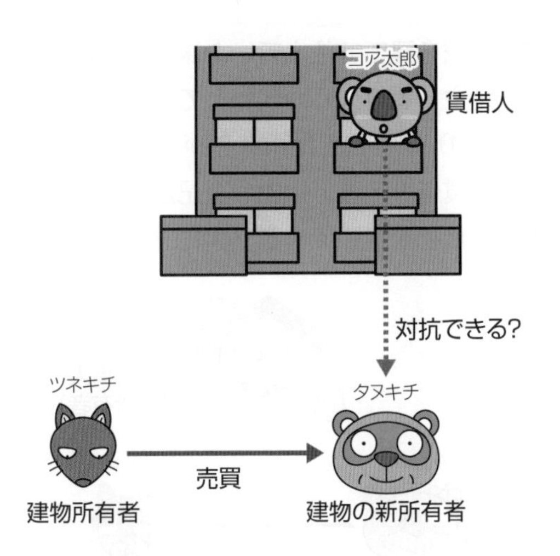


## 2 不動産賃借権の対抗力

　では建物賃借権が対抗力を持つのは、どのような場合だろうか。

　民法では不動産賃借権を登記した場合には、第三者に対抗力を持つとしている。しかし賃貸人には登記に協力する義務がないため、不動産賃借権が登記がされることはほとんどない。それでは建物の大家さんが替わったり、地主が替わった場合には、賃借人は出て行かなければならなくなってしまう。これでは賃借人の立場があまりにも不安定だ。

　そこで借地借家法により、**不動産賃借権の対抗力**が認められる範囲を広げた。

### (1)　土地の賃借権の対抗力

　まず土地の場合。賃借権は、以下の場合に第三者に対抗力を持つ。

> **①　土地賃借権が登記されている場合（民法）**
> **②　借地上の建物が登記されている場合**
> **③　借地上に建物があったことが「掲示」されている場合**

②③は借地借家法による規定だ。したがって使用貸借や建物所有を目的としない土地賃貸借などには適用されない。

登記された内容が実際と多少相違していても、表示全体において建物の同一性が認識できるのであれば、対抗力を持つ。

土地を借りて家を建てて住んでいた場合、土地賃借権が登記されていれば、地主（賃貸人）が代わっても、賃借人は土地賃借権を主張できる（①）。もし土地所有者が、土地賃借権の登記に協力しなくても、賃借人名義で建物の登記がしてあれば、やはり新所有者に土地賃借権を主張できる（②）。

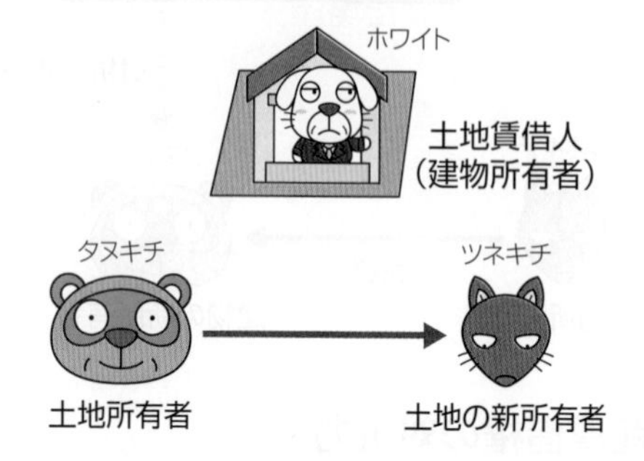


③はちょっと特殊な例だ。**②の場合**で、賃借人の建物が火災で全焼してしまったとする。建物がなくなったのだから建物登記も無意味になる。それでは賃借人の土地賃借権は守られない。その場合、借地上に建物があったことを示す看板を掲示しておけば、土地賃借権は対抗力を持つ、というものだ。ただしこれは、**建物滅失の日から２年間**しか認められないから、その間に新しい建物を建てて登記する必要がある。

以下の点にも注意だ。

借地人の息子名義で建物登記をしても、借地権は対抗力を持たない。

- **②の建物登記は「表示の登記」でもよい。**
- **借地人名義で建物の登記をする必要がある。**
- **③は、②があった場合に認められる。借地上の建物の登記がなかったのに（対抗力が認められていなかったのに）、掲示だけしても無意味だ。**

### ⑵ 建物の賃借権の対抗力

次は建物の場合だ。建物の賃借権は、以下の場合に対抗力を持つ。

> **① 建物の賃借権が登記されている場合（民法）**
> **② 建物の引渡しがあった場合（借地借家法）**

**建物の引渡し**とは鍵を渡すことだ、と考えよう。鍵があればその建物に住んだり、利用したりすることができる。

土地の場合と同様、賃借権を登記すれば第三者に対抗できる(①)。登記がなくても、賃貸人から賃借人が建物の引渡しを受けていれば、第三者に対抗できる（②)。建物賃借人は実際に住んでいれば、新所有者から出ていけ、と言われることはないのだ。

# 第8章 賃貸借契約・借地借家法

## ケース3 勝手に転貸できるのか？

**正誤を判定 ○ or ×**

コア太郎はハナからマンションを借りている。コア太郎がハナの承諾なくこのマンションをゴンに転貸しても、この転貸がハナに対する背信的行為と認めるに足りない特段の事情があるときは、ハナはコア太郎の無断転貸を理由に、賃貸借契約を解除することはできない。

ボクにその部屋貸してよ！
ハナさんから借りてる部屋なんだけど…。

**解答** 無断転貸があっても**「背信的行為と認めるに足りない特段の事情があるとき」は契約の解除はできない。**契約違反があっても特別の事情があれば解除できないのだ。 ○

### 1 賃借権の譲渡

不動産を借りる権利（賃借権）を第三者に譲るのが賃借権の譲渡だ。

この賃借権の譲渡には、賃貸人の承諾が必要になる。

賃貸人の承諾は、旧賃借人に行ってもよいし、新賃借人に行ってもよい。

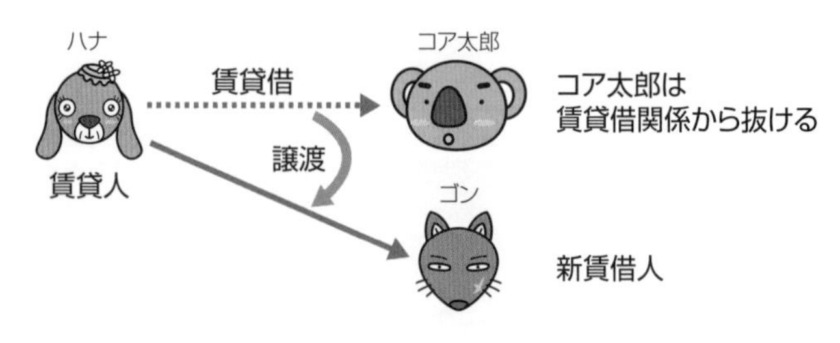

ハナ（賃貸人）は、コア太郎だからきちんと家賃も支払ってくれるし、大切に使ってくれると思って貸したのに、勝手にゴンに借りられては困るからだ。

**〈賃借権の譲渡と敷金〉**

賃借権の譲渡があれば、旧賃借人が預けていた**敷金は返還される**。敷金は新賃借人には移転しない。賃貸人は、新賃借人から、新たに敷金を受領することになる。

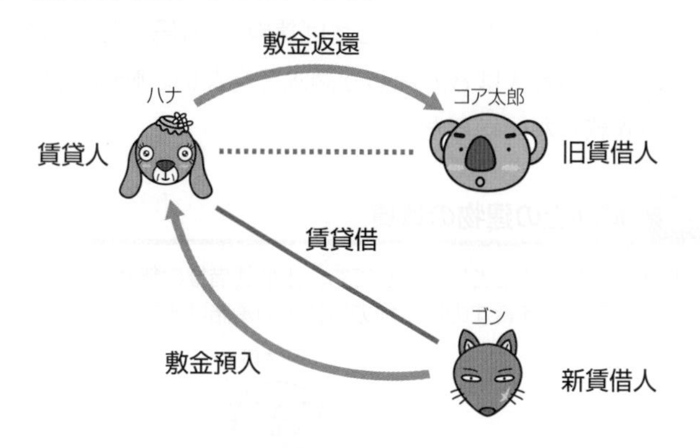


## 2 転貸

借りた不動産を第三者に貸すのが転貸だ。転貸にも、賃貸人の承諾が必要だ。

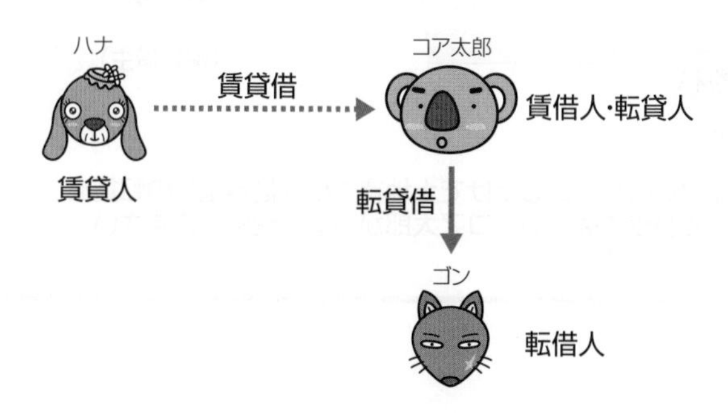


そして、賃貸人の承諾を得て転貸が行われると、賃借人が賃料を支払わない場合、**賃貸人は転借人にも、直接賃料を請求できる**ようになる。

転借人は、賃料の前払いをもって賃貸人に対抗することはできない。

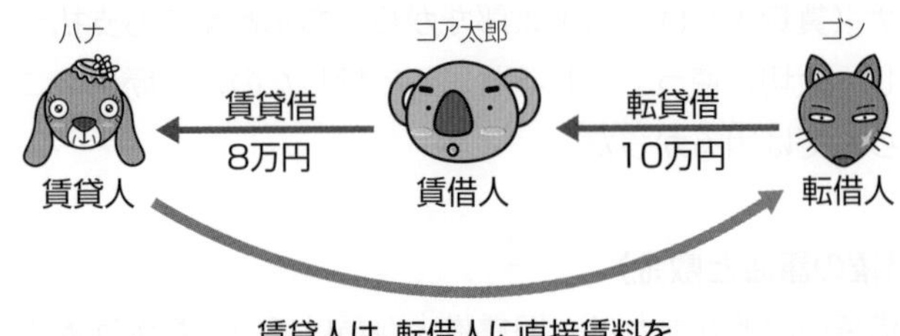


転貸料の方が安い場合、たとえば賃料10万円、転貸料８万円の場合にも、賃貸人は８万円しか請求できない。転借人は８万円しか払う義務がないからだ。

## 発展 借地上の建物の賃貸

借地上の建物を第三者に賃貸しても、土地賃借権の無断転貸とはならない。下図で建物を貸すのに土地の賃貸人の承諾は不要だ。

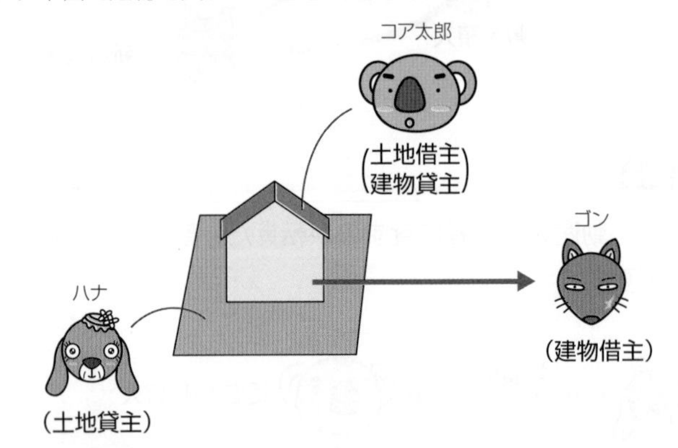


ゴンは建物を借りているだけで土地賃借権（借地権）の転貸をうけているわけではない。コア太郎がゴンに建物を貸すさい、ハナの承諾は不要だ。

## 3 背信的行為ならば契約解除

賃貸権の無断譲渡や無断転貸は違反行為だ。賃貸人の承諾なく第三者に使用・収益させたならば、契約解除ができるのが原則だ。しかし、無断譲渡・転貸が**「背信的行為と認めるに足りない特段の事情があるとき」は解除ができない**とされている。同居する親族への賃借権の譲渡など利用主体が実質的に変わっていない場合にまで解除を認めるのはいきすぎだと考えられているのだ。

**背信的行為**＝信頼関係を破壊するような裏切り行為のこと。

## 4 賃貸人の交替

続いて、賃貸不動産が売却された場合について見ていこう。

### ① 賃借人の承諾は必要か？

賃借権の譲渡には、賃貸人の承諾が必要であった。しかし**賃貸人の交替には賃借人の承諾は不要だ**。誰が賃貸人でもあまり影響はないからだ。

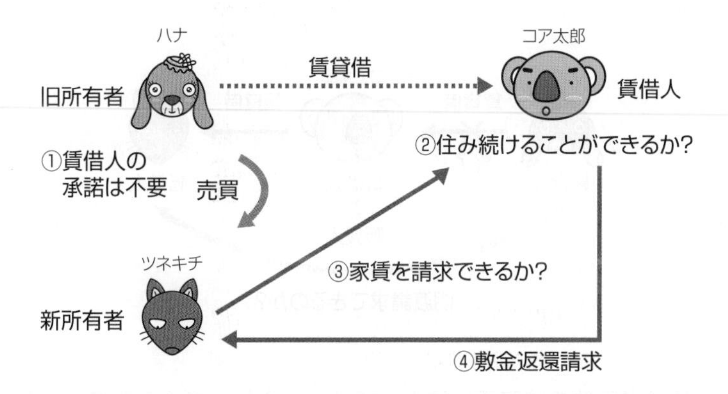


### ② 賃借人は住み続けることができるのか？

賃借権が対抗力を持つか、という問題である。賃借人は旧所有者と契約したのだから、新所有者に対しては賃借権を主張できないようにも思える。しかし**ケース2**で説明したように、建物の**引渡し**を受けている以上、**賃借権は対抗力**を持つ。賃貸人が替わっても、賃借人は借り続けることができるのだ。

③　**新所有者は家賃を請求できるのか？**

第５章ケース3で解説した。

このように**対抗力のある不動産が譲渡された場合、賃貸人の地位は新所有者に移転する**。新所有者は当然に賃貸人になるのだ。ただし、新所有者が家賃を請求するには、登記を得る必要がある。

④　**敷金はどうなる？**

R3⑩-12-2、R2⑩-12-1

賃貸人が交替すると、**敷金は引き継がれる**。賃借人が預けていた敷金は新所有者が引き継ぐ。賃貸借が終了し、建物が明渡された後、賃借人は新所有者から敷金を返してもらうことになる。

もし、賃借人が賃料を前払いしていたのなら、新所有者に前払いを主張できる。

## 5 賃貸借契約の終了と転貸借

賃貸人の承諾を得て、不動産が転貸されたとする。賃貸借契約が終了した場合、賃貸人は転借人に明渡請求ができるのだろうか？

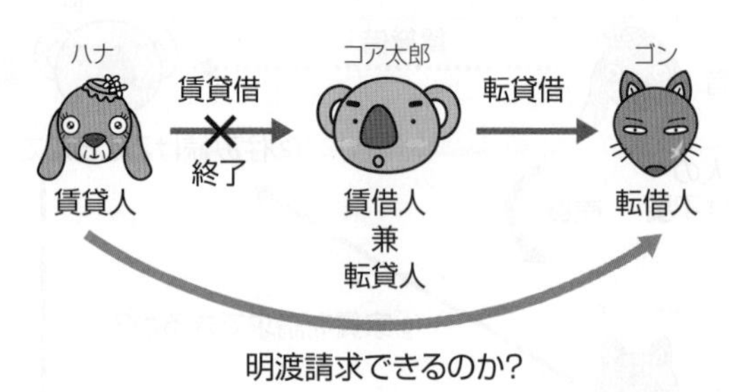


賃貸借契約の終了原因によって結論が変わってくるので、整理しておこう。

| 賃貸借契約の終了原因 | 賃貸人は、明渡請求ができるのか？ |
|---|---|
| ①債務不履行解除<br>賃借人（転貸人）の債務不履行によって賃貸借契約が解除された。 | ○　言える。<br>（賃貸人は解除を転借人に対抗できる。賃貸人の解除する権利を転借人が妨害することはできないからだ）。 |
| ②合意解除<br>賃貸人と賃借人（転貸人）との合意により賃貸借契約が解除された。 | ×　（当然には）言えない。<br>（賃貸人は解除を転借人に対抗できない➡賃貸人と転借人との間の賃貸借関係になる）。 |
| ③期間満了<br>賃貸借契約期間が満了した（解約の申入れによって終了した）。 | ○　言える（賃貸借の期間満了により転貸借も消滅）。<br>ただし、建物転貸借であれば賃貸人から転借人への通知が必要。通知から6カ月の経過により転貸借契約も終了。 |

R3⑩-12-3

①では、賃貸人は転貸借契約を継続させることもできる。賃貸人が転借人に明け渡しを求めたときに転貸借契約は解除される。

また、賃借人が賃料を支払わないとき（＝債務不履行）賃貸人は、**転借人に対して、延滞賃料の支払の機会を与える義務はない。**

細かい話だが**③は借地借家法の規定**だ。借地借家法の適用を受けない建物転貸借であれば通知は不要だ。

## 発展　賃貸借と使用貸借

近年は使用貸借について出題されることも多い。賃貸借との異同を押さえておこう。特に、借主の死亡により使用賃借は終了することが重要だ。

| | 賃貸借 | 使用貸借 |
|---|---|---|
| 性質 | 有償・双務・諾成 | 無償・片務・諾成 |
| 貸主の修繕義務 | あり | なし |
| 必要費の負担 | 貸主負担 | 借主負担 |
| 担保責任 | 負う | 原則として負わない |
| 契約の終了・解除 | ①　期間の定めあり<br>契約期間満了時に終了<br>②　期間の定めなし<br>当事者の申し入れによって一定期間後、契約終了 | 〈貸主の解除〉<br>①　期間の定めあり<br>期間満了時に終了<br>②　期間の定めなし<br>ア）目的の定めあり<br>使用収益終了時に終了<br>イ）目的の定めなし<br>貸主はいつでも契約を解除できる。<br>〈借主の解除〉<br>借主はいつでも契約を解除できる。 |
| 借主の死亡 | 賃借権は相続の対象 | 使用貸借は終了 |
| 対抗力 | 賃借権の登記 | なし |
| 存続期間 | 最長50年 | 規定なし |

R4-6-3

R3⑩-3-エ

# 第8章 賃貸借契約・借地借家法

## ケース4 借地人は保護されている―その1

**正誤を判定 ○ or ×**

借地権の当初の存続期間が満了し借地契約を更新する場合において、当事者間でその期間を更新の日から10年と定めたときは、その定めは効力を生じず、更新後の存続期間は、更新の日から20年となる。

更新も認められるはずだよ。
借地期間が満了したので、土地を返さなければいけないのか…。


**解答** **更新後の存続期間は、1回目は20年以上、2回目以降は10年以上でなければならない。**当事者間で1回目の更新を10年と定めても、その存続期間は20年になる。 **○**

### 1 借地権とは

土地の借り方には**地上権**を設定する方法と、土地の賃貸借契約を結ぶ方法（賃借権）がある。このうち、**建物所有を目的とする地上権と土地賃借権を借地権**といい、借地借家法で借主の権利が強化されている。

土地を借りる契約であっても、**以下の場合には、借地借家法の適用はない。**

> 地上権は貸主の許可なく譲渡、転貸ができるが、賃借権の場合は譲渡、転貸にあたっては賃貸人の許可が必要というのが大きな違いだ。地上権は物権であり、賃借権は債権だからだ。

> ケース7以降で説明する借家契約でも、一時使用や使用貸借には、借地借家法の適用はない。

① **使用貸借（タダで借りる）**
② **建物所有を目的としないもの**
③ **一時使用目的のもの**

R3⑩-11-4

③。一時使用目的であっても、例外的に借地借家法が適用されることもあるが、最初はそこまで気にする必要はない。

## 2 借地借家法による借地権の保護

借地借家法が適用されると、どのような形で賃借人が保護されるのか。主なものは以下の7つだ。

**① 借地権の存続期間**
**② 借地権の更新**
**③ 借地上の建物の再築**
**④ 建物買取請求権**
**⑤ 賃借権の対抗力**
**⑥ 賃借権の譲渡、転貸の裁判所による許可**
**⑦ 地代の増減額請求**

借地借家法の規定と異なる特約で、**賃借人に不利なものは無効**になる。

## 3 借地権の存続期間

借地権を設定する場合、期間は**30年以上**にしなければならない(存続期間の上限はない)。建物所有を目的で土地を借りる以上、最低でも30年は借りられるようにしてあげよう、ということだ。存続期間を35年とすればそのまま35年が存続期間となるが、存続期間20年や「存続期間の定めなし」という契約をした場合には、存続期間は30年になる。

R6-11-3

## 4 借地権の更新

30年の契約で土地を借りたが、継続して土地を借り続けたいというときには、借地契約を**更新**することになる。

**① 合意更新**

賃貸人（借地権設定者）と賃借人（借地権者）が契約更新に合意している場合には、借地契約は更新される（合意更新）。

### ② 法定更新

ところが、賃貸人が契約を更新したくないと考えていても、更新されてしまう場合がある。

借地権の存続期間満了時に**建物が残っている**ならば、借地権者が次のa）またはb）のいずれかを行うことにより借地権は更新されるのだ。

> **a）更新の請求をする**
> **b）（存続期間満了後も）土地の使用を継続する**

ただし、賃貸人が**遅滞なく正当な事由ある異議を述べた場合**は、更新されない（賃貸人が異議を述べなかったり、異議に正当な事由がなければ、契約は更新される）。

R5-11-4

〈更新による借地期間〉

いずれの更新の場合も存続期間は、最初の更新は**20年以上**、２回目以降は**10年以上**としなければならない。これより短い期間とした場合には、その定めは無効となり、期間は最初の更新であれば20年、２回目以降の更新であれば10年となる。

R6-11-4

## ◇借地契約の更新は認められるか？

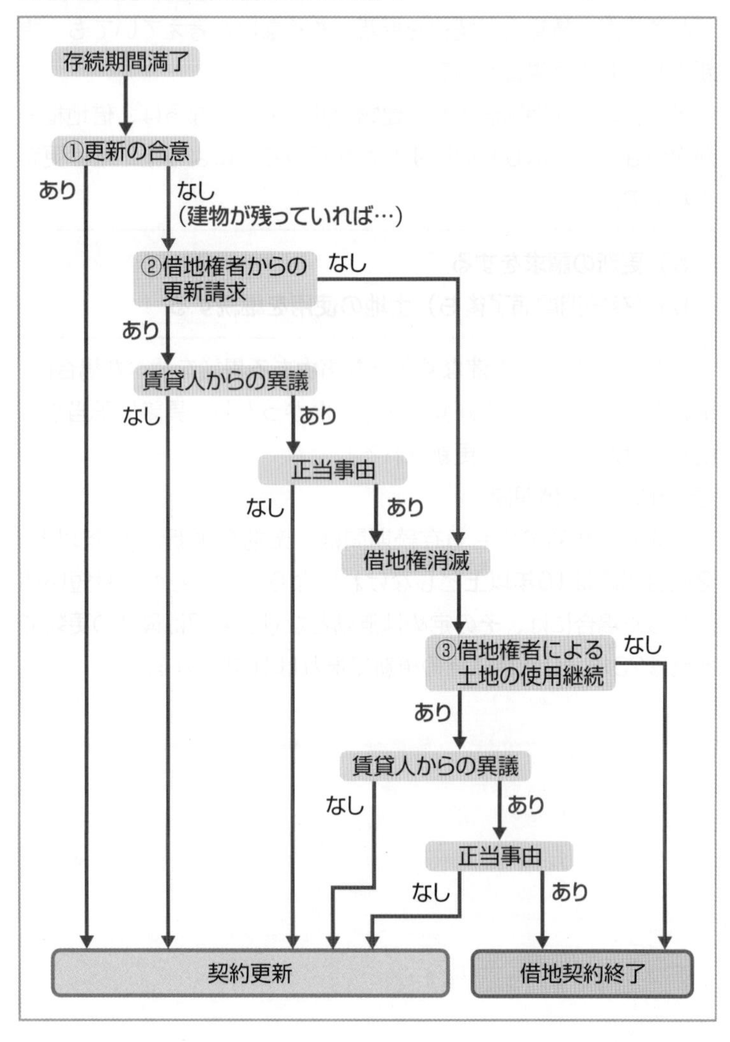

## 5 借地上の建物の再築

最初の借地契約の期間中に建物が火災などで滅失してしまった場合、借地権はどうなるのだろう。

まず、最初の契約期間中に建物が滅失しても、たとえば30年契約の25年目に建物が滅失しても、借地権はなくならない。借地権者は新たに建物を建てることができる。

このとき借地権者が、残存期間を超えるような建物、たとえば30年くらいもつ立派な建物を建ててしまったらどうだろう。5年後の契約期間満了時に建物が存続していることになるから、借地権が更新される可能性が高くなり、賃貸人には不利だ。

そこで、賃貸人が建物の築造を承諾するかどうかで、借地権の存続期間が変わってくる。

**① 賃貸人が再築を承諾した場合**

**「承諾があった日」または「建物が築造された日」のいずれか早い期間から20年間、借地権は存続**することになる。もちろん、残存期間がこれより長い場合や、当事者がこれより長い期間を存続期間と定めたときは、その期間となる。

**② 賃貸人が承諾しない場合**

R4-11-1

当初の存続期間満了時に、いちおう借地契約は終了する。後は請求による更新や法定更新が認められるかということになってくる（賃貸人に正当事由ありと認められれば、更新されない）。

**③ 賃貸人からの確答がない場合**

借地権者が建物の再築を通知してから２カ月以内に、賃貸人が異議を述べないと、承諾したものとみなされる。

### 発展　更新後の建物再築

賃貸人が再築を承諾した場合は、最初の契約期間中の再築と同様だが、承諾しない場合や確答がない場合は、異なった扱いになる。最初の契約期間と更新後を対比して覚えよう。

**◇残存期間を超える建物の再築**

| | 最初の契約期間 | 更新後 |
|---|---|---|
| 賃貸人が承諾 | 「承諾があった日」か「再築された日」の早い日から20年間借地権は存続 | |
| 賃貸人承諾しない | ●契約期間中なので再築は可能<br>●ただし契約期間の満了により借地契約は終了。後は請求による更新や使用継続による更新が認められるかどうか、という問題になる。 | ●承諾がないのに、借地権者が再築した場合、賃貸人は、**借地権の消滅を請求**できる。→3カ月後に借地権消滅<br>●ただし、建物の再築がやむを得ない事情があるのに賃貸人が承諾を与えない場合には、借地権者は裁判所に**賃貸人の承諾にかわる許可**を求めることもできる。 |
| 賃貸人確答なし | みなし承諾（「2カ月以内に異議を述べないと承諾したとみなされる」） | 規定なし<br>（賃貸人の承諾を受けるか、裁判所の許可を受けるしかない。） |

### 発展　借地権者からの解約申入れ

契約期間中に建物が滅失した場合、借地権者から土地賃借権の解約（や地上権の放棄）をすることができるのか？当初の契約期間中であればこれはできない（30年契約なら、30年土地を借りる義務がある）。しかし、**更新後に建物滅失**があった場合には、**借地権者から土地の解約等を申し入れることができる**（「建物が壊れちゃったので土地を返します」といえる）。その場合、解約の申入れから3カ月後に借地権は消滅する。

# ケース5 借地人は保護されている―その2

**正誤を判定 ○ or ×**

ホワイトは、建物所有を目的としてタヌキチから土地を賃借し、建物を建てた。ホワイトが、建物をライ太に譲渡しようとする場合において、ライ太が土地の賃借権を取得してもタヌキチに不利となるおそれがないにもかかわらず、タヌキチがその賃借権の譲渡を承諾しないときは、ホワイトは、裁判所に、タヌキチの承諾に代わる許可をするよう申し立てることができる。

**解答** **土地賃借権の譲渡、転貸には賃貸人の承諾が必要**である。しかし、借地権者が借地上の建物を第三者に譲渡しようとする場合、賃貸人に不利益をもたらすおそれがないにもかかわらず、**賃貸人が譲渡を承諾しないときは、裁判所は、賃貸人の承諾に代わる許可を与えることができる。** ○

## 1 建物買取請求権

借地**期間満了時に建物が残っている**のに契約の更新がされない場合、借地権者は地主（借地権設定者）に建物を**時価で買い取る**ように**請求**できる（建物買取請求権）。

ただし、借地人の**債務不履行によって契約が解除**された場合には、建物買取請求権は**認められない**。

> 地主の承諾を得ないで存続期間を超える建物を再築し、契約更新がされなかった場合にも、建物買取請求権は発生する。

> R5-11-3、H28-11-4

## 2 土地賃借権の対抗力

2借地権の対抗力 3賃借権の譲渡、転貸の裁判所の許可については**一時使用**目的の賃貸借にも適用がある。

ケース2で解説したが念のため、土地賃借権の対抗力が認められる場合を再掲しておく。

> ① **土地賃借権が登記されている場合（民法）**
> ② **借地上の建物が登記されている場合**
> ③ **借地上に建物があったことが「掲示」されている場合**

②、③は借地借家法の適用のある建物にのみ認められる。

## 3 賃借権の譲渡、転貸の裁判所の許可

① 借地上の建物の譲渡

借地上の建物を売るということは、建物だけでなく借地権（＝土地賃借権）も売る、ということだ（買主は借地権なしに建物だけ買っても土地が使用できないので意味がない）。

「正誤を判定○or×」では、建物と土地賃借権をホワイトが、ライ太に譲渡しようとしている。これは土地賃借権の譲渡にあたるため、土地賃貸人であるタヌキチの承諾が必要だ。つまり、タヌキチの承諾がないと、ライ太は建物を使うことができない。

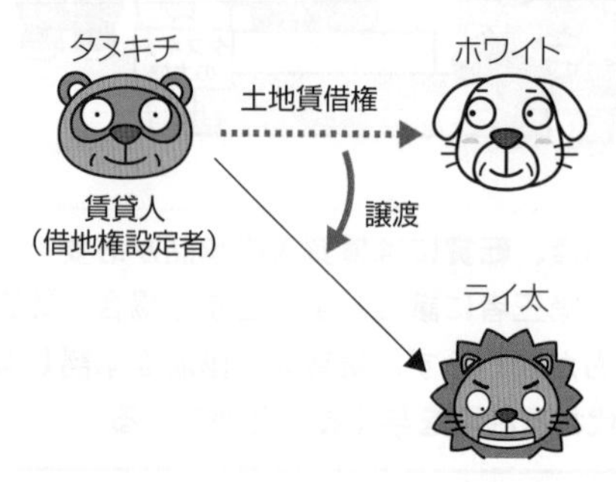


借地上に建物がなければ裁判所に許可を求めることはできない。

② 裁判所の許可

そこで、土地の賃借権の譲渡、転貸により不利益を受けるおそれがないにもかかわらず、賃貸人が承諾を与えないときは、裁判所は**借地権者の申立て**により、**賃貸人の承諾に代わる許可**を与えることができるとした。

借地権者の申立てに対し借地権設定者が、「自分が建物及び借地権を買う」と申し立てることもできる。

③ 第三者による建物買取請求

**借地上の建物を取得した第三者**が、賃貸人に対して、**建物を時価で買い取るよう請求**することもできる。

④　借地上の建物の競落人による許可および建物買取請求

借地上の建物の**競落人**も、同様の申立てをすることが認められている。ただし、競落人が代金を支払ってから**2カ月以内**に行う。裁判所の許可が得られなければ、競落人が建物買取請求権を行使することもできる。

## 4 裁判所による借地条件の変更および増改築の許可

契約条件の変更や増改築を行いたいが、賃貸人が認めないということもある。契約条件の変更等について、**当事者間の協議が調**（ととの）**わない**ときは、当事者の申立てにより、裁判所は、**賃貸人の承諾に代わる許可**を与えることができる。

「当事者の申立て」とあるから契約条件の変更については、賃貸人が裁判所に申立てることもできる。

## 5 地代の増減額請求

経済情勢の変動により、地代が不相応となったときは、当事者は**将来に向かって**、地代の増額または減額の請求をすることができる。ただし、「一定期間地代を増額しない」という特約がある場合には、増額請求はできない。これに対し、「一定期間地代を減額しない」という特約は認められない。借地人に不利な特約だからだ。

R5-11-1、R2⑩-12-2、H29-11-3

「地代を増額しない」というのは借主に有利な特約だから認められる。

| | |
|---|---|
| 特約がない場合 | 賃料が不相当となったときは、契約の条件（＝賃料○○万円）にかかわらず、当事者（＝貸主、借主）は将来に向かって賃料の増減額請求ができる。 |
| 賃料を一定期間増額しない特約がある | 有効。貸主は賃料の増額請求はできない。 |
| 賃料を一定期間減額しない特約がある | 無効。借主は特約があっても減額請求ができる。 |

**ケース9**で解説する定期建物賃貸借では賃料を減額しない特約も有効になる。

賃料の増減額請求をしたが、**当事者間の協議が調わない**場合は、賃借人は相当と認める地代を支払えばよい（賃貸人は相当と認める金額を請求することができる）。後日、裁判により地代が確定した場合に、年1割の利息をつけて清算される。

## ケース6 定期借地権

**正誤を判定 ○ or ×**

ホワイトを賃借人、タヌキチを賃貸人として、建物譲渡特約付借地権を設定する契約（その設定後30年を経過した日に借地上の建物の所有権がホワイトからタヌキチに移転する旨の特約が付いている）が締結された。建物の譲渡により借地権が消滅した場合は、ホワイトがその建物に居住しているときでも、直ちに建物を明け渡さなければならず、賃借の継続を請求することはできない。

借地人が保護されすぎ。
貸す方の身にも
なってほしいよ。
定期借地権があるよ

**解答** タヌキチとホワイトの契約は、建物譲渡特約付借地権だ。借地権消滅後も借地権者ホワイトがその建物に居住しているのであれば、建物の賃借の継続を請求できる。

×

### 1 定期借地権とは

通常の借地権（普通借地権）とは別に、契約期間が満了したら必ず土地が返還される（＝契約の更新がない）借地権もある。定期借地権だ。

## 2 定期借地権の種類

定期借地権には3つの種類がある。

R6-11-1、2、R3⑩-11

| | ①一般定期借地権 | ②事業用定期借地権 | ③建物譲渡特約付借地権 |
|---|---|---|---|
| 存続期間 | 50年以上 | 10年以上50年未満 | 30年以上 |
| 目的 | 制限なし | 事業目的に限定（賃貸住宅事業は認められない。社宅もダメだ） | 制限なし |
| 要件 | 書面（電磁的記録も可） | 公正証書 | 特になし（書面不要・口頭でもよい） |
| 建物買取請求権 | なし | なし | 建物は貸主に譲渡される |

公正証書とは公証人が作成した文書のこと。裁判の判決と同等の効力がある（強制執行できるなど）。

いずれも**更新がなく**、期間満了によって契約は終了するため、賃貸人は安心して土地を貸せる。①では、**電磁的記録**（電子契約システム）も認められる。②は必ず公正証書なので、電磁的方法は認められない。③の**建物譲渡特約付借地権**とは、期間満了後、借地上の建物を賃貸人に譲渡するという特約が付いた定期借地権だ。

### 発展 法定借家権

③の建物譲渡特約付き借地権では、借地権消滅後も借地権者（または建物の賃借人）が建物の使用を継続しているのならば、**請求により建物の利用を継続**することができる（期間の定めのない賃貸借契約を結んだとみなされる）。請求すれば建物賃借人として利用を継続することができるのだ。

# ケース7 借家人も保護されている①

**正誤を判定 ○ or ×**

期間の定めのある建物賃貸借において、賃貸人が、期間満了の１年前から６カ月前までの間に、更新しない旨の通知を出すのを失念したときは、賃貸人に借地借家法第28条に定める正当事由がある場合でも、契約は期間満了により終了しない。

借家人も保護され
ないのかなぁ
借地人っておトクなんだぞ


**解答** **賃貸人が更新拒絶の通知をしないと、契約は更新**されてしまう。正当事由があったとしても通知を忘れた以上、更新を拒むことはできない。 ○

## 1 借家権とは

建物の賃貸借についても借地借家法によって、借主の保護が図られている。主な内容は次の６つだ。

① **存続期間と契約更新**
② **造作買取請求権**
③ **建物の賃借権の対抗力**
④ **借地上の建物賃借人の保護**
⑤ **居住用建物の賃貸借の承継**
⑥ **家賃の増減額請求**

貸別荘など**一時使用目的**の建物賃貸借、無償の契約である**使用貸借**には、**借地借家法は適用されない。**

なお借地と異なり、賃借権の譲渡や契約条件変更について、賃貸人の承諾に代わる裁判所の許可という制度はない。

## 2 借家権の存続期間と更新

民法では契約期間の最長を50年としているが、借地借家法は2つの修正をしている。

> **① 50年を超える契約も可能**
> **② 1年未満の契約期間を定めると「期間の定めのない賃貸借契約」となる（ただし定期建物賃貸借契約は除く）**

R5-12-1
定期建物賃貸借についてはケース9参照。

### 〈契約期間の定めがある場合〉

契約期間の定めがある場合は、契約期間の満了により賃貸借契約は終了する。ただし当事者が「**期間満了の1年前から6カ月前までの間**」に更新をしない旨の通知をしなければ、契約は更新される（**期間の定めのない建物賃貸借契約になる**）。

**賃貸人からの解約申入れ・更新拒絶には、正当事由が必要**になる。また更新拒絶の通知を忘れた場合や、通知をしても、契約期間満了後も賃借人が使用を継続し、賃貸人が遅滞なく異議を述べなかったときは、更新されたものとみなされる。

財産上の給付（＝立退料の支払い）だけでは、正当事由とはいえない。

### 〈期間の定めがない場合〉

「**期間の定めのない賃貸借契約**」とは、当事者の解約の申入れがあるまで賃貸借が続く契約だ。**賃貸人からの申入れであれば6カ月後に、賃借人からの申入れであれば3カ月後**に契約は終了する。

民法上は、賃貸人・賃借人とも申し入れから3カ月で契約終了となるのだが（ケース1 3 ②）、借地借家法で賃借人が有利になるように修正したのだ。

**◇期間の定めのない建物賃貸借の終了**

| | 賃借人からの申入れ（民法の規定のまま） | 賃貸人からの申入れ（借地借家法による修正） |
|---|---|---|
| いつ終了するか | 3か月経過後 | **6か月経過後** |
| 正当事由 | 不要 | **必要** |

R3⑩-12-1

解約の申入れから6カ月を経過しても賃借人が使用を継続し、賃貸人が遅滞なく異議を述べなかったときは、更新されたものとみなされる。

## 3 造作買取請求権

借地の建物買取請求権に似たものとして、借家契約の場合には**造作買取請求権**がある。**造作**とは畳や建具のことだ。賃貸人の同意を得て建物に付加した造作は、賃貸借契約終了時に、賃貸人に時価で買い取ってもらえる。

ただし、**賃貸人の同意**を得て付加した造作でなければならない。

造作買取請求権については、以下の点にも注意しよう。

買い取ってくれなくてもいいから造作を付加し、快適に暮らしたいと考える賃借人もいるからだ。

**① 造作買取請求権は特約で排除することができる。**
**② 賃貸借契約が賃借人の債務不履行や背信的行為により解除された場合には、造作買取請求権は認められない。**
**③ 建物明渡義務と造作の買取代金支払義務では、建物明渡しを先に行わなければならない。**
**④ 造作買取請求権は、建物転借人と賃貸人との間においても適用される。**

①。造作をつけても賃貸人は買い取りません、という特約も有効なのだ。造作買取請求権があるために賃貸人が造作の取付けに同意せず、かえって賃借人が不便な思いをするという事態をさけるためだ。

②。契約に違反しておいて造作を買い取れというムシのいい話は認められないのだ。

## 4 対抗力

建物の賃借権の対抗力は**ケース2**で説明したとおりだ。

**① 建物の賃借権を登記した場合（民法）**
**② 建物の引渡しがあった場合（借地借家法）**

# ケース8 借家人も保護されている②

**正誤を判定 ○ or ×**

コア太郎はハナから土地を借り、建物を建て、ゴンに貸した。コア太郎の借地権が存続期間の満了により終了し、ゴンが建物を退去し土地を明け渡さなければならなくなったときは、ゴンが借地権の存続期間が満了することをその１年前までに知らなかった場合に限り、裁判所は、土地の明渡しにつき相当の期限を許与することができる。

**解答** 借地上の建物の賃借人の保護だ。ゴンが借地権の存続期間が満了することを１年前までに知らなかった場合には、裁判所は、ゴンの請求により、ゴンが知った日から１年を超えない範囲内において、土地の明渡しにつき相当の期限を許与することができる。 **○**

## 1 借地上の建物の賃借人の保護

「正誤を判定○or×」事例でチェックの状況を図示すると以下のようになる。

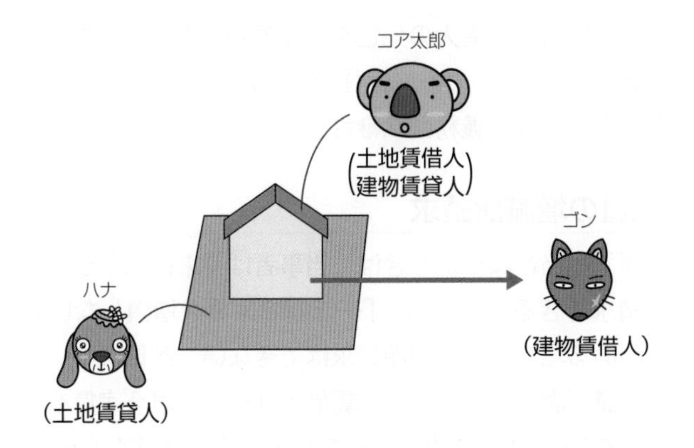


ゴンは建物を借りているだけで、土地賃借権の転貸を受けているわけではない。コア太郎がゴンに建物を貸すにあたり、ハナの承諾は不要だ（ケース3参照）。

借地期間の満了により契約が終了すれば、土地賃借人は土地を返さなければならない。そのためには、建物賃借人が建物を明け渡すことが必要になる。しかし建物賃借人が、借地契約が満了することを知らなかった場合に、いきなり出ていけというのはかわいそうな話だ。

そこで、借地上の建物賃借人が、借地権の**存続期間が満了**することをその1年前までに知らなかったときは、裁判所は、建物賃借人からの請求により、土地の明渡しに猶予を与えることができるとした。

試験では「土地の明渡しにつき**相当の期限を許与する**ことができる」という表現になる。なお、この期限は、建物賃借人がそのことを**知った日から1年を超えない**範囲内とされている。

これが「借地上の建物の賃借人の保護」と呼ばれる規定だ。なおこの規定は、借地権が借地人の債務不履行によって解除される場合には適用されない。あくまで借地権の存続期間が満了により土地の明渡しを求められたときの規定だ。

## 2 居住用建物の賃貸借の承継

建物の賃借人が死亡したとする。建物賃借権も一種の財産だから相続される。妻や子はそのまま居住できる。しかし、同居していた内縁の妻（夫）に相続権はない（第12章参照）。だからといって出て行かなければならないとしたら可哀想だ。そこで、建物の賃借人が相続人なしに死亡した場合、事実上の夫婦関係や養親子関係にあった同居人は、建物賃借権を引き継げることにした。

**使用貸借**は借主の死亡により終了し、相続の対象とはならない。

R6-12-3

- あくまで居住用建物に限った話である。

● その同居者が賃借人の死亡を知ってから1カ月以内に反対の意思表示（「もうこの家には住みません」という意思表示）をしたときは、権利義務は承継されない。

## 3 家賃の増減額請求

一定期間家賃を減額しない、という特約は認められない。賃借人に不利だからだ。
R5-12-2、4

賃料が不相当となったときは、当事者は将来に向かって賃料の増減を請求できる。ただし、「一定期間家賃を増額しない」という特約がある場合には、増額請求はできない。家賃について当事者間の協議が調わない場合は、賃借人は相当と思う家賃を支払えばよい（賃貸人は相当と思う金額を請求することができる）。後日、裁判により家賃が確定した場合に、年1割の利息をつけて清算される。

# 第8章　賃貸借契約・借地借家法

## ケース9　更新されない建物賃貸借もある

**正誤を判定 ○ or ×**

ハナはコア太郎と、契約期間が２年の定期建物賃貸借契約を結んだ。この場合、ハナ（賃貸人）は、期間の満了の１年前から６カ月前までの間に、コア太郎（賃借人）に対し期間満了により賃貸借が終了する旨の通知をしなければ、当該期間満了による終了を、コア太郎（賃借人）に対抗することができない。

**解答** 期間が１年以上の定期建物賃貸借においては、期間満了の１年前から６カ月前までの間に、賃貸借契約が終了する旨の通知をする必要がある。

この通知を忘れた場合、コア太郎（賃借人）に対抗することができない。契約期間の２年が経過しても、コア太郎に退去してくれ、と言えないのだ。 **○**

### 1 定期建物賃貸借

定期借地権の「借家版」が定期建物賃貸借だ。**契約の更新がなく期間が満了すれば建物が返還される**契約であるが、そのためにはいろいろと条件がある。

**①　定期建物賃貸借契約成立の要件**

契約期間が満了したら確実に終了する借家契約だ（「契約の更新がない」という特約をつける）。契約成立の要件は以下の２つだ。

R4-12-1

（ア）書面で契約する。
（イ）賃貸人は、契約書とは別に書面を交付して「更新がなく、期間満了により終了すること」を説明する。

H29-12-4

これらの条件をみたさない場合、「契約の更新がない」という特約は無効になる（普通借家契約になる）。

定期建物賃貸借は、普通の借家契約と比べて借主にとって不利なので、借主の注意をうながす規定が設けられているのだ。

**〈電磁的方法による交付〉**

**賃借人の承諾があれば**、（ア）の契約書も（イ）の事前説明書面も**電磁的方法により交付**することが可能になった。具体例には、「電子メール等を送信する」「ウエブサイト上に表示された記載事項を相手方がダウンロードする」「USBメモリ、CD-ROM等を交付する」といった方法により契約書を作成したり、事前説明が可能となった。これにより対面はもちろん**オンラインによる事前説明・契約**も可能となった。近年の法改正点だ。

### ②　終了する旨の通知

普通建物賃貸借の場合には、１年未満の契約期間を定めると「期間の定めのない賃貸借契約」となったことを思い出そう（ケース7 2 借家権の存続期間と更新）。

定期建物賃貸借の契約期間は１年未満でもよい。「定期建物賃貸借　契約期間２カ月」というのもOKだ。契約期間が１年以上であるときは、賃貸人は**期間満了の１年前から６カ月前までの間**に、**賃貸借契約が終了する旨の通知**をしなければならない。

①②をまとめると、次のようになる。

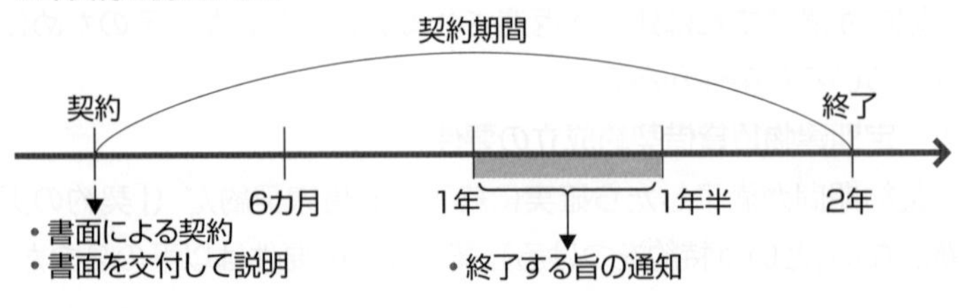

終了する旨の通知期間経過後に、賃借人に通知した場合、通知の日から**6カ月を経過した後に、契約終了**となる。

R3⑩-12-4

### ③ 中途解約

床面積**200㎡未満の居住用建物**で、転勤、療養等やむを得ない事情により使用が困難になったときは、**特約がなくても、賃借人から解約の申入れ**をすることができる（申入れから**1カ月**経過で契約終了）。

普通借家契約では特約（中途解約条項）がないと、契約期間中に中途解約することはできない。

R4-12-3
解約の申入れができるのは賃借人だ。
R2⑩-12-3

### ④ 家賃の増減額請求

定期建物賃貸借においては、賃料の改定について特約がある場合には、家賃の増減額請求の規定が適用されない。賃料を増額しない特約はもちろん、**減額しない特約も有効**だ。

R6-12-2

試験では「(定期建物賃貸借では）借賃の改定に係る特約がある場合には、第32条の規定は適用しない」という表現になる。なお、**減額しない特約が有効**なのは、**定期建物賃貸借だけ**だ。

## 2 取壊し予定の建物の賃貸借

契約や法令によって、一定期間経過後取り壊す予定の建物の賃貸借だ。「定期借地権が設定された借地上の建物を賃貸借する」といった場合だ。**取り壊すべき事由を記載した書面**（または電磁的記録）で契約すれば、更新なく契約は終了する。

# まとめ

## ◇不動産賃借権の対抗力が認められる場合

| | |
|---|---|
| 土地の賃借権 | ①不動産賃借権が登記されている場合（民法）<br>②借地上の建物が借地人名義で登記されている場合<br>③借地上に建物があったことが「掲示」されている場合<br>（②③：借地借家法） |
| 建物の賃借権 | ①建物賃借権を登記した場合（民法）<br>②建物の引渡しがあった場合（借地借家法） |

## ◇賃借権の譲渡、転貸

- 賃借権の譲渡・転貸には賃貸人の承諾が必要。
- 無断譲渡・転貸の場合でも「背信的行為と認めるに足らない特段の事情があるとき」は賃貸人は契約の解除ができない。

## ◇賃貸人の交替

- 賃貸人の交替には、賃借人の承諾は不要。
- 新賃貸人が賃料を請求するには、登記を得る必要がある。

## ◇借地権の保護（借地借家法）

① 借地権の存続期間は30年以上
② 賃貸人が借地権の更新を拒むには正当事由が必要
③ 借地上の建物の再築
④ 建物買取請求権
⑤ 土地賃借権の対抗力（借地上の建物の登記など）
⑥ 賃借権の譲渡、転貸の裁判所による許可
⑦ 地代の増減額請求

### ◘裁判所の許可（借地借家法）

| ケース | 誰が申し立てるのか |
| --- | --- |
| ①土地の賃借権の譲渡・転貸により不利益を受けるおそれがないにもかかわらず、地主が許可を与えない | 借地権者の申立てにより、裁判所が許可を与える |
| ②第三者が借地上の建物を競落し、その第三者が土地賃借権を取得しても、不利益を受けるおそれがないにもかかわらず、地主が承諾を与えない | 第三者（競落人）の申立てにより、裁判所が許可を与える |
| ③土地の通常の利用上相当であると考えられる借地条件の変更や増改築に地主が同意しない | 借地権者の申立てにより、裁判所が許可を与える |

※借家では、「裁判所の許可」というのはない。ヒッカケで使われるので要注意だ。

### ◘建物賃貸借の保護（借地借家法）

① 存続期間と契約更新（普通賃貸借であれば1年未満の契約は「期限の定めのない」賃貸借になる。貸主からの更新拒絶には正当事由が必要）
② 造作買取請求権（特約による排除も可能）
③ 建物の賃借権の対抗力（建物の引渡し）
④ 借地上の建物賃借人の保護
⑤ 居住用建物の賃貸借の承継
⑥ 家賃の増減額請求（借家人に不利な特約は認められない）*

* 定期借家では、家賃を減額しない特約も認められる。

# 確認テスト

問題　次の記述の正誤を判定してください。

1．Aは、自己所有の甲建物（居住用）をBに賃貸し、引渡しも終わり、敷金50万円を受領した。BがAの承諾を得て賃借権をCに移転する場合、賃借権の移転合意だけでは、敷金返還請求権（敷金が存在する限度に限る。）はBからCに承継されない。

2．Aは、A所有の甲建物につき、Bとの間で期間を10年とする定期建物賃貸借契約を締結し、Bは甲建物をさらにCに賃貸（転貸）した。BがAに無断で甲建物をCに転貸した場合には、転貸の事情のいかんにかかわらず、AはAB間の賃貸借契約を解除することができる。

3．AがBに甲建物を月額10万円で賃貸し、BがAの承諾を得て甲建物をCに適法に月額15万円で転貸している。AがBとの間で甲建物の賃貸借契約を合意解除した場合、AはCに対して、Bとの合意解除に基づいて、当然には甲建物の明渡しを求めることができない。

4．借地権の存続期間が満了する際、借地権者の契約の更新請求に対し、借地権設定者が遅滞なく異議を述べた場合には、借地契約は当然に終了する。

5．借地権の当初の存続期間中に借地上の建物の滅失があった場合で、借地権者が借地権設定者の承諾を得ないで残存期間を超えて存続すべき建物を築造したときは、借地権設定者は地上権の消滅の請求又は土地の賃貸借の解約の申入れをすることができる。

6．建物の用途を制限する旨の借地条件がある場合において、法令による土地利用の規制の変更その他の事情の変更により、現に借地権を設定するにおいてはその借地条件と異なる建物の所有を目的とすることが相当であるにもかかわらず、借地条件の変更につき当事者間に協議が調わないときは、裁判所は、当事者の申立てにより、その借地条件を変更することができる。

7．AがBに対し、A所有の甲建物を３年間賃貸する旨の契約をした。AがBに対して、期間満了の３月前までに更新しない旨の通知をしなければ、従前の契約と同一の条件で契約を更新したものとみなされるが、その期間は定めがないものとなる。

8．Aは、B所有の甲建物を賃借する契約を結び、建物の引渡しを受けた。本件契約期間中にBが甲建物をCに売却した場合、Aは甲建物に賃借権の登記をしていなくても、Cに対して甲建物の賃借権があることを主張することができる。

9. AがBに対し、A所有の甲建物を3年間賃貸する旨の契約をした。AB間の賃貸借契約について、契約の更新がない旨を定めるには、公正証書による等書面によって契約すれば足りる。

10. AとBとの間で、Aが所有する甲建物をBが5年間賃借する旨の契約を締結した。AB間の賃貸借契約が借地借家法第38条の定期建物賃貸借で、契約の更新がない旨を定めた場合には、5年経過をもって当然に、AはBに対して、期間満了による終了を対抗することができる。

解答解説

1．○　賃借権が譲渡されても敷金は新賃借人Ｃには移転しない。

2．×　無断転貸であっても「背信的行為と認めるに足らない特段の事情があるとき」は解除ができない（定期建物賃貸借の転貸でも同じ)。「転貸の事情のいかんにかかわらず…解除することができる」というのは誤り。

3．○　ＡＢ間の賃貸借契約が合意解除された場合には、ＡはＣに対し、当然には建物の明け渡し請求することはできない。転貸を承諾しておいて、後になって賃貸借契約が終了したから建物を明け渡せというのは、転借人Ｃにとって迷惑な話でしかない。

4．×　借地権設定者が借地権を消滅させるためには、遅滞なく異議を述べるだけでなく、その異議が「正当な事由のあるもの」でなければならない。

5．×「借地権の当初の存続期間中」は建物が滅失しても、建物の再築をすることができる。「借地権設定者の承諾を得ないで残存期間を超えて存続すべき建物を築造した」としても、期間満了時までは契約は存続する（借地権者は建物の築造ができる)。「地上権の消滅の請求又は土地の賃貸借の解約の申入れをすること」はできない。

6．○　借地条件の変更について当事者の協議が調わないときは、当事者の申立てにより、裁判所は借地条件を変更することができる。

7．×　３年契約の建物賃貸借契約であっても、期間満了までに、更新しない旨の通知をしなければ、従前の契約と同一の条件で契約を更新したものとみなされる。通知期間は、期間満了の１年前から６カ月前までの間だ。

8．○　建物の引渡しがあれば（賃借権の登記がなくても）借家権は対抗力を持つ。建物所有者がＢからＣに代わっても、建物賃借権を主張できる。

9．×　契約の更新がない建物賃貸借契約（＝定期建物賃貸借契約）を締結するには、契約書とは別の書面で、契約の更新がないことを賃貸人が賃借人に説明が必要。「書面によって契約すれば足りる」というのは誤り。

10．×（契約期間が１年以上であるときは）賃貸人は期間満了の１年前から６カ月前までの間に、賃貸借契約が終了する旨の通知が必要。

MEMO

MEMO

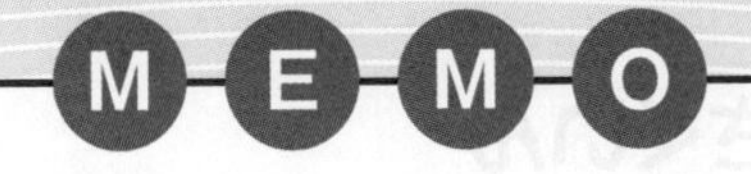

# テキスト編・さくいん

## あ



## か



## さ



## た

## な



## は



## ま

# 本書に登場する キャラクター紹介

## キャラクター紹介

彼らを中心にストーリーが展開していきます。下線があるのは宅建試験の重要用語です。

◆宅建業者（とその家族）

ハッピー：宅建業者**イヌマル不動産**の新入社員。宅建士の資格取得を目指している。

ホワイト：ハッピーの父。マンションを購入するが、売主ネズキチ不動産が倒産したり、自宅の土地の一部が取得時効によりツネキチに取られそうになるなどトラブルが続く。

ハナ：ハッピーの祖母。賃貸マンション経営をしている。

ツネキチ：宅建業者**ツネキチ商事**を経営している。モンキーと組んでタヌキチの土地をだまし取ろうとする（詐欺）などちょっとずるいところがあるが、根は悪いやつではない。

ネズキチ：ネズキチ不動産を経営していたが倒産させてしまう。その後、故郷の青森県に帰り、再起を図る。しかし、ゴンに殴られる（不法行為）など不幸が続く。

チュー太：ネズキチの長男。未成年だが年齢を偽ってバイクを購入しようとする。

チュー坊：ネズキチの次男。努力家の中学生。宅建試験に合格し、父が潰したネズキチ不動産を再興しようとする。

◆**お客様**

**タヌキチ**：大地主タヌマ家の資産を管理している。

**タヌ爺**：タヌキチの父。タヌマ家の当主だが愛人騒動を起こす。

**タヌ婆**：タヌキチの母。成年被後見人だが、土地の売買をしようとする。

**タヌ三郎**：タヌキチの弟。父タヌ爺の土地を勝手に売却する無権代理事件を起こす。

**ペリ子**：自宅を購入するが抵当権が抹消できず、様々なトラブルに巻き込まれる。

**ライ太**、**キリ男**、**コア太郎**：土地を買ったり、建物を借りたり、ビルを建てようとしたり…。要は宅建業者のお客様たちです。

◆**その他登場人物**

**ムサシ**：クロネコ不動産を経営。宅建士。ハッピーにアドバイスをしてくれる。

**モンキー**：悪徳不動産業者モンキー不動産の社長。業務停止処分を無視して営業し、免許取り消しとなる。

**チッチ**：モンキー不動産の監査役だったが、悪人ではない。モンキー不動産の免許取り消し後、保証協会を活用して宅建業を開業する。

**ゴン**：ツネキチの友人。傷害罪で服役していた過去がある。

その他、**イヌマル社長**、**ポン子**などいろいろ出てきます。

# 本書に登場する キャラクター紹介

## 相関図

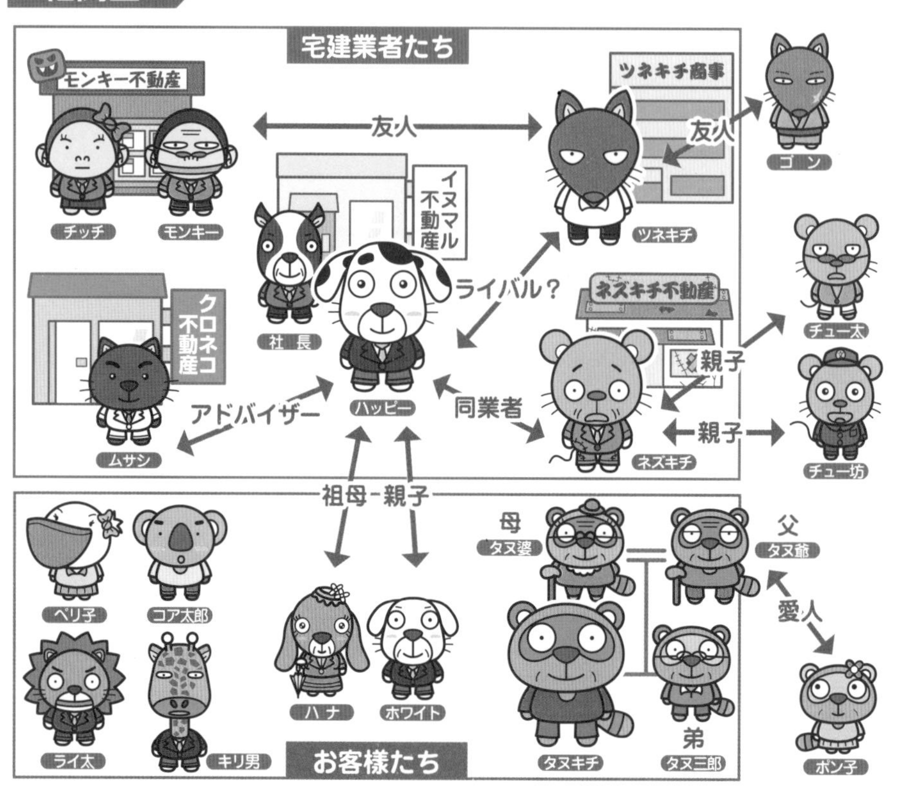

## バラして使える 4分冊 の使いかた

本書は、分野別にテキスト4分冊で構成されています。
各分冊は、それぞれ以下の要領で取り外してお使いください。

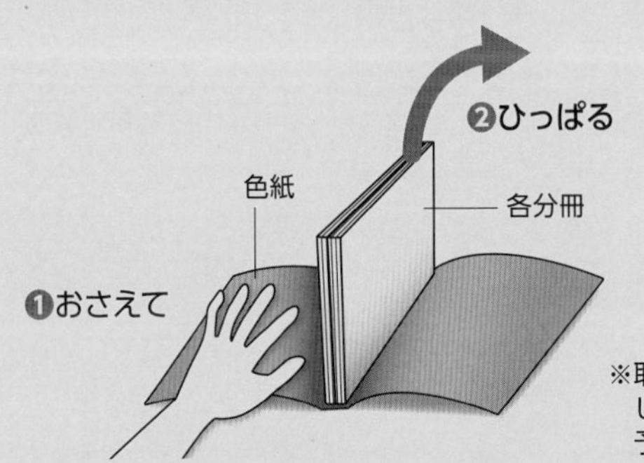


※取り外しの際の損傷につきましては、交換いたしかねます。予めご了承ください。

パート
Ⅲ－2

# 権利関係
# （後半）

ツネキチ

# その他の分野

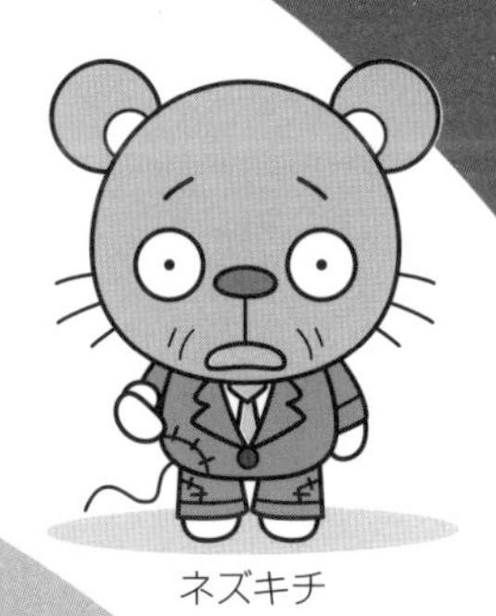
ネズキチ

パート
Ⅳ

You Tube
「中村喜久夫チャンネル」へアクセス

# パート Ⅲ−2　権利関係（後半）

目　次

# パート Ⅳ　その他の分野

目　次

## 参考　権利関係の体系

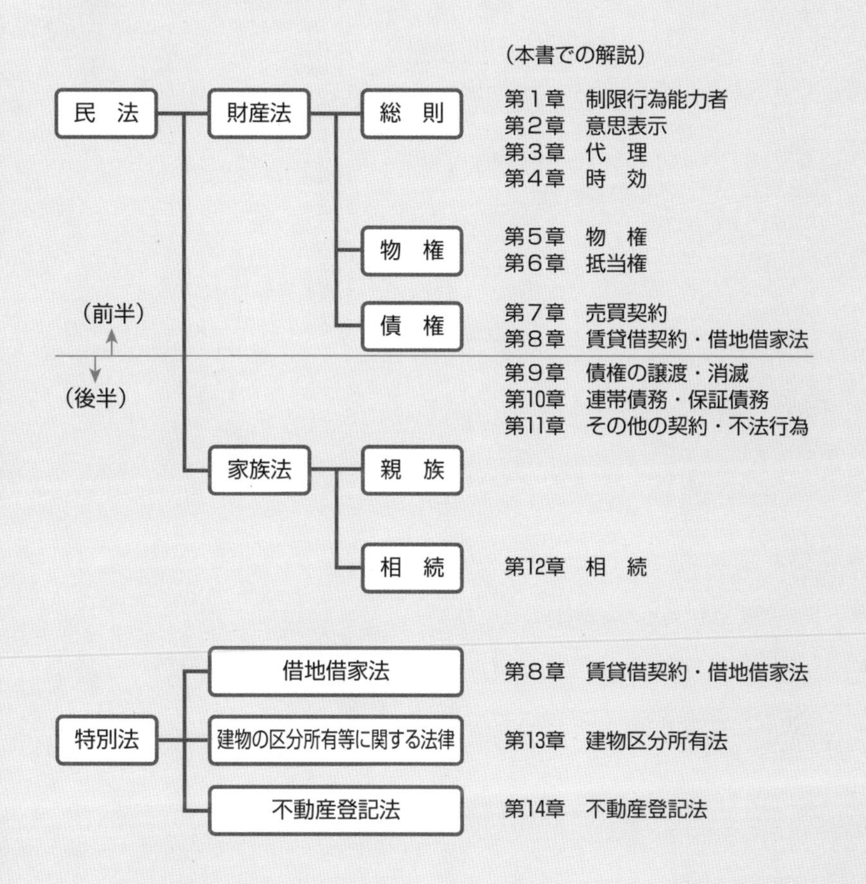


近年の出題傾向では、賃貸借・借地借家法（８章）から２問、相続（12章）、建物区分所有法（13章）、不動産登記法（14章）から各１問出題されることは決まっている。権利関係14問のうち、５問は出題範囲が決まっているのだ。この他に「判決文問題」が１問出題される。残り８問が民法の幅広い分野から出題されることになる。

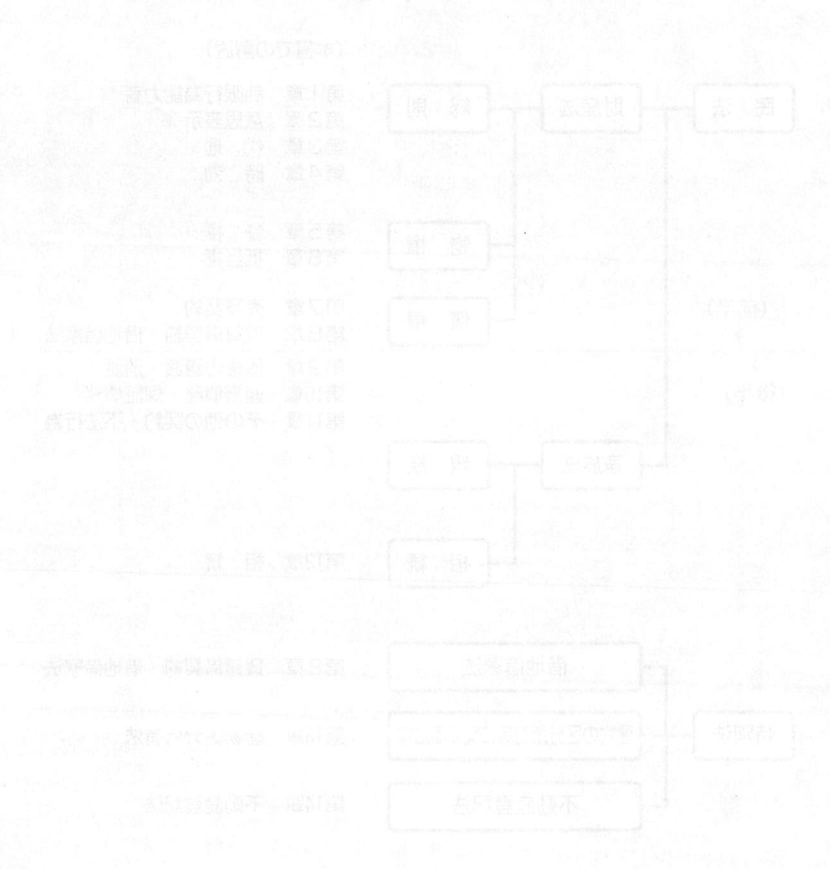

# 第9章 債権の譲渡・消滅

## ケース1 約束が守られないこともある

**正誤を判定 ○ or ×**

ツネキチとタヌキチとの間の金銭消費貸借契約において、借主ツネキチは、ネズキチから支払われる売掛代金で返済することを予定していたが、その入金がなかったため、返済期限が経過してしまった。ネズキチの入金遅れに関し、ツネキチの責めに帰すべき事由がないのであれば、ツネキチは債務不履行には陥らず、タヌキチに対して遅延損害金の支払義務を負わない。

**解答** 金銭債務において不可抗力をもって抗弁することはできない。ツネキチが**返金できない理由が、自分の責任でないとしても、債務不履行となる**。ツネキチは損害賠償しなければならない（特約がなければ３％の遅延損害金が発生する）。

×

### 1 履行遅滞

契約は守らなければならない。しかし、時には約束が守られないこともある。期限までに代金が支払われない、借金が返済されない、といった場合だ。**履行遅滞**という。履行遅滞になると、損害賠償（遅延損害金）を請求されることがある。

R6-5-4

R6-5-1

R6-10-4

### ◘いつから履行遅滞になるか

| 期限の定め | 具体例(代金の支払期日) | いつから履行遅滞になるか |
|---|---|---|
| ①確定期限がある | 3月31日までに支払ってくれ | 期限の到来した時から(3月31日から) |
| ②不確定期限がある | 父親が死んで遺産が入ったら、支払ってくれ | ア、イのいずれか早い時から<br>ア)期限の到来した後に履行の請求を受けた時<br>イ)債務者が期限の到来したことを知った時 |
| ③履行の期限を定めなかった | 支払いはいつでもいいよ | 履行の請求を受けた時から |

### 発展 履行遅滞の発展知識

- ③の「期限を定めなかった」場合に関し補足。消費貸借(金銭の貸借など)で弁済期が定まっていない場合、「履行の請求(催告)後に相当期間を経過した時から」履行遅滞になる。いきなり借金を返してくれというのは借主に酷だからだ。
- 不法行為に基づく損害賠償債務は、不法行為の時から遅滞となる。
- 条件付債務は債務者が条件成就を知ったときから遅滞となる。

## 2 履行不能

契約の履行が不可能になる、という事態も起こりうる。売買契約の目的物である建物が焼失してしまった場合などだ。**履行不能**という。履行不能になると債権者は債務の履行を請求することはできない(請求しても無駄だからだ)。

## 3 解除と損害賠償

履行遅滞になれば、債権者は履行を求めるだろう(催告する)。それでも債務者が履行に応じないのなら契約を解除することができる。**債務者に帰責性がなくても、債権者は解除できる。**

債務不履行や履行不能により損害を生じた場合には、損害賠償請求も認められている。ただし、**債務者に責任がない場合には損**

害賠償請求ができない。

## 4 損害賠償の範囲

債権者は通常生ずる損害（**通常損害**）だけでなく、一定の場合には、特別の事情により生じた損害（**特別損害**）の賠償も請求することができる。損害賠償は原則として金銭で行う。

**◆損害賠償の範囲**

| 損害の種類 | 例 | 請求できるか |
|---|---|---|
| 通常損害（通常生じる損害） | 住宅の引き渡しが遅れたのでやむを得ずアパートを借りた | 予見可能性に関係なく、請求可能 |
| 特別損害（特別の事情により生じた損害） | 住宅の引き渡しが遅れている間に市況が悪化し、転売価格が下落した | 当事者（債務者）が予見すべきであったときに限り請求可能 |

### 発展 過失相殺

債務不履行や損害の発生・拡大に関して債権者にも過失があったときは、裁判所は過失を考慮して損害賠償額（責任）を定めなければならない（**過失相殺**）。**債務不履行**の場合には**過失相殺は必ず考慮**される。一方、不法行為（第11章）の場合には、過失相殺を考慮するか否かは裁判所の裁量となる。

## 5 損害賠償額の予定

このように債務不履行があると、損害賠償請求ができる。しかし、損害賠償請求するには、債権者の方で損害の発生と損害額を証明しなければならない。これは結構面倒なので、あらかじめ損害賠償の額を定めておくこともできる（「**損害賠償額の予定**」）。

宅建業者が売主の場合には、損害賠償額の予定は売買代金の2割までに制限されている（パートⅠ第7章ケース4参照）。

損害賠償額の予定が合意されると、実際の損害額とは無関係に、債務者はこの予定額を支払うことになる。

たとえば、損害賠償の予定額を100万円と定めると、実際の損害額が50万円でも100万円の請求ができる。逆に200万円の損害があっても100万円までしか請求できない（過失相殺により予定額より減額されることはある)。

## 6 金銭債務の特則

金銭債務とは、売買代金など金銭を支払う債務のことだ。金銭債務については以下の3つがルールとなっている。

① 履行不能はない

金銭が世の中からなくなることは考えられない。したがって金銭債務の場合には、履行不能はない。金銭が支払えないとすればそれは履行遅滞だ。

② 不可抗力であっても免責されない

金銭を支払えない理由が、自分の責任でないとしても(例:銀行のATMの故障)債務不履行となる。債務者は損害賠償しなければならない。

③ 債権者は**損害額の立証が不要**

法定利率は3年ごとに見直しが行われる(変動利率)。

履行遅滞により、どれくらいの損害があったかを債権者が立証する必要はない。履行遅滞があれば、**年3%**の法定利率に基づき損害賠償請求できる(実損が0でも請求できる)。

法定利率よりも、約定利率(約束した利率)が高い場合には、**約定利率**に基づいて損害賠償請求する。

# 第9章 債権の譲渡・消滅

## ケース2 債権を売買することもできる

**正誤を判定 ○ or ×**

ツネキチが、ネズキチに対する貸付金債権を、タヌキチとハナに二重譲渡した。タヌキチへの譲渡は確定日付のない証書、ハナへの譲渡は確定日付のある証書によってネズキチに通知した場合で、いずれの通知もネズキチによる弁済前に到達したときは、ネズキチへの通知の到達の先後にかかわらず、ハナがタヌキチに優先して権利を行使することができる。

誰かこの債権
買ってくれないかなぁ
12月には
返します
100万円
借りて
います
ネズキチ

**解答** 債権の**二重譲渡**があった場合、**確定日付のある証書が対抗要件**となる。したがって、確定日付のある証書で通知を受けたハナが優先して弁済を受けることができる。 ○

### 1 債権は譲渡できる

12月1日に100万円返してもらう権利（金銭債権）を持っている人がいたとする。他の財産と同じく、債権も譲渡できる。たとえば6月1日の時点でお金が必要になったのであれば、この金銭債権を99万円で譲り渡すことができる。譲渡人は99万円しかもらえないが、返済期限である12月ではなく6月1日の時点でお金がもらえて嬉しい。譲受人は、99万円が半年後には100万円になって嬉しい、というわけだ。

債権譲渡は譲渡人と譲受人との合意があれば、成立する。

性質上、譲渡できない債権というのもある。肖像画を描かせる債権などがその例だ。また、未だ発生していない債権（**将来債権**）でも譲渡できる。
R3⑩-6-2

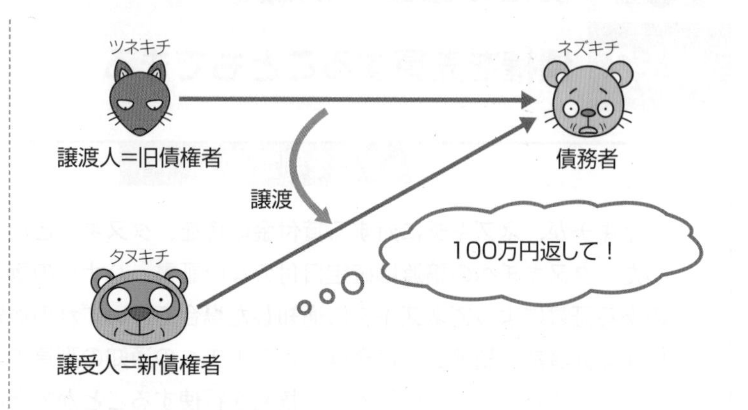


> 譲渡禁止特約・譲渡制限特約と呼ばれる。条文上は「**譲渡制限の意思表示**」。

## 2 債権譲渡の制限

債権を第三者に譲渡しない特約が付けられていることもある。しかし、**譲渡禁止特約があっても債権譲渡は有効となる**。譲渡があった以上、債務者は、譲受人に弁済しなければならない。

ただし、譲受人がこのような特約があることを知っていた場合（**悪意**）や、知らないことに**重過失**がある場合には、話は別だ。**債務者は譲受人への弁済を拒むことができる**（元の債権者に弁済することにより、債務を消滅させることができる。つまり、債権譲渡がなかったことと同じ状態になる）。

> R3⑩-6-3

### ◇譲渡禁止特約

| 譲受人は譲渡禁止特約を知っているのか | 債務者は譲受人への履行を拒絶できるか | 債務者は誰に支払うのか |
|---|---|---|
| 善意かつ無重過失（特約を知らないし、知らないことに重大な過失はない） | できない（譲渡制限があっても譲渡は有効） | 譲受人 |
| 悪意または善意重過失 | できる | 譲渡人（元の債権者） |

## 3 債務者への対抗要件

債権譲渡について、譲渡人と譲受人の合意だけで成立するが、債務者がまったく知らなかったというのでは、譲受人が債務者に支払いを求めたときには、もう譲渡人に支払った後だった、ということも起こり得る。

譲受人が、債務者に債権の譲渡を受けたことを主張するためには、対抗要件を備える必要がある。

**〈債権譲渡の対抗要件〉**

| |
|---|
| **①　譲渡人から債務者に対する通知**<br>**②　債務者の承諾** |

**①　債務者に対する通知**

**通知は譲渡人からのものでなければならない。**譲受人から債権譲渡の通知がきても、債務者は真偽の確認のしようがないからだ。

譲受人が、譲渡人の代理人として債務者に通知することは可能だ。

**②　債務者の承諾**

債務者からの承諾は、譲渡人に対してでも譲受人に対してでもよい。

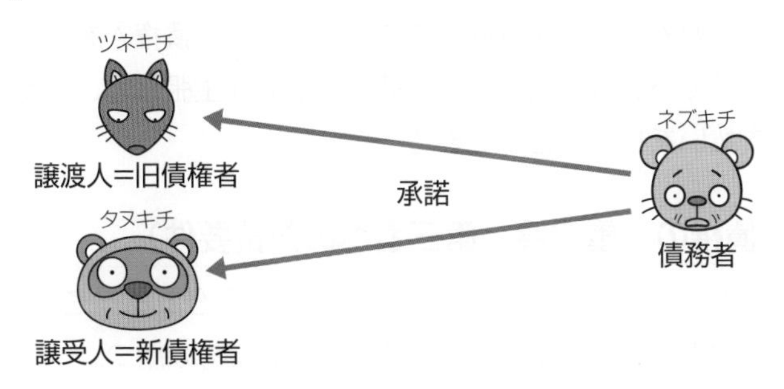

## 4 譲渡人に主張できたことは、譲受人にも主張できる

債権が譲渡されたとする。しかし、債権譲渡の通知の前に、債務者が弁済しているのであれば、譲受人への支払いを拒絶できる。当たり前のことだ。

弁済だけでなく、相殺や解除により債務が消滅している、同時履行の抗弁権がある、といった事情も譲受人に主張できる。

〈相殺と債権譲渡〉

①債務者は相殺しようと思っていたのだが…

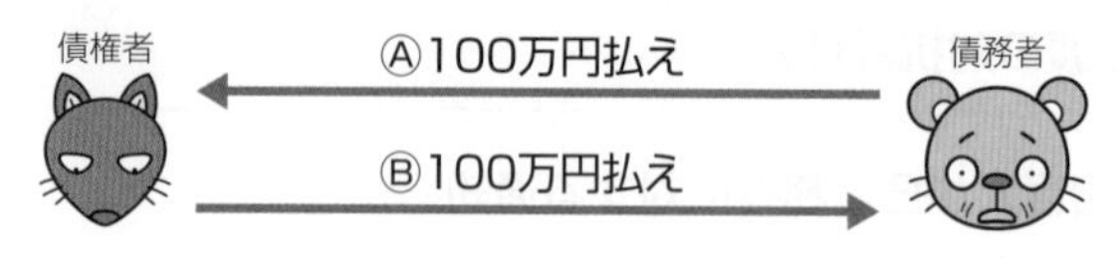


②債権Ⓑが譲渡された。

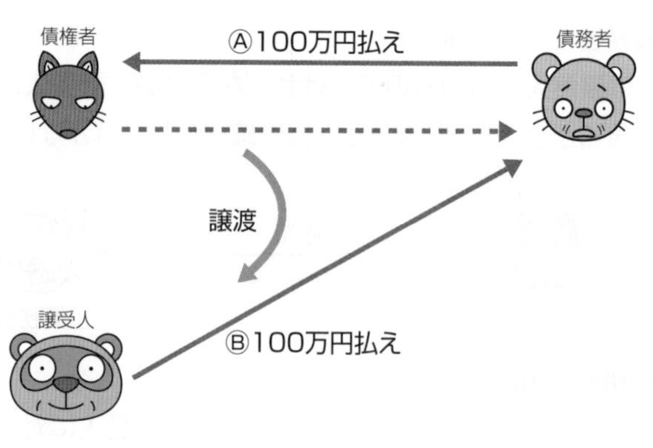


③譲受人が**対抗要件を具備する前**に、債務者が**債権Ⓐを取得**していたのであれば、相殺による債権の消滅を主張して、譲受人への支払いを拒むことができる。

## 5 債権の二重譲渡（第三者への対抗要件）

確定日付のある証書とは「内容証明郵便」や「公正証書」などだ。

債権が二重譲渡される、ということも考えられる。この場合、確定日付のある証書で通知または承諾をした方が勝つ。

「ハナに債権を譲渡した」と債権者から債務者へ内容証明郵便で通知されている、または公証人役場で確定日付をもらっている

債務者の承諾書をハナが持っている、といった場合には、ハナはタヌキチに対し、「債権を譲渡されたのは自分だ」と主張できるわけだ。

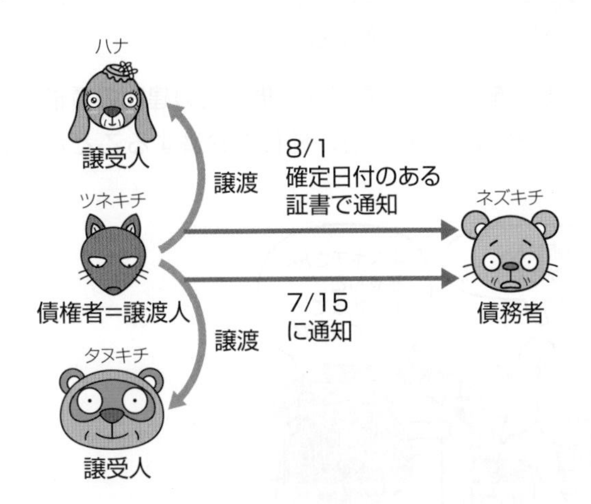


なお、ハナもタヌキチも確定日付のある証書だった場合には、**債務者に到達した日時が早い方**が弁済を受けられる。

到達の先後で勝負が決まる。確定日付の先後ではない。

**〈債権譲渡の第三者に対する対抗要件〉**

> ① **確定日付のある通知（譲渡人→債務者）**
> ② **確定日付のある承諾（債務者→譲渡人・譲受人）**

R3⑩-6-4

# ケース3 誰が誰に支払うのか

**正誤を判定 ○ or ×**

借地人ネズキチが地代の支払を怠っている場合、借地上の建物の賃借人ムサシは、借地人ネズキチの意思に反しても、地代を弁済することができる。

地代払って
くださいよ。
すいません。
お金がなくて…。
ネズキチさん、
ちゃんと
地代払って
くれてるかな。
タヌキチの
土地
ネズキチが家を建て
ムサシに貸している


**解答** 借地上の建物の賃借人（ムサシ）は正当な利益のある第三者にあたる。ネズキチの債務不履行により土地の賃貸借契約が終了し、建物が取り壊されては、住むところがなくなってしまうからだ。ムサシは、債務者ネズキチの意思に反しても弁済することができる。 **○**

## 1 弁済とは

代金を支払う、借金を返済するというように債権の内容を実現する行為を弁済という。弁済により債権は消滅する。

> **債権者の同意**があれば、給付の内容を変更する**代物弁済**も可能である（たとえば、10万円支払う代わりに宝石をあげる）。

弁済は、**費用**、**利息**、**元本の順に充当**される。

弁済した者は、弁済と引換えに、**受取証書**（領収書）**の交付**を請求できる。（受領した者に不相当な負担とならないのなら）、電磁的記録を請求することもできる。

## 2 第三者による弁済

債務の弁済は第三者でもできる。とはいえ、債務者が第三者による弁済を望まない、ということもありうる（暴力団員が第三者として弁済し、後で求償されるというのは恐ろしい事態だ）。債務者の意思に反しても、第三者による弁済が有効となるかどうかについては次のようなルールがある。

債務の性質上、第三者による弁済はできないものがある。有名な建築家に設計を頼んだのに、勝手に弟子の建築家に設計させてはならない、などがその例だ。

**〈第三者が弁済できるのか〉**

> **正当な利益を有しない第三者は、債務者の意思に反して弁済することができない。ただし債務者の意思に反することを債権者が知らなかったときは有効な弁済となる。**

以下のように場合分けして考えれば理解できるだろう。

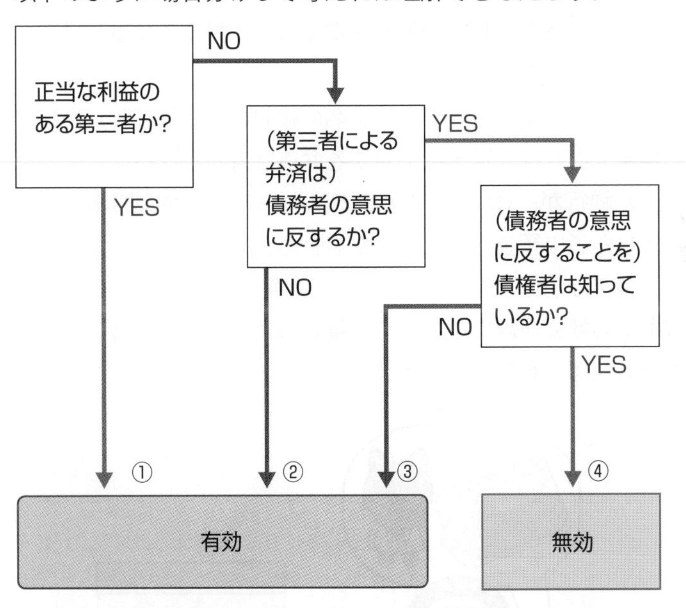


①。**正当な利益のある第三者がした弁済は有効**だ（債務者の意思に反しても第三者が弁済できる）。物上保証人や抵当不動産の第三取得者がその例だ。

債務が弁済されないと自分の不動産が競売にかけられてしまうからだ。

親、兄弟というだけでは正当な利益がある第三者とはいえない。

②。正当な利益のない第三者による弁済であっても、債務者が

反対していないのなら有効な弁済となる。弁済を有効にしても誰も困らないからだ。

③。正当な利益のない第三者が弁済しようとしているが、債務者がその弁済を嫌がっている場合だ。この場合でも**債権者が知らない場合には、有効な弁済**となる。債務者にはかわいそうだが、こういうルールにしないと債務者の意思に反するか否かを債権者がいちいち確認しなければならなくなるからだ。

④。③と違い、**債務者の意思に反することを債権者が知っている場合**には、第三者がした弁済は**無効**となる。

## 3 受領権限のない者に対する弁済

弁済は債権者に行う。ツネキチから借金をしているネズキチが、第三者に支払っても弁済したことにならない。その弁済は無効だ。しかし、債権者以外の者に弁済した場合でも、有効となる場合がある。**受領権者としての外観を有する者に対する弁済**というものだ。

たとえば、第三者がツネキチ名の領収書（受取証書）を持参した場合であれば、第三者に対する弁済は有効となる。

また銀行が、（本当の預金者ではないのに）預金通帳と印鑑を持参した者に預金を払い戻した場合も、有効な弁済とされる（銀行の債務は消滅する）。要は本当の債権者への弁済ではなくても、取引上の社会通念に照らして**債権者のように見える者に弁済した**のであれば、**有効**になるということだ。

もちろん、弁済した者は**善意無過失でなければならない**。債権者らしく見えるけど実は違うということを知っていたり（悪意）、知らないことに過失があるのであれば、弁済は有効とはならない。

# ケース4 相殺により債権は消滅する

正誤を判定 ○ or ×

ネズキチのツネキチに対する債権（車の代金請求権）が、ツネキチのネズキチに対する債権（貸金返還請求権）と相殺できる状態であったにもかかわらず、ネズキチが相殺することなく放置していたためにネズキチのツネキチに対する債権が時効により消滅した。この場合、ネズキチは相殺することはできない。

100万円返して
くださいねぇ〜。
ツネキチさんから
車の代金100万円、
もらってないぞ。
100万円
借りて
います
ネズキチ


**解答** 時効の消滅前に相殺できる状態にあったので、相殺できる。 ×

## 1 相殺（そうさい）とは

上の事例では、ネズキチは借金を返さなければならないが、ツネキチも代金を支払わなければならない。お互いに支払うのは面倒なので双方の債権・債務を消滅させることができる。これが相殺だ。

相殺は、条件または期限をつけることはできず、撤回することもできない。

一方の当事者の「相殺する」という意思表示だけで債権を消滅させることができる。

R5-4

相殺は**双方の債務が弁済期にある**ことが条件だ。車の代金の支払期限が6月1日、借金の返済期限が7月1日だとすれば、7月1日にならなければツネキチから相殺を主張することはできない。一方、ネズキチの方は6月1日時点で相殺を主張できる。ネズキチには7月1日までは借金を返さなくてもいい「**期限の利益**」があるのだが、これを放棄して相殺するわけだ。

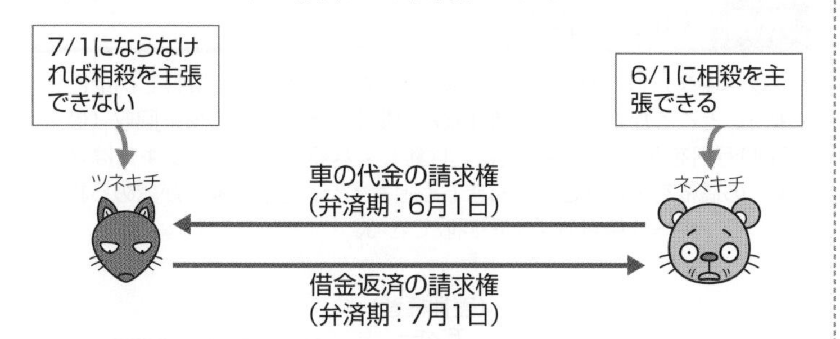
7/1にならなければ相殺を主張できない
6/1に相殺を主張できる
ツネキチ
ネズキチ
車の代金の請求権
(弁済期：6月1日)
借金返済の請求権
(弁済期：7月1日)

相殺を働きかける側の債権を**自働債権**、相殺される側の債権を**受働債権**という。また、相殺の効果は相殺の時点ではなく、双方の債務が**相殺適状（相殺できる状態）を生じた時点にさかのぼる**。上の例でいえば、8月1日に相殺の意思表示をしたとしても、7月1日の時点にさかのぼって相殺の効力が生じる。

相殺が禁止される債務もある。不法行為（11章）に基づく債務などはその例だ。

## 2 相殺と時効

ネズキチもツネキチも、（権利を行使できることを知ってから）5年間債権を行使しないと、債権は時効消滅する。もし5年後の6月15日に、ツネキチが借金を返してくれ、と言ったなら、どうなるのだろう。

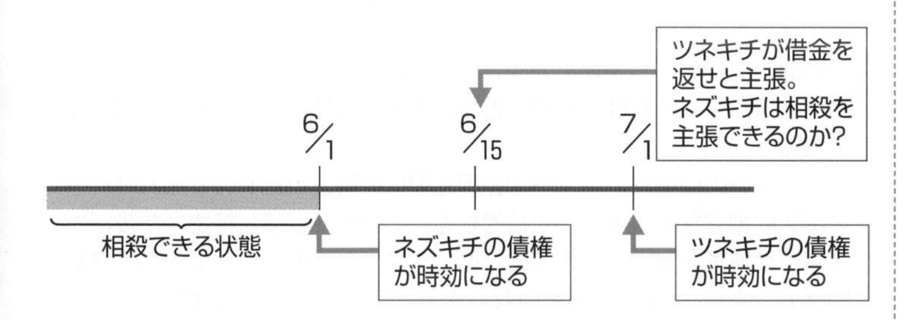
ツネキチが借金を返せと主張。ネズキチは相殺を主張できるのか？
6/1
6/15
7/1
相殺できる状態
ネズキチの債権が時効になる
ツネキチの債権が時効になる

ネズキチの債権は6月1日に時効消滅しているが、ツネキチの債権は7月1日までは時効にかからない。6月15日の時点でツネキチが借金の返済を請求してきた場合、ネズキチは相殺を主張できないようにも思える。しかし、この場合でもネズキチの相殺の主張は認められる。**時効消滅する前に、相殺できる状態（相殺**

適状）にあったからだ。

## 発展 相殺と差押え

ツネキチだけでなくモンキーもネズキチに100万円貸していたとしよう。ところがネズキチに資産がない場合、モンキーの債権回収（借金100万円を返してもらうこと）は難しくなる。そこでモンキーはネズキチの債権を差し押さえてしまおうと考える。もし差押えが認められれば、モンキーは無事100万円回収できる。

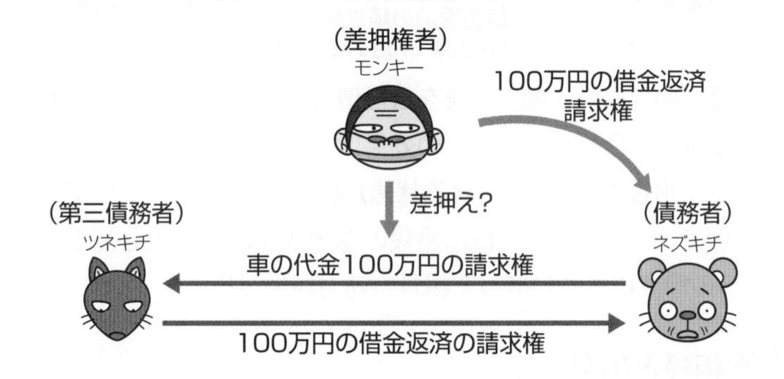


ところが、そうなるとツネキチはネズキチに貸していた100万円の回収ができなくなる。なにせ、ネズキチには資産がないのだ。だからツネキチは100万円の貸金債権と、自分の債務（車の代金100万円の支払い）を相殺しようと考える。相殺することでネズキチが100万円を返してくれなくても、事実上債権回収ができるのだ（つまり、相殺は、決裁事務を簡略化するだけでなく、**債権回収の手段**でもあるのだ。実務的にはこちらの機能の方が重要だ）。

では、モンキーの差押えとツネキチの相殺とでは、どちらが優先するのだろうか？　これは、**差押えとツネキチの債権取得のどちらが早いか**による。

ツネキチの債権がモンキーの差押え前に取得されたものであれば、ツネキチは相殺をモンキーに対抗できる。モンキーが差し押さえた後にツネキチが債権を取得したのであれば、ツネキチはモンキーに対抗できない（モンキーは100万円を回収できる。ツネキチとしてはなんとかネズキチに100万円支払ってもらうしかない）。

試験では「差押え前に取得した債権であれば、相殺をもって差押権者に対抗できる」という表現になる。

債権取得時に弁済期が到来していなくてもよい。
①ツネキチの債権取得
②モンキーの差押え
③ツネキチの債権の弁済期到来
という順番であってもツネキチは相殺できる。

### ◇債権譲渡の対抗要件

| | |
|---|---|
| 債務者に対しては | ①譲渡人からの通知（債務者に対して）<br>②債務者からの承諾（譲渡人に対してでも譲受人に対してでもよい） |
| 第三者に対しては（二重譲渡の場合） | ①譲渡人から債務者への確定日付のある通知<br>②債務者の確定日付のある承諾 |

### ◇第三者による弁済

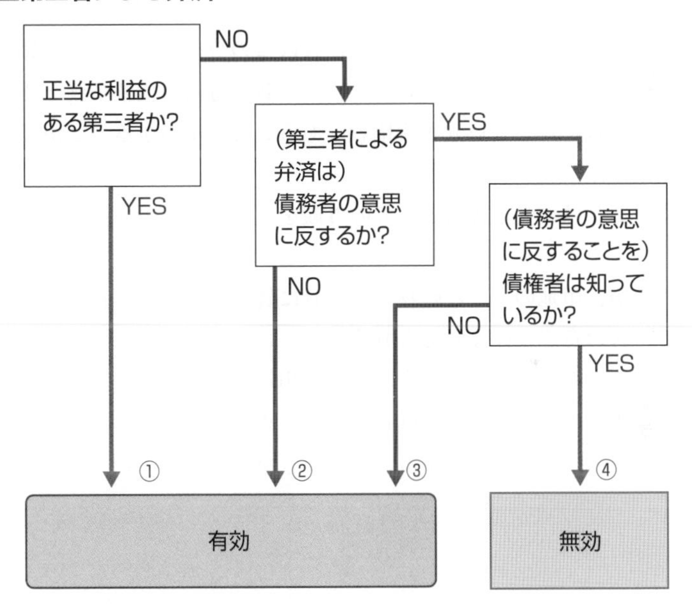


● 受領権者としての外観を有する者に対する弁済も、弁済した者が善意無過失であれば有効となる。

### ◇相殺

● 一方の債権が時効消滅している場合でも、時効消滅以前に相殺できる状態（相殺適状）にあったときは、相殺が可能になる。

## 確認テスト

問題　次の記述の正誤を判定してください。

1．債務不履行に関し損害賠償額の予定がされた場合、裁判所もその額を増減することはできない。

2．債権は譲渡できるが、譲渡制限の意思表示がなされている債権は、譲渡しても無効となる。

3．ＡがＢに対して1,000万円の代金債権を有しており、Ａがこの代金債権をＣに譲渡した。ＡＢ間の代金債権には譲渡制限特約があり、Ｃがその特約の存在を知らないことにつき重大な過失がある場合には、Ｂは、Ｃに対する履行を拒むことができる。

4．Ａは、Ｂに対して貸付金債権を有しており、Ａはこの貸付金債権をＣに対して譲渡した。Ｂが債権譲渡を承諾しない場合、ＣがＢに対して債権譲渡を通知するだけでは、ＣはＢに対して自分が債権者であることを主張することができない。

5．弁済者が善意であれば、受領権者としての外観を有する者への弁済も有効となる。

6．甲地の賃借人Ａが、甲地の上に乙建物を建てＢに賃貸している。Ｂは、借地の地代について、Ａの意思には反しても弁済することができる。

7．ＡのＣに対する債権が、ＣのＡに対する債権と相殺できる状態であったにもかかわらず、Ａが相殺することなく放置していたためにＡのＣに対する債権が時効により消滅した場合、Ａは相殺することはできない。

解答解説

1．×　そのような規定はない（近年の法改正で削除された）。

2．×　譲渡制限の意思表示があっても債権譲渡は有効だ。もっとも（譲渡制限特約について）譲受人が悪意または重過失の場合には、債務者は譲受人への履行を拒むことができる。

3．○　譲渡制限の意思表示があっても、債権譲渡は有効。しかし譲受人が、特約を知らないことに関し重大な過失があるので、債務者は譲受人への履行を拒むことができる。

4．○　債権の譲渡人Ａからの通知が必要である。譲受人Ｃからの通知だけでは、ＣはＢに対して自分が債権者であることを主張することができない。

5．×　受領権者としての外観を有する者に対する弁済だ。弁済者は善意かつ無過失でなければならない。過失があっては、有効な弁済にはならない。

6．○　第三者による弁済。Ｂは正当な利益のある第三者なので、Ａの意思に反しても弁済することができる。

7．×　Ａの債権が時効消滅する前に、「ＣのＡに対する債権と相殺できる状態（相殺適状）であった」ならば、相殺することができる。

# 第10章 連帯債務・保証債務

## ケース1 連帯債務って何だ？

**正誤を判定 ○ or ×**

ハッピー、ホワイト、ハナの３人が共同で、クロネコ不動産から300万円で土地を購入し、代金を連帯して負担する（連帯債務）と定めた。ハナの負担部分が100万円であれば、ハナはクロネコ不動産から300万円請求されても、100万円だけ支払えばよい。

クロネコ不動産
別荘地
一緒に土地を買うぞ〜！


**解答** **連帯債務とは、連帯債務者の各人が債務の全額につき責任を負うものだ。** したがって、ハナの負担部分が100万円でも、債権者（クロネコ不動産）に対しては300万円全額について連帯債務を負う。クロネコ不動産から300万円請求されたら、300万円全額を支払わなければならない。 ×

### 1 連帯債務とは

上記の事例で、３人が300万円の連帯債務を負っているならば、債権者（クロネコ不動産）はハッピー、ホワイト、ハナの**誰に対しても**300万円請求できる。ところが３人の債務が「分割債務」ならば、ハッピー、ホワイト、ハナそれぞれに100万円ずつしか請求できない。当然、連帯債務の方が債権者（クロネコ不動産）に有利となる。

このように、債権をより確実に支払ってもらうために**連帯債務**という方法がある。

法律的な言い方をすれば「同一内容の債務について、複数の債務者が、各自独立して全責任を負う」これが連帯債務だ。

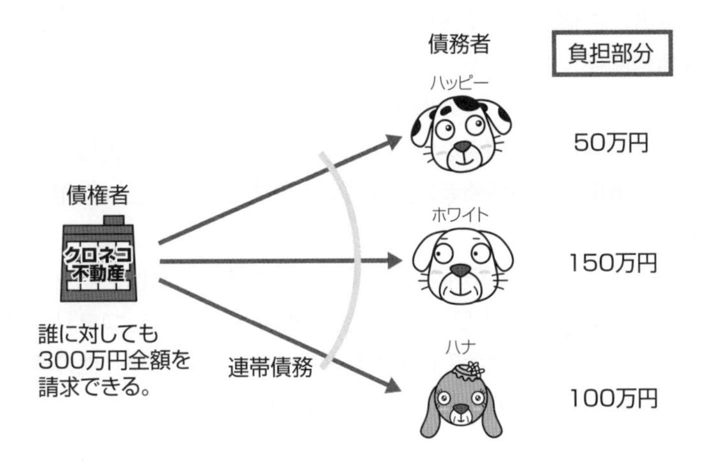


債務者が複数いる場合、必ず連帯債務になるのではない。**分割債務**が原則だ（各債務者が等しい割合で義務を負う）。連帯債務とするには、**法令の規定または当事者の意思表示によって、連帯して債務を負担することが明らか**になっていなければならない。

## 2 連帯債務の特徴

連帯債務は、以下のような性質がある。

> **①　債権者は誰に請求してもいい（各債務者に同時に全額請求してもよい。一部だけ請求してもよい）。**
> **②　債務者の１人が弁済すれば債務は消滅する（債務者間での求償関係は残る）。**

300万円のうち、ハッピーが50万円、ホワイトが150万円、ハナが100万円支払うなど、各債務者の間では**負担部分**が決まっているのが普通だ。しかし、各債務者は自分の負担部分だけ支払えばいいわけではない（それでは分割債務だ）。**債権者との関係においては、債務を全額弁済する義務を負っている。**債権者から300万円請求されたハッピーが「私の負担部分の50万円しか払いません」と主張してもそれは認められない。

つまり、**負担部分**とは、それぞれの連帯債務者が**分担する割合**のこと。連帯債務者同士の内輪（うちわ）の約束にすぎない。

## 3 相対効が原則だ

ハッピー、ホワイト、ハナが連帯債務関係にあると言っても、債権者との債権債務関係は、それぞれが独立している。3つの債権債務関係があるのだ。

だから仮にハッピーの債務が取り消されたとしても、ホワイトやハナの債務には関係ない。つまり、**連帯債務者の一人について生じた事由は他の債務者に対して効力を生じない**。これを**相対効**という。

一方、ハッピーが債権者に300万円の弁済をすれば、ハッピーの債務だけでなく、ホワイトやハナの債務も消滅する。つまりハッピー＝クロネコ不動産の債権債務関係に生じたことが、**他の債務者にも影響**を与えている。これを**絶対効**という。

法律で相対効とされていても、債権者と連帯債務者とで絶対効にする特約を結ぶことができる。

**連帯債務は相対効が原則**だ。絶対効となるのは、弁済の他は、相殺、更改、混同の３つだけだ。

相殺を後悔する、近藤君。
（相殺）（更改）（混同）

## 発展　更改、混同とは

**更改**とは「今の債務を消滅させ、新たな債務を成立させる」ことだ。たとえば、債務者の「1,000万円支払う」という債務を消滅させ、その代わりに「債務者の所有する土地を債権者に渡す」という新たな債務を発生させる、というのがその例だ。更改により、旧債務は消滅する。

**混同**とは「債務者兼債権者」の状態になることだ。たとえば、子が父から100万円借りたとする（子が債務者、父が債権者）。父が亡くなり、子が相続すると、子は「債務者兼債権者」の状態になる。この場合、債務は消滅する。

連帯債務者の１人について**更改**や**混同**により債務が消滅したときは、他の債務者も債務を免れる。連帯債務者の１人が反対債権を有している場合には**相殺**できるし、他の債務者も（反対債権を有する連帯債務者の負担部分については）債務の履行を拒むことができる（**ケース2**で解説する）。

それ以外の事由は、相対効になる。たとえば債権者がハッピーに履行の請求をしたり、ハッピーが債務の承認をしたりすれば、ハッピーの債務は時効完成が猶予される。しかし、ホワイト、ハナの債務には無関係だ（時効の完成猶予とはならない）。

R3⑩-2

**◘相対効と絶対効**

| | 他の債務者に | 具体例 |
|---|---|---|
| **相対効** | 影響を与えない | 無効、取消し、履行の請求、債務の承認、時効の完成、免除など |
| **絶対効** | 影響を与える | （弁済、）相殺、更改、混同 |

## 4 求償権

債務者の１人であるハッピーが、300万円弁済すると債務は消滅する。このときハッピーは、他の連帯債務者に対して、負担部分に応じた**求償**をすることができる（ホワイトに150万円、ハナに100万円請求できる）。

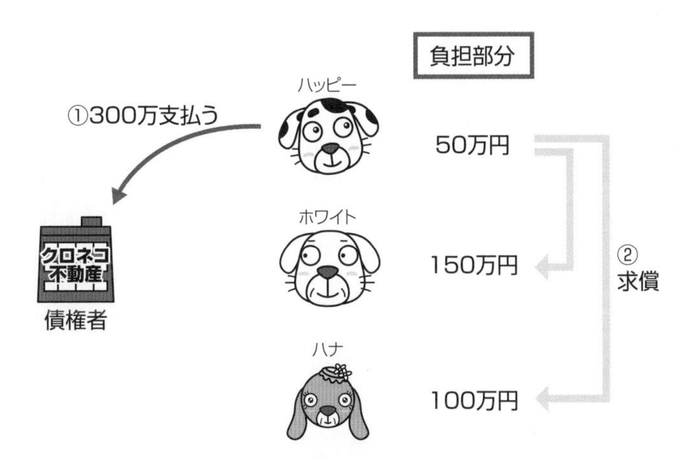

なお、ハッピーの**弁済が自分の負担部分を超えていなくても求償は可能**だ。たとえば、ハッピーが30万円（負担部分の範囲内）しか弁済しなかった場合でも、ホワイトに15万円、ハナに10万円求償できる。

## 発展　他の連帯債務者への通知

連帯債務者の一人が弁済する場合は、弁済する前と弁済した後に、他の連帯債務者に通知しなければならない。**他の債務者に通知せずに弁済すると、求償権が制限される**場合がある。他の債務者が既に一部弁済していた、とか反対債権を持っているのでそれで相殺しようと思っていた、ということもあり得るからだ。

## 発展　相対効と求償

連帯債務者の１人の時効が完成した場合も同様だ。債権者から請求されることはないが、他の債務者から求償される。

クロネコ不動産がハッピーの債務を免除したとする。ハッピーは債務を免れる（お金を支払わなくてもよい）が、ホワイト、ハナの債務は300万円のままだ。免除は相対効だから、ホワイト、ハナの債務に影響を及ぼさない。ここまではすでに説明した。

ではハッピーの債務が免除された後、ホワイトが300万円全額弁済した場合、誰にいくら求償できるのか。これは負担部分通りだ。ハナに100万円、ハッピーに50万円求償できる。つまりハッピーは、クロネコ不動産から請求されることはないが、他の債務者からは求償されるのだ（結局、お金を支払わなければならない）。債権者（クロネコ不動産）による免除は、**連帯債務者の内部関係に影響しない**のだ。

# 第10章 連帯債務・保証債務

## ケース2 他人の債権で相殺できるのか

**正誤を判定 ○ or ×**

ハッピー、ホワイト、ハナの３人が共同でクロネコ不動産から300万円で土地を購入し、代金を連帯して負担する（連帯債務）と定めた。ハナはクロネコ不動産に対して300万円の債権を有しているが、ハナが相殺しない以上、クロネコ不動産から請求を受けたハッピーが、ハナの負担部分についても履行を拒むことはできない。

ハナさんの300万円の債権で相殺したいな…。
連帯債務


**解答** ハナが相殺しなくても、ハッピーは、ハナの負担分については履行を拒むことができる。 **×**

### 1 ハナがクロネコ不動産に債権を持っていたらどうなるのか

上の事例に基づいて説明しよう。

ハナが債権者であるクロネコ不動産に300万円を貸していたならば、ハナ自身は、300万円全額の支払いを求められても相殺することができ、債権は消滅する。あとはハナが、ホワイトとハッピーにそれぞれの負担分を請求（求償）するだけだ。

H29-8-2参照

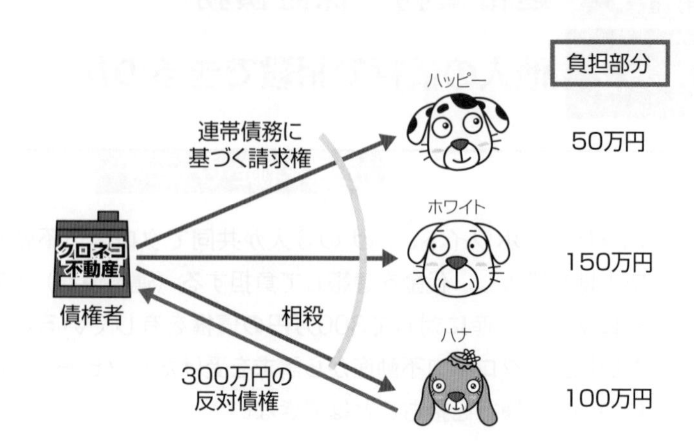


ハナが反対債権を持っていることが、ハッピーやホワイトにも影響を与えている。つまり**相殺も絶対効**なのだ。ただし、更改や混同が債権全額について絶対効となるのに対し、相殺は（反対債権を有する連帯債務者の）負担部分について絶対効となるだけだ。

一方、クロネコ不動産がホワイトに300万円請求した場合、ハナが相殺しなくても、ホワイトはハナの負担部分（100万円）については履行を拒むことができる（支払わなくてよい）。残り200万円を弁済すれば連帯債務は消滅する。あとはハッピーに負担部分の50万円を請求するだけだ。

R3⑩-2-2

### ◘連帯債務と相殺

| 反対債権を有する債務者 | 相殺できる。<br>⇒他の債務者も債務を免れる。 |
|---|---|
| 他の債務者 | 反対債権を有する者の負担部分の範囲で債務の履行を拒むことができる。 |

第**10**章 連帯債務・保証債務

## ケース3 保証契約って何だ？

**正誤を判定 ○ or ×**

ライ太がタヌキチから100万円借りる金銭消費貸借契約を結ぶにあたり、ホワイトがタヌキチとの間で保証契約を締結した。タヌキチのライ太に対する履行の請求は、ホワイトに対してもその効力を生ずる。

保証人になってください。
保証人ってどんな
責任があるんだろう。

**解答** 主たる債務者に生じた事由の効力は、保証人にも及ぶ。したがって、主たる債務者ライ太の時効が更新すれば、ホワイトの保証債務の時効も更新することになる。 **○**

## 1 保証とは

**保証契約**とは、主たる債務者がその債務を履行しないときは、保証人が履行する責任を負うという契約だ。債権回収を容易にするための制度だ。

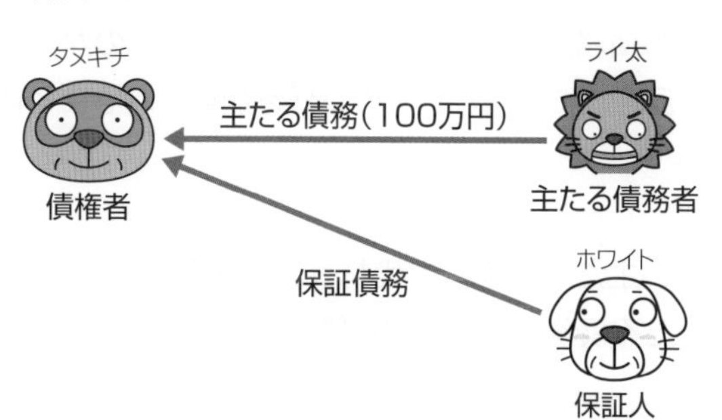


保証契約は**保証人と債権者との間で締結される契約**だ（主たる債務者と保証人との契約ではないことに注意）。
したがって主たる債務者から委託を受けなくても保証人になることができる。
**主たる債務者の意思に反する保証契約も有効**だ。

したがって保証人は①**行為能力者**で、②**弁済の資力を有する者**でなければならない。保証契約が取り消されたり、保証債務を実現する資力（財産）がないのでは、保証人として意味がないからだ。また保証人には重い責任が伴うので、保証契約は**書面または電磁的記録**により行わなければならない。

**発展　保証人の資力**

保証人となった後、②の弁済の資力を失った場合には、債権者は保証人を代えるよう請求することができる。なお、債権者が保証人を指名した場合には、保証人が①（行為能力者）も②（資力を有する）を満たす必要はない。資力を失っても保証人を代えることを請求できない。

## 2 保証人の負担は主たる債務者より軽い

保証債務は、主たる債務が履行されない場合に、履行を求められるものだ。だから保証債務が主たる債務より重い、ということはありえない。主たる債務が100万円なのに、保証債務が200万円ということはないのだ（主たる債務より重いときには、主たる債務の限度に縮減される）。

「保証人が債務を履行しない場合、100万円支払う」というように、保証債務についてのみの違約金（損害賠償額）を約定することは可能。

もっとも、主たる債務に関する利息、違約金、損害賠償金も保証債務に含まれる（主たる債務の元本100万円以上に保証人に対し請求されることもあり得る）。

100万円の借金（金銭消費貸借契約）の保証人になったとする。その後、主たる債務者が、さらに50万円借り受けたとする（合計150万円の債務）。保証債務も150万円になるのか。そんなことはない。保証人に断りなくその責任を加重されることはない。

R2⑩-7-2

〈求償〉

保証人が、主たる債務者に代わって債権者に弁済した場合は、保証人は主たる債務者に、**全額求償**できる。

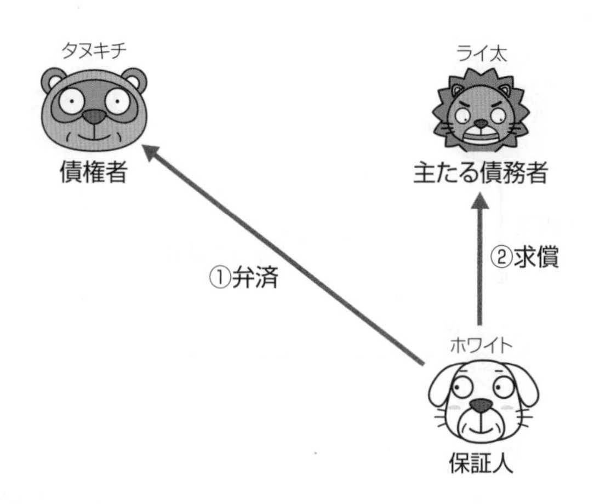


## 3 保証債務の性質

保証債務の性質としては、次の4つを押さえよう。

> ① **保証債務は付従性を有する。**
> ② **保証債務は随伴性を有する。**
> ③ **保証人は補充性（催告の抗弁権、検索の抗弁権）を有する。**
> ④ **保証人には分別の利益がある。**

主たる債務が消滅すれば保証債務も消滅する。（**①付従性**）。保証債務は主たる債務の存在を前提とするものであり、主たる債務が消滅＝存在しないのであれば、保証しようがない。

これに対し、保証債務に無効原因があっても、主たる債務には影響はない。保証人がいなくなるだけの話しだ。

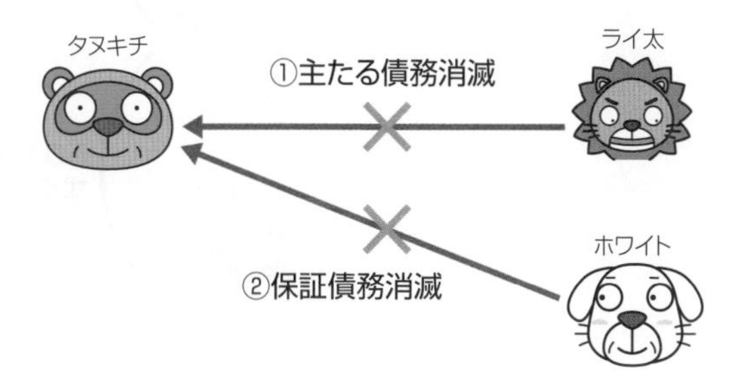


また、主たる債務が譲渡されると保証債務もこれに伴って移転する（**②随伴性**）。

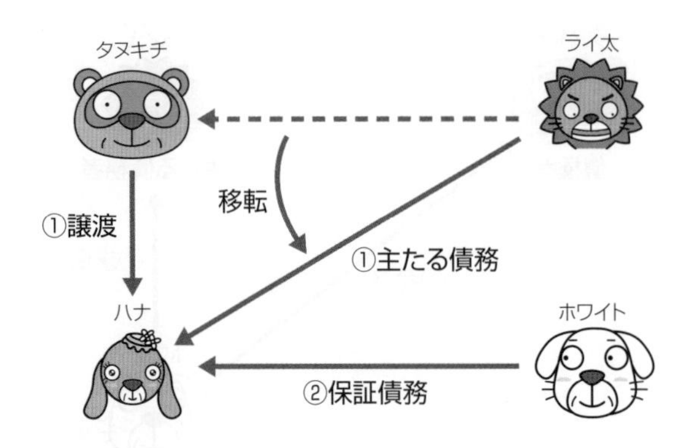


主たる債務者が破産したり、行方不明になったときは、催告の抗弁権を行使することができない。

一つの債務に複数の保証人がつくことを**共同保証**という。

**催告の抗弁権**とは、債権者が保証人に支払いを求めてきた場合、まず主たる債務者に支払うよう催告せよと主張できる権利のこと。**検索の抗弁権**とは、債務者が強制執行の容易な財産を有するときは、その財産で支払ってもらうように主張する権利だ（③）。

**分別の利益**とは、保証人が数人いる場合には、各保証人は主たる債務を平等に分割した額についてだけ保証債務を負担する（④）。

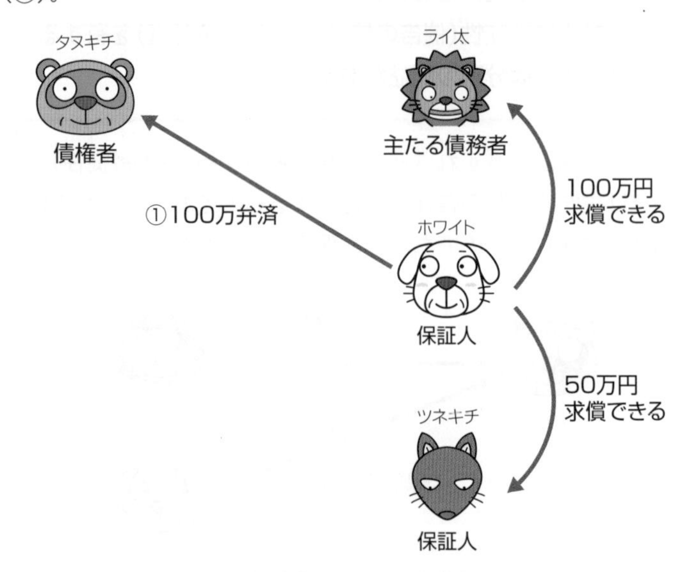

## 4 主たる債務者と保証人の関係

主たる債務者と保証人との関係については、次の３点が重要だ。

> **① 主たる債務者について生じた事由の効力は、保証人についても効力が及ぶ（主たる債務者➡保証人）。**
> **② 保証人について生じた事由の効力は、主たる債務者には及ばない（保証人✖主たる債務者）。**
> **③ 主たる債務者が、債権者に対して相殺権（または取消権、解除権、同時履行の抗弁権）をもっているならば、その範囲内で、保証人は保証債務の履行を拒むことができる。**

②補足。弁済、相殺など**「債務を消滅させる事由」**については、**保証人→主たる債務者**となる。保証人が債務を弁済すれば、主たる債務者は弁済しなくていい。当たり前のことだ。

①。債権者が主たる債務者に対して債務の請求をすると、主たる債務の消滅時効の完成が猶予するだけでなく、保証債務の消滅時効の完成も猶予される。

②。一方、保証人に請求しても、保証債務の時効の完成は猶予されるが、主たる債務の時効の完成は猶予にはならない。

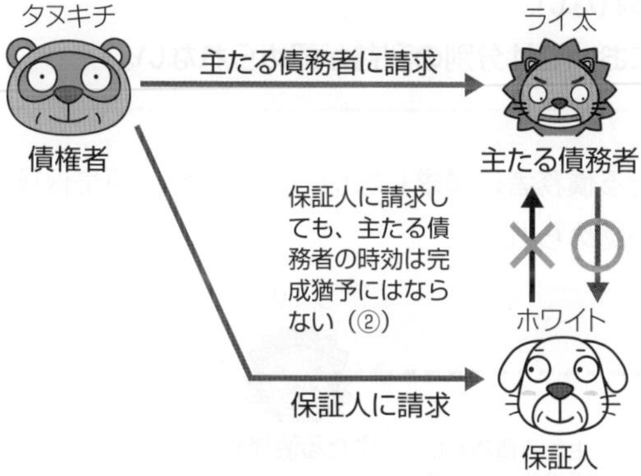

個人が建物賃貸借契約の保証人になる場合、根保証契約であることが多い。

## 発展 個人根保証契約

保証契約はある特定の債務を保証するのが普通だ。ところが（一定の範囲に属する）不特定の債務を保証する「根保証契約」というのもある。債権者と主たる債務者の継続的取引を前提とした保証だ（根抵当権の保証契約版だ）。根保証契約のうち、保証人が法人でないものを**個人根保証契約**という。個人根保証契約では、保証人の負担が重くなりすぎないよう、ルールが設けられている。

R2⑩-2-2

- **極度額を**定めなければ効力を生じない。
- ５年以内の元本確定期日を定め、それを更新していかない限り、３年間で保証債務の元本が確定する。

連帯保証は**保証人が主たる債務者と連帯**するもの。複数の保証人同士が連帯するのではない。

## 5 連帯保証とは

**連帯保証**とは、保証人が主たる債務者と連帯して債務を負担する特約のある保証である。通常の保証よりも「連帯保証」の方が責任が重くなる。通常の保証債務との違いは、次の２点だ。

> **① 連帯保証においては補充性（検索の抗弁権、催告の抗弁権）が認められない。**
> **② 連帯保証においては分別の利益が認められない。**

連帯債務の絶対効にあたるもの（更改、相殺、混同）は、連帯保証に準用される。連帯保証人に生じた事由が主たる債務者に影響を及ぼす。

①債権者は主たる債務者に請求しないでいきなり、連帯保証人に請求することが認められる。

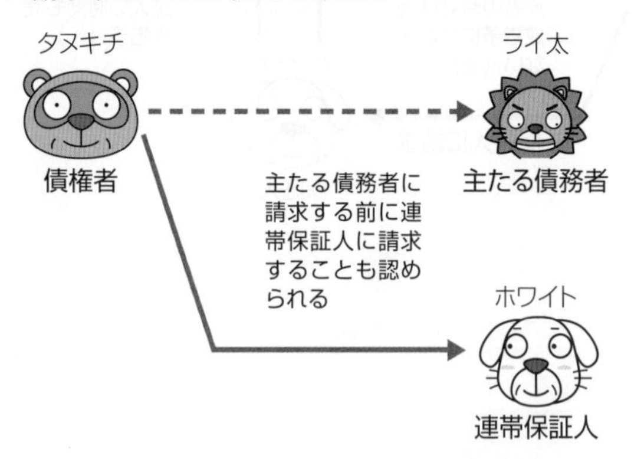


②連帯保証人がホワイトのほかに何人いたとしても、タヌキチはホワイトに全額請求できる。分別の利益がないのだ。

### ◇連帯債務の相対効と絶対効

| | |
|---|---|
| 相対効 | 無効、取消し、履行の請求、債務の承認、免除、時効の完成など |
| 絶対効 | 弁済、相殺、更改、混同 |

### ◇保証債務の性質

① 保証債務は付従性を有する。
② 保証債務は随伴性を有する。
③ 保証人は補充性（催告の抗弁権、検索の抗弁権）を有する。
④ 保証人には分別の利益がある。

### ◇連帯保証の特徴

① 連帯保証においては補充性（検索の抗弁権、催告の抗弁権）が認められない。
② 連帯保証においては分別の利益が認められない。

# 確認テスト

問題　次の記述の正誤を判定してください。

1．連帯債務者の１人に対して債務の履行を請求しても、別段の意思表示のないかぎり、他の連帯債務者の債務の消滅時効は完成猶予されない。

2．連帯債務者の１人に対してした債務免除の意思表示は、債権者が他の連帯債務者に対する債務免除の意思を有していなくても、他の連帯債務者の利益のためにその効力を生ずる。

3．A、B、Cの３人がDに対して900万円の連帯債務を負っている。Bのために時効が完成した場合、A及びCのDに対する連帯債務も時効によって全部消滅する。

4．連帯債務者の１人が債権者の地位を単独で相続した場合、他の連帯債務者は、依然として連帯債務を負担する。

5．連帯債務者の１人が債務を承認したことによる時効更新の効力は、別段の意思表示のないかぎり、他の連帯債務者には及ばない。

6．保証契約は主たる債務者の意思に反しても締結することができる。

7．保証契約は、口頭で合意した場合でも効力を生じるが、書面また電磁的記録によらないものであれば保証人が撤回することができる。

8．債権者が連帯保証人に債務の履行を請求した場合、連帯保証人は、催告の抗弁権により、まず主たる債務者に催告するよう請求することができる。

解答解説

1．○　履行の請求は相対効。一人に請求しても他の連帯債務者には無関係（請求したことにはならない）。

2．×　免除も相対効。１人の債務を免除しても、他の連帯債務者は債務を免れない。

3．×　時効は相対効。Bのために時効が完成しても、別段の意思表示のないかぎり、他の連帯債務者には影響を与えない。A及びCは債務全額を負う。

4．×　連帯債務者の１人が債権者の地位を単独で相続すると混同により債務は消滅する。債務が消滅した以上、他の連帯債務者も債務を免れる。混同は絶対効なのだ。「他の連帯債務者は、依然として連帯債務を負担する」というのは誤り。

5．○　承認は相対効だ。連帯債務者の一人が承認しても他の連帯債務者には無関係だ。承認したことにはならず、時効は更新されない。

6．○　保証契約は保証人と債権者との間で締結される契約だ（主たる債務者と保証人との契約ではない）。主たる債務者の意思に反する保証契約も有効だ。

7．×　保証人には重い責任が伴うので、保証契約は書面または電磁的記録により行わなければならない。口頭で合意した保証契約は効力を生じない。

8．×　連帯保証人には催告の抗弁権は認められない。

# 第11章 その他の契約・不法行為

## ケース1 物をあげる約束も契約だ

**正誤を判定 ○ or ×**

タヌキチからハッピーに対し、土地を贈与することになり、書面により贈与契約を締結した。契約の履行前であれば、タヌキチはその贈与を解除することができる。

**解答** 書面による贈与契約は、解除することができない。 ×

### 1 贈与契約

財産を無償で相手方にあたえるのが**贈与契約**だ。贈与者は、贈与の目的である物（または権利）を、引き渡す（移転する）義務がある。**書面によらない贈与契約**（いわゆる口約束）**であっても**、契約した以上は**守らなければならない**。ただし、書面による贈与の方がより強力だ。以下の点を押さえておこう。

①の例外
死因贈与（契約）は、書面によるものであっても解除可能。

**① 書面によらない贈与契約であれば、各当事者は契約を解除することができる。**

**② 書面によらない贈与契約であっても、履行が終わってしまった部分については解除することができない。**

**③ 贈与者は、原則として担保責任を負わない。ただし、欠陥等を知りながら告げなかった場合や負担付き贈与の**

場合には、担保責任を負う。

口約束であれば解除できる（①）。しかし、口約束であっても既に贈与したものをやっぱり返してくれとはいえない（②）。

受贈者に登記を移転すれば、履行となる(R2⑩-9-2)。

③。通常、贈与者は担保責任を負わない（贈与した物に欠陥があっても損害賠償請求はできない。タダであげるからだ）。しかし、負担付き贈与の場合は、負担の限度において担保責任を負う。

**負担付き贈与**とは、たとえば生活の面倒をみてもらう代わりに財産を贈与するというものだ。

R2⑩-9-3

## 2 請負契約

請負人がある仕事を完成することを約束し、注文者がその仕事に対して報酬を支払うことを約束する契約が請負契約だ。住宅を建ててもらう、スーツを仕立ててもらうというのが、その例だ。

注文者には報酬支払義務が、請負人には完成物引渡し義務がある。この両者は同時履行の関係にある。

**〈請負人の担保責任〉**

請負人から引き渡された目的物（たとえば住宅）が種類・品質に関して契約の内容に適合しない（＝契約不適合）場合、注文者は請負人に担保責任を追及できる。

| | |
|---|---|
| ①追完請求権 | 注文者は請負人に修補や工事のやり直しを請求できる。 |
| ②報酬減額請求権 | 催告しても履行の追完がない場合、不適合の程度に応じて代金の減額を請求できる。 |
| ③解除権 | 債務不履行があれば、注文者は契約を解除できる。 |
| ④損害賠償請求権 | 欠陥について、請負人に責任がある場合には、損害賠償請求もできる。 |

**欠陥が注文者の指図等により生じた場合には、請負人は担保責任を負わなくてよい**。ただし、請負人が、指図等が不適当であることを知りながら告げなかったときは、話しは別だ。請負人は担保責任を負うことになる。

R5-3-4
条文上は「注文者の供した**材料の性質**又は注文者の与えた**指図**によって生じた不適合」

また、注文者は、欠陥（＝契約不適合）を**知ったときから1年以内**に請負人に**通知**しないと、欠陥（＝契約不適合）を理由として担保責任の追及ができなくなる。

R5-3-2、3
引渡しの時に、請負人が契約不適合について、**悪意**または**善意重過失**だった場合には、この期間制限の適用はない。このあたりの規定は売買契約の契約不適合責任と共通する。

**〈注文者による解除〉**

**仕事が完成しない間は、注文者はいつでも契約の解除**ができる。請負契約は注文者のために結ぶものだ。注文者が不要と思っているものを完成させても意味がない。「住宅の工事を依頼したが、やっぱりやめた」というのも許される。もっとも請負人の損害は賠償しなければならない。

近年の法改正点。従来は建物請負契約の解除はできなかった。

## 3 委任契約

法律行為や事務の委託をするのが**委任契約**だ。弁護士に訴訟の代理人になってもらうのも、宅建業者に媒介を依頼するのも、マンションの管理業務を委託するのも委任契約だ。

委任は無償が原則だ（**特約で報酬を請求する**）。

**① 受任者の義務：（ア）善管注意義務　（イ）自己執行義務**
**（ウ）報告義務**

**② 委任者の義務：（エ）費用前払義務**
**（オ）費用償還義務（利子付き）**

**③ 任意解除：委任者も受任者も、いつでも契約を終了させることができる。**

**④ 次の事由により終了する。**

| 受任者 | 死亡、破産手続開始、後見開始 |
|---|---|
| 委任者 | 死亡、破産手続開始 |

委任者の死亡によっても委任は終了しない、という特約も有効。

①は**受任者の義務**だ。**(ア)善管注意義務**（善良な管理者の注意義務）とは、自分の物を管理する以上に丁寧に管理せよ、ということ。

R2⑩-5-2
善管注意義務は「自己の財産に対するのと同一の注意」より重い注意義務だ。

**(イ)**の**自己執行義務**とは、受任者は、原則として自ら事務を執行しなければならない、ということだ。「委任者の許諾を得たとき」や「やむを得ない事由があるとき」でなければ復受任者を選任することはできない。また、委任者の請求があったとき、および委任終了時に委任事務に関する**報告**をしなければならない（**ウ**）。

一方、委任者にも義務がある。費用を前払いしなければならない（**エ**）。受任者が立て替えた費用は利子をつけて返さなければならない（**オ**）。

そして、委任契約は**いつでも自由に解除することができる**（③）。ただし、「相手方に不利な時期に解除したとき」などは損害賠償をしなければならない。もっとも「不利な時期に解除することがやむを得ない事情がある」ならば損害賠償責任を負わない。

④の事由に該当すれば委任は終了する。ただし相手方に対抗する（委任契約は終了したよね、と主張する）には、これらの事由があったことを「相手方に通知する」または「相手方が知っている」ことが必要だ。

受任者が、委任された事務を処理するにあたり、（過失がないのに）損害を受けた場合には、委任者が賠償しなければならない。これは無過失責任だ。

R4-9-ア

R2⑩-5-4
委任が終了した場合でも、「急迫の事情」があるときは、受任者は、必要な処理をしなければならない。委任者が自分で事務をできるようになるまでは放り出すな、ということだ。

# ケース2 不法行為

**正誤を判定 ○ or ×**

不法行為による損害賠償の請求権の消滅時効の期間は、権利を行使することができることとなった時から10年である。

**解答** 不法行為による損害賠償請求権は、①被害者またはその法定代理人が損害の発生および加害者を知ったときから３年（生命身体侵害は５年）が経過するか、②不法行為のときから20年を経過したときに消滅する。「行使することができることとなった時から10年」ではない。 **×**

## 1 不法行為とは

**故意**または**過失**により、他人に損害を与えることを**不法行為**という。たとえば、自動車事故で人にケガをさせたり、人を騙して損害を与えた場合には、加害者は被害者の損害を賠償しなければならない。これが不法行為責任だ。不法行為によって加害者に損害賠償金を支払わせるという債権が発生するのだ。

## 発展　損害賠償請求権についての補足

・**胎児**にも損害賠償請求権が認められる。
・被害者が即死した場合でも損害賠償責任が生じる。被害者に相続人がいる場合には損害賠償請求権が相続される。
・即死した被害者の配偶者や子であれば、（相続した損害賠償請求権とは別に）遺族としての損害賠償請求（扶養請求や慰謝料請求）も認められる。
・損害には、財産的な損害ばかりでなく、精神的な損害も含まれる。

## 2 不法行為の要件

不法行為については、以下のことも押さえておこう。

> **①　被害者に過失があるときは、裁判所はこれを考慮して損害賠償の額を定めることができる。**
> **②　加害者側からの相殺は禁止。**
> **③　不法行為に基づく損害賠償債務は、損害の発生と同時に履行遅滞となる。**

H28-9-3、H30-9-3

①。不法行為においては、被害者救済の観点から過失相殺を考慮するか否かは裁判所の裁量となっている。

債務不履行の損害賠償請求においては、過失相殺は必ず考慮された（第9章　ケース1）。

②。加害者は自己の持っている債権で、不法行為の損害賠償請求権と相殺することはできない。被害者の被った損害を現実に回復させるためだ。なお、被害者側からの相殺はできる。

③により、被害者は、損害額の賠償と損害発生時以降の遅延損害金を請求できることになる。これも被害者救済のためだ。

## 3 使用者責任

使用者（会社など）は、被用者（従業員など）が事業の執行について（つまり仕事中に）、他人に損害を与えた場合、その賠償責任を負う（**使用者責任**）。

会社の従業員が業務中に交通事故を起こしたならば、被害者は、実際に不法行為をした運転手（被用者）、会社（使用者）のどちらにも損害賠償請求することができるのだ。

被用者の選任および事業の監督に相当の注意をしていたならば、使用者は免責される。

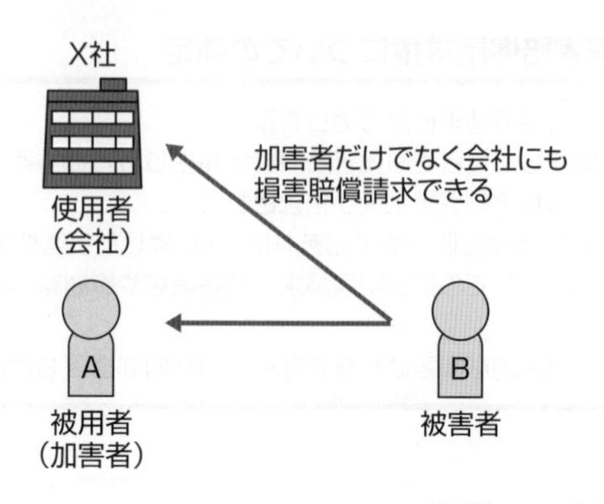


〈使用者責任のポイント〉

> ①　被害者は、使用者・被用者のどちらに対しても損害賠償の全額を請求できる。
> ②　使用者が損害賠償した場合、被用者に対し求償できる。ただし、信義則上相当と認められる範囲内までだ（当然に全額求償できるわけではない）。

## 4 土地工作物責任

賃貸建物の周りのブロック塀が崩れ落ち、通行人を負傷させた、といった場合には、建物の占有者（賃借人など）または所有者が責任を負う。これが土地工作物責任だ。要件は、①土地の工作物であること、②工作物の「保存」「設置」に瑕疵があることの２つだ。

〈土地工作物責任のポイント〉

R3⑩-8-1、2

> ①　一次的責任は占有者が負う。
> ②　占有者が損害防止のために必要な注意をしていた場合には、所有者が責任を負う。
> ③　損害の原因について他に責任を負う者があるときは、占有者または所有者は、その者に求償できる。

①。一次的責任は占有者にある。被害者は**まず、占有者**に損害賠償請求する。

②。占有者が損害防止のために必要な注意をしていた場合は、責任を免れる。この場合、所有者は過失がなくても責任を負う（**無過失責任**）。最後は所有者が責任を負わないと被害者が救済されないからだ。

③。ブロック塀が壊れたのが、他の人の責任だった場合（ブロック塀工事業者の手抜き工事が原因だった、前の所有者が壊したなど）には、占有者や所有者は求償できる。

## 5 共同不法行為

複数の人間が共同して他人に損害を与えることは、**共同不法行為**という。被害者は、**加害者全員**に対し、**損害額の全額を請求**することができる。被害者救済のために加害者全員が連帯責任を負うのだ。

2台の車が衝突して巻き込まれた歩行者がケガをした場合、歩行者（被害者）は、どちらの車の運転手に対しても損害賠償請求できる、ということだ。

加害者の一人が賠償した場合、他の加害者に過失割合に応じて求償できる。

## 6 不法行為による損害賠償責任の消滅時効

R3⑩-8-3、4

> ① 被害者（または法定代理人）が、損害の発生および加害者を知ったときから3年を経過（人の生命・身体を害する不法行為のときは5年）。
> ② 不法行為のときから20年を経過。

①が主観的起算点からの、②が客観的起算点からの消滅時効だ。通常の場合（＝生命・身体被害以外の場合）は、債務不履行と不法行為では、消滅時効の時間が異なっている。

**◇消滅時効の期間**

（1）通常の場合（＝生命・身体被害以外の場合）

| | 主観的起算点から | 客観的起算点 |
|---|---|---|
| 債務不履行 | 5年 | 10年 |
| 不法行為 | 3年 | 20年 |

（2）人の生命又は身体の侵害による場合

| | 主観的起算点から | 客観的起算点から |
|---|---|---|
| 債務不履行 | 5年 | 20年 |
| 不法行為 | | |

不法行為以外で「人の生命又は身体の侵害」というのがイメージしにくいかもしれない。職場における監督者の安全配慮義務違反や、医療過誤などが考えられる。

なお①が「損害の発生および加害者」を知ったときから…、となっていることに注意。「および」だ。「または」ではない。つまり「損害の発生」と「加害者」の両方を知ったときから、ということだ。

M E M O

### ◇贈与契約

① 書面によらない贈与契約であれば、各当事者は契約を解除することができる。
② 書面によらない贈与契約であっても、履行が終わってしまった部分については解除することができない。
③ 贈与者は原則として担保責任を負わない。ただし、欠陥等を知っていて告げなかった場合や負担付き贈与の場合には、担保責任を負う。
④ 債務者は目的物の引渡しをするまで、善良な管理者の注意をもってそのものを保存しなければならない。

### ◇請負人の担保責任

| | |
|---|---|
| ①追完請求権 | 仕事の目的物の種類・品質に関して契約の内容に適合しない場合、注文者は請負人に修補や工事のやり直しを請求できる。 |
| ②報酬減額請求権 | 催告しても履行の追完がない場合、不適合の程度に応じて代金の減額を請求できる。 |
| ③解除権 | 債務不履行があれば、注文者は契約を解除できる。 |
| ④損害賠償請求権 | 欠陥について、請負人に責任がある場合には、損害賠償請求もできる。 |

### ◇委任契約

① 受任者の義務：⑴善管注意義務 ⑵自己執行義務 ⑶報告義務
② 委任者の義務：⑴費用前払義務
⑵費用償還義務（利子付き）
③ 委任者も受任者も、いつでも契約を終了させることができる。

### ◇債務不履行と不法行為の損害賠償請求の比較

| | 債務不履行 | 不法行為 |
|---|---|---|
| 履行遅滞の時期 | 履行の請求を受けたときから遅滞となる（期限の定めのない債務の場合） | 損害発生の時（＝不法行為の時）から遅滞となる |
| 消滅時効 | ①（権利を行使することができることを）知った時から5年<br>②（権利を行使することが）できる時から10年 | ① 損害の発生および加害者を知ったときから3年を経過（生命・身体の侵害は5年）。<br>② 不法行為のときから20年を経過。 |
| 相殺 | （制限はない） | 加害者側から相殺することはできない |
| 過失相殺 | 必ず考慮される<br>（第9章　ケース1参照） | 裁判所の裁量（任意的） |

### ◇消滅時効の期間

（1）通常の場合（＝生命・身体被害以外の場合）

| | 主観的起算点から | 客観的起算点 |
|---|---|---|
| 債務不履行 | 5年 | 10年 |
| 不法行為 | 3年 | 20年 |

（2）人の生命又は身体の侵害による場合

| | 主観的起算点から | 客観的起算点から |
|---|---|---|
| 債務不履行 | 5年 | 20年 |
| 不法行為 | | |

# 確認テスト

問題　次の記述の正誤を判定してください。

1．Aは、Bから建物を贈与（負担なし）する旨の意思表示を受け、これを承諾したが、まだBからAに対する建物の引渡し及び所有権移転登記はされていない。この贈与が書面によらない場合であっても、Aが第三者Cに対して本件建物を売却する契約を締結した後は、Bは、本件贈与を解除することができない。

2．Aは、Bに建物の建築を注文し、完成して引渡しを受けた。当該建物に契約内容に適合しない欠陥があり、そのために請負契約を締結した目的を達成することができない場合であっても、AはBとの契約を解除することはできない。

3．請負契約が注文者の責めに帰すべき事由によって中途で終了した場合、請負人は、残債務を免れるとともに、注文者に請負代金全額を請求できるが、自己の債務を免れたことによる利益を注文者に償還しなければならない。

4．委任契約は、委任者または受任者のいずれからも、いつでもその解除をすることができる。ただし、相手方に不利な時期に委任契約の解除をしたときは、相手方に対して損害賠償責任を負う場合がある。

5．Aが故意または過失によりBの権利を侵害し、これによってBに損害が生じた。Aの加害行為がBからの不法行為に対して自らの利益を防衛するためにやむを得ず行ったものであっても、Aは不法行為責任を負わなければならないが、Bからの損害賠償請求に対しては過失相殺をすることができる。

6．Aに雇用されているBが、勤務中にA所有の乗用車を運転し、営業活動のため顧客Cを同乗させている途中で、Dが運転していたD所有の乗用車と正面衝突した（なお、事故についてはBとDに過失がある）。Aは、Cに対して事故によって受けたCの損害の全額を賠償した。この場合、Aは、BとDの過失割合に従って、Dに対して求償権を行使することができる。

7．Aに雇用されているBが、勤務中にA所有の乗用車を運転し、営業活動のため得意先に向かっている途中で交通事故を起こし、歩いていたCに危害を加えた。BのCに対する損害賠償債務が消滅時効にかかったとしても、AのCに対する損害賠償債務が当然に消滅するものではない。

**解答解説**

1．×　書面によらない贈与であり、履行も終わっていない（登記も引渡しも受けていない）ので、Bは贈与を解除することができる。

2．×　契約内容に適合しない建物を引渡した場合には、建物請負契約を解除できる。

3．○　注文者の責任で工事が中断したのだから、工事の請負人は、残債務を免れるし、請負代金全額を請求できる。もっとも、自己の債務を免れたことによる利益（＝残りの工事をしないことにより得た利益）は注文者に償還しなければならない。

4．○　委任契約を当事者は、いつでも終了させることができる。ただし、「相手方に不利な時期に終了させた場合」は損害賠償しなければならない。

5．×　不法行為責任を問われるのは、加害者の行為に違法性がある場合だ。不法行為に対して自らの利益を防衛するためにやむを得ず行った行為であれば、正当防衛であり違法性はない。したがって、Aが不法行為責任を負うことはない。

6．○　Cに対しては、Dにも責任があるのに、Aが全額賠償している。AはDに対し求償することができる。

7．○　B（被用者）の損害賠償債務と、A（使用者）の損害賠償債務は別の債務だ。Bの債務が消滅時効にかかったとしても、Aの義務が消滅するとは限らない。

# 第12章 相続

## ケース1 「相続人は誰だ!?」 その1

**事例でチェック**

タヌマ家の家系図は上のとおりである。タヌ爺が亡くなり、遺言を残さなかった場合、誰がタヌ爺の遺産を相続するのだろうか。

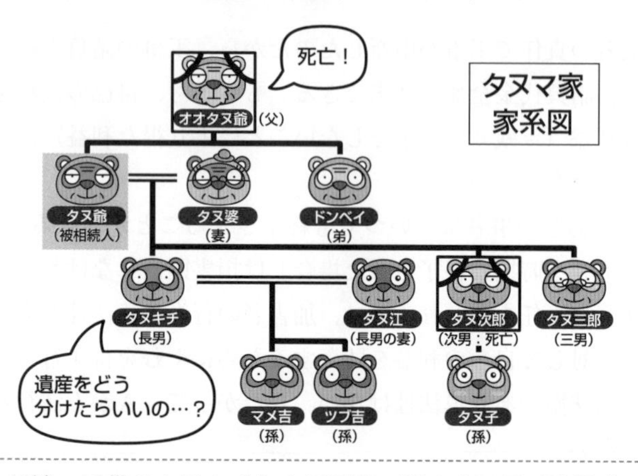


配偶者タヌ婆、子供のタヌキチとタヌ三郎、孫のタヌ子（次男タヌ次郎の代襲相続人）が相続人となる。

### 1 相続とは

死亡した人（被相続人）の財産（＝資産と負債）を一定の者（＝相続人）がそっくり引き継ぐのが相続だ。

> **① 遺言がある場合は、基本的にはその内容に従う。**
> **② 遺言がない場合は、法定相続人が相続する。相続人が複数の場合は遺産分割をする。**
> **③ 遺言もなく、法定相続人もいない場合は、財産は国庫に帰属する（ただし特別縁故者への分与がある）。**

①遺言通りにはならない場合もある（**ケース4** 遺留分参照）。

②の遺産分割がされるまでの間、相続財産は**共同相続人の共有**

に属する。

③の**特別縁故者**とは、内縁の夫婦や事実上の養親子のことだ。法定相続人ではないのだが、「被相続人と生計を同じくしていた」「被相続人の療養看護に努めた」ということであれば、相続が認められる（あくまで遺言がなく、法定相続人もいない場合）。

## 2 法定相続人

相続人になる人は、法律で決まっている。ルールは以下のとおりだ。

**ルール1** 配偶者は常に相続人。

- 離婚した先妻や内縁の妻は、配偶者ではない。

**ルール2** 子がいれば子も相続人となる。

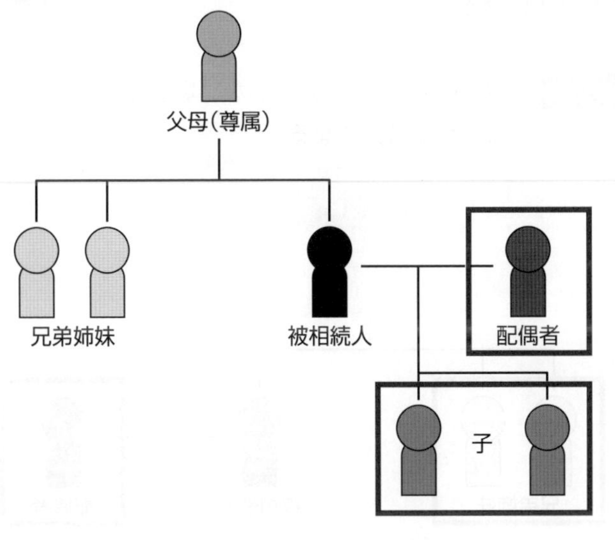


- 先妻の子も養子も非嫡出子も「子」（相続権がある）。
- 再婚相手の「連れ子」は（養子にならない限り）相続権がない。
- 胎児も相続権が認められる。

非嫡出子とは、法律上の婚姻関係がない男女の間に生まれた子のことだ。

**ルール3**　（被相続人に子がいない場合は）配偶者と直系尊属が相続人になる。

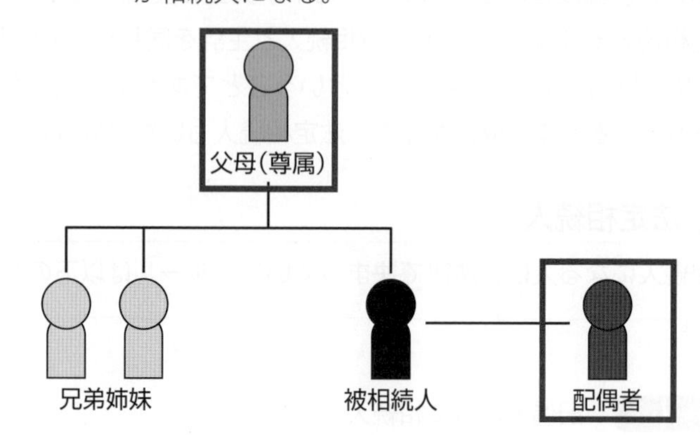


● 尊属とは家系図で上に位置する人のこと。
● 父母が死んでいても、祖父母が生きている場合には、祖父母が相続人になる。

**ルール4**　（被相続人に子も親もいない場合は）配偶者と兄弟姉妹が相続人になる。

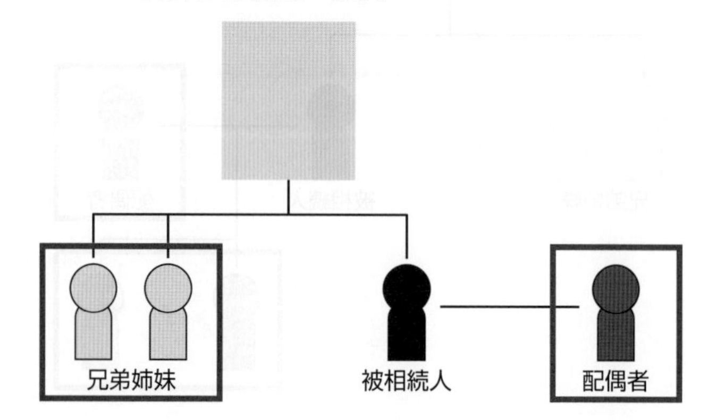

## 3 法定相続分

法定相続人は、それぞれいくら相続できるのか。**法定相続分**は、以下のとおりとなっている。

| 相続人 | 配偶者の割合 | |
|---|---|---|
| ①配偶者と子 | $\frac{1}{2}$ | 残りを配偶者以外の相続人で均等に分ける。 |
| ②配偶者と親（直系尊属） | $\frac{2}{3}$ | |
| ③配偶者と兄弟姉妹 | $\frac{3}{4}$ | |

①遺産が１億2,000万円の場合、配偶者が$\frac{1}{2}$の6,000万円を相続し、残りの6,000万円を子供たちで分ける。

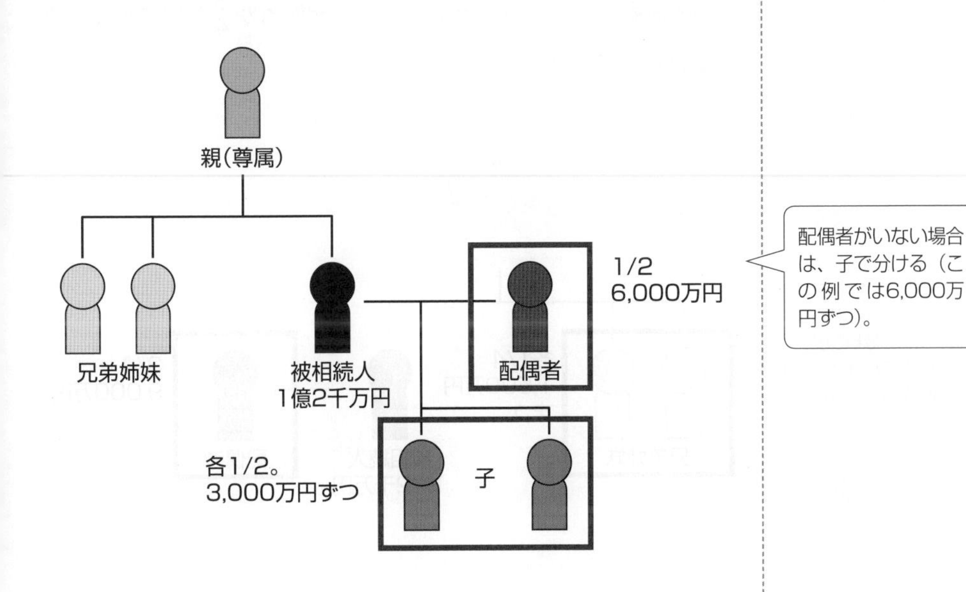

②子供がなく、配偶者と親で分ける場合には、配偶者が$\frac{2}{3}$を相続する。配偶者8,000万円、親4,000万円だ。

配偶者がいない場合は、尊属が1億2千万円相続する。

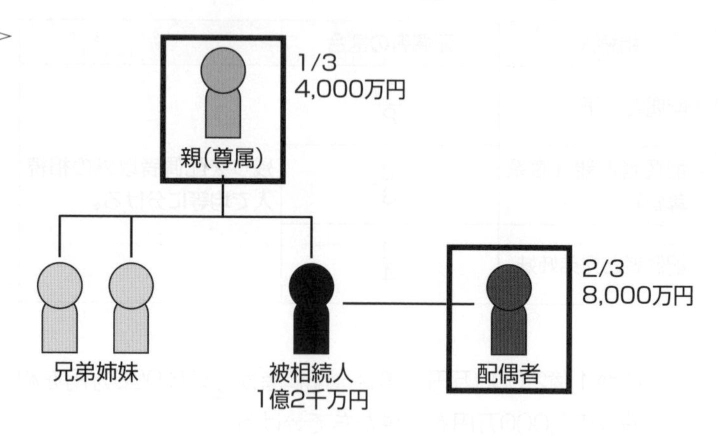


③配偶者と兄弟で分ける場合には、配偶者が$\frac{3}{4}$を相続する。残り$\frac{1}{4}$を兄弟で分ける。

配偶者がいない場合は、兄弟姉妹で分ける（この例では6,000万円ずつ）。

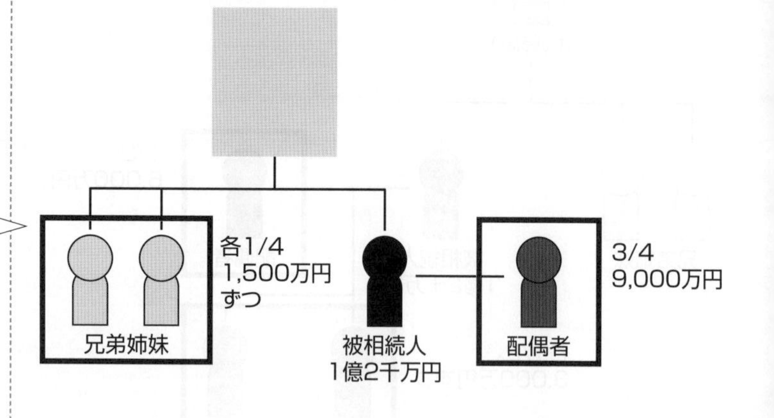

## 4 代襲相続

**ルール2**（子が相続人になる）や**ルール4**（兄弟姉妹が相続人になる）で、**相続開始以前に相続人（子、兄弟姉妹）が死亡している場合には、その者の子が代わりに相続人**となる。つまり、子が死んでいれば孫が、兄弟姉妹が死んでいれば甥や姪が代襲相続する。代襲相続については以下の点にも注意。

> **① 相続人が欠格事由に該当したり、廃除により相続権を失った場合にも代襲相続が認められる。**
> **② 子が相続する場合（ルール2）には、孫、ひ孫と次々に代襲相続されるが、兄弟姉妹が相続する場合（ルール4）には、その子（甥や姪）までしか代襲相続できない（甥の子や姪の子は代襲相続はできない）。**
> **③ 相続放棄した者の子は代襲相続できない。**

欠格事由や廃除についてはケース2 1 参照。

R2⑩-8-2,4

相続放棄についてはケース2で学ぶ。

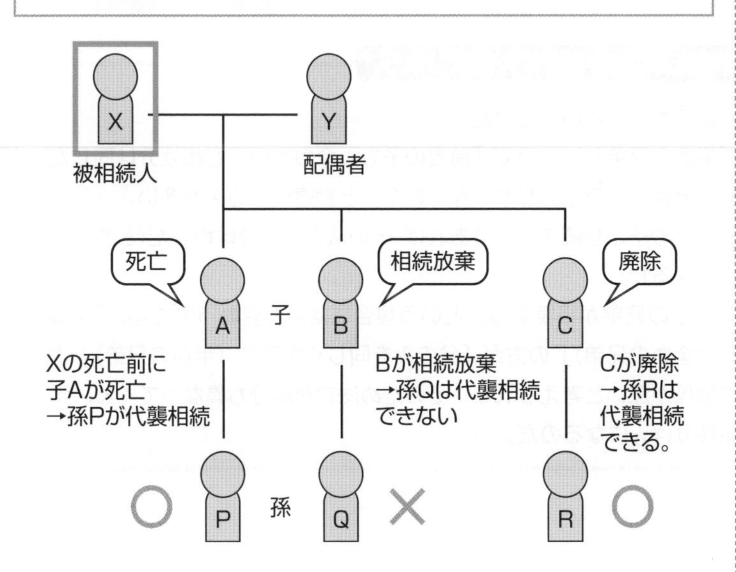

## 発展　半血の兄弟姉妹の相続分は$\frac{1}{2}$

父母の一方のみを同じくする兄弟姉妹（＝半血の兄弟姉妹）の法定相続分は、全血の兄弟姉妹の$\frac{1}{2}$になる。

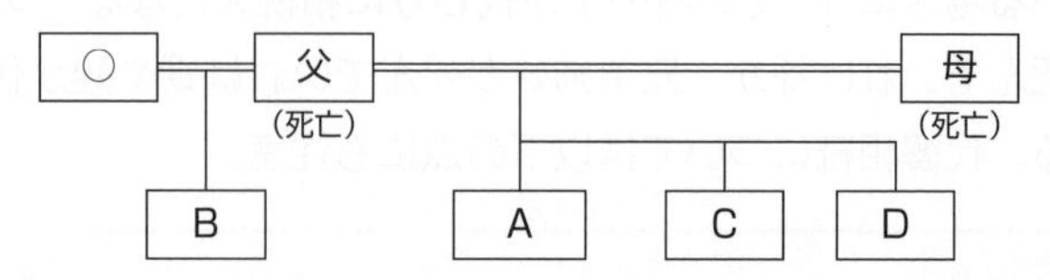


上図で、Aが死亡したとする。配偶者もなく、子もなく、両親は死亡しているから、兄弟姉妹が相続人となる。このとき、C、DはAと両親を同じくしている（全血の兄弟姉妹）。ところが、Bは、Aとは父親のみが一緒だ（半血の兄弟）。BよりもC、Dの方が被相続人Aとの血縁関係が強いといえる。そのためBの相続分はC、Dと比べて$\frac{1}{2}$となる（Aの財産をBが$\frac{1}{5}$、Cが$\frac{2}{5}$、Dが$\frac{2}{5}$の割合で相続する）。

### column 「被相続人は誰か」をよく確認しよう

つまり、誰が死んだのか？　ということだ。

上記「発展」の「半血の兄弟」について「前妻の子も、今の妻の子も相続分は同じだろう。だからBの相続分はC、Dと同じじゃないの？」と勘違いする人が多い。

たしかに父が死亡しその子が相続するのであれば、子の法定相続分は均等だ（Bも、A、C、Dと同じ相続分になる）。

しかし、Aが死亡しその兄弟が相続する、という場合には話が変わってくる。「父母を同じくするC、D（全血の兄弟）」の方が「父のみを同じくするB（半血の兄弟）」よりも被相続人Aとの関係が深いと考えられる。そのため法定相続分も異なってくる。半血の兄弟（B）の相続分は$\frac{1}{2}$になるのだ。

# 第12章 相 続

## ケース2 「相続人は誰だ!?」 その2

**事例でチェック**

下の家系図でタヌ爺が死亡し、遺産を分割することになった。ただしタヌ三郎は相続人から廃除されており、ポコ郎は相続放棄した。このとき、タヌ爺の遺産はどのように分割されるのだろうか。

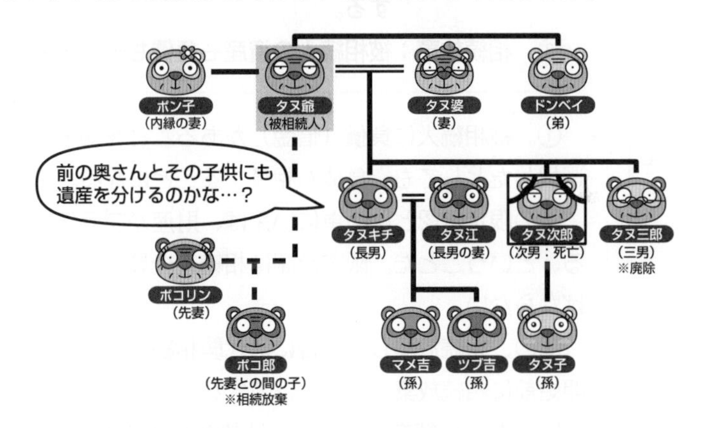


配偶者タヌ婆が遺産の$\frac{1}{2}$を、タヌキチとタヌ子（タヌ次郎の代襲相続）が$\frac{1}{4}$ずつを相続する。先妻（ポコリン）、内縁の妻（ポン子）、廃除された者（タヌ三郎）、相続放棄した者（ポコ郎）には相続権はない。

### 1 相続人になれない場合もある

相続開始前にすでに死亡している者は相続人にはなれない（子がいれば代襲相続する）。相続人になれないケースとして、他にも相続**欠格事由**と**廃除**がある。相続**欠格事由**とは被相続人を殺害したり、遺言書を偽造したりすることだ。**廃除**は、著しい非行があった場合に行われる。

たとえば、相続人が被相続人に暴力をふるい、著しい非行為をしていたという場合には、家庭裁判所に請求して相続人から除くことができる。

## 2 相続の承認と放棄

相続人は自己のために相続があったことを**知ったときから3カ月以内**に、下記①～③のいずれかをしなければならない。3カ月以内に限定承認も放棄もしなければ**単純承認**したとみなされる。

限定承認、相続放棄は家庭裁判所に申述して行う。

> ① **単純承認：被相続人の残した資産も負債も全部受け継ぐ。**
> ② **限定承認：相続によって得た財産の範囲内で債務を負担する。**
> ③ **相続放棄：被相続人の資産も負債も一切承継しない。**

相続開始の事実を知りながら、相続財産の**処分**をしたときも、**単純承認**したものとみなされる。

①。被相続人に負債（借金）があることを知らずに単純承認を選択したとしても、負債も相続することになる。

②の**限定承認**とは簡単にいえば、財産がプラスであれば相続する、ということだ。限定承認は**相続人全員で共同**して行わなければならない。

R4-2-2

③の、**相続放棄した場合には代襲相続は生じない**。また、相続開始前に相続放棄することはできない。

いったん相続を承認（または放棄）すると、**撤回はできない**。共同相続人や債権者に迷惑をかけるおそれがあるからだ。

## 3 相続人の不存在

特別縁故者とは被相続人（死亡した人）の内縁の夫（妻）や事実上の養子、被相続人の療養看護に努めた者などだ。

遺言もなく、法定相続人もいない、という場合には、相続財産は原則として国庫に帰属する（国の財産となる）。ただし、被相続人と生計を同じくしていた者や被相続人の療養看護に務めた者などは、**特別縁故者**として、家庭裁判所の審判により財産の分与を受けることができる。

# 第12章 相　続

## ケース3 遺言があった！

**正誤を判定 ○ or ×**

タヌ爺が自筆証書による遺言を残そうとしている。添付する相続財産目録も含めて全文を自筆しなければ、有効な遺言とはならない。

**解答** **財産目録については、自筆でなくてもよい。**ワープロ等で作成することも可能なのだ（財産目録のすべてのページに署名・押印が必要）。 ×

## 1 遺言（いごん）とは

遺産を誰にいくら与えるか指定することもできる。それが遺言だ。**胎児**に対する遺言も有効だ。

遺言の内容を実現する職務・権限を有する者を**遺言執行者**という。遺言の中で指定されるか、家庭裁判所が関係者の申立てにより選任する。

遺言は、人の最終意思を尊重しようという制度だ。いったん作成した遺言でも、**いつでも撤回できる**。一部だけ撤回することも可能だ。

複数の遺言がなされた場合、前の遺言のうち後の遺言に抵触する部分（矛盾する部分）は**撤回**されたものとみなされる。

したがって日付が重要になる（令和○年10月吉日、といった日付では無効となってしまう）。

制限行為能力者でも遺言はできる（法定代理人の同意は不要）。

◆制限行為能力者と遺言

| 未成年者 | 15歳になれば単独で有効な遺言ができる。 |
|---|---|
| 成年被後見人 | 事理弁識能力を回復したときに、医師２名以上の立会いがあれば有効な遺言ができる。 |
| 被保佐人・被補助人 | 制限なし（単独で有効な遺言ができる）。 |

## 2 遺言の方式

遺言は必ず１人が１つの証書でしなければならない（**共同遺言の禁止**）。夫婦で１通の遺言を作るなどは認められない。また、後日の紛争と混乱を回避するため、一定の方式に従ってなされなければならない。

| | ①自筆証書遺言 | ②公正証書遺言 | ③秘密証書遺言 |
|---|---|---|---|
| 作成方法 | 遺言の全文、日付、氏名を自書（手書き）し、押印する | 遺言者が口述し、公証人が筆記する。遺言者、証人が内容を確認して署名・押印 | 遺言書に署名捺印し、封印。公証人が日付等を記入。 |
| 立会人（証人） | 不要 | 必要（２人以上） | 必要（２人以上） |
| 検認（本物か？） | 必要（法務局に保管した場合は不要＊） | 不要 | 必要 |

＊近年の法改正により、「**自筆証書遺言保管制度**」が創設された。

自筆証書遺言は全文「自筆」することが必要だが、自筆証書に添付する**財産目録**についてはワープロで作成することも可能だ。その場合は、財産目録のすべてのページに署名・押印する必要がある。

検認とは偽造防止のため裁判所が遺言書を確認する手続だ。

## 3 遺　贈

遺言により財産を贈与することを遺贈という。遺贈は、特定遺贈と包括遺贈とに分かれる。

| 特定遺贈 | 遺産の中の特定の財産（土地・建物、絵画、預金など）を贈与すること。 |
|---|---|
| 包括遺贈 | 遺産の全部または一定割合を、贈与すること。 |

## 発展 法定相続人を超える遺産分割・遺言

遺産分割や遺言により、ある相続人が法定相続分より多く相続したとする。このとき**法定相続分を超える分については、登記など対抗要件を備えなければ、第三者に対抗することができない。**

遺産分割や遺言の内容は、相続人以外の第三者は知らない可能性もあるからだ。

相続人が兄弟のとき、遺産分割の結果、甲地が全部兄のものとなったとしても、その旨登記しないと甲地全部の権利を、第三者には主張できない、ということ。

## 発展 遺贈と死因贈与

遺言と似て非なるものに死因贈与がある。「自分が死んだら土地を与える」という贈与契約である。遺贈は15歳からできるが、死因贈与は契約なので18歳以上でなければできない。

| | 遺贈 | 死因贈与 |
| --- | --- | --- |
| 法的性質 | 単独行為<br>→受遺者の意思表示は不要<br>※3カ月以内に、単純承認、限定承認、放棄をする | (贈与）契約<br>→受遺者の意思表示が必要<br>※受諾の意思表示が必要 |
| 未成年者 | 15歳から単独でできる | 18歳から<br>(制限行為能力者は単独では契約できない) |

死因贈与は遺贈と同じ性質をもつので、解除が可能（**書面**によるものでも解除可能)。遺留分侵害額請求の対象となる。

## ケース4 遺産をどう分ける？

**正誤を判定 ○ or ×**

遺留分を侵害する遺言は、その限度で当然に無効である。

**解答** **遺留分を侵害する遺言は無効ではない**。相続人が遺留分を放棄する（遺留分侵害額請求をしない）ということもあり得る。 ×

遺言により、相続開始の時から５年を超えない期間を定めて、遺産分割を禁じることができる。更新可。ただし相続開始から10年以内。遺産共有の状態が10年超も続くのはよくないと考えられているからだ。

### 1 遺産分割

相続人が複数いる場合、遺産（相続財産）は共有財産となる。この共有財産を共同相続人の間で、分けることを**遺産分割**という。法定相続分に従って分割することもあれば、法定相続分によらずに、相続人の協議によって遺産を分割することもできる。遺産分割協議には相続人**全員の合意**が必要だ（まとまらなければ家庭裁判所に分割請求する）。

相続開始から10年経過しても遺産分割協議がまとまらない場合は、原則として法定相続分または指定相続分（遺言）により遺産分割する。

R5-1-3、R1-6-4

遺産分割は、**相続開始の時にさかのぼって効力**を生ずる。ただし、**第三者の権利を害することはできない**。

## 2 配偶者居住権

**〈配偶者短期居住権〉**

被相続人とその配偶者が同居していたとする。被相続人がその住宅を第三者に譲るという遺言を残したとする。その場合でも、配偶者がすぐに退去しなければならないというのは酷な話しだ。そこで配偶者には、**遺産分割が確定するか、相続開始時から6か月を経過するまで**は、その家に無償で居住することが認められている。

短期居住権は建物の「使用」しか認められない（「収益」はできない）。登記もできない。

**〈配偶者居住権〉**

とはいえ、6か月の短期間しか居住できないのでは困る。また、老後の生活資金が不足する、ということも考えられる。

たとえば、被相続人の遺産が自宅3,000万円、現金2,000万円、相続人が配偶者と、子の2人だったとする。法定相続分通り分けると、1人2,500万円だから、配偶者が自宅を相続すると子に500万円支払わなければならない、という状況になる。

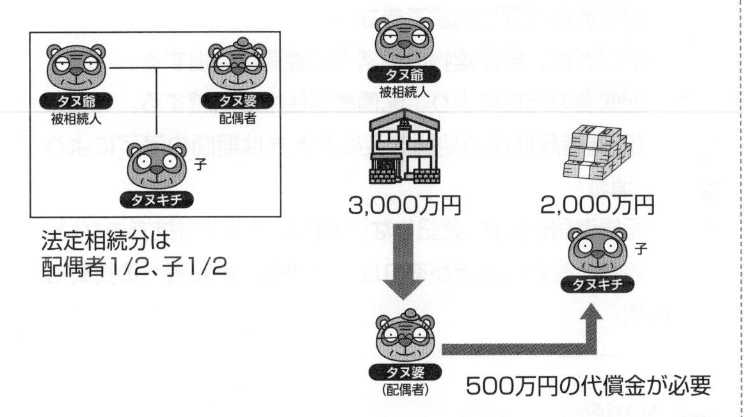


このような事態を回避するため、「**配偶者は、相続開始の時に建物に居住**していた場合、その**建物の全部を無償で使用収益する権利**を取得する」ことが認められた。これが配偶者居住権だ。

「使用」だけでなく「収益」も認められているから、**他人に貸すこともできる**（所有者の承諾が必要）。
R3⑩-4-2

自宅を相続できるのではなく、自宅の使用収益権（利用権）を取得するのだ。住宅の配偶者居住権（利用権）が1,500万円であれば、配偶者は、配偶者居住権1,500万円と現金1,000万円を相続する。子は、配偶者居住権付き住宅の所有権1,500万円（所有権であっても建物を利用できないのだから、配偶者居住権の分だけ価値が下がる）と現金1,000万円を相続する。

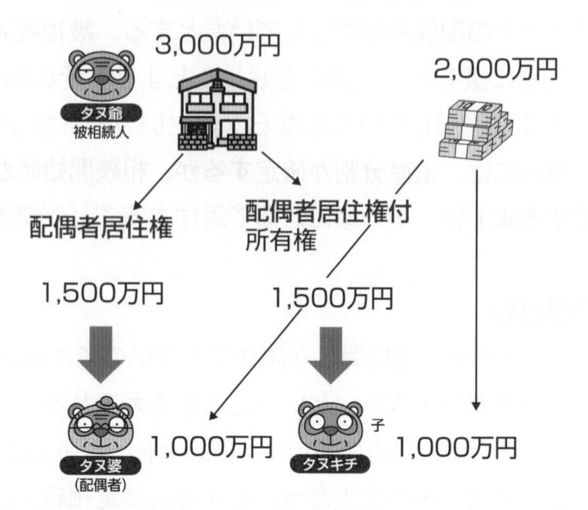


配偶者居住権については、以下の点を押さえておこう。

> R5-7-1、2、4、R3⑩-4-1、3

> 建物所有者は、配偶者に対し、配偶者居住権の設定の**登記**を備えさせる義務を負う。
> R5-7-3

**① 配偶者居住権は譲渡できない。**
**② 配偶者は、居住建物の通常の必要費を負担する。**
**③ 配偶者の死亡により、配偶者居住権は消滅する。**
**（配偶者居住権の期間を定めたときは期間の満了により消滅）**
**④ 配偶者居住権は、登記しなければ第三者に対抗できない。**
**⑤ 建物所有者の承諾があれば、増改築、第三者への賃貸も可能。**

## 3 遺留分（いりゅうぶん）

被相続人が「遺産は全部、愛人に譲る」と遺言したらどうなるのか。故人の遺志を尊重することも重要だが、残された遺族の生活を守る必要もある。そこで一定の法定相続人を保護する**遺留分**が認められている。受贈者（愛人）に対し遺留分侵害額に相当する**金銭の支払い**を請求することができるのだ（**遺留分侵害額請求権**）。

〈遺留分の算定〉

> ① 原則は相続財産の$\frac{1}{2}$
> ② ただし直系尊属のみが相続人の場合は相続財産の$\frac{1}{3}$
> ③ 兄弟姉妹には、遺留分は認められない

各相続人の遺留分は「全体の遺留分×法定相続分」だ。

R4-2-4

◆遺留分の計算例

**事例1**

Aが死亡し、配偶者Bと父Cが相続人となった。Aが全財産を第三者Dに遺贈すると遺言した場合、BおよびCの遺留分は？

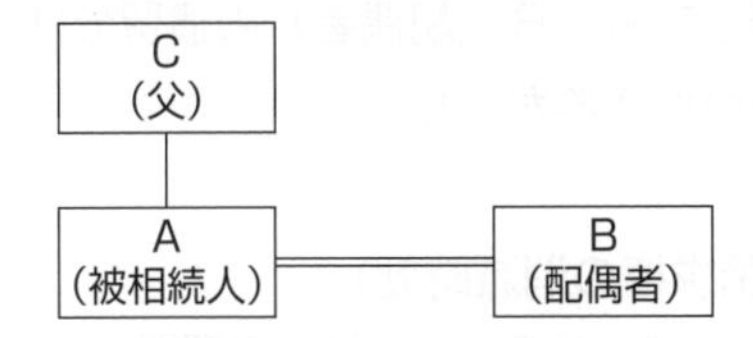


**解答** 配偶者と父が相続人なので、原則通り$\frac{1}{2}$が全体の遺留分として認められる。法定相続分はBが$\frac{2}{3}$、Cが$\frac{1}{3}$だから、遺留分はBが$\frac{1}{2}\times\frac{2}{3}=\frac{1}{3}$まで、Cは$\frac{1}{2}\times\frac{1}{3}=\frac{1}{6}$まで認められる。

Cの遺留分を$\frac{1}{3}\times\frac{1}{3}=\frac{1}{9}$と勘違いする人がいるので注意。直系尊属「のみ」が相続人の時には全体の遺留分が$\frac{1}{3}$になるのであって、直系尊属の遺留分が$\frac{1}{3}$なのではない。

**事例2**

Aが死亡し、配偶者Bと弟Cが相続人となった（Aに子はなく、両親は既に死亡している）。Aが全財産を第三者Dに遺贈すると遺言した場合、BおよびCの遺留分は？

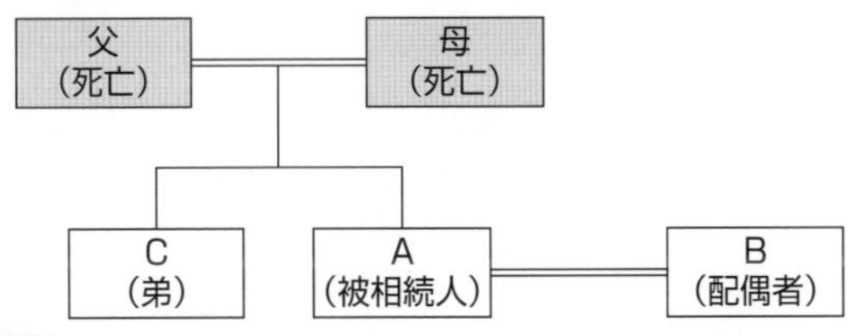


**解答** 相続人に配偶者がいるので、原則通り$\frac{1}{2}$が全体の遺留分として認められる。弟Cには遺留分はない（兄弟姉妹には遺留分は認められない）。したがって、Bの遺留分が$\frac{1}{2}$まで認められる。

〈遺留分の放棄〉

法定相続人たちが遺留分を放棄するということも考えられる。

R4-2-1

R4-2-3

> **① 遺留分を侵害する遺言も、当然に無効となるわけではない。**
> **② 相続開始前であっても（家庭裁判所の許可を受けたときは、）遺留分の放棄を行うことができる。**
> **③ 遺留分を放棄しても、（相続を放棄したわけではないので）相続人になることができる。**

また共同相続人の一人が遺留分を放棄しても、他の遺留分権利者の遺留分が増えるということはない。計算例の 事例1 でC（父）が遺留分を放棄しても、B（配偶者）の遺留分は$\frac{1}{3}$のままだ（第三者Dの取り分が増えるだけ）。

〈遺留分侵害額請求権の消滅時効〉

遺留分侵害額請求権は次の①または②の期間が経過すると時効により消滅する。

> **① 遺留分権利者が「相続の開始」および「遺留分を侵害する遺贈があったこと」を知った時から1年を経過**
> **② 相続開始から10年を経過**

MEMO

# まとめ

## ◇法定相続人と相続分

| 相続人 | 配偶者の割合 | |
|---|---|---|
| 配偶者と子 | $\frac{1}{2}$ | 残りを配偶者以外の相続人で均等に分ける。 |
| 配偶者と親（直系尊属） | $\frac{2}{3}$ | |
| 配偶者と兄弟姉妹 | $\frac{3}{4}$ | |

- 配偶者は常に相続人となる。
- 先妻の子や養子にも相続権がある。
- 胎児にも相続権がある
- 欠格事由や廃除に該当した者の子であっても相続人になれる。

## ◇制限行為能力者と遺言

**① 未成年者：15歳になると遺言できる。**

**② 成年被後見人：判断能力を回復したときに、医師2名以上の立会いがあれば遺言できる。**

**③ 被保佐人、被補助人：単独で遺言できる。**

## ◇配偶者居住権

| | 短期配偶者居住権 | 配偶者居住権 |
|---|---|---|
| 存続期間 | 「遺産分割」または「相続開始から6か月経過」まで<br>（配偶者居住権の取得によっても終了） | 配偶者の死亡まで<br>（期間を定めたときは期間満了により終了） |
| 使用収益 | 使用のみ<br>（収益＝賃貸は不可だが、所有者の承諾があれば第三者に使用させることもできる） | 所有者の承諾があれば、第三者への賃貸（＝収益）も可能 |
| 登記 | なし | 登記により第三者に対抗できる<br>建物所有者に登記義務あり |

### ◇遺留分

> ① 原則は相続財産の$\frac{1}{2}$
> ② ただし直系尊属のみが相続人の場合は相続財産の$\frac{1}{3}$
> ③ 兄弟姉妹には、遺留分は認められない

### ◇相続開始前に放棄できるか否か

| | |
|---|---|
| 相続放棄 | 相続の開始前にはできない |
| 遺留分の放棄 | 家庭裁判所の許可を受けることにより、相続開始前に、することができる |

# 確認テスト

問題　次の記述の正誤を判定してください。

1．自己所有の建物に妻Bと同居していたAが、遺言を残さないまま死亡した。Aには先妻との間に子C及びDがいる。A死亡の時点でBがAの子Eを懐妊していた場合、Eは相続人とみなされ、法定相続分は、Bが2分の1、C・D・Eは各6分の1ずつとなる。

2．AがBに対して1.000万円の貸金債権を有していたところ、Bが相続人C及びDを残して死亡した。Cが単純承認を希望し、Dが限定承認を希望した場合には、相続の開始を知った時から3カ月以内に、Cは単純承認を、Dは限定承認をしなければならない。

3．被相続人の子が、相続の開始後に相続放棄をした場合、その者の子がこれを代襲して相続人となる。

4．適法な遺言をした者が、その後更に適法な遺言をした場合、前の遺言のうち後の遺言と抵触する部分は、後の遺言により撤回したものとみなされる。

5．自筆証書遺言は、その内容をワープロ等で印字していても、日付と氏名を自書し、押印すれば、有効な遺言となる。

6．遺産に属する預貯金債権は、相続開始と同時に当然に相続分に応じて分割され、共同相続人は、その持分に応じて、単独で預貯金債権に関する権利を行使することができる。

7．Aは未婚で子供がなく、父親Bが所有する甲建物にBと同居している。Aの母親Cは令和元年3月末日に死亡している。AにはBとCの実子である兄Dがいて、DはEと婚姻して実子Fがいたが、Dは令和2年3月末日に死亡している。Bが死亡した後、Aがすべての財産を第三者Gに遺贈する旨の遺言を残して死亡した場合、FはGに対して遺留分を主張することができない。

解答解説

1．○　先妻の子も胎児も相続人となる。配偶者と子供が相続人の場合、配偶者が２分の１、残りを子供で分けるから、法定相続分は、Ｂが２分の１、Ｃ・Ｄ・Ｅは各６分の１ずつとなる。

2．×　限定承認は相続人全員でしなければならない（１人でも同意しない者がいれば限定承認はできない)。

3．×　相続放棄した場合には代襲相続は生じない。

4．○　前にした遺言と後にした遺言が抵触する（内容が矛盾する）ときは、前にした遺言は撤回されたものとみなされる。

5．×　全文、日付および氏名を自書し、印を押さなければ有効な自筆遺言証書にはならない。

6．×　預貯金債権は遺産分割の対象だ。遺産分割で分けられるまでは、自分の法定相続分を引き出す、などということはできない。

7．○　兄弟姉妹は遺留分を主張することができない。Ａの兄Ｄを代襲相続しているＦが、遺留分を主張することはできない。

# 第13章 建物区分所有法

## ケース1 マンションの所有権は特殊な権利だ

**正誤を判定 ○ or ×**

区分所有者は、規約に別段の定めがない限り集会の決議によって、管理者を選任し、または解任することができる。

**解答** 区分所有法では、管理者は集会で選任することになっている。必要があれば解任もできる。 ○

### 1 区分所有建物

1棟のマンションを1人で所有している場合には、（複数の所有権が設定されているわけではないので）区分所有建物ではない。

マンションは、1つの建物の中に複数の所有権が設定されている（101号室と201号室の所有権は別だ）。このように複数の所有権が設定されている建物を**区分所有建物**といい、それぞれの権利を**区分所有権**という。区分所有権を持つ者が**区分所有者**だ。

区分所有権は普通の所有権とは異なるので、**区分所有法**という特別な法律がある（正確には「建物の区分所有等に関する法律」だ）。

### 2 マンション管理のしくみ

マンションには多くの人が住むため、利害関係を調整するしくみが必要となる。

まず、区分所有者全員でマンションを管理する団体（管理組合）

を組織し、集会を開き管理の方法等を話し合って決めていく。

区分所有者であれば自動的に管理組合の構成員になる。

また、ペット飼育の可否などのルールを設けておく必要がある。それが（管理）規約だ。区分所有者はもちろんのこと、マンションの賃借人など**占有者**や、マンションの権利を引き継いだ**承継人**なども、規約や集会の決議で決まったことを守らなければならない。

管理組合には**管理者**を置くことができる。管理者は、区分所有者を代理して職務を行う。管理者については、以下の２点についても注意しておこう。

**① 規約で別段の定めがない限り、管理者は集会で選任し、解任する。**

**② 管理者は、区分所有者以外から選任してもよい。**

①にある「**規約で別段の定め**」という言葉がこの後、何度も出てくる。区分所有法の規定とは別のルールを規約で定めることができる、という意味だ。①を例にすれば、区分所有法は「管理者は集会で選任し、解任する」と決めているが、規約で「管理者は部屋番号順に１年交代で担当する」と決めればその通りになる。マンションの所有者たちが納得しているのなら（そしてそれを規約に定めれば）、法律と違う規定でも構わない、という意味だ。

②。**法人を管理者とすることも可能**だ（「○○建物管理株式会社を管理者とする」など）。また区分所有者でなくてもよい（「弁護士の○○を管理者とする」など）。

**集会**は一般には「総会」と呼ばれることが多い。

相続や合併により区分所有権を引き継いだ人を包括承継人（**一般承継人**）という。売買や贈与で引き継いだ人が**特定承継人**だ。

管理者が不正行為を行うなど職務を行うに適しない事情があるときは、区分所有者は**管理者の解任を裁判所に請求**することができる。

H28-13-3

# ケース2 買ったのは住戸だけではない

**正誤を判定 ○ or ×**

構造上区分所有者全員の共用に供されるべき建物の部分であっても、規約で定めることにより、特定の区分所有者の専有部分とすることができる。

〈専有部分と共用部分〉

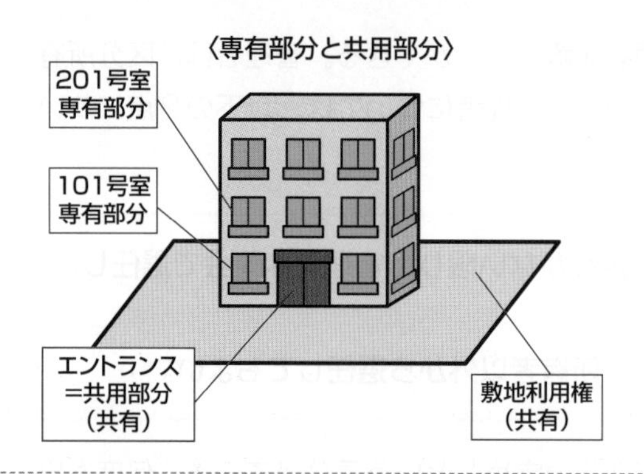


**解答** 「構造上」全員の共用に供されるべき建物の部分とは、マンションのエントランスやエレベーター、共用階段や共用廊下などだ。これら**法定共用部分は、規約で定めても特定の区分所有者の専有部分とすることはできない。** ×

## 1 専有部分、共用部分

101号室、201号室など各住戸は、その住戸の購入者だけで使う。これを専有部分という。一方、エントランスやエレベーター、各住戸に向かう共用階段や共用廊下など、マンションの居住者で共同利用するものを共用部分という。共用部分は区分所有者で共有されている。

共用部分には2つの種類がある。エントランスやエレベーターなどはその構造上、共用されることが当然となっている(マンションの住戸を所有せずにエレベーターのみを所有しても意味がない)。これらは法定共用部分だ。一方、構造上は専有部分として使えるものを管理規約により、皆で使うと決めているものもある。たとえば集会室や管理人室や附属建物だ。これらを規約共用部分という。

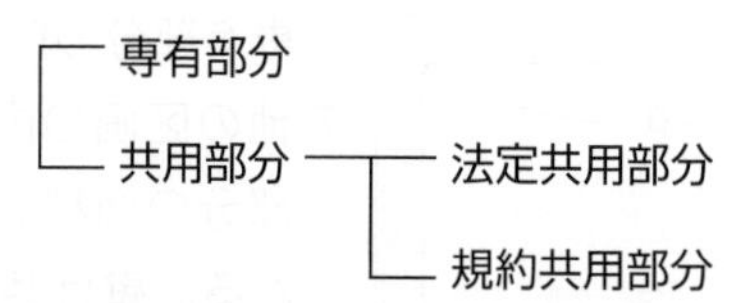


**規約共用部分**であることを第三者に対抗するには、登記する必要がある。一方、**法定共用部分**は登記できないし、する必要もない。構造上共用部分であることが明らかだからだ。

| | 法定共用部分 | 規約共用部分 |
|---|---|---|
| どういうものか | 構造上、共用されることが当然な部分 | 構造上は専有部分として使えるものを管理規約により、共用部分とした |
| 具体例 | エントランス、エレベーター、共用階段、共用廊下等 | 集会室、管理人室、附属建物等 |
| 登記 | 登記できない | 登記しなければ第三者に対抗できない |

また、本来は共用部分、つまり区分所有者皆が使えるものであるのに、規約で特定の者にのみ使用を認めていることもある（**専用使用権**）。駐車場や1階住戸の専用庭などが、その例だ。駐車場や専用庭はマンションの敷地だから共用部分である。それを規約により特定の区分所有者にのみ使用を認めているのだ。

試験では、専用使用権を「当該マンションの建物またはその敷地の一部を特定の者にのみ使用を許す旨の規約の定め」という表現で出題されることもある。

## 2 共用部分の共有持分割合

マンションを所有するということは、専有部分（201号室など）だけでなく、共用部分や敷地利用権についても共有持分を持っている、ということになる。**共用部分の持分割合は原則として、専有部分の床面積割合**による。70㎡の住戸が10戸あるマンションであれば共用部分の持分割合は、$\frac{70㎡}{700㎡}=\frac{1}{10}$だ。もっとも**「規約で別段の定め」もできる**。面積が30㎡、45㎡、70㎡というようにバラバラだと計算が面倒になるから、「一律、$\frac{1}{10}$ずつの持分にしよう」と規約で決めることもできるのだ。

R6-13-1

R3⑩-13-4

### ◆専有部分の面積

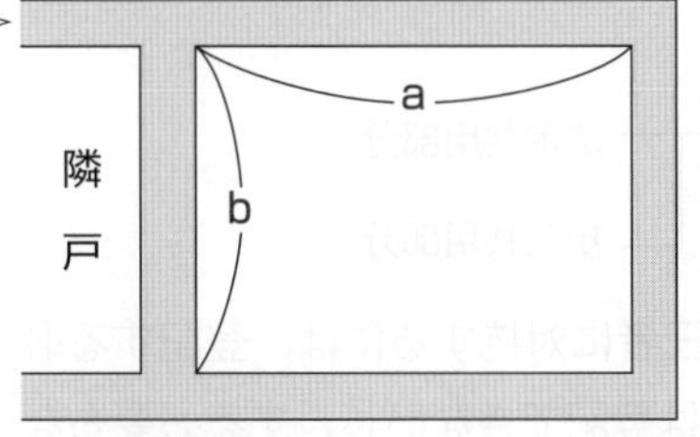


専有部分の床面積は、「壁その他の区画の内側線で囲まれた部分の面積」（内のり面積）になる。壁は共用部分なので、専有面積には含めないのだ。

図のa×bが内のり面積だ。

**〈共用部分の持分が多いとどうなるのか？〉**

これも規約で定めれば変更できる（例：「共用部分の持分割合にかかわらず議決権は均等」など）。

共用部分の持分割合は集会での議決権（**ケース4**参照）にも関わってくる。通常は、共用部分の持分割合に応じて維持管理に必要な費用（管理費や修繕積立金）を負担し、集会でも多くの議決権を持つことになる。

### 発展 特定承継人への請求

区分所有者が共用部分について他の区分所有者に対して有する債権は、債務者たる区分所有者の特定承継人に対しても行うことができる。滞納管理費を購入者へ請求するのがその例だ。

**〈分離処分の禁止〉**

共用部分の持分を持っているといっても、専有部分を所有したまま、共用部分の持分だけを譲渡するということはできない。これを**分離処分の禁止**という。

## 3 共用部分の管理等

R5-13-3、
R2⑩-13-3

共用部分の管理については、集会の決議で決定する。一方、**保存行為**（損傷した部分の修繕など）は、各区分所有者が**単独**で行うことができる。第5章**ケース5**で説明した共有と同様だ（区分所有関係も共有関係の一つだ）。共用部分の管理行為、変更行為については、一般の共有関係とは異なるルールになっている（過半数の賛成では決められないことがある）。詳細は本章の**ケース4**で解説する。

## 4 敷地利用権

区分所有者は、敷地の利用権も共有している。敷地利用権は所有権のこともあれば、借地権（地上権や賃借権）のこともある。

専有部分の床面積と同一の割合で敷地の共用持分を所有するのが原則だ（規約で別段の定めができる）。

建物が建っている敷地（法定敷地）以外の駐車場、テニスコート等も規約で定めることにより管理組合の管理の対象とすることができる（**規約敷地**）。

**規約敷地**は、法定敷地と隣接している必要はない。

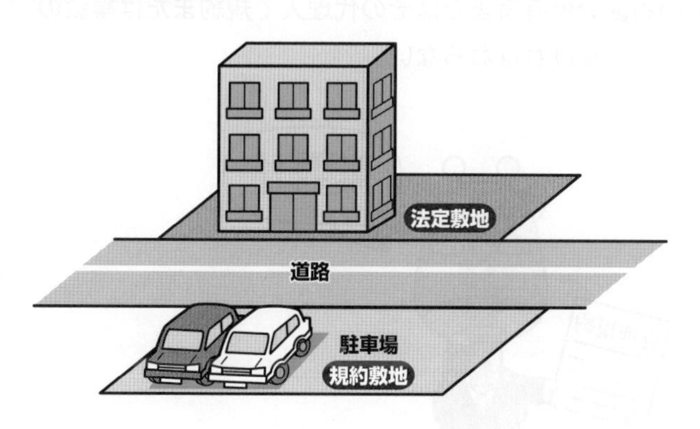


敷地利用権も専有部分と分離処分できないのが原則だ。しかし共用部分と異なり、規約で別段の定めをすることができる。

R3⑩-13-3

# ケース3 マンション生活の根本ルールとは

**正誤を判定 ○ or ×**

規約は、管理者が保管しなければならない。ただし、管理者がないときは、建物を使用している区分所有者またはその代理人で規約または集会の決議で定める者が、保管しなければならない。

**解答** **規約は管理者が保管するのが基本**だ。管理者がいないマンションでは、規約の保管責任者を規約または集会の決議で決める。 **○**

## 1 規約の設定

規約は**書面**または**電磁的記録**により作成しなければならない。規約は区分所有者相互間のルールであるため、その内容は集会で話し合って決める。規約の設定や変更には4分の3の賛成が必要だ（**ケース4**参照）。

ただし、**最初に建物の専有部分の全部を所有する者**（分譲業者など）は、**公正証書**により、以下の事項を規約として設定することができる。

公正証書による規約の設定ができるのは、「**最初に建物の専有部分の全部を所有する者**」だから、複数の者へ分譲された後に建物の専有部分の全部を所有することとなった者は含まれない。

① **規約共用部分に関する定め**
② **規約敷地に関する定め**
③ **専有部分と敷地利用権の分離処分に関する定め**

④　**敷地利用権の持分割合に関する定め**

## 2 規約の効力

規約は、区分所有者だけでなく、賃借人（占有者）や専有部分の譲受人（承継人）に対しても及ぶ。マンションを売却したり、賃貸した場合、買主や借主も規約を守らなければならないということだ。

R6-13-2

## 3 規約の保管、閲覧

規約は**管理者が保管**する。管理者がいない場合は、（区分所有者またはその代理人で）規約または集会の決議で定める者が保管する。

規約は利害関係人からの請求があった場合には**閲覧**させなければならない。正当な理由がある場合をのぞいて閲覧を拒むことはできない。マンションを購入しようとする人は規約の内容を知りたいと思うからだ。また、規約の保管場所を建物内の見やすい場所に掲示する。

R2⑫-13-1、
H30-13-3

# 第13章 建物区分所有法

## ケース4 多数決でものごとが決まるとは限らない

**正誤を判定 ○ or ×**

管理者は、少なくとも毎年1回集会を招集しなければならない。また、招集通知は、会日より少なくとも1週間前に、会議の目的たる事項を示し、各区分所有者に発しなければならない。ただし、この期間は、規約で伸縮することができる。

**解答** 法律上は、1週間前までに通知することになっているが、規約で定めれば「2週間前までに通知」「3日前までに通知」というように期間を**伸縮できる**。

### 1 集会の招集

管理組合は集会を開き、管理の方法やマンションの居住に伴うさまざまな問題について、話し合っていくことになる。

管理者は毎年1回、一定の時期に事務の報告をしなければならないからだ。
R6-13-3

**① 集会は原則として管理者が招集する。管理者は少なくとも毎年1回は集会を招集しなければならない。**
**② 集会の招集通知は、会日より少なくとも1週間前に会議の目的たる事項を示して、各区分所有者に発しなければならない。この期間は規約で伸縮できる。**

①。区分所有者の$\frac{1}{5}$以上で議決権も$\frac{1}{5}$以上あれば、管理者に集会の招集を請求することができる。

②。区分所有者**全員の同意**があれば、招集手続は**省略**することができる。

招集については以下の事項も確認しておこう。

> 規約で定めれば、集会招集についての**区分所有者の数も議決権も減ずることができる。**
> R4-13-2
> H29-13-2は、この知識だけで1点取れた。

> R5-13-2

- **専有部分が数人の共有に属するときは、集会の招集通知は、議決権を行使すべき者にすればよい。決まっていなければ共有者の一人に通知すればよい。各共有者に発する必要はない。**
- **少なくとも会日の1週間前までに「発信」すればよい。各区分所有者に「到達する」ことまでは求められてない。**

**〈建替え決議のための集会の招集〉**

建替え決議の場合には、会日より少なくとも**2カ月前**に招集通知を発しなければならない。規約で3カ月前というように**伸長**する（長くする）ことはできるが、**短くすることはできない**。建替えという重大問題では慎重な検討が必要だからだ。また会日より少なくとも1カ月前までに説明会を開催しなければならない。

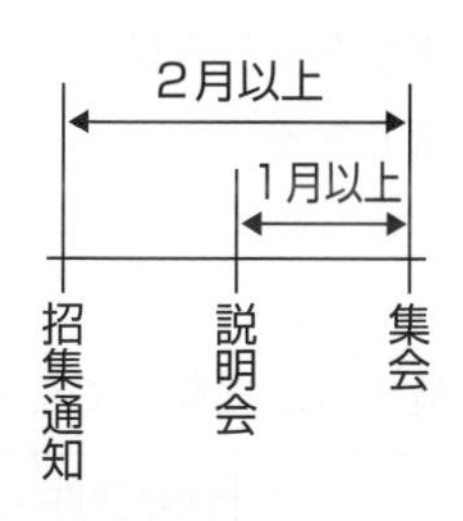


## 2 集会の決議

「管理者」または「集会を招集した区分所有者の1人」が集会の議長となる（規約で別段の定めをすることも可）。

集会においては**あらかじめ通知していた事項についてのみ**、決議するのが原則だ。決議に関するポイントは以下のとおりだ。

> 普通決議については、規約で定めれば、あらかじめ通知した事項以外でも決議できる（特別決議事項、建替え決議はダメ）。
> R5-13-1

① 決議の成立には区分所有者の数と議決権割合の双方の要件を満たす必要がある。
② 各区分所有者の議決権は、共用部分の持分割合による(規約による別段の定めも可)。
③ 集会での議決権は、書面や代理人によっても行使できる。
④ 占有者に議決権はない。ただし、集会に出席して意見を述べることはできる。

①。たとえば、201号室を夫婦で共有している場合は、区分所有者の数は1人になる。なお、共有者のうち、誰が議決権を行使するのかを決める必要がある。

②。共用部分の持分割合は、専有部分の床面積割合による(**ケース2**参照。なお、これも規約で別段の定めができる)。つまり床面積の大きい住戸を所有する人の議決権が大きくなる、というのが基本的な考え方だ。

③について、規約または集会の決議によって、電磁的方法(電子メールやＦＡＸ)により議決権を行使することもできる。

**〈書面による決議〉**

R3⑩-13-1

区分所有者全員の承諾があるときは、集会を開かずに書面または電磁的方法により決議できる。

## 3 決議要件

案件によって必要な賛成数が異なってくる。

| 決議事項 | 決議要件(区分所有者および議決権の) |
|---|---|
| 普通決議(特別決議・建替え決議以外の決議) | 各過半数 |
| 特別決議 | 各$\frac{3}{4}$以上 |
| 建替え決議 | 各$\frac{4}{5}$以上 |

共用部分の管理行為(共用部分に対する損害保険の契約等)は普通決議で決する。一方、保存行為は各区分所有者が単独でできる。

決議するには、区分所有者の数と議決権割合の双方の要件を満たす必要がある。

特別決議、建替え決議以外は**普通決議**だ。たとえば予算の承認、管理会社との管理委託契約の承認といったことであれば過半数の賛成があれば足りる（区分所有者の数と議決権の両方の過半数が必要）。

**〈区分所有者の数と議決権について〉**

| | | | |
|---|---|---|---|
| C | D | E | F |
| B | B | B | B |
| A | A | A | A |

たとえば各部屋（専有部分）の床面積が等しい、総戸数12戸のマンションがあり、Aが４室、Bが４室、C、D、E、Fが各１室所有しているとする。

ある案件に対し、AとBのみが賛成した場合、議決権は過半数（$\frac{8}{12}$）になるが区分所有者の数としては、$\frac{2}{6}$でしかない。したがって否決される。

別の案件にAとC、D、Eが賛成した場合、議決権は過半数（$\frac{7}{12}$）、区分所有者の数も過半数（$\frac{4}{6}$）となり可決される。

## 4 特別決議

**特別決議**は、以下の５つだ。区分所有者および議決権の各$\frac{3}{4}$以上の賛成が必要となる。

**①　規約の設定、変更、廃止**
**②　共用部分の重大変更**
**③　規約違反者に対する使用禁止、競売請求、占有者に対する引渡し請求**
**④　大規模滅失の復旧**
**⑤　管理組合法人の設立、解散**

R5-13-4、
H30-13-1

問題文に「共用部分の変更（その形状又は効用の著しい変更を伴わないものを除く）」とあれば、重大変更だ。

R2⑩-13-1では、「2分の1以上」というヒッカケが出題されている。過半数でなければダメだ。R3⑩-13-2でも出題。

R4-13-4

①の**規約の変更**は、影響が大きいので$\frac{3}{4}$以上の賛成が必要だ。規約の設定変更により**特別の影響**を及ぼす区分所有者がいる場合には、その**承諾**を得なければならない。ペット飼育禁止条項を設ける場合には、すでにペットを飼育している人の承諾が必要となるなどがその例だ（承諾がなければ、$\frac{3}{4}$以上が賛成しても規約改正できない）。少数者の権利を守る規定だ。

②の**共用部分の重大変更**とは、**共用部分の形状や効用が著しく変わる**変更のことだ。なお、変更の結果、専有部分に**特別の影響**がでる場合には、影響を受ける人の**承諾**が必要となる。

**共用部分の重大変更**については、規約で定めれば**区分所有者の**数を（$\frac{3}{4}$以上ではなく）**過半数まで減じることができる。**

③は、規約を守らない人に対し、マンションの使用を禁止するというものだ。規約違反者に**弁明の機会**を与えなければならない。

④は、建物価格の$\frac{1}{2}$を超える滅失があった場合の復旧についてだ。費用も多額になるので、過半数の賛成ではダメなのだ。

なお、**小規模滅失**（＝建物の価格の$\frac{1}{2}$以下の滅失）であれば、各区分所有者が、**単独**で滅失した部分を復旧できる。ただし、集会で「復旧する旨の決議」「建替え決議」がなされると単独での復旧はできなくなる。

⑤にあるように、管理組合は**法人化**することもできる。マンションの規模や区分所有者の数に制限はなく、$\frac{3}{4}$以上の賛成で決議すればよい。管理組合法人については以下の点も押さえておこう。

- 主たる事務所の所在地で設立登記する。
- 理事及び監事を置く。

## 5 建替え決議

全員の賛成が必要とすると、マンションの建替えが極めて困難になるので、区分所有者および議決権の各$\frac{4}{5}$**以上の賛成**で建替えの決議ができる。建替えが決議されると、建替えに賛成した区分所有者は、反対する区分所有者に対し、区分所有権および敷地利用権を売り渡すよう請求することができる（**売渡請求権**）。反対派がいつまでも居座っていては、建替えが実行できないからだ。

建替えについて決議する場合には、2カ月前までに通知が必要。また、建替えの場合、期間を延ばすことはできても短縮することはできない。

## 6 議事録

集会の決議事項も規約同様、閲覧、保管、**保管場所の掲示**が必要だ。区分所有者や占有者を拘束するからだ。

**① 書面または電磁的方法により作成する**
**② 議長および集会に出席した区分所有者2名以上が署名する**
**③ 管理者が保管し、利害関係人からの請求があれば閲覧させる**
**④ 建物内の見やすい場所に保管場所を掲示する**

近年の法改正で**押印は不要**となった。電磁的記録で作成した場合は署名に代わる措置をとる。

管理者がいない場合は、規約または集会の決議で定める者が保管する。

### ◇共用部分

● 共用部分には、法定共用部分と規約共用部分がある。
● 規約共用部分は登記をしないと、第三者に対抗できない。
● 共用部分は原則として、区分所有者全員の共有に属する。
● 共用部分の共有持分割合は原則として、専有部分の床面積割合による。

### ◇規約

● 規約は書面または電磁的記録により作成する。
● 規約は、区分所有者だけでなく、賃借人（占有者）や専有部分の譲受人（承継人）に対しても及ぶ。
● 規約は管理者が保管。請求があれば閲覧させる。
● 規約の保管場所を掲示。

### ◇集会の招集

● 集会は原則として管理者が招集する。管理者は少なくとも毎年１回は集会を招集しなければならない。
● 集会の招集通知は、会日の少なくとも１週間前に会議の目的たる事項を示して、各区分所有者に発しなければならない。この期間は規約で伸縮できる。
● 建替え決議の場合には、会日より２カ月前に招集通知を発しなければならない。この期間を長くすることはできるが、短くすることはできない。
● 区分所有者全員の同意があれば招集手続は省略することができる。

### ◇集会の決議

**① 決議の成立には区分所有者の数と議決権の双方の要件を満たす必要がある。**
**② 集会での議決権は、書面や代理人によっても行使できる。**
**③ 占有者に議決権はない。ただし、集会に出席して意見を述べることはできる。**

◆各$\frac{3}{4}$以上の賛成が必要な特別決議事項

① 規約の設定、変更、廃止
② 共用部分の重大変更
③ 規約違反者に対する使用禁止、競売請求、占有者に対する引渡し請求
④ 大規模滅失の復旧
⑤ 管理組合法人の設立、解散

● ②**共用部分の重大変更**については、規約で定めれば区分所有者の数を過半数まで減じることができる。

◆建替え決議

● 建替えを決議するには各「$\frac{4}{5}$以上」の賛成が必要。
● 建替えが決議されると、建替えに賛成した区分所有者は、反対する区分所有者に対し、区分所有権および敷地利用権を売り渡すよう請求することができる（売渡し請求権）。

◆議事録

● 書面または電磁的方法により作成する。
● 議長および集会に出席した区分所有者２名以上が署名する。
● 管理者が保管し、利害関係人からの請求があれば閲覧させる。
● 建物内の見やすい場所に保管場所を掲示する。

## 確認テスト

問題　次の記述の正誤を判定してください。

1．区分所有者は、規約に別段の定めがない限り、集会の決議によって、管理者を選任することができるが、この管理者は、区分所有者以外の者から選任することができる。

2．各共有者の共用部分の持分は、規約で別段の定めをしない限り、共有者数で等分することとされている。

3．規約の保管場所は、各区分所有者に通知するとともに、建物内の見やすい場所に掲示しなければならない。

4．集会の招集の通知は、会日より少なくとも２週間前に発しなければならないが、この期間は規約で伸縮することができる。

5．区分所有者の承諾を得て専有部分を占有する者は、会議の目的たる事項につき利害関係を有する場合には、集会に出席して議決権を行使することができる。

6．集会の議事録が書面で作成されているときは、議長及び集会に出席した区分所有者の２人がこれに署名し、押印しなければならない。

7．共用部分の変更（その形状又は効用の著しい変更を伴わないものを除く。）は、区分所有者及び議決権の各４分の３以上の多数による集会の決議で決するが、規約でこの区分所有者の定数及び議決権を各過半数まで減ずることができる。

解答解説

1．○　区分所有者以外の者（例：弁護士やマンション管理士など）を管理者に選任することもできる。

2．×　各共有者の共有持分割合は、規約で別段の定めをしない限り、専有部分の床面積割合による。

3．×　規約の保管場所は、建物内の見やすい場所に掲示しなければならないが、各区分所有者に通知する必要はない。

4．×　招集通知は「1週間前」に発しなければならない。2週間前ではない。

5．×「区分所有者の承諾を得て専有部分を占有する者」とは、賃借人などだ。区分所有者ではないので、集会の議決権はない。

6．×　法改正により押印は不要となった。

7．×　共用部分の重大変更は、区分所有者と議決権それぞれの3/4以上の賛成が必要だ。ただし規約で定めれば、区分所有者の「定数」は、過半数以上の賛成まで減ずることができる。しかし、「議決権」は規約で減ずることができない。

# 第14章 不動産登記法

## ケース1 登記簿の構成はどうなっているのだろう

**正誤を判定 ○ or ×**

登記事項証明書の交付を請求するにあたり、請求人は、自己が利害関係人であることを明らかにしなければならない。

利害関係はないけど、
登記記録を見られる
のかな。
法務局
登記簿


**解答** **登記事項証明書は、誰でも交付を申請できる。**利害関係人でなくても大丈夫だ。 ×

### 1 土地の登記記録

記載された内容自体を登記とよぶこともある。

登記とは、登記簿に、物権変動の内容を記載することをいう。だから、ある不動産が誰の物であるかを示す（公示する、という）台帳のようなものだと考えておけばよい。

1筆の土地、1個の建物ごとに登記事項を記録していく（登記記録）。登記記録は公開されている。**誰でも**法務局で登記を閲覧したり、**登記事項証明書の交付**を受けることができる（利害関係者でなくても可能だ）。インターネット（電子情報処理組織）でも交付申請することができる。

まず土地の登記記録を見てみよう。登記記録は、**表題部**と**権利部**から構成されている。

## 2 表題部と権利部

### 登記記録の表題部と権利部

○○県○市○町3丁目50－3　　　　全部事項証明書　（土地）

物理的状況を記録

| 【表　題　部】（土地の表示） | | | | 調製 余　白 | 地図番号 余　白 |
|---|---|---|---|---|---|
| 【不動産番号】 | ○○○○○ | | | | |
| 【所　在】 | ○市○町三丁目 | | | 余　白 | |
| 【①地　番】 | 【②地　目】 | 【③地　積】 | ㎡ | 原因及びその日付【登記の日付】 | |
| 50番3 | 宅地 | 90 | 36 | 50番1から分筆【平成X0年11月1日】 | |

権利関係を記録

| 【権利部（甲区）】（所有権に関する事項） | | | |
|---|---|---|---|
| 【順位番号】 | 【登記の目的】 | 【受付年月日・受付番号】 | 【権利者その他の事項】 |
| 1 | 所有権保存 | 平成X0年11月1日<br>第301号 | 所有者　○市○町○丁目○番地○<br>タヌキチ |
| 2 | 所有権移転 | 平成X2年5月4日<br>第145号 | 原　因　平成X2年4月23日売買<br>所有者　△市△町△丁目△番地△<br>ハナ |

| 【権利部（乙区）】（所有権以外の権利に関する事項） | | | |
|---|---|---|---|
| 【順位番号】 | 【登記の目的】 | 【受付年月日・受付番号】 | 【権利者その他の事項】 |
| 1 | 抵当権設定 | 平成X2年5月4日<br>第146号 | 原　因　平成X2年4月23日金銭消費貸借同日設定<br>債権額　金○○○円<br>利　息　年○%<br>損害金　年○%<br>債務者　△市△町△丁目△番地△<br>ハナ<br>抵当権者　東京都×区×町×丁目×番地<br>株式会社　TAC銀行 |

**表題部**には、不動産を特定するための**物理的な状況**が記録されている。土地であれば所在、地番、地目、地積などだ。**権利部**は甲区と乙区とに分かれる。**甲区**には所有権に関する事項が、**乙区**には所有権以外の権利（抵当権、地上権、**賃借権**、**配偶者居住権**など）に関する事項が記録される。**権利部に記載された権利**は原則として**対抗力**を有する。また、登記した権利の優劣は登記の前後で優劣が決まる。

表題部に登記されている登記記録を「**表示に関する登記**」、権利部に登記されている登記記録を「**権利に関する登記**」という（4 参照）。

権利部甲区にある「**所有権保存**」登記とは、初めてされる所有権の登記だ。売買や相続などにより所有権が移ると「**所有権移転**」登記が行われる。所有権移転登記には、登記原因およびその日付も登記される（所有権保存登記には、登記原因は記載されない）。

このように、登記記録を見れば、どこにあるどれくらいの大きさの土地が、誰に所有され、抵当権や地上権がついているかどうか、ということがわかるのだ。

## 3 建物の登記記録

物理的状況

東京都○区○町20－5－1　　　　全部事項証明書　（建物）

| 【表　題　部】（主である建物の表示） | | | 調製 余　白 | 所在図番号 余　白 |
|---|---|---|---|---|
| 【不動産番号】 | ○○○○○ | | | |
| 【所　在】 | ○区○町　20番地５ | | 余　白 | |
| 【家屋番号】 | 20番５の１ | | 余　白 | |
| 【①種　類】 | 【②構　造】 | 【③床　面　積】　㎡ | 原因及びその日付【登記の日付】 | |
| 居宅 | 鉄骨造陸屋根<br>３階建 | １階　37　56<br>２階　46　56<br>３階　43　29 | 平成13年２月５日新築<br>【平成13年２月７日】 | |
| 【所有者】 | ○区○町22番１号　タヌキチ | | | |

権利関係

東京都○区○町20－5－1　　　　全部事項証明書　（建物）

| 【権利部（甲区）】（所有権に関する事項） | | | |
|---|---|---|---|
| 【順位番号】 | 【登記の目的】 | 【受付年月日･受付番号】 | 【権利者その他の事項】 |
| 1 | 所有権保存 | 平成X0年11月１日<br>第1485号 | 所有者<br>○市○町○丁目○番地○<br>タヌキチ |
| 2 | 所有権移転 | 平成X2年５月４日<br>第5343号 | 原　因　平成 X2 年４月23日売買<br>所有者<br>△市△町△丁目△番地△<br>ハナ |

東京都○区○町20－5－1　　　　全部事項証明書　（建物）

| 【権利部（乙区）】（所有権以外の権利に関する事項） | | | |
|---|---|---|---|
| 【順位番号】 | 【登記の目的】 | 【受付年月日・受付番号】 | 【権利者その他の事項】 |
| 1 | 抵当権設定 | 平成X2年５月４日<br>第146号 | 原　因　平成X2年４月23日金銭消費貸借同日設定<br>債権額　金○○○円<br>利　息　年○％<br>損害金　年○％<br>債務者　△市△町△丁目△番地△<br>ハナ<br>抵当権者　東京都×区×町×丁目×番地<br>株式会社　TAC銀行 |
| 2 | １番抵当権抹消 | 平成X5年○月○日<br>第○○号 | 原因　平成X5年○月○日弁済 |
| 3 | 抵当権設定 | 平成○年○月○日<br>第○○号 | 原因　平成○年○月○日　金銭消費貸借同日設定<br>債権額　金○○万円<br>利息　年○％<br>損害金　年○％<br>債務者　△市△町△丁目△番地△<br>ハナ<br>抵当権者　×× |

建物の登記記録の表題部には、所在の他、家屋番号、種類、構造、床面積、建物の名称、附属建物（車庫、物置等）が記載される。権利部については土地と同じだ。

## 4 表示に関する登記と権利に関する登記

表題部になされる登記を「表示に関する登記」といい、対抗力を有しない。権利部になされる登記を「権利に関する登記」といい、原則として対抗力を有する。

**「権利に関する登記」には申請義務がない**ので、所有権の登記がなされていないこともある（例外的に**相続登記**は申請義務がある）。しかし、これでは誰が所有者だかわからない。そこで、表題部に所有者の氏名、住所が記録される（「**表題部所有者**」という）。

甲区に所有権保存登記がなされると、表題部所有者の記録は抹消される。

登記官が登記記録の表題部を初めて作成することを「表題登記」という。これに対し、「表示に関する登記」とは、表題登記に加え、表題部の変更登記、更生登記など表題部に関する一切の登記のことをいう。

誰の所有物かわからないと、固定資産税の課税が困難になる。そこで所有者をはっきりさせるために、表題部所有者が記録される。

# 第14章 不動産登記法

## ケース2 どうやって登記する？

**正誤を判定 ○ or ×**

権利に関する登記の申請は、法令に別段の定めがある場合を除き、登記権利者及び登記義務者が共同して申請しなければならない。

**解答** 登記申請は原則として、登記権利者と登記義務者が共同して行う。試験対策としては、「例外的に単独で申請できるもの」をしっかりと覚えておこう。

○

### 1 登記の申請

登記の申請は、その不動産の所在地を管轄する登記所に申請する。

**権利に関する登記**は、原則として当事者の申請によって行われる。相続登記をのぞき、当事者が登記不要と考えるのならば強制はされない（売買など物権変動があっても登記の義務はない）。また登記官が職権で所有権の移転登記をすることはできない。

これに対し、**表示に関する登記**には**申請義務**がある。どこにどういう土地・建物があるのかをはっきりさせるためだ。登記官が**職権**で行うこともできる。

| | |
|---|---|
| 表示に関する登記 | ・以下の①～③は1カ月以内に申請義務<br>①表題登記のない土地や新築した建物の所有権を取得した<br>②土地や建物が滅失した<br>③土地の地目、地積、建物の種類、床面積、構造、名称等に変更があった。<br>・登記官が職権で登記することもある |
| 権利に関する登記 | ・相続登記をのぞき、申請義務はない<br>・登記官による登記はできない |

③。H30-14-3

## 2 相続登記

権利に関する登記のうち、相続登記だけは義務がある。所有者不明の土地が増えることを防止するためだ。

〈相続登記の義務化〉

**① 相続の開始及び所有権を取得したことを知った日から3年以内に不動産の名義の変更登記（相続登記）をしなければならない。**

**② 正当な理由がないのにも関わらず3年以内に相続登記をしないと10万円以下の過料となる。**

法改正以前に発生した相続で未登記のものも、施行日（令和6年4月1日）から3年以内に相続登記をしなければならない。

〈相続人申告登記〉

相続登記は義務化されたが、遺産分割協議がまとまらないなど相続登記ができない場合もある。その場合、相続人であることを法務局（登記官）に申告する。

**① （相続登記の義務を負う者は）、登記官に対し、所有権の登記名義人について相続が開始した旨及び自らが当該所有権の登記名義人の相続人である旨を申し出ることができる。**

**② 相続登記をすべき期間内（＝相続の開始及び所有権を取**

得したことを知った日から3年以内）に上記の申告をすれば、相続登記の義務を履行したものとみなされる。

③ 上記の申告があった場合、登記官は、職権で、その旨並びに当該申出をした者の氏名及び住所等を所有権の登記に付記することができる（相続人申告登記）。

### ◇相続人申告登記の例

| 【権利部（甲区）】所有権に関する事項 | | | |
|---|---|---|---|
| 【順位番号】 | 【登記の目的】 | 【受付年月日・受付番号】 | 【権利者その他の事項】 |
| 1 | 所有権移転 | 平成○年４月１日<br>第100号 | 原因　平成○年３月１日売買<br>所有者　△市△町△丁目△番<br>タヌ爺 |
| 付記<br>1号 | 相続人申告 | 令和○年７月１日<br>第200号 | 原因　令和○年５月１日相続開始<br>タヌ爺の申告相続人<br>○市○町○丁目○番<br>タヌキチ |

相続人申告登記は、権利の移転登記ではない。登記簿上の所有者が死亡したことを示しているに過ぎない。後日、遺産分割が成立した際には、遺産分割の日から3年以内に所有権の移転登記の申請をしなければならない。

## 3 共同申請主義

権利に関する登記は、登記権利者（たとえば買主）と登記義務者（たとえば売主）が**共同して申請**しなければならない。不正な登記を防ぐためだ。

ただし、以下の登記は単独で申請できる。

### ◘例外：単独で登記申請できるもの

| | |
|---|---|
| ①表示の登記 | 新築した建物の登記などでは、登記義務者がいない。単独申請できる。 |
| ②所有権保存登記 | 表題部所有者が権利部に登記するのであれば単独でいい。 |
| ③登記を命ずる確定判決（給付判決）があった | 登記義務者が協力しないので裁判を起こした、という場合だ。 |
| ④相続または合併 | 相手方が死亡、消滅しているため。 |
| ⑤相続人に対する遺贈 | 相続と同じに扱う |
| ⑥登記名義人の住所、氏名の変更 | 共同申請しようがない。 |
| ⑦仮登記 | 仮登記義務者の承諾がある場合。 |
| ⑧買い戻し特約の抹消登記 | 契約から10年経過した買い戻し特約は抹消できる |

R3⑩-14-3

「相続人でない者に対する遺贈は、贈与と同じ。単独申請できない。
R6-14-3

R6-14-4

R6-14-1

③。「売主に登記手続をすべきことを命ずる確定判決（給付判決）」があるのなら、買主は単独で申請することはできる。買主の所有権を確認する確認判決ではだめだ（単独で登記申請できない）。

## 4 申請方法

登記の申請は、インターネットを使った「オンライン申請」でもいいし、法務局（登記所）に書面を提出または郵送してもいい。**権利に関する登記**を共同申請する場合には、原則として**登記原因証明情報**（売買契約書など）と、**登記識別情報**を提供する。

R4-14-1

所有権保存登記や相続を原因とする登記などは、登記原因を証する情報の提供は不要だ。

「**登記識別情報**」とは、登記名義人本人であることを証明するパスワードのことだ。

登記が完了したときは、登記官から申請人に対し、新しい登記識別情報が通知される。漏えいが心配であれば通知してもらわないこともできる。登記識別情報は紛失しても再発行されない。

## 5 登記申請の代理権

通常の代理権は本人の死亡により消滅する（第３章ケース1 6 代理権の消滅参照。

登記の申請についての代理権は、**本人の死亡（法人の合併）によっては消滅しない**。また、登記権利者と登記義務者**双方の代理人**となることができる。

通常の代理権の規定とは異なることに注意しておこう。

R3⑩-14-2

| | 通常の代理権 | 登記申請の代理権 |
|---|---|---|
| 本人の死亡、法人の合併 | 消滅する | 消滅しない |
| 双方代理 | 原則禁止 | 可能 |

### ◇登記識別情報通知

登記識別情報通知

次の登記の登記識別情報について、下記のとおり通知します。

【不動産】
〇〇市〇〇区〇町〇丁目〇番〇の土地

【不動産番号】
1200000099595

【受付年月日・受付番号（又は順位番号）】
平成〇〇年〇月〇〇日受付　第〇〇号

【登記の目的】
所有権移転

【登記名義人】
〇〇市〇〇区〇町〇丁目〇〇〇番地
〇〇〇〇

（以下余白）

＊下線のあるものは抹消事項であることを示す。

平成〇〇年〇月〇〇日
大阪法務局
登記官　大　阪　登　記　官　一　郎

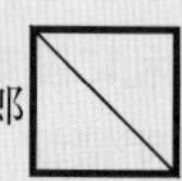

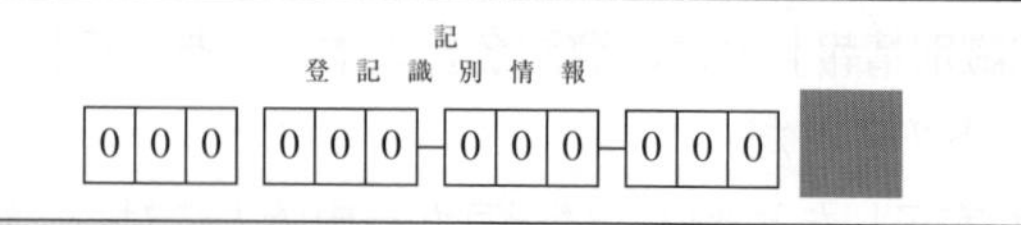


登記識別情報の欄に目隠しシールが添付されたり、折り込んで見えなくした上で通知される。

# 第14章 不動産登記法

## ケース3 登記にもいろいろある

**正誤を判定 ○ or ×**

所有権に関する仮登記に基づく本登記は、利害関係を有する第三者の承諾があるときに限り、申請することができる。

登記にもいろんな種類があるんだね
スッキリわかる宅建


**解答** 所有権に関する仮登記を本登記にするためには、利害関係を有する第三者の承諾が必要である。 ○

### 1 登記の種類

権利に関する登記は、その内容により分類できる。

| | |
|---|---|
| 保存登記 | 初めてされる所有権の登記。表題部所有者や判決により所有権が確認された者等が申請できる。 |
| 移転登記 | 既存の権利が移転された場合に行われる登記。 |
| 変更登記 | 登記事項に変更があった場合に行う登記。登記名義人の住所変更など。 |
| 抹消登記 | 登記記録を抹消する登記。弁済により被担保債権が消滅したので抵当権の登記を抹消するなど。抹消について登記上利害関係を有する第三者がいるときはその承諾が必要。 |

変更登記や更正登記（誤りの修正）は、付記登記になる。

〈所有権保存登記〉

保存登記がないと移転登記をすることはできない。たとえば、

Aが所有する「権利の登記をしていない土地」(=表題部所有者がAの土地)をBに売ったとする。この際、買主Bが直接、所有権保存登記をすることはできない。まず表題部所有者であるAが自己の名前で保存登記し、その上でAからBへの移転登記をする。AからBに所有権が移転したという物権変動の過程を登記記録上も明らかにするためだ。だから所有権保存登記は、表題部所有者(またはその相続人)など一定の者しかできない。

**〈所有権保存登記ができる者〉**

R5-14-4

> ① **表題部所有者(またはその相続人)**
> ② **登記を命ずる確定判決を受けた者**
> ③ **収用により土地所有権を取得した者**
> ④ **区分建物の場合、表題部所有者から所有権を取得した者**

④は敷地権付区分建物である場合には**敷地権の登記名義人の承諾**が必要。
R2⑩-14-1、
H25-14-3

②。所有者であることを確定判決で認められた者のことだ。

④。区分建物(マンション)の場合には、例外的に表題部所有者(マンションの売主。分譲業者)から所有権を取得した者(買主)が直接、保存登記をすることができる。マンションは住戸数が多いため、表題部所有者(売主)が一戸一戸保存登記をするのは煩雑な上、税金(登録免許税)もかかり大変だからだ。

**〈所有権の登記事項〉**

所有権の登記については、通常の登記事項(登記原因、日付、登記権利者の氏名・住所など)に加えて以下の事項も登記される。所有者不明の土地となることを防ぐためだ。

① 所有権の登記名義人が法人であるときは、会社法人等番号
② 所有権の登記名義人が国内に住所を有しないときは、国内における連絡先

### 発展　信託の登記

信託の登記とは、委託者から受託者（信託会社等）に対する移転登記が、単純な移転登記ではなく、信託の目的であることを公示するものだ。もし、受託者が信託の登記に協力してくれないと、受託者名義の不動産の登記になってしまい委託者・受益者が困る。そこで、**委託者または受益者が、受託者に代わって信託の登記を申請することが認められている**。また、信託の登記の申請は、当該信託に係る権利の保存、設定、移転又は変更の登記の申請と同時にしなければならない。

R3⑩-14-4、H26-14-3

## 2 仮登記とは

登記には、**仮登記**というものがある。何らかの理由で、通常の登記（本登記）ができない場合に、とりあえず**登記の順位を確保**しておきたいという場合に仮登記がなされる。

〈仮登記ができる例〉

① **登記申請に必要な情報を提供できないとき**
② **将来権利移転する予定があり、その請求権を保全するとき**

①の例としては、登記識別情報を提供できない、必要な許可が下りていない（農地売買における許可など）などがある。②では、売買の予約をして将来の所有権移転請求権を保全する、などがその例だ。

仮登記をしても対抗力はないが、**順位を保全する効力**がある。

後で本登記をすると、仮登記の時点にさかのぼって効力が生じる。

仮登記がなされると、その下に余白が設けられる。後で本登記できるようにするためだ。

| 【権利部（甲区）】（所有権に関する事項） | | | |
|---|---|---|---|
| 【順位番号】 | 【登記の目的】 | 【受付年月日・受付番号】 | 【権利者その他の事項】 |
| 1 | 所有権保存 | 平成○年○月○日<br>第○号 | 所有者　○市○町○番地○<br>タヌキチ |
| 2 | 所有権移転<br>仮登記 | 平成○年○月○日<br>第○号 | 原　因　平成○年○月○日売買<br>権利者　○市○町○番地○<br>ハナ |
| | 余白 | 余白 | 余白 |
| 3 | 所有権移転 | 平成○年○月○日<br>第○号 | 原　因　平成○年○月○日売買<br>所有者　○市○町○番地○<br>ツネキチ |

## 3 仮登記の申請

仮登記も仮登記権利者と仮登記義務者で共同申請するのが原則だ。しかし、仮登記は仮定的・暫定的な性格のものだから、仮登記権利者が単独で申請できる場合もある。

**〈仮登記権利者が単独で申請できる場合〉**

**① 仮登記義務者の承諾がある場合**
**② 仮登記を命ずる裁判所の処分がある場合**

②仮登記を命ずる裁判所の処分とは、裁判所から「仮登記してもいいよ」と認めてもらうことだ。これがあれば、仮登記権利者が単独で仮登記することができる。

## 4 仮登記を本登記にする

本登記は、仮登記の下の余白欄になされる。これにより、本登記の順位は仮登記の順位によることになる。順位番号２番の仮登記が本登記となったので、順位番号３番の所有権移転登記は抹消されている（下線が付けられている）。

| 【権利部(甲区)】(所有権に関する事項) | | | |
|---|---|---|---|
| 【順位番号】 | 【登記の目的】 | 【受付年月日・受付番号】 | 【権利者その他の事項】 |
| 1 | 所有権保存 | 平成○年○月○日<br>第○号 | 所有者 ○市○町○番地○<br>タヌキチ |
| 2 | 所有権移転<br>仮登記 | 平成○年○月○日<br>第○号 | 原 因 平成○年○月○日売買<br>権利者 ○市○町○番地○<br>ハナ |
| | 所有権移転 | 平成○年○月○日<br>第○号 | 原 因 平成○年○月○日売買<br>所有者 ○市○町○番地○<br>ハナ |
| 3 | 所有権移転 | 平成○年○月○日<br>第○号 | 原 因 平成○年○月○日売買<br>所有者 ○市○町○番地○<br>ツネキチ |

なお、所有権に関する仮登記を本登記にするためには、利害関係を有する第三者の承諾が必要となる。上の例でハナの仮登記を本登記にするには、ツネキチの承諾が必要なのだ。ハナの仮登記が本登記になることで、ツネキチの権利が消滅するからだ。

抵当権など「所有権以外の権利」の仮登記を本登記にする場合には、利害関係者の承諾は不要だ。①ハナが抵当権を仮登記する→②ツネキチが抵当権を登記する→③ハナが仮登記を本登記にする、という場合、ツネキチは2番抵当権者になる。ツネキチの権利が消滅するわけではないので、承諾は不要なのだ。

## 5 仮登記の抹消申請

仮登記の抹消も共同申請が原則。しかしここでも例外がある。

**〈仮登記抹消の共同申請の例外〉**

> **① 仮登記の名義人は、仮登記の抹消を単独で申請できる。**
> **② 仮登記の登記上の利害関係人は、仮登記の名義人の承諾があれば、抹消を単独で申請できる。**

前々ページの登記記録の例でいえば、仮登記の名義人のハナは単独で抹消申請できる（①）。ツネキチは登記上の利害関係人だ。ハナの承諾があれば、同じく単独で抹消申請ができる（②）。

# ケース4 土地が合筆されたら登記はどうなる？

**正誤を判定 ○ or ×**

二筆の土地の所有権の登記名義人が同じであっても、地目が相互に異なる土地の合筆の登記は、申請することができない。

ハナの土地
ハナの土地
一つの土地にまとめることはできるのかな?


**解答** 地目が異なる場合は、合筆の申請はできない。 ○

## 1 土地の合筆、分筆

数筆の土地を一筆に合併する登記を**合筆の登記**、一筆の土地を数筆に分割する登記を**分筆の登記**という。

### ◇合筆と分筆

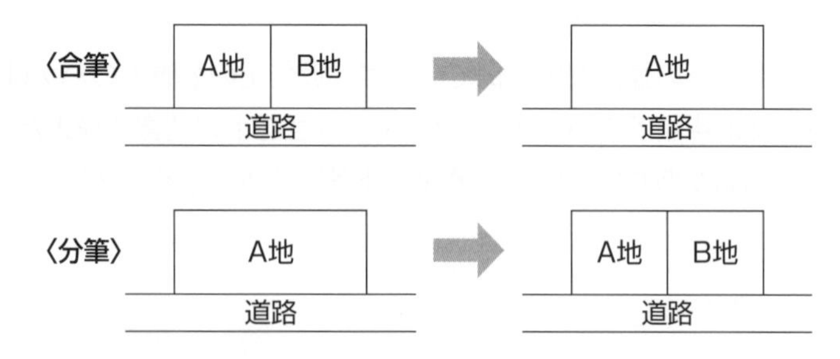


合筆の登記、分筆の登記は「表題部所有者」または「所有権の登記名義人」が申請する。これが原則だ。

しかし、一筆の土地の一部が別の地目となった場合や、地図を作成するために必要な場合などは、登記官が**職権で分筆の登記、合筆の登記**をすることができる。

R1-14-3

## 2 合筆の登記の可否

土地上に存する権利関係によっては、合筆の登記ができない場合もある。

| 合筆不可 | ① 相互に接続していない土地<br>② 地目が異なる。<br>③ 地番区域が異なる。<br>④ 所有権の登記名義人（または表題部所有者）が異なる。<br>⑤ 一方の土地のみに所有権の登記がある。<br>⑥ 一方の土地のみに抵当権の登記がある、または両方の土地に抵当権の登記があるが内容が異なる。 |
|---|---|

また、所有権の名義人が同じでも持分が異なる場合は、合筆の申請はできない。

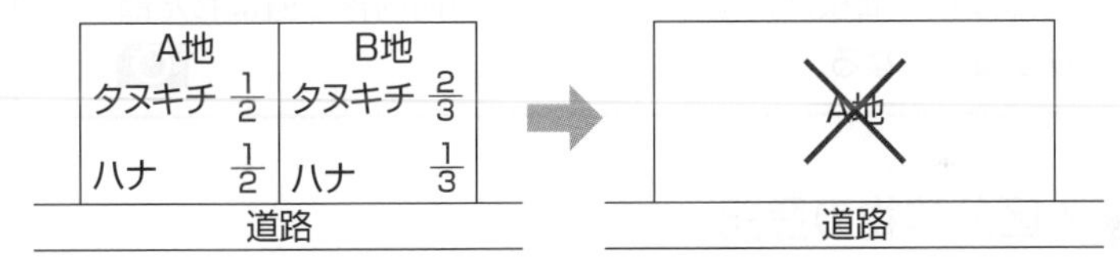


## 3 建物の分割、合併

1個の建物の附属建物であったものを、登記記録上、別個の建物とするのが建物の**分割の登記**、別個の建物として登記されている数個の建物を、登記記録上、1個の建物とその附属建物とするのが建物の**合併の登記**だ。

物置小屋などが附属建物の例だ。

建物の分割の登記、合併の登記を**登記官が職権で行うことはない**。表題部所有者または所有権の登記名義人の申請による。

建物の合併の登記については、土地の合筆の登記と同様の制限がある（所有者が異なる場合などは合併の登記はできない）。

# 第14章 不動産登記法

## ケース5 マンションにも特有の登記がある

**正誤を判定 〇 or ×**

区分建物（1棟の建物を区分した建物）の床面積は、壁その他の区画の内側線で囲まれた部分の水平投影面積により算出される。

マンションの登記ってどうなの？
スッキリわかる宅建


**解答** 区分建物（専有部分）の面積は、壁その他の区画の内側線で囲まれた部分の投影面積（内のり面積）となる。 〇

### 1 区分建物の登記

区分所有建物の専有部分は、不動産登記法上は**区分建物**と呼ばれる。区分建物の登記については、まず以下の点について押さえておこう。

> **① 区分建物の登記は、建物一棟全体の表題部と、各区分建物（専有部分）の表題部、権利部から構成されている。**
> **② 区分建物（専有部分）の面積は壁その他の区画の内側から測る。**
> **③ 規約共用部分である旨の登記は表題部に登記される。**

a×bの面積を「壁その他の区画の内側で囲まれた部分の水平投影面積」という。

c×dの面積を「壁その他の区画の中心線で囲まれた部分の水平投影面積」という。

まず②の**面積**について。建物の面積は通常は、壁の中心線から測る。次ページの図でいえば、c×dだ。戸建住宅であればこの面積で登記される。ところが、マンションの専有部分の面積は、壁の内側から測った面積（a × b、**内のり面積**という）になる。

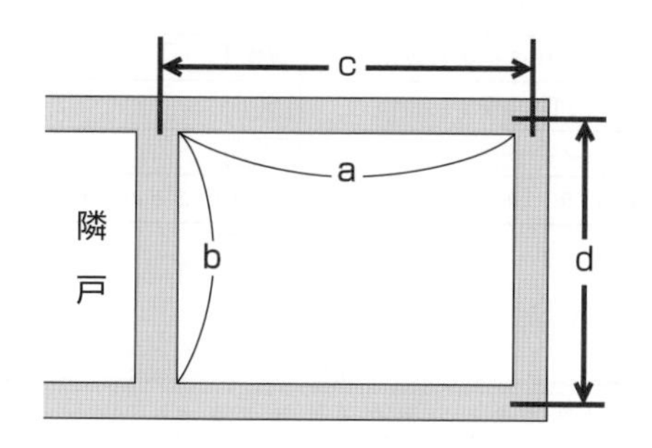


壁は共用部分だから、専有部分の面積に含めることができないのだ。

③の**規約共用部分**について。規約共用部分は登記しなければ第三者に対抗することができない（専有部分として売却されてしまう可能性がある）。この登記は、区分建物（専有部分）の表題部になされる。

法定共用部分であれば登記できない。念のため。

<table>
<tr><td colspan="7">【表題部】（専有部分の建物の表示）</td></tr>
<tr><td colspan="2">【家屋番号】</td><td colspan="4">港区赤坂九丁目　1番3の106</td><td>余　白</td></tr>
<tr><td colspan="2">【建物の名称】</td><td colspan="4">TACマンション</td><td>余　白</td></tr>
<tr><td>【①種類】</td><td>【②構造】</td><td colspan="2">【③床面積】㎡</td><td colspan="2">【原因及びその日付】</td><td>【登記の日付】</td></tr>
<tr><td>居宅</td><td>鉄筋コンクリート造<br>1階建</td><td>1階部分　58</td><td>63</td><td colspan="2">平成X5年3月26日<br>新築</td><td>平成X5年4月3日</td></tr>
<tr><td>余白</td><td>余白</td><td>余白</td><td>余白</td><td colspan="2">平成X5年4月5日<br>規約設定共用部分</td><td>平成X5年4月13日</td></tr>
<tr><td>【所有者】</td><td colspan="6">新宿区北新宿三丁目15番8号　○○不動産開発</td></tr>
</table>

## 発展 (1) 敷地権の表示に関する登記

区分所有建物の専有部分と敷地利用権は、分離処分できないのが原則だ。専有部分を譲渡すれば敷地権も一緒に譲渡される。とすれば、マンションの建物の登記に敷地に関する情報も載せた方が便利だ。登記した敷地利用権を**敷地権**という。区分建物の登記に敷地権についての表示が登記されるのだ。また、土地（敷地）の登記にも「この土地は○○マンションの敷地だ」と記載した方が便利だ。土地の登記記録にも敷地権である旨が登記される。

○市○町二丁目５－１－203　　　　区分建物全部事項証明書

| 専有部分の家屋番号 | ５－１－101～５－１－106　５－１－201～５－１－206　５－１－301～５－１－306<br>５－１－401～５－１－406　５－１－501～５－１－506 | | |
|---|---|---|---|
| 【表題部】（一棟の建物の表示） | | 調製 余白 | 所在図番号 余白 |
| 【所在】 | ○市○町二丁目　５番地１ | 余白 | |
| 【建物の名称】 | 甲マンション | 余白 | |
| 【①構造】 | 【②床面積】㎡ | 【原因及びその日付】 | 【登記の日付】 |
| 鉄骨鉄筋コンクリート造陸屋根５階建 | １階　480：17<br>２階　480：17<br>３階　480：17<br>４階　480：17<br>５階　480：17 | 余白 | 平成X5年２月５日 |

【表題部】（敷地権の目的たる土地の表示）

| 【①土地の符号】 | 【②所在地及び地番】 | 【③地目】 | 【④地積】㎡ | 【登記の日付】 |
|---|---|---|---|---|
| 1 | ○市○町二丁目５番地１ | 宅地 | 932：74 | 平成X5年２月５日 |

【表題部】（専有部分の建物の表示）

| 【家屋番号】 | ○○二丁目　５番１の201 | | 余白 | |
|---|---|---|---|---|
| 【建物の名称】 | 甲マンション | | 余白 | |
| 【①種類】 | 【②構造】 | 【③床面積】㎡ | 【原因及びその日付】 | 【登記の日付】 |
| 居宅 | 鉄骨鉄筋コンクリート造１階建 | ２階部分　71：01 | 平成X5年１月22日新築 | 平成X5年２月５日 |

【表題部】（敷地権の表示）

| 【①土地の符号】 | 【②敷地権の種類】 | 【③敷地権の割合】 | 【原因及びその日付】 | 【登記の日付】 |
|---|---|---|---|---|
| 1 | 所有権 | 226315分の7534 | 平成X5年１月27日敷地権 | 平成X5年２月５日 |
| 【所有者】 | 千代田区○○町一丁目２番３号　東京建設株式会社 | | | |

＊下線のあるものは抹消事項であることを示す。　　整理番号　D○○○○○（1／1）　　1／2

表題部に敷地権についての表示が登記がされている。

○市○町二丁目５－１－203　　　　区分建物全部事項証明書

【甲区】（所有権に関する事項）

| 【順位番号】 | 【登記の目的】 | 【受付年月日・受付番号】 | 【原因】 | 【権利者その他の事項】 |
|---|---|---|---|---|
| 1 | 所有権保存 | 平成X5年２月24日<br>第1000号 | 平成X5年２月20日<br>売買 | 所有者<br>○市○町二丁目５番地１－201号　キリ谷キリ男 |

これは請求に係る専有部分の登記簿に記録されている事項の全部を証明した書面である。ただし、登記簿の乙区に記録されている事項はない。

平成○○年○月○日
東京法務局墨田出張所　　　登記官　　○　○　○　○　印

＊下線のあるものは抹消事項であることを示す。　　整理番号　D○○○○○（1／1）　　2／2

まず、区分建物一棟全体の**表題部**に「敷地権の目的たる土地の表示」がされている。建物（甲マンション）の敷地の所在、地目、面積などがわかるのだ。

同時に各区分建物（専有部分）の**表題部**に「敷地権の表示」がなされ

る。201号室の敷地権の種類（所有権か地上権、賃借権か）や、持分割合が登記される。建物（マンション）の登記を見るだけで、敷地面積や持分割合がわかることになる。

これらの登記を「**敷地権の表示に関する登記**」という。

## 発展 (2) 敷地権である旨の登記

建物（マンション）の登記記録の表題部に「敷地権の表示に関する登記」がなされると、敷地である土地の登記記録の**権利部**にその土地が「甲マンション」の敷地である旨が登記される。この登記を「敷地権である旨の登記」という。

権利部に敷地権である旨の表示がされている。

【権利部（甲区）】（所有権に関する事項）

| 【順位番号】 | 【登記の目的】 | 【受付年月日・受付番号】 | 【原　　因】 | 【権利者その他の事項】 |
|---|---|---|---|---|
| 1 | 所有権保存 | 平成○年○月○日<br>第○号 | 余　白 | 所有者　○市○町○番○号<br>○○○○○ |
| 2 | 所有権移転 | 平成○年○月○日<br>第○号 | 平成○年○月○日売買 | 所有者　○市○町○番○号<br>○○○○○ |
| 3 | 所有権敷地権 | 余　白 | 余　白 | 建物の表示<br>○市○町二丁目５番地１<br>１棟の建物の名称<br>甲マンション<br>平成○年○月○日登記 |

土地の登記記録を見れば、この土地は甲マンションの敷地になっていることがわかるのだ。この「敷地権である旨の登記」は登記官が職権で行う。

「敷地権である旨の登記」は、敷地権が所有権の場合は甲区に、地上権・賃借権の場合は乙区に記録される。上の例では、所有権であるので、土地の登記記録の権利部（甲区）の欄に、「所有権敷地権」「建物の表示」が記録されている。

## 発展 (3) 敷地権の登記の効力

これらの登記（敷地権の登記）をすると、その後の物権変動は建物の登記記録についてだけ行われる。所有権の移転や抵当権の設定があった場合、専有部分の登記をするだけで、敷地権の共有持分に対しても効力を生じることになる。専有部分の売買があったときに、いちいち敷地権の登記を書き換えなくてよいので、便利なのだ。

**◇敷地権の登記のまとめ**

| | | |
|---|---|---|
| 建物登記記録 | 一棟の建物の表題部 | 敷地権の目的たる土地の表示 |
| | 専有部分の表題部 | 敷地権の表示 |
| 土地登記記録 | 甲区、乙区 | 敷地権である旨の登記 |

● 敷地権である旨の表示は、敷地権が所有権の場合は甲区に、地上権・賃借権の場合は乙区に記録される。

# まとめ

### 登記記録の構成

| | | |
|---|---|---|
| 表示に関する登記 | 表題部 | 土地や建物の物理的な状況や原始取得者が記録される。 |
| 権利に関する登記 | 権利部（甲区） | 所有権に関する事項が記録される。 |
| | 権利部（乙区） | 所有権以外の権利が記録される。 |

### 登記手続

| | |
|---|---|
| 表示に関する登記 | ●原則として、1カ月以内に申請しなければならない。申請がない場合は登記官が職権で登記する。<br>●単独で申請できる。 |
| 権利に関する登記 | ●申請は義務ではない（当事者が申請しなければ登記されない）。<br>●登記官による登記はできない。<br>●共同申請主義が原則。<br>例外：①所有権保存登記、②確定判決、③相続（合併）、④相続人に対する遺贈、⑤登記名義人の氏名等の変更、⑥仮登記、仮登記の抹消、⑦死亡・法人の解散、⑧買い戻し特約の抹消登記 |

● 権利に関する登記は、登記原因証明情報と登記識別情報を提供して申請する。

### 土地の合筆の登記ができない場合

| | |
|---|---|
| 合筆不可 | ① 相互に接続していない土地<br>② 地目が異なる。<br>③ 地番区域が異なる。<br>④ 所有権の登記名義人（または表題部所有者）が異なる。<br>⑤ 一方の土地のみに所有権の登記がある。<br>⑥ 一方の土地のみに抵当権の登記がある、または両方の土地に抵当権の登記があるが内容が異なる。 |

### 職権による登記が可能か？

| | |
|---|---|
| 土地の合筆・分割 | できる |
| 建物の合併・分割 | できない |

# 確認テスト

問題　次の記述の正誤を判定してください。

1．登記事項証明書の交付の請求は、利害関係を有することを明らかにして請求しなければならない。

2．土地の地目について変更があったときは、所有権の登記名義人は、その変更があった日から１月以内に、当該地目に関する変更の登記を申請しなければならない。

3．所有権の登記名義人は、その住所について変更があったときは、当該変更のあった日から１月以内に、変更の登記を申請しなければならない。

4．表示に関する登記を申請する場合には、申請人は、その申請情報と併せて登記原因を証する情報を提供しなければならない。

5．登記の申請をする者の委任による代理人の権限は、本人の死亡によっては、消滅しない。

6．表題部に所有者として記録されている者の相続人は、所有権の保存の登記を申請することができる。

7．仮登記の抹消は、登記権利者及び登記義務者が共同してしなければならない。

8．二筆の土地の表題部所有者又は所有権の登記名義人が同じであっても、持分が相互に異なる土地の合筆の登記は、申請することができない。

**解答解説**

1．×　登記事項証明書の交付請求は誰でもできる。利害関係者でなくても請求できるのだから、利害関係を明らかにする必要はない。

2．○　地目や地積について変更があったときは、その変更があった日から1カ月以内に、変更の登記を申請しなければならない。

3．×　所有権者の氏名、住所は権利部に記載される。権利に関する登記は義務がない。

4．×　権利に関する登記を申請する場合には、原則として登記原因情報（売買契約書など）が必要になる。しかし表示に関する登記であれば登記原因を証する情報の提供は不要だ。

5．○　登記申請をする者の委任による代理人の権限は、本人の死亡によっては消滅しない。

6．○　表題部所有者が単独で所有権保存登記できるのと同じことだ。表題部所有者が死んでしまったので、相続人が保存登記する。

7．×　仮登記義務者の承諾がある場合には、仮登記権利者が単独で申請することができる（抹消もできる）。共同申請主義の例外である。

8．○　表題部所有者又は所有権の名義人が同じでも持分が異なる場合は、合筆申請できない。

# パート Ⅳ

# その他の分野

ここでの出題構成は、税法から2問、その他から6問、計8問となっている。合格者は、この分野で3～5点は得点している。

「その他の分野」は、直前期に追い込みが利く項目（地価公示・鑑定評価、不動産広告、統計）と、対策が立てにくい項目（住宅金融支援機構、土地・建物）とに分かれている。税法は、比較的簡単な地方税（不動産取得税・固定資産税）で1点取ることを目指そう（ただし出題されない年もある）。

いずれにせよ、本試験1カ月前くらいから始めれば、学習期間としては十分だ。

You Tube
「中村喜久夫チャンネル」へアクセス

# 第1章 不動産鑑定評価と地価公示

## ケース1 不動産価格にはいろいろな種類がある

**正誤を判定 ○ or ×**

資産の流動化に関する法律に基づく評価目的の下で、投資家に示すための投資採算価値を表す価格を求める場合は、正常価格ではなく、特定価格として求めなければならない。

**解答** **投資採算価値を表す価格**を求める場合は、正常価格ではなく、**特定価格**だ。投資家は通常の市場とは異なる判断をすることも多いからだ。 ○

### 1 不動産の鑑定評価とは

実際の不動産取引では、売り急ぎや買い進み、売主と買主の情報量の格差といった原因から適正な市場価値、経済価値とは乖離した価格で売買されることも多い。しかし、時には適正な価値の判定が必要なこともある。そこで登場するのが**鑑定評価**だ。

### 2 価格の種類

不動産鑑定評価においては、その依頼目的等により**価格の種類**が分けられている。それぞれの定義は長いが、キーワード（色文字部分）さえ覚えておけばよい。

| 価格の種類 | 定　義 |
| --- | --- |
| ①正常価格 | 市場性を有する不動産について、現実の社会経済情勢の下で合理的と考えられる条件を満たす市場で形成されるであろう市場価値を表示する適正な価格。 |
| ②限定価格 | 市場性を有する不動産について、不動産と取得する他の不動産との併合または不動産の一部を取得する際の分割等に基づき正常価格と同一の市場概念の下において形成されるであろう市場価値と乖離することにより、市場が相対的に限定される場合における取得部分の当該市場限定に基づく市場価値を適正に表示する価格。 |
| ③特定価格 | 市場性を有する不動産について、法令等による社会的要請を背景とする鑑定評価目的の下で、正常価格の前提となる諸条件を満たさないことにより正常価格と同一の市場概念の下において形成されるであろう市場価値と乖離することとなる場合における不動産の経済価値を適正に表示する価格。 |
| ④特殊価格 | 文化財等の一般的に市場性を有しない不動産について、その利用現況等を前提とした不動産の経済価値を適正に表示する価格。 |

R2⑩-25-3

現実には情報の非対称性などから自由な取引とはいえないことの方が多い。

通常は①の**正常価格**で評価される。簡単にいえば自由な取引が行われると仮定した場合に成立するであろう価格だ。

しかし、不動産取引の中には正常価格よりも高い価格で取引されることが合理的と判断されることもある。たとえば、隣接地の売買等では通常より高い価格になる。これが②の**限定価格**だ。

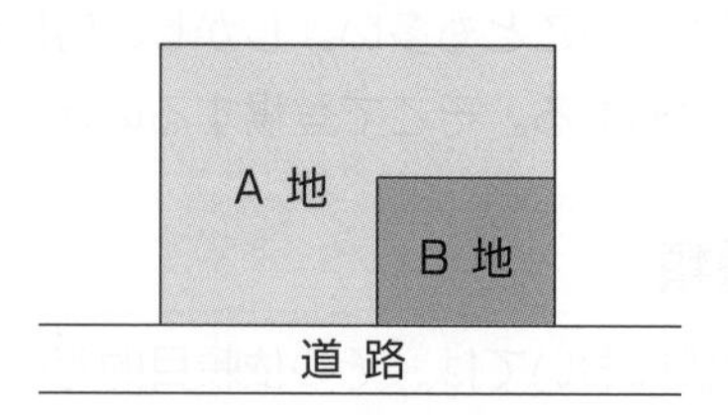


上の図は、土地の併合による「限定価格」の例だ。A地の所有者は、B地を買うことにより、土地全体の利用効率が高まる。A地所有者は、第三者がB地を買う価格（正常価格）よりも高い価

格で購入しても合理的であるといえるのだ。

③の**特定価格**は、投資採算価値を表す価格や民事再生下で早期売却する場合の価格など、通常の市場とは異なる条件下で成立する価格だ。

証券化対象不動産の評価では特定価格が求められる。

①～③は市場性を有する（売買される）不動産の価値について求めるものだが、不動産の中には売買を前提としない（市場性を有しない）ものもある。その経済価値を判定するものが④の**特殊価格**だ。

## 3 不動産の価格を形成する要因

価格の定義や鑑定評価の手法以外に、不動産の価格形成要因についても出題されている。

| 価格形成要因 | 不動産の効用および相対的希少性ならびに不動産に対する有効需要の３者に影響を与える要因を価格形成要因といい、一般的要因、地域要因および個別的要因に分けられる。 |
|---|---|

**一般的要因**（景気の動向・金利水準・税制等、国内全体の要因）、**地域要因**（交通の利便性、商業施設の有無等その地域固有の要因）、**個別的要因**（画地の形状、方位等その不動産固有の要因）が関連しあって価格が決まっていく、と鑑定評価では考えている。

また不動産の価格は、合理的かつ合法的な最高最善の使用方法に基づいて形成される。次の言葉も重要だ。

| 最有効使用 | 不動産の価格は、その不動産の効用が最高度に発揮される可能性に最も富む使用（最有効使用）を前提として把握される価格を標準として形成される〈最有効使用の原則〉。 |
|---|---|

R6-25-3、
H30-25-1
現実の使用方法が最有効使用とは限らない。
R2⑩-25-1

つまり、最も効率的な利用をした場合の価格を評価額とする、ということだ。

# ケース2 鑑定評価の手法には3つある

正誤を判定 ○ or ×

収益還元法は、対象不動産が将来生み出すであろうと期待される純収益の現在価値の総和を求めることにより対象不動産の試算価格を求める手法であることから、賃貸用不動産の価格を求める場合に有効であり、自用の住宅地には適用すべきでない。

**解答** 収益還元法は、自用の住宅地においても、賃貸を想定することで適用可能である。 ×

## 1 鑑定評価の手法

不動産の価格を求める手法には、次の①～③の３つがある。

複数の鑑定評価手法を適用すべきとされる。それができない場合も、その考え方をできるだけ参酌するよう努めるべき、とされている。

ただし、必ず３手法を適用しないといけない、というわけではない。地域分析、個別分析により把握した対象不動産の市場特性を反映した（可能であれば）複数の手法を適用すればよいのだ。

| 手　法 | 定　義 | 求められる価　格（試算価格） |
| --- | --- | --- |
| ①原 価 法 | 価格時点における対象不動産の再調達原価を求め、減価修正を行って価格を求める。 | 積算価格 |
| ②取引事例比 較 法 | 多数の取引事例を収集して適切な事例の選択を行い、必要に応じて事情補正および時点修正を行い、かつ、地域要因の比較および個別的要因の比較を行って求められた価格を比較考量し、価格を求める。 | 比準価格 |
| ③収　益還 元 法 | 対象不動産が将来生み出すであろうと期待される純収益の現在価値の総和を求めることにより価格を求める。 | 収益価格 |

「純」収益の総和、総収益ではないことに注意。

①の**原価法**は、築10年の中古戸建を例にすれば、価格時点において新築したらいくらになるかという価格（再調達原価）を求め、10年間で劣化した分をマイナスする（減価修正）というものだ。

耐用年数については、**経済的残存耐用年数**を特に重視する。

減価修正の方法には、**耐用年数に基づく方法**（定額法、定率法）と**観察減価法**とがあり、両者を併用する。

〈原価法〉

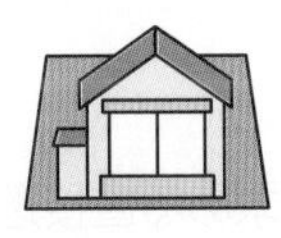

築10年の中古戸建の価格は？

再調達原価－減価修正額＝積算価格

今、新築したらいくらか。

10年経過分をマイナスする耐用年数＆観察原価

**投機的取引**と認められる事例は、取引事例比較法の事例として**採用できない**。

②の**取引事例比較法**は、似たような不動産がいくらで取引されているかを調べ比較するもの。取引事例が、売り急ぎ、買い進み等、特殊な事情を含むときは、適切な補正を行う（**事情補正**）。取引時点が異なれば**時点修正**する。**地域要因**（駅から近いか遠いかなど）、**個別的要因**（土地の形状や方位など）の比較も行う。

R3⑩-25-3

〈取引事例比較法〉

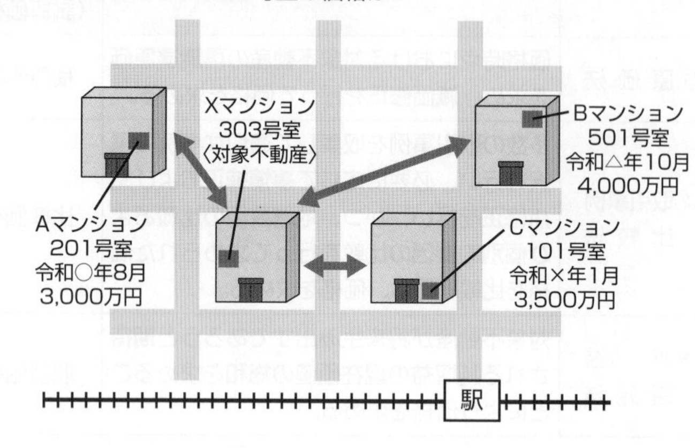


収益価格は先走りがちな取引価格に対する**有力な検証手段**として活用される。H28-25-4参照

③の**収益還元法**は賃貸用不動産でなくても適用できる。自宅でも、賃貸に出したらいくらになるか、という想定から価格を求めるのだ。

〈収益還元法〉

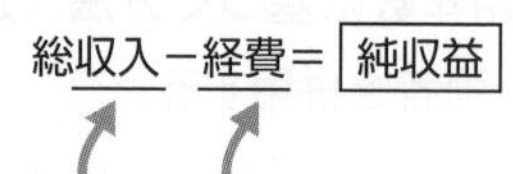


**証券化対象不動産**の鑑定評価における収益価格を求めるにあたっては、**DCF法を適用しなければならず**、あわせて直接還元法による検証を行う。

収益還元法には、一期間の**純収益**から価格を求める直接還元法と、**複数の期間**の純収益から価格を求めるDCF法とがある。

# 第1章 不動産鑑定評価と地価公示

## ケース3 「地価公示」とは不動産価格の目安だ

**正誤を判定 ○ or ×**

地価公示において判定を行う標準地の正常な価格とは、土地について、自由な取引が行われるとした場合において通常成立すると認められる価格をいい、当該土地に、当該土地の使用収益を制限する権利が存する場合には、これらの権利が存するものとして通常成立すると認められる価格をいう。

**解答** **標準地**の価格は、**更地として評価**した価格だ。標準地の上に建物や借地権があっても、それらは存在しないものとして評価される。 ×

### 1 地価公示とは

土地の価格はわかりにくい。そこで土地の適正な価格を判断する客観的な目安となるように、標準地の１月１日時点での１㎡あたりの価格である公示価格が公表されている。この公示価格を公表するのが地価公示だ。

> １㎡あたりの「単価」を公示する。標準地の「総額」が公示されるわけではない。

標準地は、その地域において土地の利用状況、環境等が通常とみられる土地が選ばれる。

> H29-25-3

## ◘標準地の例

国土交通省ホームページ（https://www.land.mlit.go.jp）より

標準地の価格を毎年評価している。いわば定点観測することで、地価の動向を判断できる。

## ◘公示価格の例

| 標準地番号 | 世田谷-22 |
|---|---|
| 所在及び地番 | 東京都世田谷区祖師谷1丁目138番13 |
| 住居表示 | 祖師谷1-4-8 |
| 調査基準日 | 令和6年1月1日 |
| 価格（円/㎡） | 643,000（円/㎡） |
| 地積（㎡） | 114（㎡） |
| 形状（間口：奥行き） | （1.0：1.5） |
| 利用区分、構造 | 建物などの敷地、W（木造）3F |
| 標準地の利用状況 | 住宅 |
| 周辺の土地の利用現況 | 一般住宅、アパート等が混在する住宅地域 |
| 前面道路の状況 | 北　4.0m　区道 |
| その他の接面道路 | ― |
| 給排水等状況 | ガス・水道・下水 |
| 交通施設、距離 | 祖師ヶ谷大蔵、260m |

標準地の**㎡単価**が公示される（総額ではない）。㎡単価の方が比較検討しやすいからだ。

**周辺の土地の利用現況**が公示されることにも注意。

| 用途区分、高度地区、防火・準防火 | 一種低層住居専用地域、準防火地域 |
| --- | --- |
| 森林法、公園法、自然環境等 | ― |
| 建蔽率（%）、容積率（%） | 60（%）、150（%） |
| 都市計画区域区分 | 市街化区域 |

標準地の価格（公示価格）とともに、土地の所在、周辺の利用現況、前面道路の状況、用途地域、建蔽率、容積率なども公示される。その地域内で取引しようとしている土地と比較検討することができるのだ。

なお、標準地の上に建物があったり、借地権等の権利が付いていたりしても、それらは存在しないものとして評価される（**更地としての評価**）。その方が価格が比較しやすいからだ。

R4-25-2

## 2 地価公示の流れ

地価公示は、次のような流れで進められる。

**① 土地鑑定委員会が公示区域から標準地を選定する。**
**② 2人以上の不動産鑑定士が鑑定評価する。**
**③ 鑑定評価額をもとに土地鑑定委員会が正常価格を判定する。**
**④ 土地鑑定委員会は官報で公示するとともに、市町村長に送付する。**
**⑤ 市町村長は3年間閲覧に供する。**

公示区域は都市計画区域**外**にも指定することができる。

①標準地の選定、③正常価格の判定、④官報での公示、市町村長への送付は**土地鑑定委員会**が行うことに注意。不動産鑑定士が行う、というヒッカケがでる。不動産鑑定士が行うのは②の鑑定評価のみだ。

公示価格は土地の取引価格の指標となるものだから、自由な取引が行われるとした場合に通常成立するであろう価格、つまり**正常価格**だ。

## 3 公示価格の効力

適正な価格で取引されるよう、一般の土地取引においては公示価格を**指標**として取引を行うことが求められる。一方、不動産鑑定評価などでは、公示価格をベースに正常価格を求めるよう**強制**されている。

### ◆公示価格の効力

H29-25-4

R4-25-3

公示価格を規準とするとは、簡単に言えば、標準地の価格をベースにして土地の価格を求めるということ。「公示価格と土地の価格との間に均衡を保たせる」という表現をする。

| | |
|---|---|
| 一般の土地取引 | 公示価格を指標として取引を行うよう努めなければならない（努力目標。強制力はない）。 |
| 不動産鑑定士が正常価格を求める | 公示価格を規準としなければならない（強制力あり）。 |
| 土地収用法等によって土地を収用する価格を求める | |

## 4 標準地の鑑定評価

標準地の鑑定評価においては、次の文言がよく出題されている。

H26-25-4、H25-25-4

**標準地の鑑定評価は、近傍類地の取引価格から算定される推定の価格、近傍類地の地代等から算定される推定の価格及び同等の効用を有する土地の造成に要する推定の費用の額を勘案して行われる。**

「取引価格から算定される推定の価格」とは**取引事例比較法**、「近傍類地の地代等から算定される推定の価格」とは**収益還元法**、「同等の効用を有する土地の造成に要する推定の費用の額」とは**原価法**のことだ。つまり、鑑定評価の３手法だ。

### ◇価格・賃料の種類

① 投資採算価値を表す価格や民事再生下で早期売却する場合の価格は特定価格。
② 不動産の価格は、その不動産の効用が最高度に発揮される可能性に最も富む使用（最有効使用）を前提として把握される価格を標準として形成される。

### ◇鑑定評価の手法

① 原価法、取引事例比較法、収益還元法の３つがある。
② 不動産の価格を求めるにあたっては複数の鑑定評価手法を適用すべき。
③ 賃貸用不動産でなくても収益還元法の適用は可能である。
④ 証券化対象不動産の鑑定評価における収益価格を求めるにあたってはＤＣＦ法を適用しなければならない。

### ◇地価公示

① 公示価格は更地としての価格（借地権や建物はないものとして評価する)。
② 標準地の周辺の利用状況も公示される。
③ 標準地の鑑定評価は、近傍類地の取引価格から算定される推定の価格、近傍類地の地代等から算定される推定の価格および同等の効用を有する土地の造成に要する推定の費用の額を勘案して行われる。

# 第1章 確認テスト

問題　次の記述の正誤を判定してください。

1．特殊価格とは、市場性を有する不動産について、法令等による社会的要請を背景とする鑑定評価目的の下で、正常価格の前提となる諸条件を満たさないことにより、正常価格と同一の市場概念の下において形成されるであろう市場価値と乖離することとなる場合における不動産の経済価値を適正に表示する価格をいう。

2．不動産の価格を求める鑑定評価の手法は、原価法、取引事例比較法及び収益還元法に大別されるが、鑑定評価に当たっては、案件に即してこれらの三手法のいずれか１つを適用することが原則である。

3．原価法における減価修正の方法としては、耐用年数に基づく方法と、観察減価法の二つの方法があるが、これらを併用することはできない。

4．収益還元法は、対象不動産が将来生み出すであろうと期待される純収益の現在価値の総和を求めることにより対象不動産の試算価格を求める手法であることから、賃貸用不動産の価格を求める場合に有効であり、自用の住宅地には適用すべきでない。

5．土地鑑定委員会は、自然的及び社会的条件からみて類似の利用価値を有すると認められる地域において、土地の利用状況、環境等が特に良好と認められる一団の土地について標準地を選定する。

6．土地の取引を行う者は、取引の対象土地に類似する利用価値を有すると認められる標準地について公示された価格を指標として、行わなければならない。

7．不動産鑑定士は、土地鑑定委員会の求めに応じて標準地の鑑定評価を行うに当たっては、近傍類地の取引価格から算定される推定の価格、近傍類地の地代等から算定される推定の価格又は同等の効用を有する土地の造成に要する推定の費用の額のいずれかを勘案してこれを行わなければならない。

解答解説

1．×　問題文は、特定価格の定義だ。特殊価格は文化財等、市場性を有しない不動産の価格だ。

2．×　鑑定評価では複数の鑑定評価手法を併用することが原則だ。「三手法のいずれか1つを適用する」のではない。

3．×　減価修正にあたっては、耐用年数に基づく方法（定額法や定率法）と実態を見ての判断（観察減価法）を併用するものとされている。

4．×　自用の住宅地においても賃貸を想定することにより収益還元法を適用することができる。

5．×　標準地は、土地の利用状況、環境等が「通常」とみられる土地が選ばれる。「特に良好」と認められる土地ではない。

6．×　一般の土地取引において公示価格を指標とすることは努力目標だ。行わなければ「ならない」というように強制力を持つものではない。

7．×　文末の「いずれかを勘案して」という部分が誤り。取引価格から算定される推定の価格、地代等から算定される推定の価格、土地の造成に要する推定の費用の額を、すべて勘案する。

## 第2章 不動産実務

## ケース1 住宅金融支援機構って何するところ?

**正誤を判定 ○ or ×**

住宅金融支援機構は、災害復興融資、財形住宅融資、子育て世帯向け・高齢者世帯向け賃貸住宅融資など、政策上重要で一般の金融機関による貸付けを補完するための融資業務を行っている。

証券化されるって、
どういうこと?
TAC銀行
住宅
ローン

**解答** 機構の中心業務は証券化支援業務だが、一般の金融機関では貸付けが困難な融資については、機構から直接融資している。 ○

> 証券化支援業務で利用される長期固定の住宅ローンが**フラット35**だ。
> 長期優良住宅の認定をうければ50年固定金利だ(フラット50)。

### 1 住宅金融支援機構の業務

住宅金融支援機構では、①**証券化支援業務**を中心に、②**融資保険業務**、③**情報提供業務**、④**直接融資業務**、⑤**団体信用生命保険業務**を行っている。

以下、特に重要な**証券化支援業務**、**直接融資業務**について見てみよう。

> 銀行以外の金融機関の債権も買い取り対象となっていることに注意。住宅ローン債権の償還方法(返済方法)には、「元利均等方式」と「元金均等方式」とがある。
> R4-46-3

### 2 証券化支援業務

証券化支援業務では、銀行、保険会社、農業協同組合、信用金庫などが貸し付けた住宅ローン債権を買い取ることができる(買取型)。住宅金融支援機構が**住宅ローン債権を買い取ってくれる**ので、金融機関は貸しやすくなる。つまり一般消費者は住宅ローンを借りやすくなるわけだ。具体的には、以下のような流れになる。

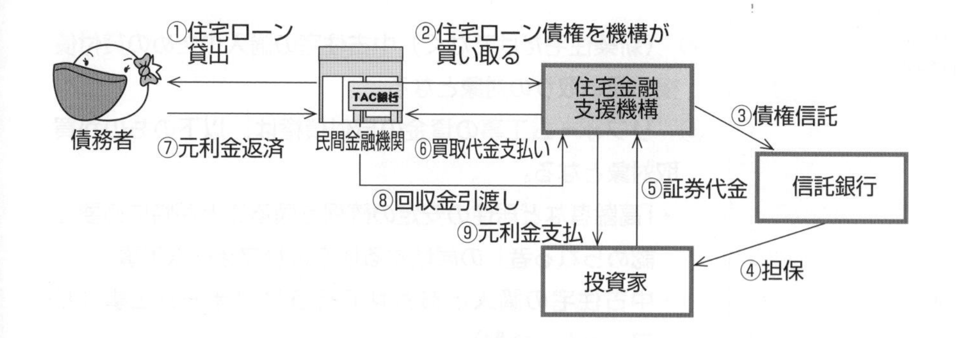


① ＴＡＣ銀行が債務者に住宅ローンを貸す（例：毎年120万円ずつ、30年間で返済する＝総額3,600万円の返済）。

② ＴＡＣ銀行の住宅ローン債権（総額3,600万円）を住宅金融支援機構が3,000万円で買い取る（銀行はすぐに現金化できて嬉しい。機構は3,600万円の債権を3,000万円で手にできる）。

③④⑤ 機構は債権を信託し、それを担保に**証券（MBS）を発行**。投資家に売却する。

⑥ 証券（MBS）売却代金をもとに機構はＴＡＣ銀行に3,000万円を支払う。

⑦⑧ 債務者のローン債権をＴＡＣ銀行が回収し、機構に支払う。

⑨ 機構は投資家に元利金を支払う。

フラット35は銀行にとって負担が重い（長期**固定金利**であり、借主はうれしいが貸す方はキツイ）ため、住宅金融支援機構ができた。

R4-46-4、R2⑩-46-1

### ◘証券化支援事業（買取型）のポイント

「買取型」は、**住宅の建設又は購入**に必要な資金の貸付債権を買い取り（譲受け）証券化する。出題されるのは、以下の事項だ。

**① 民間の金融機関から長期固定金利の貸付債権（住宅ローン）を買い取り、それを担保に証券（MBS）を発行する。**

**② 買い取りの対象となる貸付債権の融資条件（金利や融資手数料）は、取扱い金融機関によって異なる。**

H29-46-3参照

**③ 機構は、本人または親族が居住する住宅の「建設または購入」やそれに「付随する行為（土地の所有権や借地権の取得）」に必要な資金の貸付債権を買い取る。**

R5-46-2、R4-46-1、H30-46-1

R1-46-1、
H29-46-4

④ （新築住宅だけでなく）中古住宅の購入のための貸付債権も買い取りの対象となる。

⑤ リフォーム工事の資金の貸付債権は、以下のものが買取対象となる。

・「高齢者など居住の安定の確保を図ることが特に必要と認められる者」の居住する住宅のリフォーム工事

R6-46-1

・中古住宅の購入とあわせて行うリフォーム工事（リフォーム一体型）

R5-46-3

⑥ 省エネルギー性、耐震性、バリアフリー性などに優れている住宅の借入金利が一定期間優遇される優良住宅取得支援制度（フラット35S）もある。

R3⑩-46-1、
R2⑩-46-3

③について。「住宅」金融支援なので、土地だけの取得資金や賃貸住宅の建設に必要な資金は対象とはならない。「土地のみ」「賃貸住宅（投資）」は買い取り対象外だ。

⑥について。より有利な融資条件にすることにより、良質な住宅への誘導を図るのだ。

**〈証券化支援業務（保証型）〉**

証券化支援事業には「保証型」と呼ばれるものもある。民間金融機関の長期固定金利の住宅ローンに対して保険を付け、それを担保として発行された債券等について、期日通りの**元利払い**を投資家に**保証**するものだ。

保証型の場合、証券の発行等は民間の信託会社等が行う。機構が住宅ローン債権を買い取るわけではない。機構は債務の「保証のみ」を行うのだ。

## 3 直接融資業務

機構の中心業務は証券化支援業務だが、一般の金融機関では貸付けが困難な次のような融資については、機構から**直接融資**している。

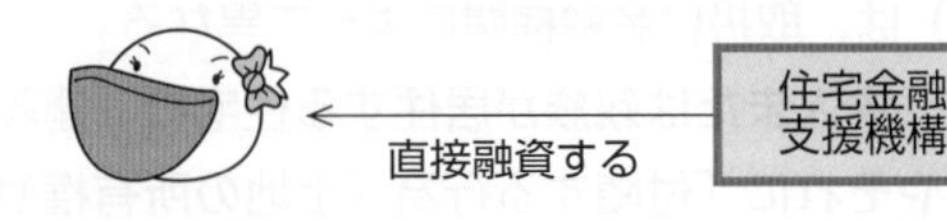

〈住宅弱者〉

① 「子供を育成する家庭」「高齢者の家庭（単身世帯を含む）」に適した賃貸住宅の建設、改良に必要な資金の貸付け

② 高齢者の家庭に適した住宅とするための住宅改良資金、または高齢者の居住の安定確保に関する法律に規定する「登録住宅」とすることを目的とする購入資金の貸付け

③ 住宅確保要配慮者向け賃貸住宅のための貸付け・家賃債務保険

〈災害復興・予防〉

④ 災害復興建築物の建設・購入、または被災建築物の補修に必要な資金の貸付け

⑤ 災害予防代替建築物の建設・購入や地震に対する安全性向上を目的とする住宅改良の資金の貸付け

⑥ 合理的土地利用建築物の建設・購入

※上記建築物の住宅部分が対象となる。

〈その他〉

⑦ マンションの共用部分の改良に必要な資金の貸付け

⑧ 勤労者財産形成促進法の規定による貸付け（財形住宅貸付）

⑨ エネルギー消費性能の向上を目的とする住宅改良資金の貸付け

⑩ 高齢者の居住の安定確保に関する法律に基づく貸付け、債務の保証など

R5-46-1

R6-46-2

⑥合理的土地利用建築物とは、市街地の土地の合理的な利用に寄与する一定の建築物のこと。細分化された土地の上に密集する木造建築物を除却して、耐火建築物（マンションやビル）を建てるのがその例だ。

R5-46-4

R6-46-4

③の「住宅確保要配慮者」とは、高齢者、低額所得者、子育て世帯、障がい者、被災者等の住宅の確保に特に配慮を要する者をいう。これらの方々は住宅を借りにくい。これら要配慮者への貸借を拒まない住宅（登録住宅）については、リフォーム工事費などの融資を受けることができる。

④⑤の購入には、購入に付随する補修（改良）も含まれる。

⑧の財形住宅貸付により、一般の銀行より有利な条件で住宅購入に必要な資金の融資がうけられる。持家促進策の一つだ。

〈高齢者向け返済特例制度〉

機構から融資を受けた場合、毎月元金と利息を少しずつ返済していく（割賦償還）のが原則だ。しかし、高齢者向けの貸し付けについては、債務者の**死亡時に元金（借入金）を一括して返済する制度**（一括償還）が設けられている。

毎月の返済は利息のみになる。また、この死亡時に一括返済する制度があるのは、直接融資業務だ。証券化支援業務で一括返済制度があるというヒッカケが過去に出題されている。

〈貸付条件の変更等〉

機構は貸付けの条件の変更及び延滞元利金の支払い方法の変更ができる。

R2⑩-46-2

**① 災害で住宅が滅失。代わりの住宅建設・購入資金の貸付→元金返済の据置期間を設けることができる**

**② 貸付を受けた者が経済事情の著しい変動により元利金の支払いが困難になる→貸付条件の変更や元利金の支払方法の変更ができる**

災害やリストラで困っている人から無理やり取り立てるようなことはしないのだ。ただし、できるのは貸付条件や支払い方法の変更まで。**元利金の返済免除まではできない。**

R2⑩-46-4、H29-46-1

## 4 団体信用生命保険業務

融資を受けた者に生命保険に加入してもらい、その者が死亡した場合（重度障害を含む）には保険金を債務の弁済にあてる**団体信用生命保険**業務も行っている。これも住宅ローンを貸しやすく（借りやすく）するための業務だ。

## 5 保険業務

住宅ローン債務者がローンの返済ができなくなった場合に、融資した金融機関（銀行など）に機構が保険金を支払うのが**住宅融資保険業務**だ。高齢者の居住の安定確保に関する法律の規定による保険も行っている。保険があるため、金融機関は融資をしやすくなる。住宅購入者としてはローンを借りやすくなるわけだ。

R6-46-3
住宅融資保険法による保険を行う。

また、家賃債務保証事業者が、登録住宅に入居する住宅確保要配慮者の家賃債務を保証する場合に、機構が保証する**家賃債務保証保険**も扱っている。これにより保証人をたてることが困難な住宅確保要配慮者が、家賃保証保険を利用しやすくなり、住宅も借りやすくなる。

機構と賃貸住宅の入居者が直接契約する保険ではない。

## 6 その他の業務

住宅ローンや住宅関連情報を提供する**情報提供、相談、その他援助業務**も行っている。

空家特措法の規定による情報提供その他の援助も行っている。

## 7 業務の委託

機構は業務の一部を委託することが認められている。あくまで一部。業務の全部を丸投げすることはできない。

| 業務内容 | 委託先 |
| --- | --- |
| **貸付債権の回収業務** | 一定の金融機関、債権回収会社 |
| 直接融資業務 | 一定の金融機関 |
| 団体信用生命保険業務 | 一定の金融機関 |
| 建築物の審査 | 地方公共団体、指定検査機関等 |
| 情報提供業務 | 委託は認められていない。 |

## ケース2 不動産広告には規制がある

**正誤を判定 ○ or ×**

マンションの広告を行う場合、当該マンションが建築後２年経過していたとしても、居住の用に供されたことがなければ「新築分譲マンション」と表示することができる。

**解答** **新築と表示できるのは「建築後１年未満かつ居住の用に供されたことがない」建物**だ。たとえ人が住んでいないとしても建築後２年を経過しているのであれば新築とは表示できない。 ×

### 1 広告表示規制

売れ残りがあるのに、第２期販売広告に「第１期完売御礼」と表示したり、中古マンションなのにリフォームしたからといって「新発売」と広告するのは、常識で考えておかしいとわかるはずだ。

広告表示規制については、常識を働かせることが重要だ。

「平成10年築の建物なのに、平成30年にリフォームしたからといって、『平成30年築』と表示するのはおかしい」「成約済の物件をいつまでもインターネットで広告しておくのは“おとり広告”と同じだ」「写真を加工して物件の隣にある鉄塔を消すのはズルイ」「計画中の交通機関や工事中のスーパーマーケットでも、将来確実に利用できるものであれば、利用できる時期を明示して広告しても問題ないはずだ」というように、常識でほとんど正解できる。

**不当表示**や**おとり広告**は許されない、という常識を活用しよう。

## 2 用語の定義、使用基準

① 新築住宅とは「建築後1年未満かつ居住の用に供されたことがないもの」をいう。
② 「完全」、「日本一」、「特選」、「最高級」、「格安」、「完売」といった用語は合理的根拠がなければ使用できない。
③ 物件の名称に、公園・庭園・旧跡・海岸・河川などの名称を使用する➡当該物件が直線距離で300m以内にあることが条件
④ 物件の名称に街道(道路や坂を含む)の名称を使用する➡当該物件が直線距離で50m以内にあることが条件

「居住の用に供されたことがない」とは人が住んだことがない、ということ。R6-47-4、R1-47-4

別荘地では、もっと離れていても表示できる。「湖沼、河川の岸から直線距離で1,000m以内」であれば名称を使用できる。

R5-47-2

③、④。マンションなどの名称に最寄り駅や地名が使われることが多いが、有名な公園等の名称を使用することもある(「〇〇タワー日比谷公園」「三宅坂〇〇マンション」など)この場合、あまり離れてはダメ、ということだ。

## 3 必要な表示事項

不動産広告であれば、物件の所在地、面積、建築年月日、価格など必ず広告に表示しなければならない事項が定められている(価格は「予告広告」「シリーズ広告」では省略可能)。

① インターネット広告では「引渡し可能年月日(賃貸は入居可能時期)」も記載する。分譲物件では「取引条件の有効期限」も表示する。
② 家賃保証会社等と契約することを賃貸条件とする場合は、その旨および契約に要する金額を表示する。

賃借人が家賃滞納した場合に、代わりに立て替えて支払ってくれるのが家賃保証会社だ。

## 4 表示の基準

徒歩分数や面積などの表示がバラバラでは、一般消費者が混乱する。統一された表示の基準があるのだ。

〈交通の利便など〉

① 徒歩による所要時間は、道路距離80mにつき１分で算出する（１分未満の端数は切上げ）。

② 物件から最寄駅や施設までの所要時間（道路距離）を表示する。団地では、最も近いものと遠いものの両方を表示する。

R6-47-3

③ 電車、バス等の所要時間は、朝の通勤ラッシュ時の所要時間を明示する。乗換えを要するときは、その旨を明示し、所要時間に乗換えに概ね要する時間を含める。

〈面積〉

④ 住宅の居室等の広さの畳数表示は1.62㎡以上。

〈物件の形質〉

⑤ 建築基準法上居室と認められない部分については、「納戸」等と表示する。

**「建築基準法上居室と認められない部分」**とは、採光や通風等の条件が悪く、居室とは呼べない部屋のこと。
不動産広告で３ＬＤＫ＋Ｎ（納戸）と書いてあれば、居室が3つ、ＬＤＫが1つ、納戸が１つあるということだ。

⑥ 建物の増改築等を表示する場合には、その内容と時期を明示する。

〈写真・絵図〉

⑦ 宅地や建物の写真・動画は、取引するものを表示する。ただし建築工事完了前である等取引する建物の写真・動画を表示できない場合は、（一定の条件を満たす）過去に施工した建物の写真・動画を表示することができる。

〈価格・賃料〉

⑧ 分譲住宅（宅地）の広告において広告スペースの関係からすべての価格を表示できない。→最低価格、最高価格、最多価格帯とその戸数を表示すればよい。
（例：3,000万円～4,500万円　最多価格帯3,800万円台５戸）

①。徒歩時間は、道路距離で算出する（直線距離ではない）。

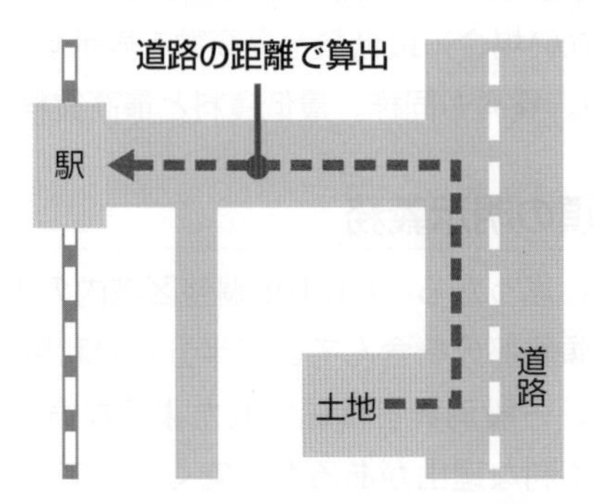


②。団地など複数住戸販売する場合、近いものだけを表示するのではダメだ。下図では「市役所まで200mから450m」となる。また、マンションやアパートの場合、建物の出入口からの距離（所要時間）を表示する。

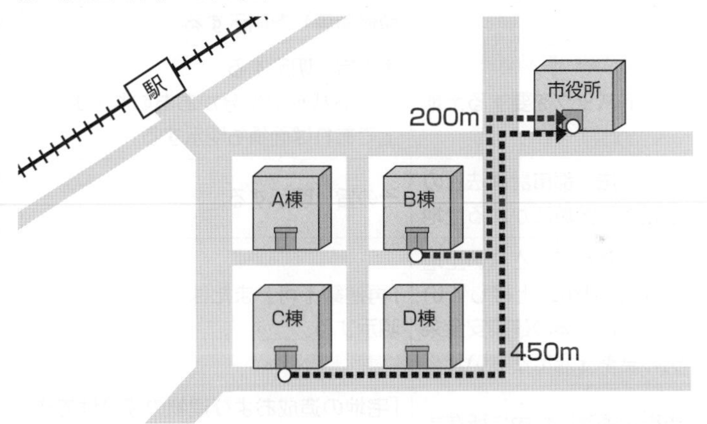


④。「3LDK（和室8畳、洋室8畳、6畳、LDK12畳）」といった表示をする場合の畳1枚分の広さは1.62㎡以上必要なのだ（中古住宅も含めて）。

⑦。取引する宅地建物の写真・動画を使用する。これが原則。実際に販売する建物は安物なのに、ハイグレードな建物の写真を広告で使用するのは不当表示になる。しかし、未完成物件など取引する建物の写真がない場合には、類似物件の外観写真を使用することもできる（構造・階数・仕様が同一で規模・形状などが類似する建物の外観写真を使用できる）。

R4-47-3

⑧。マンションの管理費・修繕積立金は、（すべての住戸のものが表示できない場合）最低額と最高額を表示すればよい（最多価格帯は不要）。賃料も同様。最低賃料と最高賃料の表示でよい。

## 5 特定事項の明示義務

価格が安いと思ったら、「市街化調整区域内の土地で建築できなかった」、「傾斜部分を含んでいて半分しか利用できなかった」というのでは、一般消費者は騙されたような気持ちになるだろう。そこで、不利な理由があるから安くなっているのであれば、そのことを表示しなければならないとされている。**特定事項の明示義務**と呼ばれるものだ。

R4-47-4

②④。**接道義務**、**セットバック**についてはパートⅡ第3章ケース3を参照。

⑤。新聞雑誌広告は16ポイント未満でもよい。

R6-47-2

⑧。⑵土地の有効な利用が著しく阻害される傾斜地については**30%未満**であっても面積（または割合）を明示する（マンションをのぞく）。

| | |
|---|---|
| ①建築条件付き土地 | 条件付きである旨、条件が成就しなかった場合の措置（＝受領した金銭の全額返還等）を明示する。 |
| ②セットバックを要する土地 | その旨、明示する。<br>セットバック部分がおおむね10%以上であれば面積も明示する。 |
| ③（道路法、都市計画法）の道路予定区域にかかる土地 | その旨、明示する。 |
| ④接道義務を満たさない土地（道路に2m以上接していない、自治体の建築安全条例の基準を満たさない） | 「再建築不可」または「建築不可」と明示する。 |
| ⑤市街化調整区域内に所在する土地 | 「宅地の造成および建物の建築はできません」と16ポイント以上の文字で明示する。 |
| ⑥古家、廃屋がある土地 | その旨、明示する。 |
| ⑦路地状敷地 | 路地状部分が30%以上であれば路地状部分の面積（または割合）を明示する。 |
| ⑧傾斜地を含む土地<br>⑴傾斜地の割合が30%以上または<br>⑵土地の有効利用が著しく阻害される土地 | その旨、明示する（⑴の場合は面積または割合も）。<br>なおマンションは傾斜地を含んでいても明示義務はない。 |

| ⑨土地の有効利用が阻害される著しい不整形地 | その旨、明示する。 |
|---|---|
| ⑩擁壁におおわれない崖の上（または下）にある土地 | 擁壁におおわれない崖の上（または下）にあることを明示。建築制限がある場合には、その内容も明示。 |
| ⑪高圧線下にある土地 | その旨およびおおよその面積を明示する。建築が禁止されている場合はその旨を明示する。 |
| ⑫建築工事が相当の期間中断されていた土地 | 工事に着手した時期、中断していた期間を明示する。 |

③は都市計画制限（パートⅡ第１章**ケース6**）を受けるので広告にも表示する。計画道路等の区域内にあるならば、工事が未着手であっても明示する。

⑥は古家がある場合、更地と比べて取壊し費用の分だけ、価値が下がる。

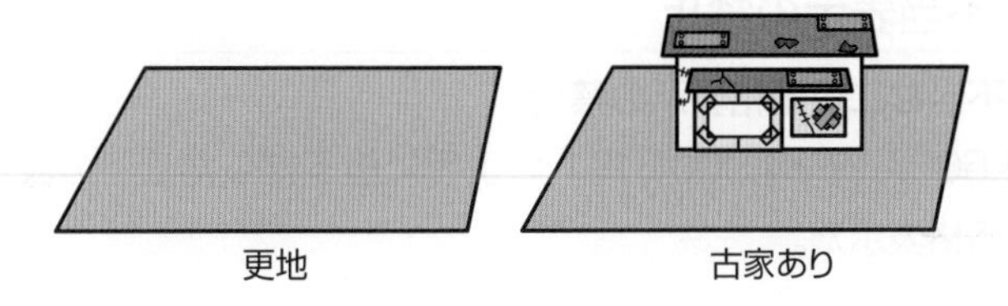


⑦の**路地状敷地**とは、下図のような形状の敷地だ。路地状部分は建物の建築ができないから、有効宅地面積が小さくなる。

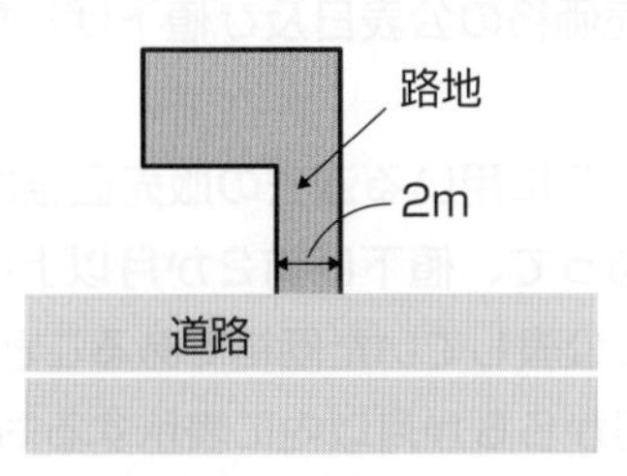


⑨の**著しい不整形地**とは、三角形や間口が狭く奥行きが極端に長いような土地だ。これも整形地と比べ有効宅地面積が小さくなるので、その旨、広告に書いてもらわなければ困る。

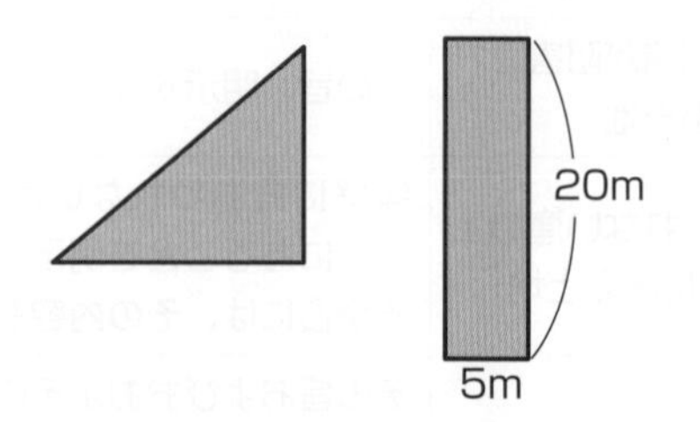


⑩。近年の改正で建築制限の内容（例：鉄筋コンクリート造でなければならないなど）も記載するようになった。

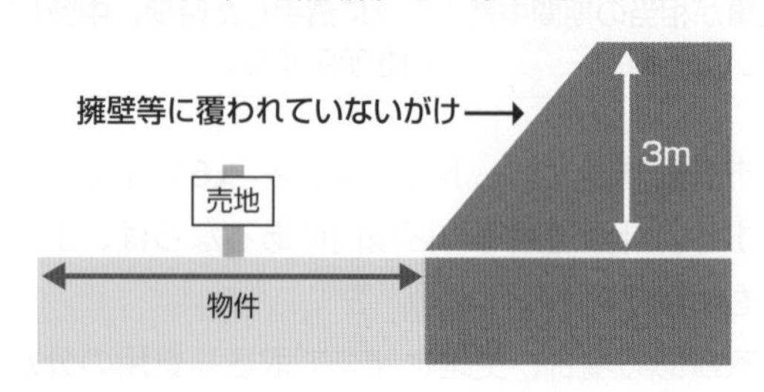


## 6 不当表示の禁止

### ① 不当な二重価格表示の禁止

「~~4,500万円~~→4,000万円」のように値下げしたことの表示が二重価格表示だ。

〈二重価格表示をするための要件〉

> ① 過去の販売価格の公表日及び値下げした日を明示すること。
> ② 比較対照価格に用いる過去の販売価格は、値下げの直前の価格であって、値下げ前2か月以上にわたり実際に販売のために公表していた価格であること。
> ③ 値下げの日から6か月以内に表示するものであること。
> ④ 過去の販売価格の公表日から二重価格表示を実施する日まで物件の価値に同一性が認められるものであること。
> ⑤ 土地（現況有姿分譲地を除く。）又は建物（共有制リゾートクラブ会員権を除く。）について行う表示であること。

①。過去の価格と比較するのは、売買にのみ認められる。賃貸物件の賃料の比較表示はできない。②。近年の改正で**2か月以上**になった。

② **不当表示の禁止**

- 優良誤認、有利誤認を招く表示は禁止されている。
- 完成予想図などで周囲の状況については、現況に反する表示をしてはならない。

「現況に反する表示」とは、実際には物件の隣に工場があるのに（写真を加工するなどして）空地として広告表示するなどがその例だ。H30-47-3

**発展** **景品規制**

高額すぎる景品（おまけ）も禁止されている。景品額は以下の金額より低い金額でなければならない。

| | |
|---|---|
| **懸賞により提供する場合（抽選で○名にプレゼントなど）** | 取引価額の20倍または10万円のいずれか低い額 |
| **懸賞によらないで提供する場合（契約した人全員にプレゼントする場合など）** | 取引価額の10分の1または100万円のいずれか低い額 |

「取引額の20倍」と「10万円」を比べていることに違和感を覚えるかもしれない（4,000万のマンションであれば価額の20倍は8億だ！）。だがこれは誤植ではない。景品表示法の規定があるからだ。たとえば100円のボールペンを買った人に提供できる景品の額は2,000円（＝取引価額の20倍）までだ。しかし5万円の高級万年筆を買った人に対して、100万円（＝取引価額の20倍）の景品を提供することはできない。10万円が限度額だ。景品表示法は法律なので、宅建業者も守らなければならないのだ。

## column 統計問題の学習法

### ◇学習方法

あれもこれも覚えようとするとつぶれるので、出題確率の高いものだけに絞って記憶する。試験１週間前に覚えて、試験前日と当日にさっと目を通して確認すれば十分だ。以下の項目に絞って覚えておくことが効率的だ。

① 地価公示：毎年３月に発表されるので、傾向をつかんでおく必要がある(例:「２年連続下落」「３年ぶりに上昇」など)。全国、三大都市圏、地方圏それぞれについて住宅地と商業地の傾向を押さえておく。
② 住宅着工戸数：これも傾向をつかんでおく。全体傾向とともに持家、貸家、分譲住宅などの種別ごとの動向も押さえておく。
③ 宅建業者数：増えているのか減っているのか。

### ◇最新データの確認

参考までに最新データの確認場所を載せておくが、模擬試験等を受けて最新データを入手できるのであれば、その方が早い。

| データ | サイト名 |
| --- | --- |
| 地価公示の概要 | 国土交通省<br>https://www.mlit.go.jp/ |
| 住宅着工統計 | 国土交通省<br>https://www.mlit.go.jp/ |
| 宅建業者数 | 国土交通省<br>https://www.mlit.go.jp/ |

最新データ及び覚え方については、YouTube中村喜久夫チャンネルで、(直前期に)解説する。ご安心を。

MEMO

# 確認テスト

**問題** 次の記述の正誤を判定してください。

1．住宅金融支援機構は、証券化支援事業（買取型）において、中古住宅を購入するための貸付債権を買取りの対象としていない。

2．住宅金融支援機構は、子どもを育成する家庭または高齢者の家庭に適した良好な居住性能及び居住環境を有する賃貸住宅の建設に必要な資金の貸付けを業務として行う。

3．住宅金融支援機構は、高齢者が自ら居住する住宅に対して行うバリアフリー工事又は耐震改修工事に係る貸付けについて、貸付金の償還を高齢者の死亡時に一括して行うという制度を設けている。

4．取引しようとする賃貸物件から最寄りの甲駅までの徒歩所要時間を表示するため、当該物件から甲駅までの道路距離を80mで除して算出したところ5.25分であったので、1分未満を四捨五入して「甲駅から5分」と表示した。この広告表示が不当表示に問われることはない。

5．住戸により管理費が異なる分譲マンションの販売広告を行う場合、全ての住戸の管理費を示すことが広告スペースの関係で困難なときには、1住戸当たりの月額の最低額及び最高額を表示すればよい。

6．土地の有効な利用が著しく阻害される傾斜地を含む宅地の販売広告を行う場合は、土地面積に占める傾斜地の割合にかかわらず、傾斜地を含む旨及び傾斜地の割合またはその面積を明瞭に表示しなければならない。

7．市街化調整区域内に所在する土地を販売する際の新聞折込広告においては、市街化調整区域に所在する旨を16ポイント以上の大きさの文字で表示すれば、宅地の造成や建物の建築ができない旨を表示する必要はない。

**解答解説**

1．×　「中古住宅を購入するための貸付債権」も買取りの対象となる。

2．○　住宅金融支援機構は子供や高齢者に適した賃貸住宅の建設、改良資金を直接融資することができる。

3．○　高齢者向けの直接融資については、死亡時に貸付金を一括して返済する制度（高齢者向け返済特例制度）が設けられている。

4．×　徒歩所要時間は道路距離80mを１分として計算するが、１分未満は切り上げだ。四捨五入ではない。

5．○　分譲マンションで販売戸数がたくさんあるときには、「管理費　15,000円～18,000円／月額」といったように、最低額及び最高額で表示することが認められている。

6．○　傾斜地については、通常は傾斜部分が30％以上占める場合に、面積（または割合）を表示する。これが原則。しかし、「有効な利用が著しく阻害される傾斜地を含む」場合には、傾斜部分が30％未満でも表示しなければならない。

7．×　「宅地の造成および建物の建築はできません」と表示する必要がある。

# 第3章 土地や建物の特徴

## ケース1 宅地に向いている土地ってどんな土地？

**正誤を判定 ○ or ×**

谷底平野は、周辺が山に囲まれ、小川や水路が多く、ローム、砂礫(されき)等が堆積した良質な地盤であり、宅地に適している。

**解答** 谷底平野は洪水災害の危険性があり、宅地には向いていない。 **×**

### 1 土地の基本用語

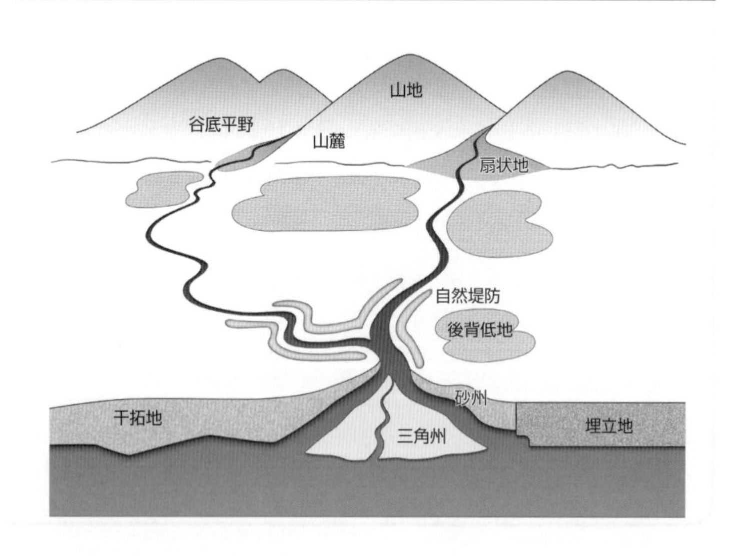

- 扇状地：谷の出口に扇型に広がる微高地。河川によって山地から運ばれた砂礫が堆積してできる。
- 自然堤防：河川の氾濫による堆積土砂によってできた微高地
- 後背低地：自然堤防の背後にできた低湿地。河川の氾濫にも地震にも弱く、宅地には向かない。
- 三角州：河口付近に土砂が堆積してできた三角形の低地。後背湿地よりさらに低いところに位置し、河川の氾濫にも地震にも弱く、宅地には向かない。
- 谷底平野：堆積作用でできた谷あいの平野

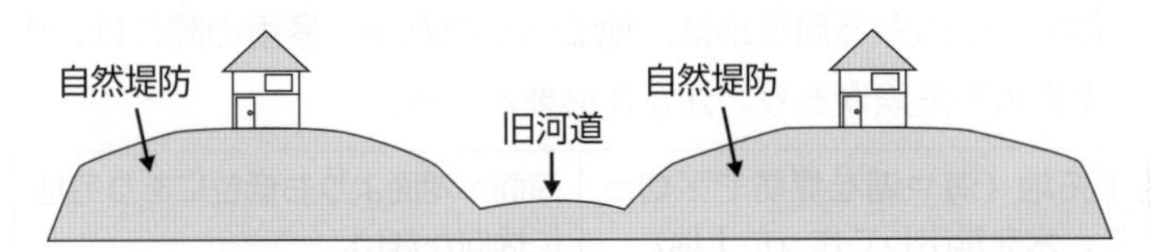


## 2 宅地に向いている土地

水はけがよく、地盤がしっかりしていて（地震に対する安全性）、洪水などの危険がないところが宅地に向いている。低地よりは微高地の方がこれらの条件を満たす。

**丘陵地、台地、段丘**

丘陵地、台地、段丘は、一般に水はけがよく地盤も固いため、水害や地震に対する**安全度が高く**、**宅地に向いている**とされる。

ただし、台地・丘陵地の**縁辺部**（えんぺんぶ）は豪雨などによる**崖くずれの危険**があり、宅地には向いていない。また台地・丘陵地であっても、谷や池沼を埋めたてたところもある。これらの土地では地盤沈下や液状化のおそれがあり、注意が必要である。

自然堤防の背後に広がる後背湿地は軟弱地盤であることが多く、液状化被害が生じやすい。宅地には向いていない。

## 3 宅地に向いていない土地

次のような土地は宅地には向いていない。

> ① 山麓部 ➡地すべり、崩壊の危険性あり
> ② 三角州、旧河道（過去に河川だった土地）
> ➡地盤が弱い
> ③ 谷底平野 ➡洪水災害の危険性あり
> ④ 干拓地 ➡高潮や津波に弱い

旧河道…蛇行していた川が直線状に変わった場合の、もともと川が流れていたところ

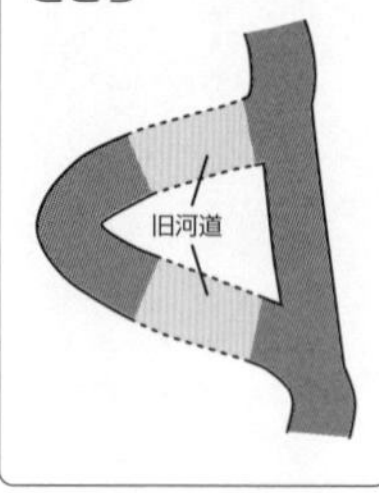


谷出口に広がる扇状地は、地盤は堅固だが、豪雨の際には、土石流災害の危険があり、注意が必要となる。

| 干拓地（海や湖を堤防で区切って、水を排出して作った土地） | 海面・湖面よりも低位にあり宅地には向かない。 |
|---|---|
| 埋立地（海や湖の土砂等を積み上げて作った土地） | 干拓地よりは安全と考えられる。 |

H29はこの知識だけで1点とれた。H29-49-4参照

## 4 液状化現象

地震の際に、地盤が振動により水を含んだ軟弱なものになる現象のこと。埋立地など、地下水位の高い砂地盤で起こりやすい。

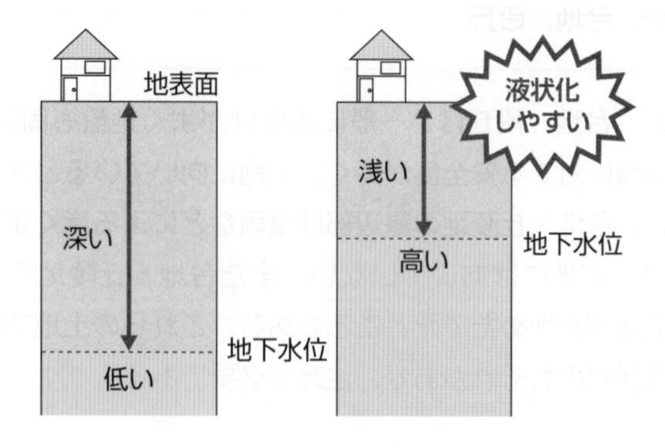

## 5 等高線

等高線についても出題ポイントを見ておこう。

① 等高線の間隔が密 ➡急傾斜地
等高線の間隔が疎 ➡緩やかな傾斜

② 等高線が山頂に向かって高い方に弧を描いている部分は谷、山頂から等高線が張り出している部分は尾根

③ 斜面の等高線の間隔が不ぞろいで大きく乱れている
➡過去に崩壊した可能性がある

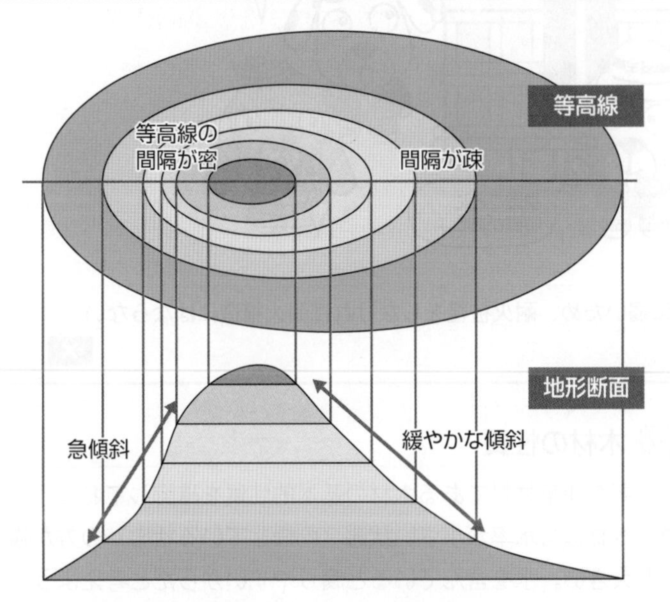


等高線が乱れているところは、過去に土地が崩壊した可能性が高い。

# ケース2 建物の構造にもいろいろある

**正誤を判定 ○ or ×**

鉄骨構造の建物は、自重が重く、耐火被覆しなくても耐火構造にすることができる。

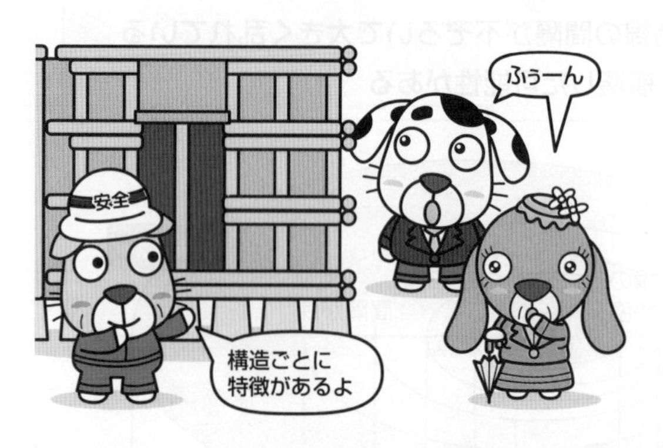

ふぅーん
安全
構造ごとに
特徴があるよ


**解答** 鉄骨造は熱に弱いため、耐火被覆をしなければ耐火構造にはならない。

×

## 1 木材の性質

主要な建築材料である木材の基本的性質を確認しておこう。

● 木材は含水率が小さい状態（乾燥している状態）の方が強度が大きい。水を含んでいると腐りやすいからだと考えよう。

H29はこの知識だけで1点とれた。H29-50-1参照

● 心材（木材の中心部分）の方が、辺材（周辺部分）よりも、強度が大きい。

辺材は樹液を多く含むため虫害に弱い。

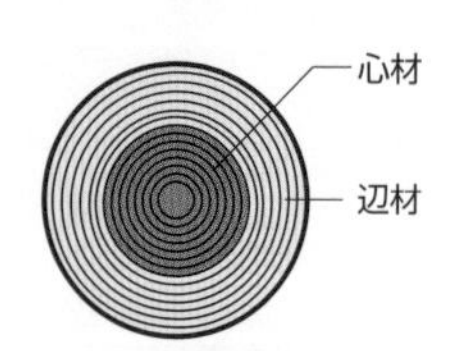


● 木材の強度は、繊維方向の圧縮強度のほうが繊維と直角方向の圧縮強度よりも大きい。

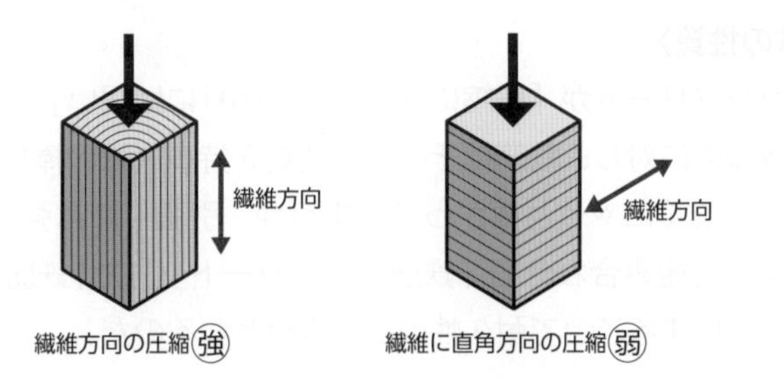


## 2 コンクリートと鉄

コンクリートと鉄についても、基本知識を整理しておこう。

### 〈コンクリートの性質〉

**◘コンクリートの中身**

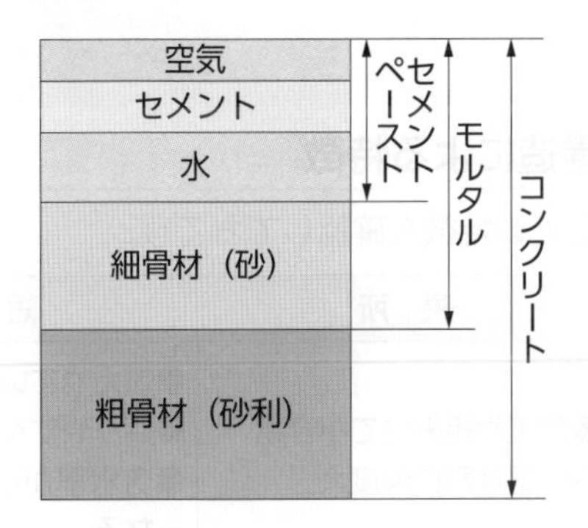


- コンクリートとは、セメントに空気、水、細骨材（砂）、粗骨材（砂利）を混ぜ、硬化させたもののことだ。他に混和材（剤）を混ぜることもある。
- 水セメント比が小さいほどコンクリートの強度は大きくなる。
- 防火性、防水性、防錆性に優れている
- 圧縮に強いが、引張りには弱い

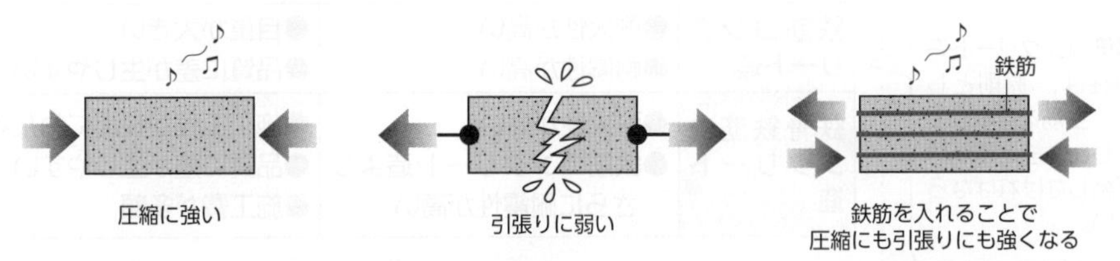

**〈鉄の性質〉**

コンクリートが「圧縮に強いが、引張りには弱い」という特性を持つのに対し、鉄筋はその逆の性質を持つ（鉄の棒なので圧縮すると、ぐにゃっと曲がってしまうが、引張りには強い）。そこで両者を組み合わせて「鉄筋コンクリート」「鉄骨鉄筋コンクリート」にすることで耐久性のある素材となるのだ。

鉄をコンクリートで覆うことで鉄の弱点である「熱に弱い」「錆びやすい」という欠点も解消されることになる。

**〈コンクリートの中性化〉**

コンクリートは本来アルカリ性だ。雨水などの影響により、アルカリ性が失われることを**コンクリートの中性化**という。鉄筋コンクリート造や鉄骨鉄筋コンクリート造の場合、コンクリートの中性化が起きると内部の鉄筋の錆（さび）につながり、建物の耐久性が落ちる。

## 3 建物の構造による特徴

建物の構造とその特徴を確認しておこう。

| 構　造 | 長　所 | 短　所 |
|---|---|---|
| 木造 | ●加工や組み立てが容易<br>●軽量な割に強度大 | ●燃えやすい<br>●腐りやすく、白ありに弱い<br>●含水率が小さい方が強くなる |
| 鉄骨造 | ●粘り強く、耐震性が高い<br>●鉄筋コンクリート造、鉄骨鉄筋コンクリート造に比べて軽量<br>●大スパン（大空間）の工場や超高層の建物も建築できる | ●熱に弱い。耐火被覆必要<br>●腐食しやすい。防錆処理が必要 |
| 鉄筋コンクリート造 | ●耐火性が高い<br>●耐震性が高い | ●自重が大きい<br>●品質に差が生じやすい |
| 鉄骨鉄筋コンクリート造 | ●耐火性が高い<br>●鉄筋コンクリート造よりさらに耐震性が高い | ●施工工程が長期にわたる<br>●品質に差が生じやすい<br>●施工費が多額 |

木材は腐朽性があるため、乾燥したものを使用する。また湿気を防ぐため、基礎の立上がりを十分にとる必要がある。

H30-50-3

**スパン**とは、柱と柱の距離のこと。

鉄筋コンクリート造の柱は、原則として、主筋を4本以上とし、主筋と帯筋は緊結しなければならない。

| CFT（コンクリート充填鋼管構造） | ●耐震性が高い<br>●工期が短い<br>●大スパンの建物や超高層建築物も建築できる | ●施工費が高額<br>●品質に差が生じやすい |
|---|---|---|

CFTとは、鋼管の中にコンクリートが詰めこまれたものを使う工法。

鉄筋コンクリート

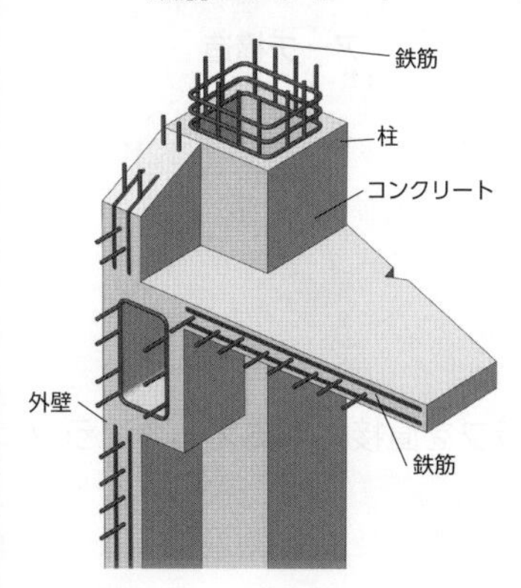


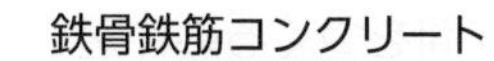


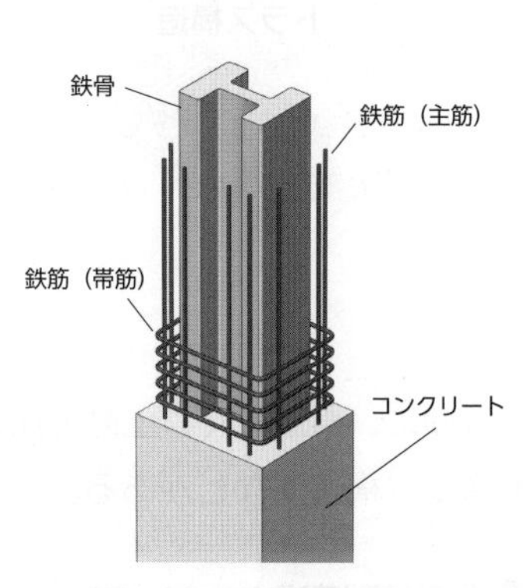


● 鉄筋コンクリート造の鉄筋に対するコンクリートのかぶり厚さ

①耐力壁以外の壁、床→2cm以上、

②耐力壁、柱、はり→3cm以上　が原則

## 4 壁式構造とラーメン構造

建物の構造形式には、**壁式構造**と**ラーメン構造**がある。

**壁式構造**とは、柱や梁（はり）がなく、（耐力）壁と床とで建物を支える構造である。柱が内部に出ないという利点があるが、開口部を大きく取れないという欠点もある。

R6-50-4

**ラーメン構造**とは、柱と梁で建物を支える構造だ。柱や梁が住戸内に出てしまうのが欠点といえる。

ラーメン構造では、柱とはりの接点は**剛接合**（堅固に一体となるような接合方法）されている。R6-50-1

壁式構造

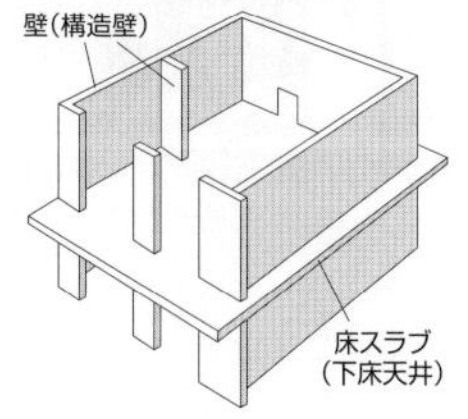


ラーメン構造

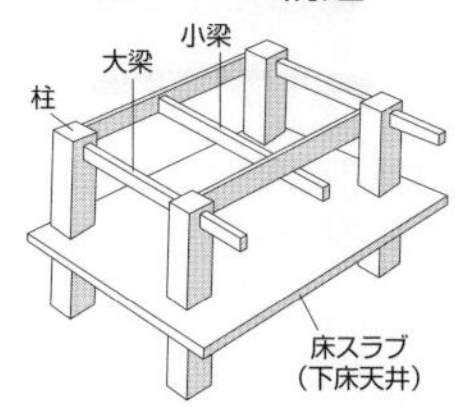

**トラス構造**は、細長い部材を三角形に組み合わせた構造。三角形のため力が分散される。

**アーチ構造**は、中央部が上方向に凸な曲線形状をした構造。スパンの大きい建物を作ることができるため、スポーツ施設のような大空間をつくるのに適している。

トラス構造

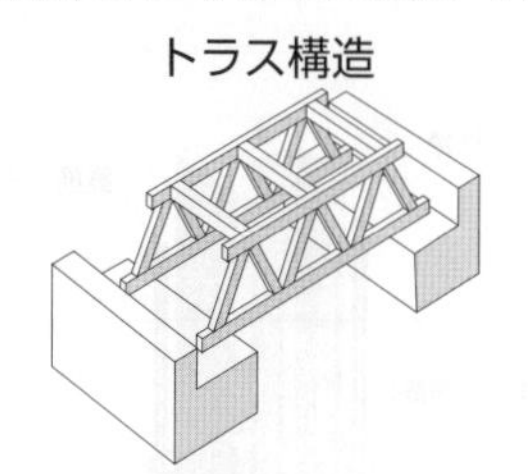

アーチ構造

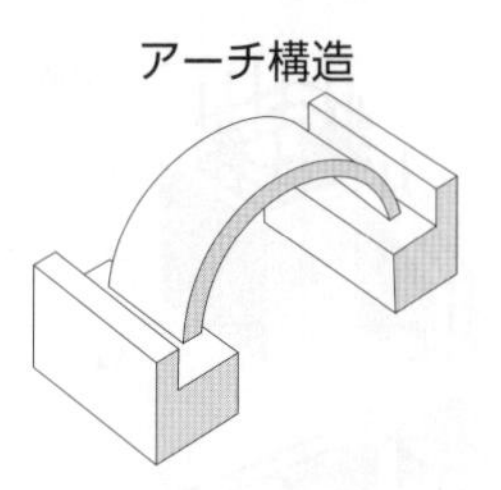

ほかに、梁がなく、上階の床スラブを直接柱で支える「フラットスラブ構造」などがある。

既存不適格建築物の地震に対する補強にも耐震技術が活用されている（R1-50-4）。

## 5 耐震構造について

地震対策は今後ますます重要になってくる。基本的知識は確認しておこう。

オイルダンパーとは油の粘性を利用して振動を和らげる装置だ。

| | |
|---|---|
| **免震構造** | 基礎と土台との間に、積層ゴムやオイルダンパーなど免震装置を付けることによって、地震が起きたときの地面の揺れを建物に伝わりにくくするように設計された構造。水平方向の揺れを緩和する。 |
| **制震構造** | 建物内部の柱等にダンパーなど（制震装置）を組み込んで地震のエネルギーを抑制し、建物の揺れを低減する構造 |

免震構造

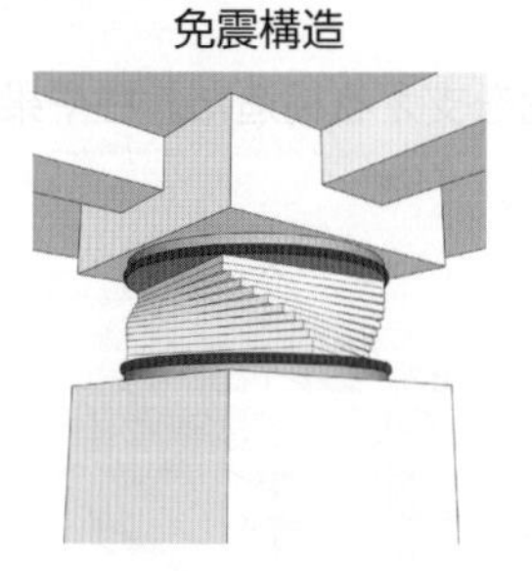

制震構造

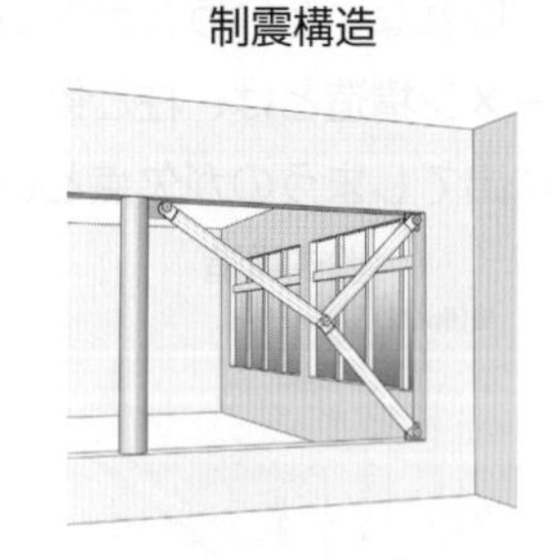

また、ピロティ形式の建物や、コの字型、L字型の建物は地震に弱いといわれている。

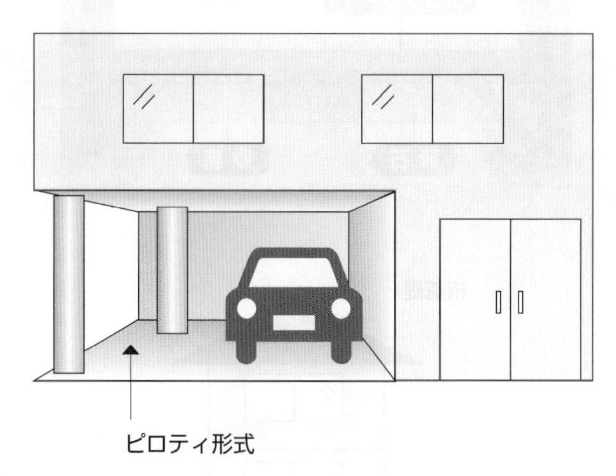


## 6 基礎

建築物の基礎には、直接基礎と杭基礎とがある。不同沈下等を防ぐため、異なる構造方法の基礎は併用しないのが基本だ。

| 直接基礎 | 布基礎 | 建物の外周部（外壁）や間仕切壁の下に基礎を設け、建物を支える。 |
|---|---|---|
| | べた基礎 | 建物の底部全体に基礎を設け、建物を支える。 |
| 杭基礎 | | 杭で建物を支える。支持層（地盤）が深い場合に用いられる。 |

R2⑩-50-3

直接基礎〈布基礎〉

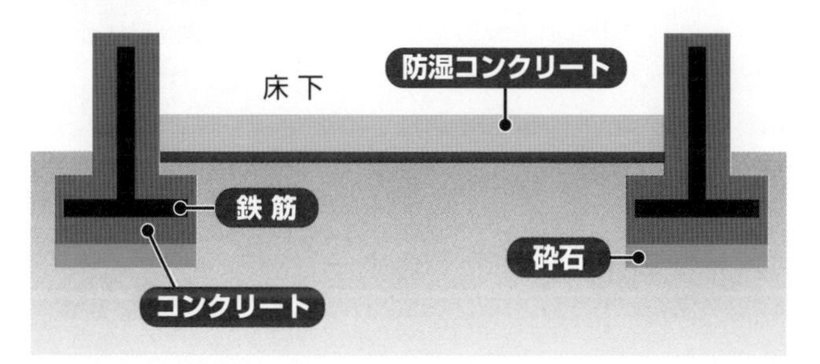

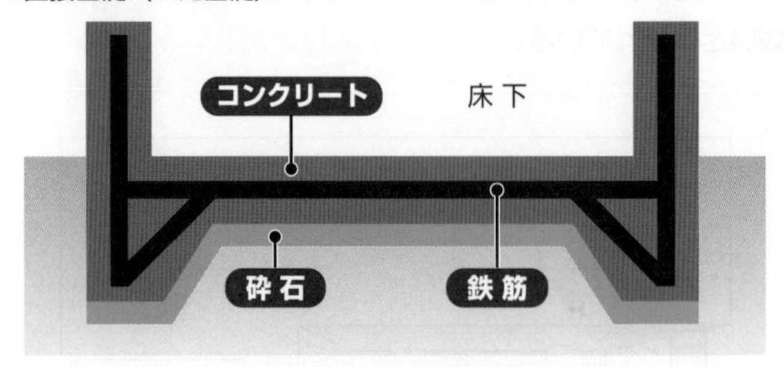


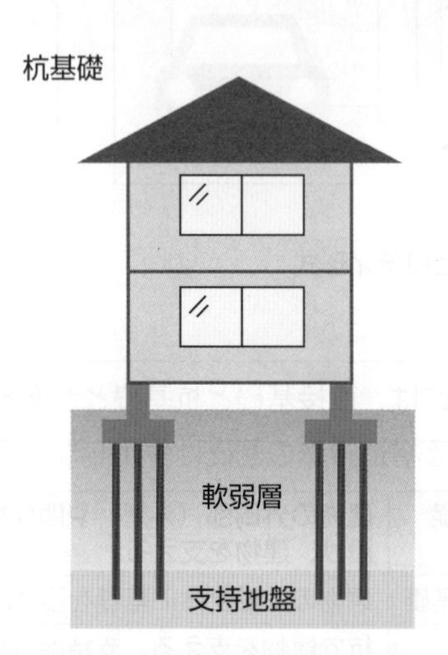


● 建物の基礎の支持力は、「粘土地盤」よりも「砂礫（されき）地盤」の方が発揮されやすい。

# 第3章 確認テスト

**問題** 次の記述の正誤を判定してください。

1．旧河道は、地震や洪水などによる災害を受ける危険度が高い所である。

2．台地は、一般に地盤が安定しており、低地に比べ、自然災害に対して安全度は高い。

3．台地上の池沼を埋め立てた地盤は、液状化に対して安全である。

4．地形図の上では斜面の等高線の間隔が不ぞろいで大きく乱れているような場所では、過去に崩壊が発生した可能性があることから、注意が必要である。

5．等高線が山頂に向かって高い方に弧を描いている部分は尾根で、山頂から見て等高線が張り出している部分は谷である。

6．木材の強度は、含水率が小さい状態の方が低くなる。

7．コンクリートの引張強度は、圧縮強度より大きい。

8．壁式構造は、柱とはりを組み合わせた直方体で構成する骨組である。

9．制震構造は、建物の下部構造と上部構造との間に積層ゴムなどを設置し、揺れを減らす構造である。

**解答解説**

1．○　旧河道とは過去に河川だった土地であり、地震や洪水などによる災害を受ける危険度が高い所であるといえる。

2．○　台地は、水はけがよく地盤も固いため自然災害に対して安全度は高い。

3．×　埋立地は液状化に対し注意が必要だ。

4．○　斜面の等高線の間隔が不ぞろいで大きく乱れている、ということは、過去に崩壊した可能性がある。

5．×　等高線が山頂に向かつて高い方に弧を描いている部分は谷、山頂から等高線が張り出している部分は尾根。問題文は逆になっている。

6．×　木材は、含水率が小さい方が、強度が高くなる。

7．×　コンクリートは圧縮する力に対して強い。本肢の表現は逆だ。

8．×　柱とはりを組み合わせた直方体で構成する骨組は、ラーメン構造だ。

9．×　制震構造は、制震ダンパーなどを設置し、揺れを制御する構造だ。積層ゴムで揺れを減らすのは免震構造だ。

# ケース1 税法学習のポイント

**正誤を判定 ○ or ×**

宅地を取得した場合、当該取得に係る不動産取得税の課税標準は、当該宅地の価格の2分の1の額とされる。

**解答** 宅地を取得した場合の課税標準は、当該土地の価格の2分の1になる（解説はケース2で）。 ○

## 1 宅建試験で出題される税

試験で出題される主な税金は、以下のものだ。

| | 地方税 | 国税 |
|---|---|---|
| 取得したとき | 不動産取得税 | 印紙税、登録免許税 |
| 保有しているとき | 固定資産税、都市計画税 | |
| 売却したとき | | 所得税 |

## 2 納税額の計算にはさまざまな特例がある

**課税標準**とは課税の基準となる金額のこと。

税金は、課税標準に税率をかけて算出される。これが基本だ。

課税標準 × 税率 ＝ 税額

不動産取得税や固定資産税の課税標準は、**不動産の価格**だ。そうはいっても売買価格ではなく、「固定資産課税台帳」に登録されている価格だ。つまり、行政が決めた価格をもとに課税される。

一方、所得税の課税標準は、「譲渡所得金額」だ。売却した金額（譲渡収入）から経費等（取得費や仲介手数料など譲渡にかかった費用）を引いたものが課税標準になる。

固定資産税を課税するために土地や家屋の評価額が登録される。これを**固定資産課税台帳登録価格**という。

ところが話は簡単ではない。いろいろな理由から、**優遇措置**（減税措置）が設けられている。税金が安くなるのはありがたいが、試験対策としては、これを覚えなければならないので大変なのだ。

具体的な内容は**ケース2**以降をみていこう。

## 3 税法の出題状況

| | | R6 | R5 | R4 | R3⑫ | R3⑩ | R2⑫ | R2⑩ |
|---|---|---|---|---|---|---|---|---|
| 地方税 | 不動産取得税 | | ○ | | | ○ | | ○ |
| | 固定資産税 | | | ○ | ○ | | ○ | |

| | | R6 | R5 | R4 | R3⑫ | R3⑩ | R2⑫ | R2⑩ |
|---|---|---|---|---|---|---|---|---|
| 国税 | 印紙税 | | ○ | ○ | | | | ○ |
| | 登録免許税 | | | | ○ | | ○ | |
| | 所得税 | | | | | ○ | | |
| | 相続税・贈与税 | | | | | | | |

**column　税法の勉強法…**

実務上は税法の知識は重要だが、宅建試験対策としては覚えることを最低限に絞ること。数字がたくさん出てくるのでいろいろ覚えると混乱する。通常、地方税と国税が一問ずつ出題されるが、まずは**地方税のみに絞ることをお勧めする**。地方税（不動産取得税、固定資産税）しか勉強しないのだ。その代わり確実に得点できるようにしよう。

# ケース2 不動産取得税

**正誤を判定 ○ or ×**

床面積240㎡である新築住宅を取得した場合、不動産取得税の課税標準の算定については、当該新築住宅の価格から1,200万円が控除される。

**解答** 床面積が50㎡～240㎡の新築住宅であれば、1,200万円の控除が受けられる。 ○

## 1 不動産取得税の概要

所在地の都道府県が課税する。海外の不動産を取得しても課税されない。

R6-24-3

R2⑩-24-1

R6-24-4
4%は標準税率で制限税率ではない。
R3⑩-24-4

R5-24-1

| | 不動産取得税 |
|---|---|
| ①誰に支払うか | 不動産所在地の都道府県 |
| ②誰が支払うか（納税義務者） | 不動産を取得した者<br>○：贈与、増改築、交換も適用あり。<br>×：相続・合併による取得は非課税<br>国、地方公共団体も非課税 |
| ③課税標準 | 不動産の価格（固定資産課税台帳登録価格） |
| ④税率 | 土地と住宅は３%（本来は４%だが、土地と住宅については軽減税率が適用されている） |
| ⑤課税方法 | 賦課課税（普通徴収） |

| ⑥免税点（未満の場合は非課税） | 土地：10万円<br>家屋の新築・増改築<br>：23万円<br>家屋の売買・贈与：12万円 |
|---|---|

R6-24-2

## 2 納税義務者

不動産を取得した際、**都道府県**から徴収されるのが不動産取得税だ。取得には売買だけでなく、**贈与**も含まれる。無償でも税金が取られるのだ。登記していなくても課税される。

家屋が新築されたときは、最初の使用または譲渡が行われた日に家屋の取得があったものとみなされる。新築後**6カ月**を経過しても使用も譲渡も行われないときは所有者（新築した人）が不動産取得税を負担する。

宅建業者が分譲する新築住宅については特例で1年を経過した場合に課税される。新築住宅が6カ月売れないため不動産取得税を負担するというのは、業者にとって大きな負担となるからだ。

また増築や**改築**（価格が増加した場合）も課税される。しかし、**相続**や**合併**により不動産を取得した場合には課税されない。形式的な取得に過ぎないからだ。取得者が**国**や**地方公共団体**の場合も非課税だ。

R2⑩-24-3

形式的な取得の例として、共有物の分割がR2⑩-24-4で出題されている。
地方公共団体についてR5-24-4。

## 3 課税標準と税率

**〈課税標準〉**

不動産取得税は、**課税台帳登録価格**が課税標準になる。お役所が「この不動産の価格はいくらだ」と算定した価格が採用されるのだ。この課税標準には特例がある。

**〈不動産取得税の課税標準の特例〉**

- 宅地は、課税台帳価格の$\frac{1}{2}$の価格が課税標準になる。
- 住宅の特例は以下の通りだ。

| | 新築住宅 | 既存（中古）住宅 |
|---|---|---|
| 控除額 | 課税台帳価格から1,200万円控除 | 課税台帳価格から一定額を控除（築年によって控除額が異なる） |
| 対象 | 新築住宅であれば、個人でも法人でも適用される | 個人の居住用住宅のみ |
| 面積要件 | 50㎡以上～240㎡以下 | |

認定長期優良住宅の場合、1,300万円が控除される。

戸建以外の新築賃貸住宅は40㎡以上240㎡以下となる。

特例適用の申告がなくても、要件に該当すれば控除を受けることができる。

**〈税率〉**

不動産取得税の**標準税率**は本来は４％だが、**土地と住宅**については３％に軽減されている。住宅以外の家屋（商業ビルや工場など）は４％のままだ。別荘も「住宅」ではないので税率は４％だ。

本試験では、税額を計算させる問題は出ない。課税標準の特例がどういうものか、イメージできればそれでよい。

**具体例①**

宅地を１億円で購入した。固定資産課税台帳登録価格は6,000万円だったとき、課税額はいくらか。

6,000万円（固定資産課税台帳登録価格）× $\frac{1}{2}$（宅地の特例）× ３％（税率）＝**90万円**（税額）

**具体例②**

固定資産課税台帳登録価格が2,000万円の新築住宅（床面積100㎡）を取得した。課税額はいくらか。

（2,000万円（固定資産課税台帳登録価格）－1,200万円（100㎡の新築住宅なので控除がある））× ３％（税率）＝**24万円**（税額）

## 4 課税方法と免税点

申告納付ではない。R3⑩-24-3

不動産取得税の課税方法は**賦課課税方式**だ。課税主体である都道府県から税額はいくらですよ、という通知がきて、その額を支払うことになる。普通徴収とよばれる納付方法だ。

課税標準が少ない場合には税金が免除される（徴収する方がコストがかかるからだ）。これを**免税点**という。不動産取得税の免税点は、**土地は10万円**、家屋の新築等は23万円だ。

# ケース3　固定資産税

**正誤を判定 ○ or ×**

年度の途中において土地の売買があった場合の当該年度の固定資産税は、売主と買主がそれぞれその所有していた日数に応じて納付しなければならない。

**解答** 固定資産税は**1月1日現在の所有者**として登録されている者に**課税**される。 ×

## 1 固定資産税の概要

| | 固定資産税 |
|---|---|
| ①誰に支払うか | 不動産所在地の市町村*1 |
| ②誰が支払うか（納税義務者） | 賦課期日（1月1日）の<br>固定資産（土地、建物、償却資産）の所有者*2<br>×：国、地方公共団体は非課税 |
| ③課税標準 | 不動産の価格（固定資産課税台帳登録価格） |
| ④税率 | 1.4%が標準 |
| ⑤課税方法 | 賦課課税（普通徴収） |
| ⑥免税点（未満の場合は非課税） | 土地：30万円<br>家屋：20万円<br>償却資産：150万円 |

＊1　東京都の23区では都が課税する。

＊2　質権者や100年超の地上権者がいれば、その者に課税される。
R1-24-4

固定資産税の税率1.4%というのはあくまで**標準税率**。市町村はこれより高い税率を課すこともできる（制限税率ではない）。

## 2 納税義務者

● 納税義務者は、**1月1日現在の所有者**だ。

たとえば令和5年度（令和5年4月1日～令和6年3月31日）の固定資産税は、令和5年1月1日にその不動産を所有している者に課税される。

> ここでいう所有者とは固定資産課税台帳に登録されている人のことだ。

> たとえば令和5年1月15日に新築された家屋には令和5年度の固定資産税は課税されない。

● 固定資産の所有者の所在が**災害等**によって不明になった場合は、その**使用者が所有者とみなされて課税**される。

● 固定資産税は**未登記の建物**に対しても課税される。

● 国、地方公共団体は課税されない。

## 3 課税標準と税率

**〈課税標準〉**

固定資産税も課税台帳登録価格が課税標準となる。

住宅用地には、特例がある。小規模住宅用地（＝200㎡以下の住宅用地）は課税標準が$\frac{1}{6}$になるのだ。一般の住宅用地（＝200㎡超の住宅用地）についても、200㎡までは小規模住宅用地と同様$\frac{1}{6}$になり、200㎡を超える部分は$\frac{1}{3}$になる。

> **特定空家**（倒壊のおそれや衛生上問題のある空き家）**の敷地**には、この特例は適用されない（建物があっても税金は安くならない）。
> 管理不全空家の敷地も適用対象から除外。

> 200㎡までの部分を「**小規模住宅用地**」とよぶ。

● **200㎡までは、課税台帳価格の$\frac{1}{6}$が課税標準になる。**

● **200㎡を超える部分は、課税台帳価格の$\frac{1}{3}$が課税標準になる。**

**具体例**

登録価格は7,200万円である300㎡の土地（住宅用地）の課税額はいくらか。

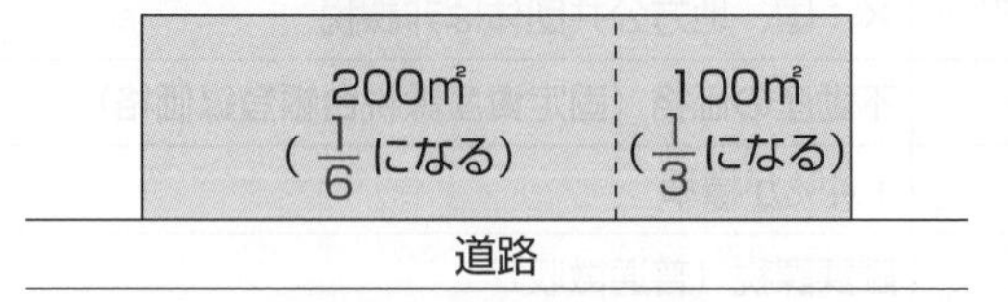


200㎡までは、課税台帳価格の$\frac{1}{6}$が課税標準になる。

200㎡を超える部分は、課税台帳価格の$\frac{1}{3}$が課税標準になる。

200㎡まで：7,200万円×$\frac{200}{300}$㎡×$\frac{1}{6}$＝800万円

残りの100㎡：7,200万円×$\frac{100}{300}$㎡×$\frac{1}{3}$＝800万円

よって、次の計算式により、**22万4,000円が毎年課税**されることになる。

(800万円＋800万円)×1.4％＝22万4,000円

**〈税率〉**

固定資産税の税率は1.4%。これは標準税率。条例によってこれより高くすることも安くすることもできる。

## 4 税額の減額

固定資産税については、「**税額**」(「課税標準」×「税率」）が減額される措置がある。

面積が**50㎡以上280㎡以下**の新築住宅は、**120㎡までの部分**の固定資産税が$\frac{1}{2}$に減額される。

居住部分の割合が全体の$\frac{1}{2}$以上の新築住宅がこの特例を受けることができる。

| | 一般住宅 | 認定長期優良住宅 |
|---|---|---|
| 中高層耐火建築物の新築住宅 | 5年間 | 7年間 |
| それ以外の新築住宅 | 3年間 | 5年間 |

これ以外にも耐震改修工事、バリアフリー改修工事、省エネ改修工事をした住宅は、税額が減額される。

## 5 課税方法と免税点

固定資産税の課税方法も賦課課税方式だ。納付期限は、4月、7月、12月、2月中において市町村が条例で定める。市町村は納税期限の10日前までに納税通知書を納税者に交付する。

固定資産税の免税点は、土地30万円、家屋20万円だ。

固定資産税は課税標準額が30万円未満の場合には課税されないが、これは、「市町村の区域内において同一の者が所有する土地」の合計額だ。一筆の土地が30万円未満でも、土地をたくさん所有しており、課税標準額の合計が30万円以上となるなら課税される。

## 6 固定資産課税台帳

ポイントは以下のとおりだ。

● 固定資産税課税台帳の「閲覧」について聞かれることがある。「縦覧」との違いに注意しよう。

| | 閲覧 | 縦覧 |
|---|---|---|
| どういう制度か | 納税義務者が固定資産課税台帳の登載事項を確認するための制度 | 自己の固定資産の評価額が適正であるかどうかを他の固定資産の評価と比較し確認するための制度 |
| 何を | 固定資産課税台帳 | 土地や家屋の「縦覧帳簿」 |
| 誰ができるか | 納税者（1/1時点の所有者）、借地人、借家人 | 誰でも縦覧できる |
| 期間は | いつでも閲覧できる | 期間が決まっている（毎年４月１日から４月20日又は固定資産税の第１期の納期のいずれか遅い日までの間） |

地代や賃料が固定資産税に基づき決定されることがあるので、借地人や借家人も閲覧できる。

H29-24-3

● 納税者は、固定資産課税台帳に登録された**価格**に不服があるときは、固定資産評価委員会に審査の申出をすることができる（価格以外の審査の申出はできない）。

● 固定資産課税台帳登録価格は**３年に１度**、評価替えが行われる（３年間は原則据え置き。ただし、地目の変換、家屋の改築・損壊等があった場合には見直しが行われる）。

## 7 その他　固定資産税について覚えておくこと

固定資産税については、やや細かいことも出題される。以下の事項にも目を通しておこう。

- 固定資産の評価の基準や評価の実施方法（**固定資産評価基準**）は**総務大臣**が定める。
- 固定資産の評価は、固定資産評価基準に基づき、**固定資産評価員**が行う。
- 居住用超高層建築物（高さ**60m超**で複数の階に住戸が所在しているもの）の固定資産税は、**階層別専有床面積補正率**等により補正される。いわゆるタワーマンションでは、高層階の方が低層階よりも販売価格が高くなるため、固定資産税も高層階の方を高くするのだ。

マンションの共用部分や敷地の固定資産税は、専有部分の床面積割合により案分され、各区分所有者に課税される。

# ケース4 契約書を作るのにも税金がかかる

**正誤を判定 ○ or ×**

「令和●年●月●日付建設工事請負契約書の契約金額3,000万円を5,000万円に増額する」旨を記載した変更契約書は、記載金額2,000万円の建設工事の請負に関する契約書として印紙税が課される。

**解答** 契約金額を増額する場合は、増加額を記載金額として印紙税が課税される。

○

## 1 印紙税とは

契約書など一定の文書には印紙を貼らなければならない。それが印紙税だ。**文書を作成する者に対して課税**される。契約書等に収入印紙を貼り付け、消印して国に納付する税金だ（国税）。

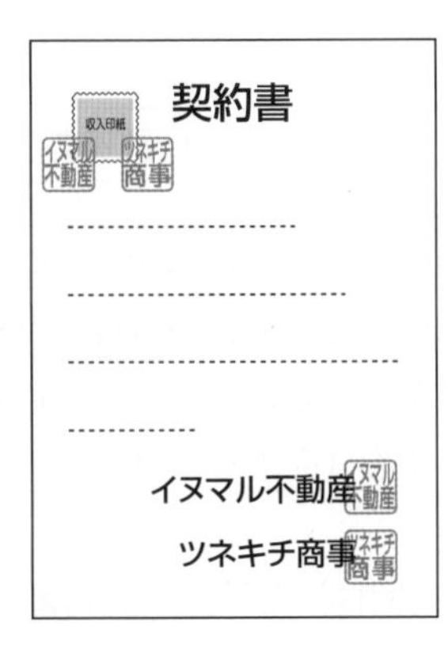


| 印紙税 | |
|---|---|
| ①誰に支払うのか | 国 |
| ②誰が支払うのか | 課税文書の作成者 |
| ③課税標準 | 記載金額（売買代金等）<br>※金額の記載のない契約書も200円課税される |
| ④税額 | 記載金額により異なる |
| ⑤課税方法 | 印紙を貼付して消印する |

同一内容の契約書を２通以上作成した場合には、各契約書に印紙を貼付し、消印する。消印は、課税文書作成者だけでなく、代理人や使用人（従業員）が行ってもよい。

R5-23-1

## 2 課税文書と不課税文書

印紙税が課税される文書と課税されない文書がある。

| 課税文書 | 売買契約書、土地の賃貸借契約書、贈与契約書、<br>金銭消費貸借契約書、建物請負契約書、<br>領収書（金額５万円以上のもの）　など |
|---|---|
| 課税されない文書 | 国、地方公共団体が作成する文書<br>建物の賃貸借契約書、抵当権設定契約書、<br>営業に関しない領収書　など |

仮契約書、**覚書**、契約書の写し（コピー）なども、契約を証するものであれば課税される。
R4-23-1

記載金額が１万円未満の契約書は非課税となる。

## 3 納税義務者

| 納税義務者 | 課税文書の作成者 |
|---|---|

1つの課税文書を2人以上で共同作成した場合には、**連帯して納付義務を負う**が、この例ではBは文書を作成していないので納付義務はない（領収書にBの名前が表示されているから納付義務があるわけではない）。

印紙税の納税義務者は、課税文書の作成者だ。たとえば宅建業者A社が売主Bの代理人として、「A社は、売主のBの代理人とし土地代金○○万円を受領した」という領収書を作成した場合、納税義務者はA社になる（売主Bではない）。領収書を発行したのはA社だからだ。

R2⑩-23-3

また、国（地方公共団体）と私人が契約書を交わす場合、**私人が保存するものは国（地方公共団体）が作成したものとみなされて課税されない**が、国（地方公共団体）が保存するものは私人が作成したものとみなされ、課税文書になる。

### ◇国（地方公共団体）と私人が契約した

| 国が保存する文書（＝私人が作成） | 課税 |
|---|---|
| 私人が保存する文書（＝国が作成） | 非課税 |

## 4 課税標準

消費税の額が明らかになっている場合には、課税文書の金額は**消費税を含まない金額**となる（消費税に対しては、印紙税はかからない）。
たとえば、建築工事の請負契約書で「請負金額1,100万円（消費税100万円を含む）」とあれば、記載金額1,000万円として印紙税を計算する。
R2⑩-23-1

印紙税の課税標準は、文書に記載された金額（記載金額）となる。紛らわしいものを以下に整理しておく。

### ◇賃貸借契約書

敷金や賃料が課税金額となるのではない。
R2⑩-23-4

| 土地 | **権利金**を記載金額として課税 |
|---|---|
| 建物 | （課税されない） |

### ◇交換契約書

R2⑩-23-2

| 双方の金額が記載 | **高い方の金額**を記載金額として課税 |
|---|---|
| 交換差金のみ記載 | **交換差金**（差額）を記載金額として課税 |

### ◆変更契約書

| 契約金額を増額 | 増額金額を記載金額として課税 |
|---|---|
| 契約金額を減額 | 「記載金額のない契約書」として課税（＝200円の印紙税） |
| 契約金額に変更なし | |

契約期間を変更する覚書にも印紙が必要だ。
R5-23-4、
R4-23-3

### ◆領収書

| 営業用（５万円以上） | 課税 |
|---|---|
| 営業用（５万円未満） | 課税されない |
| 営業に関しないもの | |

建物の賃貸借契約書は不課税文書だが、敷金が５万円以上の場合、敷金の領収書は課税文書になる。

たとえば自宅の売却の際し、領収書を作成しても印紙は不要だ。「営業に関しないもの」に該当するからだ。

### ◆その他

| 贈与契約書 | 「記載金額のない契約書」として課税（＝200円の印紙税） |
|---|---|

**贈与契約書**でも印紙が必要だ。「金額の記載のない契約書」に該当し、200円課税される。贈与＝金額０円と考えよう。

R5-23-3
「2,000万円の土地を贈与する」と記載されていたとしても、贈与である以上、「金額の記載のない契約書」になる。

### ◆一つの契約書に売買契約と請負契約の両方の記載がある場合

| 売買金額と請負金額の区分がない場合 | 全体が売買契約に係る文書となり、合計額が記載金額となる。 |
|---|---|
| 売買金額と請負金額を区分して両方の金額を記載した場合 | 高い金額が記載金額となる。 |

R5-23-2

## 5 過怠税

印紙を貼付しなかった、つまり脱税した場合には、印紙税の額とその２倍に相当する額の合計額（＝本来の**3倍**）が徴収される。

収入印紙が消印されていない場合には、（印紙税額とは別に）同額の過怠税が課される。

# ケース5 登記するのにも税金がかかる（登録免許税）

**正誤を判定 ○ or ×**

住宅用家屋の所有権の移転登記に係る登録免許税の税率の軽減措置は、個人が自己の経営する会社の従業員の社宅として取得した住宅用家屋に係る所有権の移転の登記にも適用される。

**解答** 登録免許税の軽減税率は、取得した個人が居住する住宅用の家屋について適用される。社宅には、軽減措置の適用はない。 ×

## 1 登録免許税とは

**登録免許税**とは、不動産に関する登記を受ける者に課税される税金だ（国税)。ただし、表示の登記には課税されない（権利の登記のみ課税される)。また、国、地方公共団体、一定の公益法人には課税されない。

登録免許税は､登記を受けるときまでに納付しなければならない。

> 建物を新築等した場合には、1月以内に表示の登記を義務付けられていたことを覚えているだろうか。登録免許税を非課税（無料）にして表示の登記がスムーズに行われるようにしているのだ。

| 登録免許税 | |
|---|---|
| ① 誰に支払うのか | 国 |
| ② 誰が支払うのか（納税義務者） | 登記を受ける者<br>×：表示の登記は非課税<br>×：国、地方公共団体は非課税 |
| ③ 課税標準 | 固定資産課税台帳登録価格<br>（抵当権設定登記の場合は債権額） |

②について。登記を受ける者が２人以上いる場合には、連帯して納付義務を負う。売買に係る登録免許税であれば、売主・買主の両方が納税義務を負う。

近年の法改正でオンライン申請だけでなく、書面申請の場合でもクレジットカードによる納付が可能になった。

## 2 住宅用家屋の軽減税率の特例

一定の要件を満たす住宅用「家屋」については、登録免許税が安くなる特例がある。住宅を取得しやすくしているわけだ。

**◇住宅用家屋の軽減税率の特例**

| 対象となる登記 | ⑴所有権保存登記（新築または未使用の住宅のみ） | ⑵所有権移転登記（売買または競売に限る） | ⑶抵当権設定登記（住宅取得資金の貸付債権の担保とする場合のみ） |
|---|---|---|---|
| 適用要件 | ①　個人が自己の居住する住宅として使用すること（法人が社宅として住宅を取得しても軽減税率は適用されない）。<br>②　床面積50㎡以上であること（面積上限なし）<br>③　新築または取得後１年以内に登記すること | | |

- 上記は「家屋」の特例だ（対象は建物のみ）。個人の自己居住用住宅であっても、**土地（住宅用家屋の敷地）は軽減税率の対象とはならない。**
- ⑵。**贈与**、**相続**、合併で取得した住宅には、軽減税率は適用されない。
- 所得要件はない。過去に特例の適用を受けていても再度の適用可。
- ③。中古住宅（既存住宅）であっても、⑵所有権の移転登記と⑶抵当権の設定登記の登録免許税は、軽減措置がある。新耐震基準に適合していることが条件だ。

「登記を受ける年の合計所得金額が○○万円を超えるときは、軽減税率の適用を受けることができない」というヒッカケに注意。

「築20年以内」といった**築年数要件は廃止**された。

# ケース6 所得税・贈与税

**正誤を判定 ○ or ×**

令和X年中に居住用家屋を居住の用に供した場合において、その前年において居住用財産を譲渡した場合の3,000万円特別控除の適用を受けているときであっても、令和X年分以後の所得税について住宅ローン控除の適用を受けることができる。

え〜っと。
税金安くなるんだって？
スッキリ
わかる
住宅ローン

**解答** 3,000万円特別控除を受けている場合は、住宅ローン控除は受けられない。 ×

ケース6で所得税、贈与税を解説するが、余裕のある人だけでよい。

## 1 （譲渡）所得税

不動産の譲渡（売買等）により利益があれば、譲渡所得税が課税される。**所得税**は国が課税する（国税）。納付は確定申告により行う（申告納税）。

**{譲渡収入－(取得費＋譲渡費用)}×税率＝譲渡所得税**

居住用の不動産でなくても、5年超の保有であれば税率は15%になる。

税率は、譲渡した年の1月1日時点で、保有期間が5年を超えていれば15%、5年以下であれば30%だ。ただし、さまざまな優遇措置がある。

## 2 主な優遇措置

譲渡所得税には、さまざまな特例がある。

①②とも配偶者、直系血族等の特別の関係にある者への譲渡の場合は、優遇措置は受けられない。

### ① 居住用財産の軽減税率の特例

譲渡した年の1月1日における所有期間が**10年を超える居住用の土地建物**を譲渡した場合には、税率が軽減される。

| 譲渡益 | 軽減税率 |
|---|---|
| 6,000万円以下の部分 | 10% |
| 6,000万円を超える部分 | 15% |

**〈軽減税率の適用要件〉**

**(1) 親族等に対する譲渡でないこと**
**(2) 居住用財産であること**
**(3) 前年、前々年にこの特例（軽減税率）を受けていないこと**

(1)。親族等とは「配偶者・直系血族・生計を一にする親族」のこと。

(2)。居住用財産とは、「現に居住する住宅」だけでなく「居住しなくなってから3年を経過する日の12/31までに譲渡する住宅」も含まれる。

(3)。特例を受けられるのは3年に1回だ（R1-23-2）。

### ② 居住用財産の3,000万円特別控除

**個人が居住用の財産を譲渡した場合**、一定の要件をみたせば、譲渡所得金額から3,000万円が控除される。

〈3,000万円特別控除の適用要件〉

**(1) 親族等に対する譲渡でないこと**
**(2) 居住用財産であること**
**(3) 前年、前々年にこの特例(3,000万円特別控除)を受けていないこと**

(1)(2)は①の軽減税率と同じ。親族等(=配偶者・直系血族・生計を一にする親族)に譲渡した場合には、3,000万円特別控除の適用を受けられない(R1-23-3、H24-23-2)。

〈3,000万円特別控除の注意点〉

**(1) 所有期間に限らず適用される**
**(2) 「①居住用財産の軽減税率の特例」との併用は可。**
**(3) 「収用等の5,000万特別控除」との併用は可**
**(4) 住宅ローン控除との併用はできない**

(1)。「所有期間10年以下の居住用財産を譲渡した場合、3,000万円控除を受けられるか?」といった出題がある(H24-23-1)。もちろんOKだ。

(2)。「譲渡収入—(取得費+譲渡費用)— 3,000万円」に税率をかけることになる。所有期間が10年超ならば、6,000万円以下の部分は10%、6,000万円を超える部分は15%だ。

(3)。「収用等の5,000万特別控除」とは何だ?と深入りするのはやめよう。ここは、併用ができる、という結論だけ覚えておこう(R1-23-1、H24-23-2)。

③　**居住用財産の買換え特例**

個人が一定の**居住用財産**を譲渡して、他の居住用財産に**買い換えた**場合、**課税の繰延べ**が行われる。

(1)　5,000万円で売って、6,000万円で買った。

➡譲渡益があっても、この時点では課税されない。

(2)　5,000万円で売って、4,000万円で買った。

➡(この時点では)差額の1,000万円についてのみ課税される。

所有期間10年超、居住期間が10年以上、買い換える家屋が50㎡以上が要件だ。

④　**空家に係る譲渡所得の特別控除の特例**

相続時から３年を経過する日の属する年の12月31日までに、被相続人の居住の用に供していた家屋を相続した相続人が、当該家屋（その敷地を含む。なお、耐震性のない家屋は耐震リフォームをしたものに限る）又は取壊し後の土地を譲渡した場合には、当該家屋又は土地の譲渡所得から3,000万円が控除される。

譲渡価格が１億円以下であることが条件だ。

## 3 特例の比較

**〈特例の比較〉**

| | ①軽減税率 | ②3,000万円控除 | ③買換え特例 |
|---|---|---|---|
| 譲渡資産<br>(売却した不動産) | 居住用不動産 | | |
| 譲受人<br>(誰に売ったのか) | 親族等に対する売却は、特例の適用を受けられない | | |
| 所有期間 | 10年超 | 何年でもＯＫ | 10年超 |

**〈特例の併用〉**

さきほど見たように、①と②の併用は可能だ。しかし③を適用すると、①および②は適用できない。

◆特例の併用

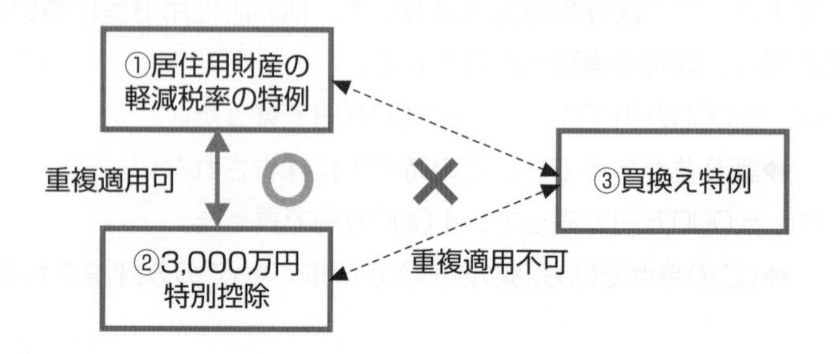


## 4 住宅借入金等特別控除（住宅ローン控除）

個人が金融機関からの借入れで居住用財産の取得をした場合や増改築をした場合には、借入金の年末残高に応じて所得税から税額の控除を受けることができる（いわゆる住宅ローン控除だ）。

適用を受ける年の年末まで居住していることも要件だ。

| | |
|---|---|
| ①対象 | ● 10年以上のローンを組み、住宅(敷地含む)を購入<br>※増改築も対象<br>● 取得したときから6か月以内に居住<br>※転勤等やむを得ない事由による例外あり |
| ②控除期間 | ● 控除期間は10年間。<br>※消費税が10%等一定要件を満たすものは13年間 |
| ③重複適用 | 入居した年以前2年間、入居年、翌年以降3年間の計6年間に以下の特例を受けていない<br>● 居住用財産の3,000万円特別控除<br>● 軽減税率の特例<br>● 買い替え特例の適用 |
| ④所得 | 適用を受ける年の所得が2,000万円以下 |
| ⑤面積 | 50㎡以上。床面積の1/2以上が自己の居住用。<br>※所得が1,000万円以下であれば40㎡以上 |

住宅ローン控除は国内に住所（住民票）がなくても要件を満たす場合には控除が受けられる。海外に勤務している人が帰国を見込んで住宅を購入した場合にも住宅ローン控除を受けられるのだ。

## 5 贈与税

### ① 贈与税とは

- 個人から個人への財産給付に対して課税される。
- 基礎控除110万円/年。

### ② 直系尊属からの住宅取得等資金贈与の非課税制度

父母等からの住宅取得資金の贈与に関しては特例がある（住宅を取得しやすくするためだ)。一般住宅の場合、500万円までは非課税になる。

以下の特例はあくまで「資金」（金銭の贈与）が対象。父母等から「家屋」の贈与を受けても特例対象とはならない。

| 贈与者 | 直系尊属。年齢要件なし（60歳未満でもOK） |
|---|---|
| 受贈者 | 1/1時点で18歳以上。所得金額2,000万円以下。 |
| 家屋の要件 | ①50㎡以上～240㎡以下<br>※受贈者の所得が1,000万円以下ならば40㎡以上<br>②新耐震基準に適合していること<br>③床面積1/2以上が専ら居住用 |

②。築年数要件は廃止された。

### ③ 相続時精算課税制度

大雑把にいえば、生前に贈与を受け、後で相続税で精算する制度だ。

贈与税額は「(課税価格－2,500万円)×20%」となる。つまり、2,500万円以下ならば贈与税は0円になる。

基礎控除110万円も併用できる。

この制度によって贈与を受けた財産は相続財産となる（贈与財産ではない)。相続発生時に、贈与時の評価額（110万円控除後の額）が相続財産に加算されて相続税額を計算する（贈与時に贈与税を払った場合には、その分控除される)。

③の「相続時精算課税制度」は、②の「住宅取得資金の非課税制度」と似て非なる部分がある。比較して覚えることをお勧めする（とはいっても無理しないこと。所得税・贈与税はほんとに余裕のある人だけでよい)。

| | ②住宅取得資金の非課税制度 | ③相続時精算課税制度 |
| --- | --- | --- |
| 贈与者 | 直系尊属（年齢制限なし） | 60歳以上の親、祖父母（※） |
| 受贈者 | 18歳以上の直系卑属。所得金額2,000万円以下 | 18歳以上の「推定相続人」である直系卑属 |
| 贈与財産 | 住宅の購入資金、増改築資金（「住宅家屋の贈与」は適用を受けられない） | どのような財産も可能（金銭だけでなく不動産、有価証券、借人金の免除も可） |
| 取得する住宅の条件 | 40㎡～240㎡<br>店舗併用住宅の場合$\frac{1}{2}$以上が住宅<br>増改築は工事費100万円以上 | |

※③の相続時精算課税で住宅取得等資金の贈与を受けた場合は、贈与者の年齢制限はなくなる（60歳未満の親、祖父母でもよい）。

### ◇不動産取得税

① 宅地を取得した場合の課税標準は、当該土地の固定資産税評価額の2分の1になる。

② 不動産の取得には売買だけでなく、贈与も含まれる。また増築や改築（価格が増加した場合）も不動産の取得になる。

③ 床面積が50㎡～240㎡の新築住宅を取得した場合は、価格から1,200万円を控除した額が課税標準となる。

④ 取得した土地および家屋の税率は3%（住宅以外の家屋は4%）。

### ◇固定資産税

① 1月1日時点の所有者に全額課税される。

② 住宅用地であれば200㎡までは$\frac{1}{6}$、それを超える部分は$\frac{1}{3}$となる。

# 確認テスト

**問題** 次の記述の正誤を判定してください。

1．家屋の改築により家屋の取得とみなされた場合、当該改築により増加した価格を課税標準として不動産取得税が課税される。

2．不動産取得税は、不動産の取得に対して、取得者の住所地の都道府県が課する税であるが、その徴収は普通徴収の方式がとられている。

3．床面積250㎡である新築住宅に係る不動産取得税の課税標準の算定については、当該新築住宅の価格から1,200万円が控除される。

4．200㎡以下の住宅用地に対して課する固定資産税の課税標準は、価格の２分の１の額とする特例措置が講じられている。

5．市町村は、財政上その他特別の必要がある場合を除き、当該市町村の区域内において同一の者が所有する土地に係る固定資産税の課税標準額が30万円未満の場合には課税できない。

6．「Ａの所有する甲土地（価額3,000万円）をＢに贈与する」旨の贈与契約書を作成した場合、印紙税の課税標準となる当該契約書の記載金額は、3,000万円である。

7．住宅用家屋の所有権の移転登記に係る登録免許税の税率の軽減措置は、一定の要件を満たせばその住宅用家屋の敷地の用に供されている土地に係る所有権の移転の登記にも適用される。

**解答解説**

1．○　増築や改築（価格が増加した場合）も不動産の取得になる。

2．×　不動産の所在地の都道府県が課税する。なお「普通徴収」は正しい。

3．×　不動産取得税の課税標準の特例は50㎡～240㎡の住宅に適用される。床面積250㎡の新築住宅には適用されない。

4．×　住宅用地であれば200㎡までは６分の１に軽減される。２分の１ではない。

5．○　固定資産税の免税点は、土地は30万円未満だ。正しい。

6．×　贈与契約書は、金額の記載のない契約書として扱われる。

7．×　住宅用家屋の所有権の移転登記に係る登録免許税の税率の軽減措置は、「住宅用の家屋」について適用される。土地（住宅用家屋の敷地）については軽減措置の適用はない。

MEMO

MEMO

MEMO

# テキスト編・さくいん

第4分冊

## あ



## か



## さ

## た



## は



## ま



## ら

# 本書に登場する キャラクター紹介

## キャラクター紹介

彼らを中心にストーリーが展開していきます。下線があるのは宅建試験の重要用語です。

◆宅建業者（とその家族）

ハッピー：宅建業者**イヌマル不動産**の新入社員。宅建士の資格取得を目指している。

ホワイト：ハッピーの父。マンションを購入するが、売主ネズキチ不動産が倒産したり、自宅の土地の一部が取得時効によりツネキチに取られそうになるなどトラブルが続く。

ハナ：ハッピーの祖母。賃貸マンション経営をしている。

ツネキチ：宅建業者**ツネキチ商事**を経営している。モンキーと組んでタヌキチの土地をだまし取ろうとする（詐欺）などちょっとずるいところがあるが、根は悪いやつではない。

ネズキチ：ネズキチ不動産を経営していたが倒産させてしまう。その後、故郷の青森県に帰り、再起を図る。しかし、ゴンに殴られる（不法行為）など不幸が続く。

チュー太：ネズキチの長男。未成年だが年齢を偽ってバイクを購入しようとする。

チュー坊：ネズキチの次男。努力家の中学生。宅建試験に合格し、父が潰したネズキチ不動産を再興しようとする。

◆**お客様**

**タヌキチ**：大地主タヌマ家の資産を管理している。

**タヌ爺**：タヌキチの父。タヌマ家の当主だが愛人騒動を起こす。

**タヌ婆**：タヌキチの母。成年被後見人だが、土地の売買をしようとする。

**タヌ三郎**：タヌキチの弟。父タヌ爺の土地を勝手に売却する無権代理事件を起こす。

**ペリ子**：自宅を購入するが抵当権が抹消できず、様々なトラブルに巻き込まれる。

**ライ太**、**キリ男**、**コア太郎**：土地を買ったり、建物を借りたり、ビルを建てようとしたり…。要は宅建業者のお客様たちです。

◆**その他登場人物**

**ムサシ**：クロネコ不動産を経営。宅建士。ハッピーにアドバイスをしてくれる。

**モンキー**：悪徳不動産業者モンキー不動産の社長。業務停止処分を無視して営業し、免許取り消しとなる。

**チッチ**：モンキー不動産の監査役だったが、悪人ではない。モンキー不動産の免許取り消し後、保証協会を活用して宅建業を開業する。

**ゴン**：ツネキチの友人。傷害罪で服役していた過去がある。

その他、**イヌマル社長**、**ポン子**などいろいろ出てきます。

# 本書に登場する キャラクター紹介

## 相関図